ROOKSIGNALEN

INEKE HOLTWIJK

Rooksignalen

Op zoek naar de laatste verborgen indianen in Brazilië

Uitgeverij Atlas
Amsterdam/Antwerpen

De auteur ontving voor het schrijven van dit boek een reisbeurs van het Fonds Bijzondere Journalistieke Projecten.

Eerste druk, september 2006
Tweede druk, november 2006

Omslagontwerp: Zeno
Omslagillustratie: Ineke Holtwijk
Foto auteur: Anja Kessler
Kaarten: Hester Schaap

ISBN-10: 90 450 0699 5
ISBN-13: 978 90 450 0699 4
D/2006/0108/605
NUR 508

www.inekeholtwijk.nl
www.uitgeverijatlas.nl

De eerste wet van de journalistiek is niets onwaars te zeggen en niets waars te verzwijgen.

   (vrij naar Cicero, *De oratore*)

Inhoud

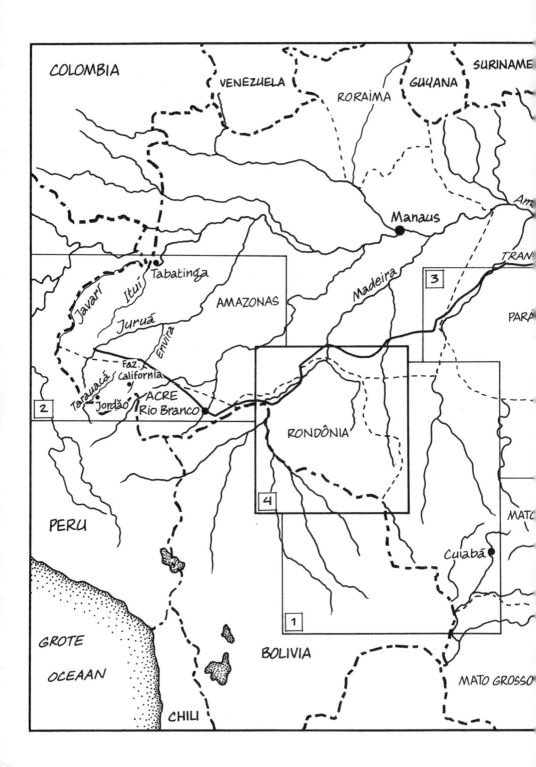

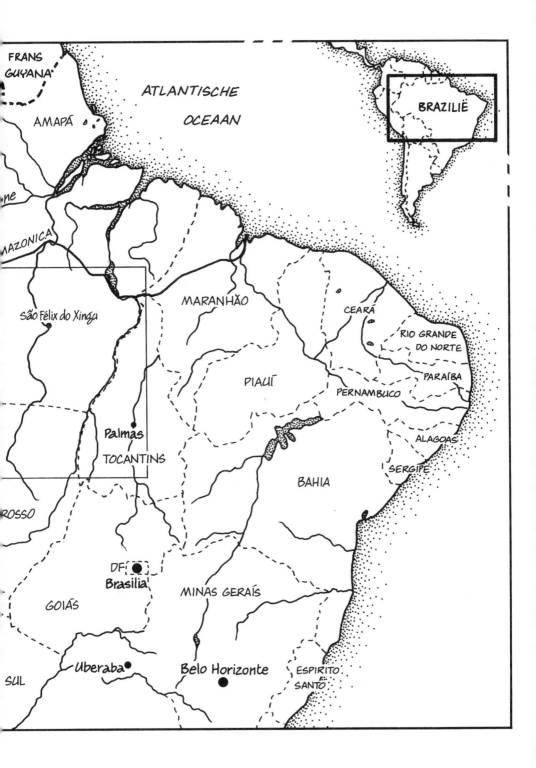

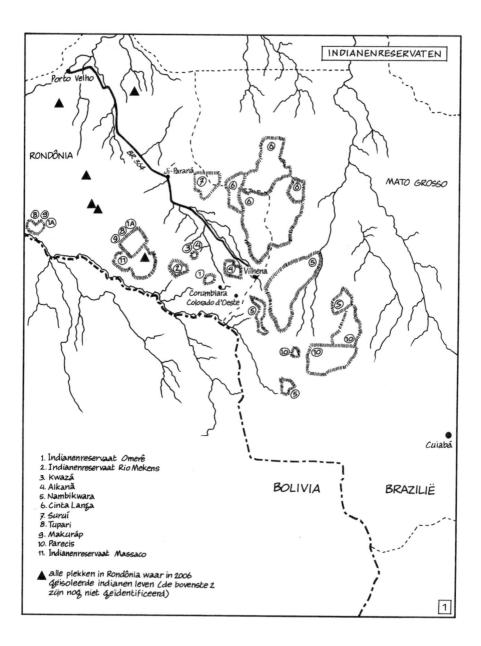

INDIANENRESERVATEN

Porto Velho

RONDÔNIA

BR 364

Ji-Paraná

MATO GROSSO

Vilhena

Corumbiara
Colorado d'Oeste

Cuiabá

BOLIVIA

BRAZILIË

1. Indianenreservaat Omerê
2. Indianenreservaat Rio Mekens
3. Kwazá
4. Aikanã
5. Nambikwara
6. Cinta Larga
7. Suruí
8. Tupari
9. Makuráp
10. Parecis
11. Indianenreservaat Massaco

▲ alle plekken in Rondônia waar in 2006
geïsoleerde indianen leven (de bovenste 2
zijn nog niet geïdentificeerd)

1

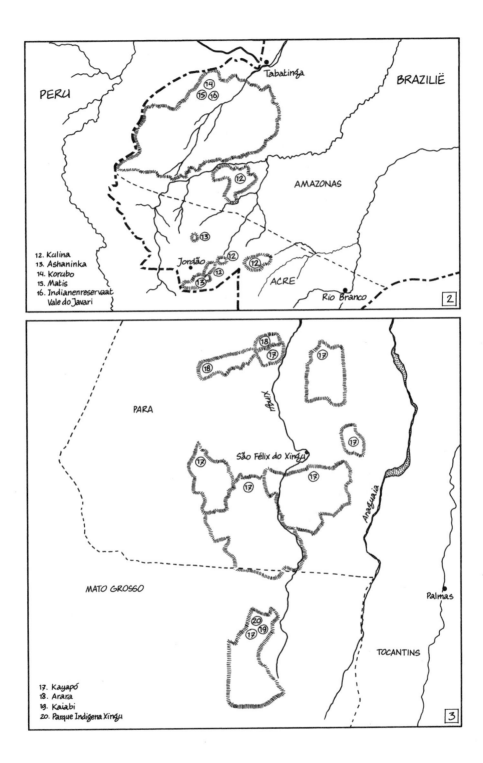

PERU

BRAZILIË

Tabatinga

⑭
⑮ ⑯

AMAZONAS

⑫

⑬

Jordão ⑫
⑫
⑬ ⑫

ACRE

Rio Branco

12. Kulina
13. Ashaninka
14. Korubo
15. Matis
16. Indianenreservaat
    Vale do Javari

2

⑱
⑰
⑰

⑱

PARA

Xingu

São Félix do Xingu
⑰
⑰
⑰

⑰

⑬

Araguaia

MATO GROSSO

Palmas

⑳
⑰ ⑲
⑰

TOCANTINS

17. Kayapó
18. Arara
19. Kaiabi
20. Parque Indígena Xingu

3

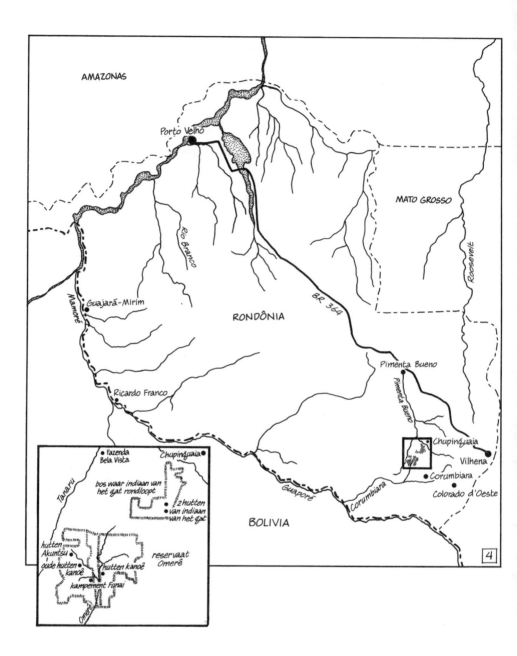

AMAZONAS

Porto Velho

MATO GROSSO

Roosevelt

Rio Branco

Mamoré

Guajará-Mirim

RONDÔNIA

BR 364

Pimenta Bueno

Ricardo Franco

Pimenta Bueno

Chupinguaia

Vilhena

Guaporé

Corumbiara

Corumbiara

Colorado d'Oeste

BOLIVIA

Fazenda
Bela Vista

Chupinguaia

Tanaru

bos waar indiaan van
het gat rondloopt

2 hutten
van indiaan
van het gat

hutten
Akuntsu

oude hutten
kanoê

hutten kanoê

reservaat
Omerê

kampement Funai

Omerê

4

1

Oerwoudgevoel

Het dagblad *O Estado de São Paulo* bracht het verhaal over de ontdekking van een onbekende indianenstam in het Amazonegebied medio 1995. Groot nieuws had de krant het blijkbaar niet gevonden, want het kwam pas op pagina 24. De foto bij de reportage toonde twee personen in een bos.

Ze waren op een korte broek na naakt en droegen schuin over hun bovenlichaam vele kettingen. Om hun onderbenen maar ook om hun armen hadden ze banden gesnoerd. Het meest opvallend was nog hun hoofddeksel, dat oogde als een schotel van gevlochten pitriet. In hun hand hadden de indianen pijlen en boog. Toch straalde van deze wapenuitrusting niets agressiefs uit. Ze droegen hun wapens zoals andere Brazilianen een plastic boodschappentas als ze uit de supermarkt komen.

Volgens de tekst betrof het een man en een vrouw, maar dat kon je uit de foto niet opmaken. De kettingen bedekten hun borst en geen van beiden had een uitgesproken mannelijk of vrouwelijk gezicht. De indianen staarden met een mengeling van gelatenheid en achterdocht in de richting van de camera.

Misschien kwam het door de combinatie van het hoofddeksel met hun fijne gelaatstrekken en smalle ogen, maar deze net ontdekte Braziliaanse indianen deden denken aan Chinese boeren. De tekst in de krant voedde het mysterie: 'Men weet nog niet tot welk volk dit paar hoort dat in een landbouwgebied in het zuiden van Rondônia is gevonden en evenmin hoeveel leden de stam telt.' Het ging volgens de verslaggever om semi-nomadische indianen. Semi-nomadisch omdat er een kleine zwerfakker was gevonden waar de indianen maniok, maïs en papaja verbouwden. Ze woonden in twee hutten van palm-bladen[1] daar vlakbij. De stoffen broeken die ze droegen, hadden ze volgens de krant vermoedelijk gevonden in verlaten kampen van hout-handelaren. Hoe oud de indianen waren was een raadsel. Als je afging op de foto konden ze evengoed twintig als vijftig jaar zijn. De kleinste van de twee was de vrouw, aldus het fotobijschrift. Ze had o-benen en haar voeten stonden vertederend scheef.

Om de lezers wegwijs te maken in de werkelijkheid 2500 kilometer verderop – voor de meesten net zo onbekend en exotisch als een ver buitenland – waren twee kaarten bij het artikel gevoegd. Op de kaart van Brazilië was de deelstaat Rondônia ingetekend, in het zuiden van het Amazonegebied. Op de tweede, in het zuiden van Rondônia, het bos waar de indianen ontdekt waren. Het lag vlak bij de grens met Bolivia. Deskundigen hadden op basis van sporen en voorwerpen geconcludeerd dat daar meer onbekende indianen moesten rondlopen.

Het bericht was mij ontgaan. Maar een kennis uit Rondônia zette mij maanden later op het spoor van de net ontdekte indianen. Hij werkte als vertegenwoordiger van een internationaal ingenieursbureau in de regionale hoofdstad Porto Velho, waar zijn vrouw een goedlopende boekhandel had. Het echtpaar kende alles en iedereen in de milieuwereld en mijn tipgever had als ik hem vanuit mijn woonplaats Rio de Janeiro belde altijd vermakelijke roddels over rubbertappers die buitenlandse geldschieters uitkleedden, politici die op hun eigen landerijen stiekem bomen omhakten en andere slechteriken die hij als het even kon pootje haakte in de vele bestuurlijke commissies waarin hij zat.

'Ik wil een reis maken naar de Amazone. Heb je een leuk idee voor een verhaal achter de hand?' vroeg ik.

De lijn kraakte en echode alsof ik naar de andere kant van de wereld belde. In Porto Velho was het twee of misschien wel drie uur vroeger, bedacht ik me.

'Ga eens op bezoek bij mijn vriend Marcelo,' zei mijn tipgever.

'Wat doet Marcelo?'

De lijn viel weg, wat vaker gebeurde en net zo goed aan de gemankeerde lijnen in Rio de Janeiro kon liggen als aan de satellietverbinding. Ik belde opnieuw.

'Wacht even, ik heb net een koud biertje gepakt.' Ik hoorde de doffe knal van een blikje dat werd opengetrokken. 'Het is hier veertig graden in de schaduw.'

'Je zou vertellen over Marcelo.'

'Marcelo werkt met indianen.' Hij zweeg even om een teug te nemen. 'Marcelo wordt op zijn huid gezeten door grootgrondbezitters. Ze lusten hem rauw, want hij heeft op hun land indianen ontdekt van wie niemand wist dat ze bestonden. De grootgrondbezitters lopen nu de kans dat ze onteigend worden. Ze zijn door het dolle heen.'

'Indianen? Op landerijen van grootgrondbezitters?' Ik had me indianen voorgesteld midden in het oerwoud, op dagen varen van de bewoonde wereld. Maar een onbekende indianenstam te midden van akkers en wegen?

'Hoe kan het dat niemand de indianen ooit gezien heeft?' vroeg ik.

Mijn kennis negeerde de vraag. Hij stoomde verder op de golven van zijn hoorbaar stijgende verontwaardiging.

'Het is een krankzinnige situatie. Die indianen zitten in een bos dat iedere maand kleiner wordt. Ze kunnen geen kant uit. Alles eromheen is afgebrand en omgehakt. En de boeren blijven maar afbranden.' Hij nam een snelle slok, maar gaf me niet de tijd om te reageren.

'Daar moet je over schrijven. Dát is Brazilië. Maar wie heeft daar weet van? Niemand komt hier ooit kijken.'

Het laatste klonk moedeloos. Misschien was hij uitgeput door de hitte of had hij genoeg van Porto Velho.

Ik was nog nooit in Rondônia geweest. Het was een relatief jonge deelstaat², weliswaar zo groot als Groot-Brittannië, maar naar Braziliaanse maatstaven klein, dunbevolkt en dus onbelangrijk. In de rest van Brazilië werd met nauwelijks verhulde afkeer over Rondônia gesproken. Dat was het wilde Westen waar God noch gebod gold. Dat had alles te maken met Rondônia's afgelegen ligging en staat van dienst als wingewest.

De vondst van goud trok in de achttiende en negentiende eeuw veel gelukzoekers aan. Daarna werd het gebied vergeten tot de rubberhausse rond 1900 voor een toestroom van gewiekste zakenlieden en werkzoekende arme sloebers zorgde. Toen de rubberprijs dramatisch daalde, gingen de doorzetters over op houtexport. Rond 1950 werd er in Rondônia tin in de bodem aangetroffen, een vondst die opnieuw voor een bevolkingsexplosie zorgde. In de jaren zeventig en tachtig ten slotte kwamen de kolonisten, veeboeren en grondspeculanten. Dat was de invasie die het duidelijkste stempel op de deelstaat drukte.

De militaire regering van toen moedigde deze invasie aan. Men vond de deelstaat leeg en onproductief. Bovendien was de grens, 1700 kilometer rivier, moeilijk te bewaken. Eeuwenlang is in Brazilië 'bevolken' het beleid geweest als het om strategisch belangrijke gebieden gaat en in Rondônia was dat al niet anders. *Integrar para não entregar* (integreren opdat we het niet kwijtraken) werd het motto van de nationalistische militairen voor de 'mars naar het westen'.

Jaren eerder was de ontginning langs de Transamazônica, de weg van de kust dwars door het Amazonegebied westwaarts, mislukt. Een van de redenen was dat de doelgroep van berooide noordoosterlingen niet toegerust was voor de landbouw. Daarom richtten de militairen zich voor Rondônia op boeren met geld of landarbeiders met ervaring uit Zuid-Brazilië. Met advertenties in plaatselijke kranten en op de radio werden zij opgeroepen naar het nieuwe beloofde land te komen. Praktisch half Rondônia werd te koop gezet of, als het kleine kavels betrof, weggegeven. In het zuiden van Brazilië hadden kleine boeren[3] het steeds moeilijker omdat de regering de grootschalige en gemechaniseerde landbouw voor de export, zoals soja en andere granen, stimuleerde. Veel boerenfamilies besloten dan ook hun landerijen van tientallen hectaren daar te verkopen om er een van honderden hectaren in Rondônia terug te kopen.

In het kolonisatieplan van de regering waren de kleine kavels in *assentamentos* – nederzettingen met voorzieningen – georganiseerd. De stukken grond eromheen waren bestemd voor de veeteelt en zouden aan middelgrote boeren worden verkocht. Geld voor een fijnmazig wegennet had de regering niet, maar het idee was dat de veeboeren die meer geld hadden zelf wegen en elektriciteit zouden aanleggen en dat de nederzettingen daarvan konden meeprofiteren.

De kolonisatie werd een fiasco. Nergens in het Amazonegebied ging de vernieling van het bos zo snel. De eerste ontginners werden aangevoerd in laadbakken van vrachtwagens van firma's die een contract hadden afgesloten met de overheid om kolonisatieplannen uit te voeren. Behalve een kavel bleek er niets voor hen te zijn georganiseerd.

Tropische landbouw is iets heel anders dan akkerbouw in het koudere zuiden, ontdekten ze. Maar ze kregen geen hulp en raakten hun gewassen niet kwijt; de grond bleek vaak arm; sommigen werden aangevallen door indianen en velen liepen malaria op. Om aan voedsel te komen, moesten ze jagen. Velen gaven het snel op.

De pioniers die doorgingen trokken na een paar jaar rijst, maniok en maïs te hebben geteeld, dieper het bos in om een nieuw stuk grond te ontginnen. Daarmee zetten zij een vicieuze cirkel van vernieling in gang[4] omdat de grond daarna vaak ingepikt werd door speculanten.

Speculanten en veeboeren eigenden zich in deze chaotische tijd enorme stukken grond toe en verkochten de opstand aan bomen op hun terrein aan houthandels als ze al niet zelf een zagerij hadden. De kaalslag voltrok zich in noodtempo: gebieden van honderd vierkante kilometer werden in een kwestie van weken ontbost.[5] Wat restte aan bomen werd platgebrand. In het droge seizoen moest de luchthaven van Porto Velho soms dagen worden gesloten omdat de dikke rook van de branden het zicht belemmerde. Behalve met de houtverkoop maakten de veeboeren en speculanten ook winst dankzij subsidies en belastingkortingen. Koeien hoefden ze daarvoor niet te houden.

Wat ik van de regionale politiek wist, bevestigde het beeld dat Rondônia een wild Westen was. Een politieke klasse die de bestuurlijke banen moest opvullen was er in de jonge deelstaat niet. Veel van de instantpolitici hadden zich omhooggewerkt op de maatschappelijke ladder dankzij cocaïnegeld. De kranten uit São Paulo en Rio de Janeiro schreven dan ook cynisch over de *bancada de pô* (de parlementsbank van het poeder) als het over de gedeputeerden uit Rondônia ging. Bij de gouverneursverkiezingen begin jaren negentig was de belangrijkste kandidaat met een mitrailleur naar de andere wereld geholpen. De moord – onopgelost zoals de meeste daar – had naar verluidt met drugs te maken.

Rondônia was namelijk de belangrijkste doorvoerroute voor de cocaïne uit Bolivia. Ik had net een reportage gelezen over een agent van de federale politie die belast was met de jacht op drugssmokkelaars langs de grensrivier. Met voorhistorisch wapentuig en een tien jaar oud dienstautootje probeerde hij drugsbendes die over mitrailleurs, nachtkijkers en speedboten beschikten de pas af te snijden. Geld voor benzine had hij vaak niet omdat de overboekingen uit de hoofdstad

Brasília stokten. Het was duidelijk: naleving van de wet afdwingen was titanenwerk in Rondônia.

Ik kreeg steeds meer zin in de reis. Cowboys, cocaïneboeren, rokende bossen en mysterieuze nomaden? Het klonk alsof er in deze hoek van de Amazone een goed verhaal te halen viel. Daar was bij de krant waarvoor ik werkte vast belangstelling voor.

De volgende dag belde ik Marcelo. Marcelo woonde in Vilhena (spreek uit: Vieljenna). Ik had er nog nooit van gehoord. Op de kaart vond ik Vilhena als een stipje op een BR, het Braziliaanse equivalent van een rijksweg. Het lag ongeveer 700 kilometer ten zuiden van Porto Velho en op de kaart kon ik duidelijk zien dat de BR364[6] de enige weg van belang was in de uitgestrekte deelstaat. Om mijn voorstudie compleet te maken had ik in het handboek van het Braziliaanse Bureau voor Statistiek Vilhena opgeslagen, en dat stemde tot enige nederigheid. Vilhena, in het Braziliaanse universum drie keer niks, bleek zo groot als de provincies Brabant en Limburg bij elkaar. Toch woonden er niet meer mensen dan in Oss.

Marcelo had een vaag, zangerig accent met hoge uithalen, dat bij mij onmiddellijk de lome traagheid van het leven in de Amazone opriep. Hij moest dezer dagen papierwerk afhandelen bij het Openbaar Ministerie in Porto Velho, zei hij, maar daarna kon hij mij in Vilhena ontvangen.

Als ik naar de indianen van de foto wilde, moest het staatsbureau voor indianenzaken Funai (de Fundação Nacional do Índio – Nationale Stichting voor Indianen – naar de initialen in het Portugees) toestemming geven. 'Anders krijg ik gedonder. Niemand mag het gebied meer in. Het is vanwege de indianen nu door de rechter verboden voor onbevoegden verklaard.'

En was ik gezond?

'Gezond?'

'Ja, als je verkouden bent, kan ik je ook niet meenemen. Een griepje, en voor je het weet zijn alle indianen dood.'

Drie weken lang onderhield ik een intensieve telefonische relatie met de Funai – tevens Marcelo's werkgever – in de hoofdstad Brasília. Slechts enkele uren voor mijn geplande vertrek kwam uiteindelijk per fax de toestemming. Het was een officiële brief die door de hoogste baas was getekend. Er stond in dat ik uitsluitend op de door mij opgegeven dagen in het gebied mocht vertoeven, onder voorwaarde dat alles wat ik zou schrijven over de indianen naar het staatsbureau zou worden gezonden.

Ik hoefde geen kralen en vishaken te kopen. De toestemmingsbrief ging tenminste niet vergezeld van een boodschappenlijst. Dat was jaren geleden wel het geval geweest, toen ik een keer de Yanomami-indianen in Noord-Brazilië had willen bezoeken voor een reportage. Maar Marcelo had in ons tweede telefoongesprek laten weten dat een bijdrage voor de benzine op prijs gesteld zou worden. Een verzoek dat ik onmiddellijk beloofd had in te willigen, de moedige politieagent die met lege tank de drugsbendes moest tegenhouden indachtig.

Er bestaat zoiets als een oerwoudgevoel. Het is een mix van ver weg zijn, kleffe lucht en tijd en zekerheden die niet meer tellen. Cuiabá, een *boom town* aan de rand van de savannen die de geleidelijke overgang naar de Amazone markeert, is voor mij slechts een overstapplaats. Maar als ik in Cuiabá de vliegtuigtrap afdaal, komt het oerwoudgevoel reeds op. De lucht plakt als een klamme lap op mijn huid en alles ruikt naar vocht en schimmel. Het is drie uur vliegen vanuit mijn woonplaats Rio de Janeiro maar het lijkt een ander land. Het is er nog heter en de aarde is fel oranje. Naast de startbaan staat een rij kleine, stoffige vliegtuigjes, door de politie in beslag genomen omdat ze cocaïne hebben vervoerd. In de aankomstruimte lopen mannen met witte cowboyhoeden en een indiaanse vrouw met een kind op haar rug. De balies zijn van vliegmaatschappijtjes waarvan niemand buiten de Amazone heeft gehoord.

Met vijftien andere passagiers, meest mannen, hijs ik me door een smalle deuropening in een tweemotorig toestelletje voor een lijnvlucht naar Vilhena. Dij aan dij zitten we in nauwe stoelen. Twee piloten rommelen aan knoppen en schuifjes van het dashboard. Vlak voor we vertrekken draait de copiloot zich om, mompelt iets over veiligheidsvoorschriften en sluit zijn corvee af met een trits namen van plaatsen waar onze vliegende bus zal landen. Als na een kwartier vliegen een passagier klaagt over de warmte, klapt hij een raampje open. De *onboard service* bestaat uit een bekertje bronwater afgesloten met een velletje cellofaan. De copiloot haalt de bekertjes uit een doos onder zijn stoel en de passagiers geven de consumptie behulpzaam door naar achteren, hetgeen gezien de beperkte manoeuvreerruimte een hele opgaaf is.

Mijn buurman ter linkerzijde blijkt te werken voor een verpakkingsbedrijf. Hij gaat een net geïnstalleerde vacuümzuiger voor worsten in Vilhena controleren en is van plan dezelfde avond per vliegtuig terug te keren. Mijn andere buurman werkt voor 's lands belangrijkste mijnbouwonderneming en heeft een maand veldonderzoek voor de boeg. Vermoedelijk uit concurrentieoverwegingen is hij spaarzaam met gegevens over wat hij waar hoopt te vinden. Maar hij heeft spannende verhalen over gouddelvers die je overal in zwermen aantreft.

Onze schuddende beschuitbus is niets vergeleken bij wat rondvliegt in de deelstaat Roraima, vlak bij de grens met Venezuela, verzekert hij. Daar wordt diep in het oerwoud stofgoud gewonnen in rivierbeddingen. Gouddelvers moeten daar alles, van voedsel tot benzine, per vliegtuigje aanvoeren. Landen gaat nog, scherend over de boomkruinen, maar starten is een probleem, zegt de ingenieur. 'Je kunt geen vaart maken, want er is nauwelijks een startbaan.' De procedure voor starten in dicht bos is het toestel met touwen vastbinden aan de bomen. Vervolgens zet je de motoren aan. Als ze op topvermogen draaien, geeft de piloot het sein dat de touwen losgesneden kunnen worden. 'Zo maak je van een vliegtuig een helikopter,' grapt mijn reisgenoot. In heel penibele oorden landt het vliegtuig niet, maar worden de voorraden gedropt.

Eenmaal was een gouddelver mee naar beneden gekomen. De ingenieur: 'Niemand had die arme kerel verteld dat hij zich had moeten vastbinden als hij pakketten door het open ruim naar beneden duwde.'

Ik kijk over zijn buik heen door het raampje. We passeren woeste vlaktes met bergen, grote stukken bos, maar ook eindeloze, lege akkers die klaarliggen voor de soja. Ik zie geen teken van menselijk leven. Ook niet op de slingerende oranje streep die de weg moet zijn.

Wat het eerst opvalt als ik in Vilhena uit het vliegtuigje klim, is de stilte. Het landschap is wijd en leeg, en het is er doodstil. Zelfs vogels ontbreken. Terwijl hier dertig jaar geleden toch een compleet oerwoud stond met bomen van dertig meter hoog.

Vanaf de landingsbaan zie ik slechts akkers, weilanden en reclameborden. Verder een witte bal op poten die een waterreservoir blijkt, een telefooncel en warempel ook een taxi. Hij staat geparkeerd voor de uitgang van de hangar die dienstdoet als terminal.

Er is geen vermoeiende concurrentiestrijd over wie de taxi krijgt, want de hangar is net zo leeg als het landschap. Al mijn medepassagiers zijn in een oogwenk verdwenen; ik ben de enige die niet wordt afgehaald.

Als ik voor in de taxi plaatsneem, zak ik onmiddellijk in een diep gat. De stoel heeft geen vering meer. Het portier blijkt alleen van buitenaf te sluiten en het zicht is beperkt vanwege een breuk die als een enorme ijsbloem de helft van de voorruit beslaat. 'Je kunt hier beter in een brik rijden,' verontschuldigt de vrouwelijke taxichauffeur zich. 'Da's minder gevaarlijk.'

Terwijl we door het grasland sukkelen, vertelt ze monter over gewapende overvallen en dode collega's. 'Vijftienhonderd zijn er dit jaar al vermoord.'

'Dat lijkt me erg veel. Het is tenminste vele malen meer dan in Rio de Janeiro,' zeg ik.

Dat is een relativering die bij de chauffeur niet aanslaat. Onverbiddelijk gaat ze verder met haar exposé over de plaatselijke misdaadscene. 'Alle auto's gaan de grens over, naar Bolivia. Daar worden ze geruild tegen cocaïne.'

De eerste huizen verschijnen in beeld. Het zijn eerder hutten, van hout.

In mijn tas zoek ik naar het adres van het door Marcelo opgegeven hotel, maar de chauffeur spreekt me streng toe.

'Ik doe niet aan straatnamen. Daar is geen beginnen aan. Ze veranderen iedere vier jaar.'

'Iedere vier jaar?'

'Politici, *querida* – liefje. Iedere burgemeester wil zijn eigen vriendjes vernoemen. Politici, daar gaat dit land aan ten onder. Hoe heet je hotel?'

Hotel Santa Rosa is een groot, fris roze geschilderd blok, dat uitkijkt op alweer een leeg veld. Zelfs een blinde had het kunnen vinden. Vilhena is gebouwd volgens de logica van veel dorpen aan een doorgaande weg in Braziliës eindeloze achterland. Eerst is er het bermbombardement: met borden langs de BR proberen de hotels elkaar af te troeven met airconditioning op de kamers, een – meestal piepklein – zwembadje en andere pluspunten. Vervolgens rijd je naar het busstation en daar staan ze alle als identieke blokken op een kluitje bij elkaar.

Hotel Santa Rosa is als een vakantiehuisje van Center Parcs: crèmekleurige vloertegels waar iedere dag een emmer sop over gaat, een koekoeksklok en een te fel ingekleurd landschapje aan de wand. Een indiaans uitziende jongen stapt achter de balie vandaan en serveert me bij wijze van welkomstdrank een plastic vingerhoedje met zoetige kruidenthee. Dan draagt hij mijn koffertje naar de eerste en enige verdieping.

Ik installeer me in een smalle, kale kamer met uitzicht op een parkeerplaats en het busstation. In de douche verjaag ik een kakkerlak zo groot als een duim. Op het bed ligt de illusie van dienstbaarheid: een vliegtuigzeepje en een gedrapeerd handdoekje zo groot als een servet. Als ik extra kussens uit de kast pak, stuit ik op een pornoblaadje. Het is een opmerkelijke uitgave. In contactadvertenties met foto's prijzen mannen hun penissen aan met een meetlat; vrouwen kiezen voor acrobatische posities waarin hun achterwerk op z'n breedst lijkt. De telefoonnummers en postbussen zijn alle in de buurt. Ik realiseer me dat ik de blanke stam in de provincie met zijn eigenaardigheden net zomin ken als de semi-nomadische indianen van Marcelo.

Marcelo zal zich binnen 48 uur melden, heeft hij mij per telefoon gezegd. En ik moest oppassen voor *dona* (mevrouw) Ursula, de eigenaresse van Hotel Santa Rosa. 'Het is beter als ze niet weet dat je op mij wacht en wat het doel is van je reis. Ze is bevriend met alle grootgrondbezitters.'

De eigenaresse blijkt een redderige bejaarde die worstelt met haar gewicht. Haar blauwe ogen en het rossige haar verraden Duitse voorvaderen. Zoals vele migranten in Vilhena komt ook dona Ursula uit Zuid-Brazilië, kweekgrond van een bijzonder slag Brazilianen. De Sulistas, of Zuid-Brazilianen, zijn ambitieuze doorzetters, sceptisch van nature behalve over de eigen soort. Ze zijn naar Rondônia gekomen om het te maken. Ze hebben de 'alles of niets'-mentaliteit van landverhuizers die alle schepen achter zich hebben verbrand, ook al zijn de meesten tweede- of zelfs derde-generatie-immigranten.

Dona Ursula blijkt niet onbemiddeld. Ze bezit behalve Santa Rosa nog een hotel in Vilhena en heeft een landerij met vee in de buurt, hoor ik van de receptionist. Ze heeft in ieder geval genoeg fortuin om te reizen. Aan de muur in de ontbijtkamer hangen sierbordjes uit toeristenwinkels: Wenen, Parijs, Londen, Jeruzalem, de Niagara Falls, Lourdes en nog wat populaire bestemmingen. Dona Ursula ziet er bij het ontbijt persoonlijk op toe dat haar gasten genoeg te eten hebben, vult de koffiekan bij en hijst zich vervolgens in haar veel te glimmende zeegroene nepsatijnen jurk achter het stuur van haar pick-up om zakken cement voor een verbouwing te halen. Vooral het slepen met zakken cement neemt mij in voor dona Ursula.

Ze blijkt in het geheel niet geïnteresseerd in mijn reisbestemming. Het geweld in Rio de Janeiro – Brazilianen uit andere deelstaten zijn net als buitenlanders geïntimideerd door de verhalen over Rio – en de bollenvelden in Nederland hebben haar belangstelling. En mijn huwelijkse status. Aha, ik ben ongehuwd? Dan heeft ze een man voor me in de aanbieding. Hij woont in Rio en komt veel in Santa Rosa, want hij werkt voor de belastingen in Vilhena. 'Ik weet zeker dan je hem leuk vindt,' zegt ze met een vertrouwelijke knipoog.

Overdag wandel ik door Vilhena. Het heet een stad te zijn, maar het is qua sfeer een dorp, in tweeën gehakt door de BR waarover bussen en vrachtwagens denderen. Langs de BR loopt een reepje moderniteit bestaand uit een nieuwe bierbrouwerij, het pand van de lokale tv, een voetbalveld met een tribune en lichtmasten, en autodealers met glazen puien. Maar de straten daarachter worden al snel zandpaden en de huizen zijn hier van ongeverfd hout. En als je een taxi belt, meldt zich een motorrijder met bagagedrager en extra helm, de zogeheten *mototaxi*.

Het leven concentreert zich rond de benzinepomp en het busstation. Mannen met cowboyhoeden en gouden tanden prikken daar aan klaptafeltjes vlees met vetranden weg. Ieder uur rollen dubbeldeks bussen binnen waaruit geplette passagiers klimmen voor de plasstop. Vilhena is tien minuten op de continentale routes die deze mammoettankers op wielen afleggen.

In het dorp merk je niets van indianen. Vilhena had net zo goed in Zuid-Brazilië kunnen liggen. Op straat zie ik vrijwel alleen blanken en overal klinkt de rollende r waaraan Sulistas te herkennen zijn. Het horeca-aanbod is met *churrascarias* (vleesrestaurants) en biertenten ook op hen afgestemd.

Rond 1960 bestond Vilhena nog uit een handvol hutten van planken en golfplaat met daken van palmbladen. Er woonde een handjevol gezinnen. Kuddes wilde varkens renden regelmatig door de enige straat die het gehucht rijk was. Bewoners holden er dan met knuppels achteraan, want het kwam niet alle dagen voor dat het vlees zich zo aanbood. De voorraden moesten uit Cuiabá komen, de dichtstbijzijnde grote stad. Tot 1960 was dat een tocht die weken en in de regentijd soms maanden in beslag nam. Men reed met ezels- en ossenwagens over een opengekapt spoor door dichte bossen en velden, waarbij de grote angst was doodgeschoten te worden door vijandige indianen. In 1960 werd met bulldozers de BR aangelegd. Aanvankelijk was het een onverharde zandweg die in regentijd nauwelijks begaanbaar was, maar het was een enorme vooruitgang. De stofweg kortte de reis in tot twee weken, en omdat men nu met auto's kon rijden en meer snelheid maken, was de kans op een aanval door indianen veel minder groot.

Omdat ontsluiting van het Amazonegebied beschouwd werd als een belangrijke bijdrage tot 's lands veiligheid en toekomst, hadden militairen meegeholpen bij de aanleg van de BR. Ze waren begonnen met een betonnen landingsbaan, zodat wegarbeiders, bulldozers en voedsel ingevlogen konden worden. Nog jaren bleef de luchtmacht de enige autoriteit in het dorp. Deze deed alles: de luchtmacht verkocht brandstof, vervoerde zieken, sprak recht en bouwde de eerste (houten) huizen.

Deze wijsheden doe ik op uit *Vilhena vertelt zijn geschiedenis*, een eenvoudig naslagwerkje dat ik op de kop tik in een winkeltje in de hoofdstraat dat als enige in Vilhena enkele boeken – uitsluitend school- en kookboeken – verkoopt. De auteur is een zekere Pedro Brasil, volgens het omslag een kleine zelfstandige 'op het gebied van luifels en autowassen' en 'sinds zijn dertiende autodidact historicus'. De ondernemende amateurhistoricus is, zoals de meesten, pas in 1990 in Vilhena komen wonen, toen het dorp in niets meer leek op het gehucht van toen.

Ook bij de hobbyende vademecumschrijver zijn indianen opmerkelijk absent. In de driehonderd pagina's die Pedro Brasil over Vilhena vol wist te krijgen, komt alles aan de orde, van het jaarlijkse Bal der Chauffeurs tot de veertig kerkgemeenschappen. Maar aan de oorspronkelijke bewoners wijdt hij geen woord.

Uit andere literatuur weet ik dat er in de jaren veertig naar schatting rond de 30 000 indianen van verschillende stammen in het gebied leefden. Ze hingen rond bij de BR, maar tot eind jaren zeventig was het doodnormaal in Vilhena bijna naakte indianen op straat tegen te komen. Ze kwamen vaak nieuwsgierig kijken en boden soms spullen als tabak en hangmatten te ruil aan. Ik besluit mijn licht over de oorspronkelijke bewoners op te steken bij het plaatselijke kantoor van de Funai dat aan een onverharde weg net buiten het centrum ligt.

Ik ga diverse malen langs, maar telkens zijn deur en luiken van het houten pand dicht. Omdat het politiebureau een straat verderop ligt, besluit ik daar een beleefdheidsbezoekje af te leggen. Niemand heeft er tijd voor een correspondent van ver want er is net een vangst cocaine gedaan. Nou ja, een vangstje. Het witte poeder zit in stijf dichtgeknoopte plastic zakjes zo groot als een duim die achteloos op de ontvangstbalie liggen.

Drugs en drugsvangsten zijn goed voor heel wat centimeters tekst in de drie regionale kranten. Bij gebrek aan andere boeiende bezigheden spel ik de kranten iedere dag. Veel berichten in het *Folha do Sul* (Blad van het Zuiden), *Folha de Rondônia* (Blad van Rondônia) of het *Diario da Amazônia* (Dagblad van Amazonië) sterken mijn indruk dat de wet van het oerwoud inhoudt dat God en de politie slechts parttime werken, dat bezit een hoge omloopsnelheid heeft en dat een boswandeling zonder lucifers een hachelijk avontuur is.

Met de helikopter heeft de politie een man gered die in het oerwoud door een slang in zijn been was gebeten. Het eerste probleem was het slachtoffer vinden in dicht bos. Gelukkig had deze rooksignalen gezonden toen hij de helikopter had gehoord. De agenten konden daar niet landen. Twee van hen lieten zich via een koord naar beneden zakken om enkele bomen te kappen. De redding verliep vervolgens volgens plan. Hieruit blijkt de noodzaak van hulpverlening via de lucht in onze deelstaat. Dankzij het werk van een zeer professioneel team is een leven gered.
– Diario da Amazônia

De militaire politie heeft gistermiddag twee mannen aangehouden in verband met de diefstal van 37 koeien. Volgens het politierapport had de diefstal woensdag bij het ochtendgloren plaats, op de landerij van Carimério Peixote, op de demarcatielijn 05, vlak bij de gemeente Cerrado. De dieven hadden een vrachtwagen gebruikt om het vee te vervoeren naar een andere boerderij op de demarcatielijn 02. Ze zeiden tegen de eigenaar van deze boerderij dat ze de dieren na twee of drie dagen zouden komen ophalen.
   – Diario da Amazônia

Twee juweliers zijn donderdag dood en verbrand aangetroffen langs de BR364, ongeveer 70 kilometer van Vilhena. De twee mannen werden sinds vrijdag vermist. Toen werd hun auto uitgebrand aangetroffen tussen de steden Pimenta Bueno en Vilhena. De juweliers hadden voor circa 600 000 real aan juwelen en 200 000 real aan baar geld' bij zich gehad. De politie kwam op het spoor van de lijken door een grote groep aasgieren vlak bij een verlaten benzinepomp. De aasgieren hadden de lichamen dusdanig toegetakeld dat de lijkschouwers alleen ter plekke onderzoek konden doen.
   – Folha do Sul

's Avonds zit ik geheel in overeenstemming met de lokale mores in een van de schommelstoelen op de stoep voor het hotel. Het is bij het busstation een komen en gaan van dubbeldekkers. ''s Nachts slijten de banden niet zo snel. Dan is het asfalt afgekoeld,' legt dona Ursula uit.

Daarna kijk ik in mijn monnikencel naar het tv-journaal. TV Vilhena brengt het lokale nieuws. In ieder bulletin klagen buspassagiers over vertragingen van tien uur of meer. Is dat wat leeft in Vilhena?

'Ach, kind, welnee,' blaast dona Ursula. 'Dat is allemaal politiek gekonkel.'

De stinkend rijke eigenaar van de busmaatschappij heeft politieke ambities maar de eigenaar van TV Vilhena ook. TV Vilhena wordt met het oog op de toekomstige verkiezingsstrijd gebruikt om de concurrent af te branden. De busman slaat op zijn beurt terug via zijn eigen krant, *Diario da Amazônia*. De concurrent *Folha de Vilhena* hoort weer tot het conglomeraat van de tv-baas. De busmagnaat is buurman van het hotel en geniet mogelijk daarom enig krediet bij dona Ursula. Maar haar eindoordeel staat geen nuances toe.

'Die kerels denken uiteindelijk alleen maar aan hun eigen portemonnee.'

Na twee dagen wachten stopt er een met rode aarde besmeurde Toyota-jeep voor het hotel. Er stapt een man met een grijzende baard uit. Op zijn rubberen teenslippers en met een geweven touwtas en slobberend T-shirt oogt hij als een belegen hippie. Marcelo is gearriveerd.

2

'Hier de post Omerê'

Er is geen sprake van dat wij spoorslags afreizen naar de net ontdekte indianen. Marcelo heeft eerst zaken te regelen in Vilhena. De Toyota moet naar de garage, want hij lekt benzine. Bij de politie wil hij kijken hoe het zit met zijn aangifte wegens bedreiging. Hij krijgt rare telefoontjes thuis waarin zijn dood wordt aangekondigd. Ze komen van de grootgrondbezitters, denkt Marcelo. 'Die veeboeren zetten me de hele tijd de voet dwars. Maar als je op hun ritme danst, kun je beter meteen inpakken.' Hij kijkt erbij alsof hij hen allemaal rauw lust. Ik moet meteen aan dona Ursula denken, die land heeft, en besluit schijnheilig mijn sympathie voor de hoteleigenaresse voorlopig onvermeld te laten.

Marcelo is een getergde duvelstoejager. Hij moet achter geld aan, kondigt hij aan. De Funai heeft al weken de dagvergoedingen van zijn mensen in het veld niet uitbetaald. 'Het is altijd hetzelfde liedje. Ze hebben in Brasília geen idee van onze problemen. Hoe vaak ik de benzine wel niet uit eigen zak betaal.'

We moeten ook boodschappen doen, want er moet eten komen voor de post. En wil ik hem eraan herinneren dat we onderweg moeten stoppen bij het Casa do Índio, de eerstehulppost voor indianen, voor de regio Vilhena? 'We moeten medicijnen ophalen.' En hij moet zijn gezin nog even bellen. Vrouw en kinderen zitten in São Paulo. 'Weken niet gesproken.'

Ik knik en in stilte verwens ik mezelf en mijn vlucht uit Vilhena die vastligt. Ik ben verrast door zoveel hindernissen tussen mij en het doel van mijn reportagereis, en betreur mijn argeloosheid. Hoe had ik kunnen denken dat een expeditie in de rimboe zich laat plannen als niets in Brazilië gaat zoals je je het van tevoren had bedacht of afgesproken?

'We moeten niet vergeten onderweg kippen te kopen,' zegt Marcelo. 'De indianen krijgen te weinig eiwitten binnen.'

'Moet je niet naar het Funai-kantoor?' vraag ik. Daar ben ik nog steeds niet binnen geweest.

'Bij de Funai kom ik bij voorkeur zo min mogelijk. Alleen om faxen te sturen en radiocontact te maken. Het is een corrupte bende.'

Marcelo dos Santos is *sertanista*. Dat is een beroep dat uitsluitend in Brazilië voorkomt en waarvoor geen vertaling bestaat. De sertanista is een kruising van een woudloper, een ontdekkingsreiziger, een bureaucraat, een etnograaf en een mensenrechtenactivist.

Het woord komt van *sertão*, de naam die de Portugese kolonisten gaven aan het eindeloze, woeste achterland van hun nieuwe kolonie. In die tijd refereerde het woord aan de gewapende pioniers die in karavanen het binnenland in trokken. De sertanistas van toen waren kenners van de sertão; ze haalden er kruiden, tabak en huiden vandaan. Vaak probeerden ze indianen mee te lokken om hen elders als slaven te kunnen verkopen.

De moderne sertanista speurt naar nog onbekende indianenstammen die afgezonderd in het oerwoud leven. *Índios bravos*, zoals ze in de dorpen in het Amazonegebied maar ook door andere verwesterde indianen worden genoemd. *Bravo* betekent 'wild' maar ook 'boos' of 'kwaadaardig', want zo zien de meeste buurtbewoners deze indianen.

Volgens antropologen is Brazilië het land met de grootste inheemse bevolking ter wereld waar nog nooit contact mee is geweest. Nieuw-Guinea is op geruime afstand nummer twee. Sinds de jaren zeventig heeft de Funai meer dan vijftig plaatsen in kaart gebracht waar onbekende nomaden leven of kortgeleden langsgekomen zijn.[1] Soms wordt het bestaan van de nog geïsoleerd levende indianen nagetrokken met een expeditie maar de meeste plekken zijn geïdentificeerd vanuit de lucht.

Per definitie is er weinig bekend over deze indianen. Men weet niet wat voor taal ze spreken of hoe ze leven. Op grond van gevonden resten zoals hutten, potten, pijlen of rudimentair gereedschap is duidelijk dat het soms om enkele overlevenden gaat en in andere situaties om groepen van honderden indianen. In vijftien gevallen vermoeden antropologen dat het gaat om stammen van nomaden of semi-nomaden die nog nooit bestudeerd zijn. Zij zijn werkelijk mysterieuze indianen. We hebben geen idee wie ze zijn; voor hen bestaat zelfs geen naam.

De meeste 'wilde' indianen leven diep in het regenwoud op dagen varen en lopen van de bewoonde wereld. Vermoedelijk hebben sommige groepen daar altijd geleefd en zijn andere er terechtgekomen op de vlucht voor Brazilianen die steeds meer van hun jachtterrein annexeerden. Het zijn in ieder geval indianen die al eeuwenlang het contact met niet-indianen schuwen.

De grote vraag is: moet de buitenwereld wel met hen in contact treden? Er zijn organisaties die vinden dat de indianen gecontacteerd moeten worden, al was het maar om hen te laten delen in onze medische kennis.[2] Maar Coca-Cola en snelkookrijst komen bijna onvermijdelijk mee en worden zij daar gelukkiger van? En is onnodige sterfte te vermijden?

Westerlingen zijn vijfhonderd jaar lang voor de indianen de boodschappers van de dood geweest. Alleen al in de twintigste eeuw zijn in Brazilië meer dan honderd indianenvolken van de kaart verdwenen. De volken die zich verzetten tegen de blanken, werden gedood of verjaagd. Degenen die toegaven, werden als slaven misbruikt of stierven aan blanke ziektes waartegen ze geen weerstand hadden. Pokken, mazelen en zelfs griepjes gingen na het contact als strovuur rond. Een hoestende rubbertapper was in staat een halve indianenstam dodelijk te besmetten. Het kwam ook voor dat indianen zich uit angst voor de vele doden weer terugtrokken in het bos en de bacterie of het virus meenamen en daar alsnog de achterblijvers besmetten.[3]

Het beleid in Brazilië was altijd zo snel mogelijk contact leggen met afgezonderde indianen opdat zij hulp konden krijgen. Na jaren discussiëren is het streven nu hen met rust te laten en hun de moderne wereld zo lang mogelijk te besparen. Dat is uiteindelijk de beste manier gebleken om voor hen te zorgen.

Via expedities probeert men de omvang van hun jachtterrein vast te stellen en dat als reservaat voor te dragen, zodat ze beter beschermd zijn. Een reservaat is als een thuisland en is verboden terrein voor onbevoegden. Contact wordt alleen nog gelegd in het uiterste noodgeval, bijvoorbeeld als de indianen in levensgevaar verkeren. Meestal is dat als ze slaags raken met blanken – houthandelaren, vissers, rubber-tappers, boeren en kolonisten – die het op hun bos voorzien hebben. Soms hoeft het niet tot contact te komen en is het voldoende als het Funai-personeel als een buffer tussen de geïsoleerd levende indianen en de Brazilianen in gaat zitten en zo confrontaties voorkomt. De afdeling Geïsoleerde Indianen van de Funai heeft een kleine tien van dit soort uitkijkposten. Marcelo is verantwoordelijk voor de posten in Rondônia.[4]

Marcelo groeide op in São Paulo, het industriële hart van Brazilië. Als stadsjongen interesseerde hij zich niet voor indianen, bekent hij. Maar hij hield van natuur en sociaal bewustzijn was hem met de paplepel ingegoten. 'Kijk, jongen,' zei zijn vader als ze op straat liepen en er een dure slee kwam aanrijden. 'Zo'n oplichter kan alleen achter het stuur zitten omdat hij dertig man uitbuit. Die duwen die auto voort. Anders kun je je zo'n ding niet veroorloven.' Marcelo's vader was communist. Toen de kameraden van de partij eisten dat pa zijn liefje inruilde voor een politiek correctere verloofde, zei deze ogenblikkelijk zijn lidmaatschap op. Van hem erfde Marcelo zijn eigenzinnige principevastheid.

Brazilië was een militaire dictatuur toen Marcelo naar de middelbare school ging. De wereld was simpel: de politie was je vijand, sociale actiegroepen waren je leven en de revolutie was eenvoudigweg een kwestie van geduld hebben.

Zijn ouders bleven ook na het afgekeurde huwelijk hechte banden onderhouden met de partij. Toen Marcelo eindexamen had gedaan kwam er prompt een uitnodiging om net als zijn neven in de Sovjet-Unie te studeren. Maar het werd biologie in São Paulo, een avondstudie waaraan hij alleen maar even rook.

Een vriend liep stage bij het Incra, het kwijnende kolonisatiebureau dat nieuw leven was ingeblazen om in Rondônia landbouwgronden te verdelen. Toen hij diens verhalen over de Amazone hoorde, had Marcelo snel zijn besluit genomen. Bos en bomen had hij nodig; hij ging naar Rondônia. Hij zou alle baantjes accepteren, als hij maar iets kon verdienen.

Maar het viel tegen. Zonder geld dwaalde de ex-student door de straten van Porto Velho, dat toen nog steeds een slaperig provinciestadje was. Het Incra en de Funai werden daar geleid door militairen. Marcelo had belet gevraagd, maar de commandanten zaten niet te wachten op een langharige werkstudent met baard uit São Paulo.

Van zijn laatste geld kocht Marcelo een buskaartje terug naar São Paulo. Vijf dagen non-stop rijden zou het zijn. Een van de haltes in het zuiden van de deelstaat lag recht tegenover een kampement van de Funai. Marcelo wist dat hier de mannen zaten die net vreedzaam contact hadden gelegd met de Suruí, lange, fiere krijgers die jaren verzet hadden geboden. Waarom zou hij niet een laatste poging wagen en hier werk vragen?

De baas ter plekke zag wel iets in de magere jongen. Hij was toch een ex-student? Dan was zijn Portugees vast goed. En kon hij met een typemachine omgaan? Hij kon mooi de verslagen van expedities uittikken die naar Brasília werden gezonden. In ruil daarvoor kon hij slapen in de barak waar de indianen huisden en met hen mee-eten.

Het was een intense periode. De revolutionair Marcelo was geschokt. Zelfs bij de Funai, een instelling die nota bene in het leven was geroepen voor indianen, zag hij de tweedeling waarvoor zijn vader hem de ogen had geopend: het Funai-personeel at in het restaurant en voor de indianen was er een gaarkeuken met derderangs vlees.

In de naar vocht ruikende barak tussen de mompelende indianen in hangmatten voelde hij zich meer dan ooit bondgenoot der verdrukten. Vuur had hij altijd gehad. Nu zag hij een doel: hij ging de indianen helpen. Er volgde een cursus voor *técnico indigenista*, de opleiding tot veldwerker van de Funai. En in de jaren tachtig werd Marcelo chef van een Funai-post in Rondônia.

De *chefe de posto*, de chef van de Funai-post, zit in het reservaat als professionele hulpverlener en een soort toezichthouder van de staat. De Braziliaanse staat blijft namelijk eigenaar van de grond en de bodemschatten; de indianen genieten volgens de wet het eeuwig vruchtgebruik van hun reservaat. Omdat de indianen ook na jaren meestal gebrekkig Portugees spreken, is de chefe de posto in de praktijk een manusje-van-alles. Hij zorgt dat de indianen identiteitspapieren krijgen, regelt medische zorg en scholing, en bemiddelt bij autoriteiten in geval van problemen. Vaak is hij ook chauffeur voor indianen die naar de stad willen en doet hij de boodschappen.

Marcelo kwam terecht bij de Nambikwara, de indianen over wie de Franse antropoloog Lévi-Strauss een halve eeuw eerder zo jubelend schreef in zijn boek *Tristes Tropiques* (*Het trieste der tropen*). Als chef was hij een heethoofd, zegt Marcelo over de jaren dat hij in het reservaat woonde. Hij was ooggetuige van de verloedering van de indianen en wond zich erover op. In het reservaat stonden kostbare boomsoorten die daarbuiten al verdwenen waren. Daarom probeerden houthandelaren de indianen met beloftes van allerlei hebbedingetjes tot zakendoen te verleiden. Marcelo zag het met lede ogen aan. Hij wist dat corrupte Funai-functionarissen in andere reservaten hout verkochten. Als de houthandelaren hem probeerden te benaderen, werd hij woedend. Alleen al praten met zulke figuren was voor hem corruptie.

Als hij hoorde over een vrachtwagen die houthakkers in het reservaat had afgeleverd, reed hij alle zagerijen van de streek af totdat hij die auto had gevonden. Hij vloekte het gras stijf als hij zag hoe de door hem gealarmeerde milieupolitie overtreders keer op keer liet lopen. Zelfs op heterdaad betrapten werden nog geen halve dag op het bureau vastgehouden. De boetes, die vaker niet dan wel werden geïnd, waren een schijntje van het fortuin dat met de handel was verdiend.

Marcelo's krachtmeting zette zich voort in het gerechtshof. Hij klaagde de houthandelaren aan als ze zonder vergunning hadden gehakt. Zo leerde hij de weg in de jungle van verbalen en juridische marathonprocedures. Zijn eenmansguerrilla leverde hem de eeuwige haat van houthandelaren op. Maar ook onder de indianen groeide verzet. De jonge garde vond hem bemoeizuchtig. Ze lonkten naar de kleren, sportschoenen, gettoblasters, fietsen en brommers die met het geld van de houtverkoop binnen hun bereik kwamen.

Marcelo maakte zich ook impopulair met zijn preken tegen hun drankgebruik. Als hij alcohol had kunnen verbieden, had hij het gedaan. Alcoholisme was in zijn ogen het grootste probleem in indianenreservaten dicht bij de bewoonde wereld.[5]

Op opgewonden toon berichtte hij zijn superieuren over de wantoestanden. De bureaucraten in Brasília reageerden niet of nauwelijks. De chef van de post kreeg vooral circulaires over bezuinigingen. Moedeloosheid overviel hem. Toen hij na negen jaar gevraagd werd voor een nieuwe baan, dit keer met geïsoleerde indianen, was iedereen opgelucht.

We vertrekken op een ochtend om zes uur naar het front, zoals Marcelo de post voor de geïsoleerde indianen noemt. In de achterbak zijn enorme jerrycans met benzine vastgebonden. Onder een plastic zeil staan kartonnen dozen uit de supermarkt. Het oerwoud mag een schatkamer zijn, de bijvoeding voor de mannen aan het front komt nog steeds uit de supermarkt in Vilhena. In de achterbak signaleer ik vele pakken rijst, bonen, spaghetti, meel, crackers en koffie.

Eerst rijden we over een asfaltweg. Het landschap golft. Soms passeren we bosschages of een suikerrietveldje, maar het meeste bos is hier jaren geleden verdwenen. Er kwamen weilanden voor in de plaats. Een roestig verkeersbord waarschuwt ons voor overstekende koeien. Toch blijken het eerste halfuur koeien even schaars als tegenliggers.

Het spoor van vernieling blijft overal zichtbaar. Er zijn zwartgeblakerde boomstronken die standhouden onder het geweld van de bulldozer, en witte schorsloze staken van bomen die als trieste geraamtes in het weiland of een waterplas staan. De triomf op de ontbossing zijn de palmen die altijd vanzelf als eerste weer omhoogschieten. Ik zie overal piramides van oranje aarde in het gras.

'Termietenheuvels,' roept Marcelo boven het geraas van de motor uit. 'Vroeger zaten de termieten in de bomen. Nu kunnen ze nergens meer naartoe. Hun natuurlijke vijanden, vogels, zijn verdwenen. Vandaar dat je meer termieten ziet dan ooit.'

Af en toe stijgt er van het veld een dikke rookpluim op. Het zijn de laatste branden waarmee boeren hun velden ontdoen van onkruid en weer omhooggeschoten struiken en boompjes voordat het regenseizoen begint.

Zes uur zal onze reis duren. In deze contreien spreekt men niet in kilometers, maar in uren, want de wegen zijn slecht. Er liggen op onze route maar twee dorpen, vroegere kolonisatieprojecten van de overheid. Op de plattegrond herken je de kolonisatieprojecten meteen aan een fijn raster van parallelle streepjes in een verder wegeloze vlakte. De streepjes zijn de weggetjes tussen kavels. Ze heetten tot op de dag van vandaag nog steeds Parallel 12, Demarcatielijn 4 of gewoon kortweg Lijn 4, naar hun code op de tekentafel in de jaren zeventig.

De huizen in de dorpen zijn zo laag dat je het dak kunt aanraken. De winkels hebben namen als Semente Nacional (Nationaal Zaad), Livraria Ideias Novas (Boekhandel Nieuwe Ideeën), Padaria Bom Gosto (Bakker Goede Smaak) en Casa de Carnes Zé Gasolina (Vleeshandel José Benzine). De hoofdweg is geasfalteerd, maar de zijstraten zijn zandpaden.

'Als je zagerijen ziet verschijnen, weet je dat je een dorp nadert,' doceert Marcelo. Er blijkt nog altijd genoeg bos over te zijn om zagerijen bestaansrecht te geven. De zagerijen zijn vaak niet meer dan houten loodsen en een uitgestrekt terrein waar boomstammen als lucifers in een doos naast en op elkaar liggen.

Nog voor het tweede dorp wordt het asfalt een zandweg. En ten slotte wordt de zandweg een pad met tractorsporen. De auto gromt en bonkt als we weer een kuil hebben genomen. Ik schuif heen en weer op de voorbank. Schrijven op mijn kladblok gaat allang niet meer.

We rijden langs een *fazenda* die 29 kilometer lang is – dat is Amsterdam-Hilversum. Hier is het grond van één eigenaar. Ik kan me er geen voorstelling van maken. Op de kruisingen staan borden met daarop namen van fazendas in plaats van plaatsnamen: Fazenda Carolina, Fazenda São José, Fazenda São Sebastião, Fazenda California. Dan is er een halfuur niks te zien en komt er weer een haag borden. Alles is weiland en de enige levende wezens die we onderweg zien zijn koeien. Duizenden schonkige, witte koeien met een huid die als een lap om hen heen fladdert als ze een stap doen.

Dure grond is voor akkerbouw, goedkope voor veeteelt. In Rondônia kost grond bijna niets en daarom moet het een van de vleesparadijzen van Brazilië worden, heb ik gelezen. De koeien zijn de hittebestendige bultrunderen die twee eeuwen geleden voor het eerst geïmporteerd werden uit India. De populairste is de Nelore, die maar een klein vetbultje heeft. Het vlees is pezig, maar het voordeel van de Nelores is dat ze het overal redden, op afgedankte katoenplantages, maar ook in Rondônia, waar de weilanden in de droge tijd schraal en bruin zijn.

'Alle grote boeren doen in vee,' zegt Marcelo. 'Alhoewel we ook weleens een veld met marihuana hebben aangetroffen.' Hij kijkt me aan en zwijgt alsof hij zijn mededeling extra gewicht wil meegeven. 'Als het maar geld opbrengt. Alles draait om geld.'

'Waarom worden de boeren onteigend als er indianen op hun land worden gevonden?' Het lijkt me een geschikt moment om enkele vragen voor te leggen.

'De rechten van de indianen verjaren nooit. Als het hun grond was, blijft het hun grond. Dat zegt de grondwet van Brazilië.'

'Maar hoe weet je wanneer het hun grond is?'

'Als hun voorouders daar hebben gewoond en gejaagd, is de grond van hen. Dat weten we soms door reisverslagen uit de vorige eeuw. En natuurlijk vraag je het de indianen zelf. Bij welke rivieren jaagden ze, bijvoorbeeld? Rivieren zijn voor de indianen wat wegen voor ons zijn.'

'Maar ze kennen de namen van de rivieren toch niet?'

'Dat maakt voor het onderzoek niet uit. We gaan met hen op expeditie en ze wijzen de rivieren aan.'

'Als grootgrondbezitter ben je dus een enorme pechvogel als er indianen op je terrein worden ontdekt. Dan ben je je weilanden kwijt. Maar zo'n grootgrondbezitter kan er toch niets aan doen dat er nu net bij hem indianen wonen?' Ik probeer enige naïeve opwinding in mijn vraag te leggen. In een ideologisch verdeeld land als Brazilië kun je verrassend snel gediskwalificeerd worden vanwege een onwelgevallige vraag. Marcelo zwijgt. Hij heeft zijn aandacht nodig om een diepe kuil te ontwijken. De Toyota hangt een seconde schuin tegen de berm aan en de volgende tel rijden we weer op het pad.

'Je hoeft met grootgrondbezitters geen enkel medelijden te hebben,' zegt hij. 'Die kerels hebben zoveel verdiend aan dit land. Het zijn miljonairs. Alleen al met de houtverkoop hebben ze hun geld er dubbel en dwars uit gehaald. En vaak met sjoemelen.'

Ik kijk naar buiten. Als je niets weet van de voorgeschiedenis zou je het lege land bijna lieflijk noemen: groene heuvels, hier en daar een palmboom en een randje bos.

'De meesten wisten of vermoedden dat hier indianen rondliepen,' herneemt Marcelo. 'Maar dat heeft hen nooit van iets weerhouden. Het ging alleen om geld.'

Ik ben me opeens bewust van de schrille realiteit. Brazilië is een van de landen in Zuid-Amerika die veel doen voor de indiaanse bevolking. Het artikel in de grondwet waarmee indianen hun traditionele leefgebied kunnen opeisen ook al staat het op naam van een ander, is daar een voorbeeld van. Het is bedoeld om recht te doen aan de oorspronkelijke bewoners, maar in afgelegen streken waar God noch gebod geldt werkt het juist tegen hen. Want wat doet een gewetenloze grootgrondbezitter die het risico loopt landerijen kwijt te raken? Hij stuurt zijn bewakers het bos in om het handjevol indianen dat hem problemen kan bezorgen te verjagen.

'De staat is ook in gebreke gebleven,' zegt Marcelo als ik zijn mening vraag. 'De staat moet de indianen beschermen. Nu en toen. Ze hadden in dit gebied helemaal geen kolonisten mogen neerzetten. Het was niet leeg, zoals iedereen wilde geloven.'

'Maar als mensen het wisten of vermoedden is het ongelooflijk dat niemand ooit wat heeft gezegd.'

'Het is niet alleen ongelooflijk, het is ook schandalig'. Marcelo mindert vaart en kijkt me aan. Zijn ogen spuwen vuur. 'Er waren veel mensen die wisten dat er indianen in het bos zaten en dat er op hen gejaagd werd. Maar niemand, helemaal niemand, voelde zich geroepen om te protesteren.'

'Maar waarom niet?'

'Mensen zijn bang. Hier maakt de grootgrondbezitter de wet. Niemand wil zo'n kerel tegen zich hebben.'

We rijden verder zonder veel te zeggen. Ik dring niet aan, want het pad met onverwachte kuilen vraagt alle aandacht.

Maar het onderwerp houdt Marcelo bezig. Als we de ergste gaten achter ons hebben, steekt hij weer van wal. 'Als er honderd of voor mijn part dertig indianen waren geweest, was het misschien anders geweest. Maar het waren er maar een paar. Ach, een paar indianen, zeiden de mensen later. Alsof het niets is. Een paar is hetzelfde als niets in onze wereld van almaar meer en beter.' Hij zucht en zwijgt even alsof zijn conclusie hemzelf tot nadenken stemt. Maar dat duurt niet lang. 'Toevallig waren die paar wel de laatste overlevenden van dappere volken die hier vroeger leefden. Ze hebben zich zo goed en zo kwaad als het ging verdedigd. Met pijl-en-boog en houten speren vochten ze tegen tractoren en bulldozers.'

Ik kijk naar de glooiende weilanden en probeer me tevergeefs bos, indianenhutten en naakte krijgers met pijl-en-boog voor te stellen.

Op de weg worden de sporen dieper en de oranje aarde lijkt af en toe te glimmen. De auto begint steeds vaker te slippen.

'Hier heeft het geregend,' zegt Marcelo. De overgang van droge naar natte aarde is abrupt.

De regen is een fascinerend fenomeen in de Amazone: je ruikt hem voordat je hem ziet. Soms lijkt het alsof de druppels verdampen voordat ze de kans hebben neer te komen op de gloeiend hete aarde. Wat blijft, is de intense grondgeur.

Het wordt snel donker; nu lijkt het alsof we door een tunnel rijden. Maar het is een aarden wal die aan weerszijden van het pad oprijst. De modder spuit onder de banden vandaan en spat op de ramen. Boven de aarden wal steken bomen uit.

Af en toe fladdert er een vogel in de baan van de koplampen. Het pad wordt steeds smaller. We praten niet meer. Marcelo tuurt in de donkerte en draait keer op keer als een bezetene aan het stuur om de Toyota uit een slip te halen.

Dan staan we opeens stil. Ik zie de vage omtrek van een houten huis op poten.

'Dat was van de knechten van de fazenda. Nu staat het leeg.'

Marcelo laat de jeep langzaam naar beneden zakken. We glibberen over een brug van boomstammen. Links en rechts spiegelt er donker water. Eenden klapwieken weg. In het maanlicht zie ik twee *capibara's*, de grootste knaagdieren ter wereld. Ze zien eruit als varkens met lange haren en staan in het hoge gras naast de plas. Maar nu wij verschenen zijn, laten ze zich geluidloos in het water glijden. Ik speur de waterspiegel af in de hoop dat er nog een snuit bovenkomt, maar de plas blijft stil.

Na de brug gaat het spoor steil omhoog. De Toyota loeit en fluit. Schokkend klimmen we naar boven. Slechts één keer glijden we een paar meter terug. We zijn tot stilstand gekomen voor een hek.

Marcelo vloekt. 'Verdomme. Heeft die kerel weer het hek op slot gedaan. Het is je reinste pesterij.'

'Hoe bedoel je?'

'Die Antenor Duarte, de eigenaar, doet alles om ons van zijn terrein af te krijgen.'

Koeien drommen samen achter het hek. Honderden ogen lichten op als gloeiende kolen in het donker.

'Ik weet zeker dat hij ook daarom de koeien hier laat lopen. Die trappen het spoor kapot.'

Als ik uit de auto klim om het hek te openen, zak ik meteen tot mijn enkels in de koeienstront.

'Kijk, daarin zijn wij armen slim,' zegt Marcelo met een meewarige blik op mijn druipende gymschoenen als ik me weer in de auto hijs. 'Mijn plastic slippers spoel ik af in de rivier en klaar.'

Als het terreinvoertuig optrekt, galoppeert de koeienfamilie uiteen. Nu klotsen we over een glooiende grasvlakte.

In het maanlicht zie ik een donkere brede streep aan de rand van de vlakte.

'Daar begint het bos van de indianen. En zie je dat licht?'

Na ingespannen turen zie ik een zwak lichtpuntje dat af en toe verdwijnt: het eerste teken van menselijk leven in bijna twee uur. De vlakte lijkt er nog groter en zwarter door.

'Het licht is van het front,' zegt Marcelo. Hij klopt op het dashboard van de Toyota. 'Je hebt je goed gehouden, ouwe.'

Wie wil overleven in het oerwoud, wordt vanzelf een halve indiaan. De veldposten van de Funai zijn eenvoudige onderkomens: vaak niet meer dan halfronde hutten van palmbladen in de vorm van een kaasstolp, net als de indianen maken. Zo'n hut bouwde Marcelo met zijn collega's weken nadat hij contact had gelegd met de onbekende indianen. Ze maakten lage wanden van naast elkaar geplaatste boomstammetjes. Daarna kwam er een frame van lange dunne stammen waar de enorme palmbladen als het ware tussendoor gevlochten zijn. Enkele zware palen die in de grond staan houden het gevaarte overeind.

De nederzetting ligt bij een beek, want zonder water begin je niets. Omdat wegrottende vallende bomen een voortdurend gevaar in het oerwoud zijn, staat de hut op een open stuk. De pot wordt gekookt op een fornuis van klei, waarin een houtvuur brandt. De beek is de badkamer. Het bed is een hangmat, een van de weinige attributen uit het indianenleven die zijn overgenomen door blanke Brazilianen.

Als een eiland van licht ligt de post Omerê, genoemd naar de gelijknamige beek, in de duisternis. Langzaam laat Marcelo de auto door het gras van de helling afzakken. Er is een laatste hek en opeens zijn we in een wereld van nieuwe geluiden. Het aggregaat loeit, er klinken stemmen en er rammelen borden. Insecten zoemen rond de lamp in de keuken die is aangebouwd tegen de hut van palmbladen. De keuken is teruggebracht tot het minimum: een dak van palmbladen op palen, een houtvuur, drie planken voor borden en voorraad, en een zelfgetimmerde bank en dito tafel.

Onze komst brengt nieuwe bedrijvigheid. De twee mannen die aan tafel geweren zaten schoon te maken, dragen de dozen uit de auto. De jerrycans diesel worden naar het aggregaat gesleept. In de slaaphut worden hangmatten bevestigd en kleren uitgepakt. Een vrouw in short pookt het vuur op en roert in pannen. Er klinken een doordringende fluittoon, gekraak en flarden van stemmen.

'De radio,' zegt Marcelo en hij kijkt op zijn horloge.

Twee tellen later zit hij in de hut gebukt bij een kastje met knoppen. Hij houdt een microfoon in zijn handpalm.

'Hallo, hallo? Hier de post Omerê. Over.'

...

'We zijn net aangekomen.'

...

'Geen problemen verder. *Cópia* – over.'

Het antwoord van de onbekenden aan de andere zijde gaat voor mijn ongeoefende oor onder in golven van kraakgeluiden.

Marcelo luistert aandachtig en zegt dan: 'Morgen gaan we naar de indianen. Verder nog nieuws? Over.'

...

'Oké. Over en sluiten.'

'Jezus, die Kayapó bezetten alle frequenties,' zegt Marcelo als hij terugkeert in de keuken. 'Met niemand houden ze rekening. Alle Kayapó-dorpen zitten aan de radio. En maar ouwehoeren. Dinges komt morgen naar jullie toe. José is ziek. De hond heeft een kip doodgebeten. Ze weten toch dat Rondônia nu aan de beurt is?'

'Het was gisteravond ook zo,' zegt een van de mannen die aan tafel zitten.

'Voor hen is het een speeltje,' zegt zijn maat. 'Die Kayapó zijn ook gek op elektronica.'

De vrouw die bij de tafel staat, buigt zich naar mij. 'Ken je de Kayapó? Ben je daar al geweest?'

Ik schud mijn hoofd. Ik was nog niet bij de Kayapó, maar ik weet dat het 'de indianen van Sting' zijn, zoals ze in Brazilië worden genoemd. Ze zijn geadopteerd door de Britse popzanger, die geld voor hen heeft ingezameld. Ze leven in het zuiden van het Amazonegebied in het Xingu-park, een groot reservaat met meer dan twintig verschillende indianenvolken. Ze behoren tot de favorieten van de buitenlandcorrespondenten omdat ze kleurrijke feesten vieren en omdat de mannen, met een schijf zo groot als een medaille in hun onderlip, zeer exotisch ogen en bovendien hun woordje goed doen. Maar ondanks hun exotische uiterlijk zijn de Kayapó gehaaide onderhandelaars die in de wereld van de blanken hun mannetje staan.[6] Ze willen geld verdienen. Ik herinnerde me dat ze Braziliaanse collega-journalisten die hen kwamen opzoeken een dag gijzelden omdat een rechter de winning van goud en de verkoop van bomen in hun reservaat had verboden.

Marcelo legt uit. Iedere ochtend en avond hebben de posten in het veld contact met de Funai-kantoren in de bewoonde wereld. Ieder Funai-kantoor heeft een eigen vast tijdstip om radiocontact te zoeken met de veldwerkers. Alleen de Kayapó, die in een reservaat zo groot als België leven, trekken zich daar niet zoveel van aan: zij gebruiken de radio de hele dag door om met familie in andere dorpen van het reservaat te praten.

'De Kayapó zijn fel. Daar moet je geen gedonder mee krijgen,' zegt de man die al eerder zijn beklag deed over de radioamateurs van de Xingu. Hij is Chico, een voormalige rubbertapper en de man van spannende verhalen, zo zal ik later merken. Verder is er een tanige, leeftijdloze man, die Paulo heet en is opgegroeid in het bos. De vrouw is verpleegster Selma. Ze is een kordate *mulata* van begin dertig uit São Paulo die bloed afneemt bij de indianen voor onderzoek. Dan zijn er nog twee oudere mannen met baseballpetjes die ook niet veel zeggen. Ze hebben hun tragische blik gemeen. Ze zijn indianen die Portugees spreken omdat ze hun halve leven met blanken hebben doorgebracht. Op de post helpen ze met tolken.

In gezelschap van een steeds grotere zwerm insecten eten we sudderlapjes uit de supermarkt van Vilhena die Marcelo heeft meegenomen, aangevuld met rijst en bonen en een restje schildpad. Net als in de wereld van overdaad blijkt in het oerwoud het tafelgesprek snel uit te komen op eten. Paulo houdt niet van schildpad: 'Schildpad is ongezond. Zo'n beest eet alle vuiligheid van de grond op.' Maar de anderen loven de culinaire kwaliteiten.

'Het is lekker zacht vlees,' vindt Selma terwijl ze haar rijst met schildpadjus vermengt.

'Waar houden indianen van?' vraag ik.

Marcelo somt op: aap, *paca*, capibara, miereneter, 'alles van het bosvarken' en mieren.

'Mieren?' Ik kan me moeilijk voorstellen dat een mier achter de kiezen enige voldoening oplevert.

Er zijn mieren en mieren, legt Marcelo uit. Indianen eten rode mieren en mieren met bekken als knipscheren die alles stuksnijden of het plastic of stof is. Deze zogenoemde bladsnijdersmieren zijn zo groot als een vingerkootje. 'Indianen houden vooral van de vrouwtjes als ze vruchtbaar zijn. Je vindt ze in vochtige grond als de regentijd begint. Hun achterlijf zit vol eitjes.'

'Het knapt lekker,' vult Chico aan.

Marcelo is onverstoorbaar: 'Je moet een gat graven en als ze tevoorschijn komen vang je ze. Je bakt ze in een pan.' Zelf heeft hij er geen geduld voor, bekent hij.

Mieren vangen? Het klinkt als op slakken zout leggen.

'Ik hou van paca,' herneemt Chico. 'Het is lekker zacht en blank vlees. Net als een speenvarken.' Ik krijg uitleg: een paca is een soort cavia die ook zwemt.

'Hij weegt al gauw 7 kilo,' zegt Marcelo.

Het onderwerp blijkt onuitputtelijk. De boskenners in het gezelschap delibereren over wat de lekkerste manier is om aap te bereiden. Chico: 'Je rolt het vlees in een bananenblad en laat het een dag sudderen in de hete as. Mijn god, dat is pas lekker.'

'Maar alleen als het zwarte aap is,' zegt Munuzinho, een van de indiaanse tolken, die zich opmerkelijk stil houden in het culinaire debat.

'Zwarte aap is geurig, een beetje zoet vlees,' legt Marcelo mij uit. 'Het lijkt op kip, maar dan steviger.' Zelf is hij liefhebber van de hersenen en lever van de zwarte aap.

'Die rooster je boven het vuur. Samen met het hart en de staart. Daarna komt de rest.'

Het vlees blijft wel drie dagen op een rooster boven een laag vuur of hete as garen. Hij neemt vaak etenswaar mee als hij bij 'zijn' indianen op bezoek gaat. Maar met gerookt vlees doet hij hun het meest plezier. 'Dan is het feest.'

Later komt hij naar me toe. Hij maakt zich zorgen over wat ik ga schrijven. 'Denk nou niet dat we hier voortdurend wilde beesten neerleggen. We doen het alleen als we eten nodig hebben. Eiwitten!'

Ook voor mij is er in de hut een hangmat om in te slapen. Als iedereen zich geïnstalleerd heeft in zijn hangmat, zet Marcelo het aggregaat af. Even is het verpletterend stil. Maar als het oor gewend is, blijkt het helemaal niet stil. In de hangmat luister ik naar een orkaan van gekoer, geratel, gesis en gefluit. De meest doordringende klank komt van een vogel die iets roept als *peedepee* – een brandweersirene in de jungle. En er is er ook een die klinkt als een krolse kater. Het is een misvatting dat je wilde beesten ziet in het oerwoud. Je hoort ze, en dan vooral 's nachts.

Ik ben niet de enige die luistert. 'Een *onça*,' zegt Chico. Een jaguar.

Ik spits mijn oren maar hoor niets behalve het eerdere gesis en gefluit. 'Hoe klinkt een jaguar?'

'Als een oude man die kreunt in zijn slaap. *Hoemhoem* – zoiets.'

'Als een kat die spint, en dan tien of honderd keer versterkt,' oppert Marcelo, die in de hangmat naast de mijne ligt en ook wakker blijkt.

Ik hoor nog steeds niets. Tot mijn opluchting: dan zal hij in ieder geval niet voor de hut staan.

Of wel? Er klinkt geritsel in het dak van palmbladen. Het houdt aan. Zouden de anderen het horen? Er volgen roffels.

'Ratten,' fluistert Marcelo. 'We raken ze maar niet kwijt. Waar mensen zijn, vind je ratten.'

Het is onzin, maar ik kan de neiging niet weerstaan om het muskietennet dat los om mijn hangmat hangt in te stoppen.

3

Mysterieuze indianen

Op een ochtend in augustus 1984 – twaalf jaar voordat ik de indianen zal bezoeken – gaat op het kantoor van de Funai in Vilhena de telefoon. Het is de eigenaar van een houthandel. Hij vraagt hulp. Zijn houthakkers zijn in het bos door onbekende indianen met pijlen beschoten. Er zijn doden noch gewonden gevallen, maar hij vreest een nieuwe aanval van de indianen. Kan de Funai snel iemand sturen die vreedzaam contact met deze stam legt?

Het bericht dat iemand met pijlen is beschoten of een naakte indiaan heeft zien wegvluchten is vaak het eerste teken dat er in de buurt een nog niet gecontacteerde stam leeft. Daarom arriveert de Funaivertegenwoordiger enkele dagen later in Corumbiara, een gemeente vier uur rijden van Vilhena, waar de houthakkers aan het werk zijn. Ze zijn onrustig want een tractor die boomstammen naar een open plek sleept, blijkt ook al beschoten te zijn. De pijlen zijn oorlogsverklaringen, geloven ze.

De meeste arbeiders zijn losse krachten, ingehuurd voor het ontbossen. Ze willen weg, maar geen van hen durft nu nog alleen door het bos te lopen uit angst door indianen te worden aangevallen. Veel informatie levert het bezoek van de Funai-ambtenaar niet op. De twee pijlen bieden geen enkel aanknopingspunt over het indianenvolk waarmee men van doen heeft. De indianen blijken toen ze schoten op slechts vijf meter van de houthakkers in de bosrand te hebben gestaan. Ook de Funai-vertegenwoordiger gelooft dat de mysterieuze indianen duidelijk hebben willen maken dat de indringers zich moeten terugtrekken omdat zij dit bos als hun terrein beschouwen.

Het blijft bij twee incidenten. Een jaar later komt er een verzoek binnen van een naburige fazenda, eveneens in Corumbiara. De eigenaar heeft een lening bij een staatsbank gevraagd. Om in aanmerking te komen voor een lage rentevoet moet hij een verklaring inleveren waarin staat dat zijn terrein vrij is van indianen. Funai-beheerder Aimoré heeft echter geen tijd om te gaan inspecteren.

Hij besluit Marcelo dos Santos, die net een jaar in het reservaat van de Nambikwara werkt, voor deze routineklus te vragen. Aimoré kent hem uit de tijd van diens eerste baantje in het kampement aan de weg. '*Marcelo é de confiança*,' zegt hij tegen de *fazendeiro*, de landeigenaar, met wie hij op goede voet staat. Marcelo is te vertrouwen.

Vanwege de vele en bloedige conflicten over grondbezit en uitbuiting noemt men Corumbiara 'de groene hel'. De grondoorlog in Rondônia speelt zich op vele fronten af: tussen indianen en Brazilianen, maar ook tussen grondmakelaars en overheidsambtenaren, legale kolonisten en 'krakers' van grond, en tussen grote veeboeren en landlozen.[1] Hoewel de overheid bij de kolonisatie van Corumbiara mikte op veehouders met een bescheiden eigen kapitaal, werden de landerijen opgekocht door speculanten en grootgrondbezitters. De fazendas zijn daardoor gigantisch groot. Twintigduizend hectare (200 vierkante kilometer) is een aardige middenmoter. Het is een universum waarin de fazendeiro over absolutistische macht beschikt. Politie is er niet in Corumbiara. De fazendeiros zijn de wet, binnen maar ook buiten hun fazendas.

De fazendeiro komt af en toe kijken, maar woont meestal elders, in een stad. Op de fazenda wordt hij vertegenwoordigd door de *gerente*, de manager. De gerente is een vertrouwenspersoon die in voortdurend overleg met de eigenaar de dagelijkse gang van zaken op de fazenda leidt. De andere personages in de grondoorlog zijn *pistoleiros*, de *gato*, *posseiros* en landlozen. Pistoleiros houden het midden tussen lijfwachten, bewakers en huurmoordenaars. Het zijn meestal opvliegerige, sadistische mannetjesputters die vanwege hun problemen met justitie vaak van deelstaat naar deelstaat trekken en uitsluitend onder hun bijnaam bekendstaan. Dat zijn namen als Mond van Goud en Kale Piet. Regelmatig tref je onder hen ex-politiemannen. Waar de overheid afwezig is, duiken onmiddellijk pistoleiros op. Ze staan soms op de loonlijst van een fazendeiro, maar worden ook vaak per 'klus' (lees: ontruiming of moord) ingehuurd.

De gato (letterlijk: 'kat') is een koppelbaas. De gatos bezorgen de fazendas dagloners die worden ingezet voor bomen rooien, maaien en afbranden. Het losse personeel, meestal doodarme migranten zonder identiteitspapieren, pikken ze op in bars, of op een meestal vaste plek op het marktplein of bij een uitvalsweg waar werkzoekenden met hun plunjezak zitten te wachten. Ze krijgen een motorzaag in handen gedrukt, worden in de laadbak van een vrachtauto gezet en het bos in gereden. Bij heel grote klussen worden met valse beloftes over betaling losse krachten ingevlogen uit andere deelstaten.

In Corumbiara zijn er net zoveel verhalen over uitbuiting op de fazendas als werklozen. Standaard is het verhaal dat dagloners onder het oog van gewapende wachten weken achtereen in het bos zijn vastgehouden om te werken en nooit hun geld hebben gezien. Sommige fazendas zouden de knechten 'gemerkt' hebben door met een mes een kruis in hun voetzolen te snijden. Lopen is dan zo pijnlijk dat vluchten geen optie is. Een hardnekkig verhaal dat wordt verteld door zowel blanke landarbeiders als indianen die in een reservaat vlak bij Corumbiara wonen, gaat over een fazendeiro die aan het einde van het jaar een feest aanrichtte. Zoals gewoon is bij dagloners werd er veel gedronken, gedobbeld en ook geknokt. De bewakers van de fazendeiro ensceneerden een ruzie. Er werd geschoten en de chaos was groot. Na afloop bleken de arbeiders die het meeste achterstallig loon tegoed hadden dood te zijn.

Het gruwelijkste verhaal gaat over een fazendeiro die groepen arbeiders liet invliegen uit andere deelstaten om een immens stuk land te laten ontbossen. Toen het betaaldag was, liet hij zijn bewakers de mannen executeren en hen begraven in een massagraf. Niemand in Corumbiara kende de slachtoffers bij naam en de fazendeiro rekende er vermoedelijk op dat de familie te arm was om helemaal naar Rondônia toe te komen en hun dierbaren te zoeken.

In veel conflicten over grondbezit spelen landlozen of posseiros een rol. De landlozen bezetten meestal landerijen die braakliggen of waarvan ze weten dat de grootgrondbezitter de eigendomspapieren heeft laten vervalsen. Bij de wet kan het terrein in zo'n geval door de staat worden opgeëist en gebruikt worden voor de landhervorming.

Posseiros zijn kleine boeren die een stuk grond hebben 'gekraakt'. De wet staat dit toe, mits het om een klein perceel niemandsland gaat en het bebouwd wordt door de boer voor eigen gebruik. Na een paar jaar kan het gezin eigendomsrecht (*direito de posse*) laten gelden – vandaar de naam posseiros. Het komt veel voor dat posseiros rechten op stukken grond doen gelden waar grootgrondbezitters hun zinnen op hebben gezet. Niet zelden worden pistoleiros ingezet om de gezinnen te verjagen.

Marcelo kent de verhalen uit Corumbiara en ziet de klus als een kans om onrecht op het spoor te komen.

'Er is daar geheid stront aan de knikker,' zegt hij tegen Vincent Carelli, een documentairemaker die enkele weken bij hem op bezoek is in het reservaat. 'Ga mee.' Marcelo kent Vincent uit de tijd dat ze samen de Funai-cursus voor veldwerker volgden.

Vincent is meteen te porren voor het plan. Hij werkt aan een beeldarchief over indianen. Met Marcelo's hulp heeft hij net zijn eerste film gedraaid over de Nambikwara. Niet iedere dag krijg je een kans om een fazenda binnen te komen en daar te filmen, zegt hij tegen zichzelf.

Ook Marcelo ziet het nut van een camera: 'Als we wat vinden, moeten we alles vastleggen. De fazendeiros zullen natuurlijk ontkennen dat er indianen zijn.'

Marcelo vraagt ook enkele Nambikwara-indianen mee. Zij zullen moeten helpen bij het spoorzoeken, waarmee hij nauwelijks ervaring heeft. Hun vrouwen en kinderen, die zich het uitje niet willen laten onthouden, melden zich ook.

Met zeventien indianen in de achterbak van zijn pick-up rijdt Marcelo over de stofwegen naar de fazenda. Het is medio september. Het seizoen van de branden waarmee boeren hun weilanden opschonen is net voorbij. Ze rijden door een asgrijs maanlandschap waar het een komen en gaan is van vrachtwagens met net gehakte boomstammen.

Op de fazenda[2] worden ze ontvangen door koppelbazen met revolvers achter de broekriem en geweren om de schouder. De indianen, in hun korte sportbroekjes en met ontbloot bovenlijf, zijn zichtbaar bang.

In het bos van de fazenda vinden ze midden op het pad een met takken gecamoufleerd gat. Er staan puntig geslepen stokken in. Zulke valkuilen met spiezen worden door de indianen gemaakt voor de jacht. Marcelo is ervan overtuigd dat de indianen het gat hebben gemaakt om de blanken buiten hun territorium te houden. Een van de landarbeiders die ze tegenkomen, vertelt als zijn collega's buiten gehoorsafstand zijn in de cryptotaal die eigen is aan geïntimideerde ooggetuigen dat er 'bij de buren problemen met indianen zijn geweest'.

Marcelo en Vincent zijn het erover eens dat 'problemen' betekent dat de indianen door pistoleiros zijn beschoten of misschien zelfs vermoord. De fazenda in kwestie heet Yvipitã en is dezelfde waar een jaar eerder de houthakkers op pijlen onthaald zijn. De fazenda is eigendom van Antonio José Junqueira Vilela.[3] Deze fazendeiro staat bekend als pervers en wreed. Op de fazenda zijn kort daarvoor vijftien[4] gouddelvers geëxecuteerd die op de landerij naar stofgoud hadden gezocht. De manager van de fazenda had hen uitgenodigd voor de lunch en daarna de nietsvermoedende goudzoekers een lift aangeboden. In werkelijkheid liet hij hen naar de plek van de executie brengen. De toedracht raakte bekend omdat twee van hen wisten te ontsnappen en na een nacht en een halve dag lopen Vilhena hadden bereikt, de eerste plek waar ze de politie betrouwbaar genoeg achtten om hun verhaal te doen.

De Fazenda Yvipitã is de best bewaakte in de regio. Gewapende wachten patrouilleren langs de omheining en alle hekken zijn gesloten. Maar Marcelo signaleert een hek dat openstaat en rijdt op goed geluk naar binnen recht op een bosrand af. De Nambikwara in de achterbak zijn onrustig, want ze hebben honger. Nu ze weer bos zien, willen ze eruit om te jagen. Ze ruiken bosvarkens.

Achteraf is het een verbazingwekkend toeval, vindt Marcelo, maar dankzij de wilde achtervolging van een roedel bosvarkens vinden ze wat ze zochten: verse sporen van indianen, waaronder een tweede valkuil met spiezen. Vincent filmt alles, zodat de Funai bewijsstukken aan justitie kan overhandigen. Die zal een dwangbevel moeten afgeven waarmee ze het terrein officieel kunnen onderzoeken op indianen.

De Fazenda Guarajús, die de 'vrij van indianen'-verklaring had gevraagd, krijgt van Marcelo nul op het rekest. In plaats daarvan schrijft hij een vlammend verslag met alle details van de expeditie, dat hij rechtstreeks naar de Funai in Brasília zendt. Hij dringt er bij zijn bazen op aan beide fazendas die hij bezocht heeft, 'gezien het frenetisch ritme van de ontbossing' met onmiddellijke ingang tot verboden terrein te verklaren, omdat er 'onweerlegbare bewijzen van de aanwezigheid van indianen gevonden zijn'.

In Brasília blijft het tot Marcelo's grote ongenoegen stil. Hij is inmiddels terug in het reservaat van de Nambikwara en ongedurig. Als hij een paar weken later via via een verhaal hoort over verwilderde en hongerige indianen die bij een afgelegen huis in de buurt voedsel hebben gevraagd, staat hij meteen op scherp. Hij wil terug en de onbekende indianen vinden.

Zodra hij vrij kan nemen, gaat hij op zoek. Hij vindt de vrouw die de indianen te eten gaf. Het is Lurdes Sabanê, een indiaanse, getrouwd met een blanke rubbertapper. Ze waren met z'n drieën geweest, vertelt Lurdes. Een oudere man met pijl-en-boog, een vrouw en een meisje van ongeveer dertien. De man en het meisje waren naakt; de vrouw had een gescheurde jurk aan. De man had Lurdes om eten gevraagd, want in hun palmrieten draagmand hadden ze slechts honing en wat vleesresten van aap en gordeldier.

Dankzij het feit dat Lurdes haar eigen stamtaal, Nambikwara, nog vloeiend sprak, had ze de bezoekers een beetje begrepen. Wat ze spraken of tot welke stam ze behoorden, had ze niet kunnen achterhalen. Hun draagmand en kettingen vond ze lijken op die van haar volk. De indianen hadden haar verteld dat ze op zoek waren naar hun familie, die ze een week eerder waren kwijtgeraakt nadat hun hutten door blanken waren overvallen.

Lurdes was alleen thuis geweest met haar kinderen en had de indianen uit medelijden die nacht op de vloer laten slapen. Toen de indianen de volgende ochtend vertrokken, zeiden ze haar dat ze in de volgende droge tijd zouden terugkeren.

Daar is ze niet blij mee, bekent de indiaanse aan Marcelo. Als haar echtgenoot te weten komt dat ze de nomaden in huis heeft gelaten, verklaart hij haar voor gek. Hij is bang voor índios bravos.

Marcelo vermoedt dat dit misschien indianen zijn die op de Fazenda Yvipitā hebben gewoond.

Hij (de oude man) vertelde dat zijn familieleden op een nacht weggejaagd waren door de landeigenaren. Er was een tractor die hun hutten had vernield en midden over hun akkers was gereden. De

hele groep was verdwenen en hij probeerde hen weer te vinden. Na de tractoren hadden ze horen roepen. Zij hadden zich verborgen gehouden. De volgende dag hadden ze hun familie gezocht maar ze hadden niemand meer gevonden. [...] Bij hun vertrek vroegen zij slechts oude kleren, zout en een pak suiker.
– uit een beëdigde verklaring die Lurdes later aflegt

Na het bezoek aan Lurdes alarmeert Marcelo meteen zijn chef in Vilhena. Er lopen vermoedelijk indianen rond op de Fazenda Yvipitā en gezien de reputatie van de fazendeiro verkeren zij in levensgevaar. Marcelo wil zo snel mogelijk terug naar de fazenda, desnoods op eigen kosten. 'We moeten de fazendeiros laten merken dat we erbovenop zitten. Dat ze er niet mee wegkomen.'

Na veel vijven en zessen krijgt Marcelo gedaan dat hij mag gaan. Hij vertrekt opnieuw met Vincent en de Nambikwara-indianen als spoorzoekers. De mannen besluiten hun zoektocht te beginnen waar ze de vorige keer zijn opgehouden: bij de tweede valkuil met spiezen. Het is wonderwel meteen raak, want daar vlakbij vindt een van de indianen een zwerfakker[5] die met een bulldozer is vernield.

In zijn verslag noteert Marcelo:

Het moet ruim een maand geleden zijn gebeurd, want de wortels van de bananenboompjes die de bulldozer niet uit de grond had kunnen trekken, waren opnieuw uitgelopen en de spruiten waren ongeveer 60 centimeter lang. De zwerfakker was mogelijk twee jaar oud. Scherven van een aardewerken pan en resten van een vuurtje wijzen erop dat hier mogelijk een indianendorp heeft gestaan. De bandieten dekten de vernielde akker met drie boomstammen af [...] om iemand die over het gebied vliegt het idee te geven dat dit een veld van houthandelaren is.

[...] Nog dezelfde dag vinden we drie vernielde hutten en een zwerfakker van vorig jaar. De delinquenten hadden er stro overheen gegooid om de plek te verbergen in verband met eventuele naspeuringen.

Het is een hete middag. Terwijl de indianen in het stro naar meer resten zoeken, slaat Marcelo de vliegen van zich af. Het dienstgeweer hangt losjes om zijn schouder. Met zijn voet woelt hij door de as van wat mogelijk de kookplaats van de mysterieuze indianen is geweest en hij raapt een scherf op. Het lijdt voor hem geen twijfel dat dit de vernielde hutten zijn waar de indianen van Lurdes het over hadden. Als een van de indianen een lege patroonhuls vindt, wordt het hem zwaar te moede. Misschien zijn er indianen vermoord.

Wordt de mens in het leven gedreven door ambitie of door angst? Door medeleven of door schuldgevoel? Als ik Marcelo daar vele jaren later naar vraag, heeft hij geen antwoord. Maar wat hij wel weet, is dat hij zich op dat moment mede schuldig voelde aan het lot van de verdreven indianen. Hij had gefaald. Hij had de implicaties van zijn optreden niet doordacht. Hij had sporen gevonden, de eigenaar gedreigd met onteigening en was toen vertrokken. De fazendeiro had weken de tijd gehad om de indianen te verjagen of te doden.

Marcelo, Vincent en de indianen blijven in totaal een week in het bos en leggen 100 kilometer lopend en klimmend af. Dat is in het oerwoud een respectabele prestatie. Dat er op deze landerij indianen zijn of tot heel recent waren staat als een paal boven water: ze vinden zeven indianenhutten, schuilplaatsen en tien zwerfakkers. De hutten zijn steeds verlaten of vernield met een bulldozer. Ze treffen ook een grote hoeveelheid bogen, pijlpunten, aardewerken pannen, handvatten voor stenen bijlen en andere gebruiksvoorwerpen, die ze meenemen als bewijsmateriaal.

Aangezien er steeds weinig hutten bij elkaar staan, denkt Marcelo dat de groep maximaal drie gezinnen telt. De Nambikwara bestuderen de aanplant nauwkeurig en zijn het erover eens dat de oudste zwerfakker twee jaar oud is en de laatste pas drie maanden geleden is aangelegd.

Na twee weken arriveert er een inspecteur van de federale politie. Hij wordt vergezeld door twee agenten. Marcelo laat hun de gebruikte patroonhulzen zien die de Nambikwara op de akker hebben gevonden. De mannen bekijken twee vernielde veldjes en de resten van een schuilhut van de indianen en vertrekken weer. Zij constateren enkele dagen later in een rapport dat er 'onvoldoende bewijs is' dat hier een moord heeft plaatsgehad. 'Juridische stappen ondernemen is op dit moment contra-productief,' schrijven ze. Marcelo is verbijsterd. Dat de plaatselijke politie corrupt is en naar de pijpen van de grootgrond-bezitters danst, is geen nieuws. Maar hij had zijn hoop gevestigd op de federale politie – doorgaans goedbetaalde en goed opgeleide, serieuze en jonge politiefunctionarissen uit de regio São Paulo en Rio. Hoe kon een man die de rechtsstaat moest handhaven dit feit zo gemakzuch-tig afdoen? Er zijn kogelhulzen, en de bulldozer is toch het bewijs dat men hier iets probeert te verbergen?

Marcelo en Vincent gaan zelf op onderzoek uit. De verwoeste hut-ten stonden zo dicht bij de bewoonde wereld dat het eenvoudigweg niet kan dat niemand in de dorpen of op andere fazendas ooit iets ge-merkt heeft. Meer mensen dan alleen Lurdes moeten de indianen heb-ben gezien. Maar geen enkele landarbeider, dorpsbewoner of boer die ze spreken, is ooit iets opgevallen. Althans, dat zeggen ze.

'Je kijkt ze aan en je weet dat ze liegen. Het is om gek van te worden,' zal Vincent zeggen als ik hem jaren later naar de zoektocht vraag. Het effect op de twee mannen is averechts. Vincent: 'Hoe stelliger mensen ontkenden wat gezien te hebben, des te fanatieker werden wij.'

In Marcelo's verslag klinken de woede en onmacht door:

Ondanks bewijzen van geweld tegen de indianen, zoals de welover-wogen vernieling van hun akkers en hutten, waardoor zij veroor-deeld zijn tot minstens een jaar honger, de kogelhulzen gevonden op een akker en in de nederzetting en de verklaring van de indi-aanse Lurdes, is de heer Federaal Inspecteur van mening, daarin gesteund door onze regionale afgevaardigde, dat de bewijzen onvol-doende zijn [...]

Vanwege ethische en morele principes kunnen wij niet toestaan dat dit geweld, een laffe, barbaarse daad die voor rekening komt van een half dozijn Brazilianen, ongestraft blijft. Dit is de wens van de Nambikwara en ook de mijne. Wij hebben ter plekke de barbaars-heden aanschouwd en de bedreigende en onveilige sfeer ervaren die functionarissen van de fazenda, en in het bijzonder de bedrijfslei-der, creëren.

Marcelo wordt per onmiddellijk voor zijn diensten door Aimoré be-dankt. Hij is niet meer nodig. Desalniettemin besluit het hoofdkan-toor in Brasília op basis van Marcelo's rapporten dat er genoeg aanwijzingen zijn voor het bestaan van nomaden in het gebied. De bureaucratie gaat over tot een standaardprocedure: op verzoek van de Funai verklaart de rechter het gebied tot verboden terrein. Er zal een deskundige komen die contact gaat leggen met de onbekende indianen.

De grond die bewoond wordt door inboorlingen is onvervreemdbaar op de condities omschreven in federale wetten. De inboorlingen hebben het recht op permanent eigendom en op exclusief vruchtgebruik van de natuurlijke rijkdommen en alle andere goederen met gebruikswaarde.
– Artikel 198 uit de grondwet

De rechter neemt 'het gebied' ruim. Er valt meer dan 600 vierkante kilometer onder het beslag, hetgeen betekent dat twaalf grootgrondbezitters hun terrein alleen nog mogen betreden na toestemming van de Funai en dat overal het kappen moet worden stopgezet totdat er contact is gelegd met de indianen.

De fazendeiros negeren het beslag en gaan in hoog tempo door met ontbossen. Onderwijl proberen ze uit alle macht de situatie terug te draaien. Ze verliezen een kort geding. Ze vragen belet bij de verantwoordelijke minister, maar deze kan hen niet helpen. En in een laatste, wanhopige poging besluiten ze de president van de Funai, een sertanista, een miljoen dollar smeergeld te bieden als hij het beleg terugdraait. Maar de sertanista laat de boodschapper weten dat hij niet van zins is welk verzoek van de fazendeiros dan ook in te willigen.

De krant *Folha de Vilhena*, de spreekbuis van de landeigenaren, trekt eveneens ten strijde. Rondônia wordt volgens de krant één groot indianenreservaat. Een 'beweging' in oprichting met onder meer burgemeesters en parlementariërs verzet zich tegen dit complot, dat volgens de krant tot doel heeft de ontwikkeling van de nationale economie te blokkeren. Het is een schande, dat

[...] grote fazendas die dankzij opofferingen tot stand zijn gekomen en als veeteeltbedrijven zeer rendabel zijn worden gedesactiveerd terwijl de schade geheel voor rekening van de eigenaren komt. En dat om de eenvoudige reden dat het grond van indianen betreft,

hetgeen betekent dat het terrein opnieuw zal braakliggen en onbe-
nut blijft. De houding van de Funai roept het vermoeden op dat de-
ze gronden rijk aan delfstoffen zijn en dat zij 'gereserveerd worden
voor verborgen belangen' [...]
  – Folha de Vilhena

Degene die contact met de mysterieuze indianen moet gaan leggen is Sydney Possuelo. Possuelo is een gerespecteerde en ervaren serta- nista die herhaaldelijk contact heeft gelegd met onbekende indianen- volken. Possuelo trekt met zes assistenten een maand lang door het gebied maar vindt geen enkel spoor. Dat is begrijpelijk, want het bos waar Marcelo sporen had aangetroffen, is in de weken na zijn vondst bliksemsnel gerooid. Antonio José Junqueira Vilela, de eigenaar van de gewraakte fazenda, heeft ondanks het toegangsverbod ook elders in het gebied honderden arbeiders aan het werk. Een van hen vertelt dat ze een gebied van 80 vierkante kilometer aan het ontbossen zijn. Hoewel alle activiteit stilgelegd had moeten worden, rijden overal gele bulldozers die wegen aanleggen en is het een komen en gaan van vlieg- tuigjes.

Possuelo vertrekt met de stellige overtuiging dat er geen indianen meer zijn in het gebied. Geen enkele indiaan kan in deze bouwput overleven, zegt hij.

Een kleine groep afgezonderde indianen die zich slechts met primi-
tieve middelen kunnen verdedigen kan zich hoegenaamd niet ver-
zetten tegen deze intense en omvangrijke landontginning en heeft
gedwongen door de omstandigheden het gebied verlaten. Zodat er
op het ogenblik in het verboden gebied indianen noch sporen meer
zijn. [...] In het gebied dat onder het beslag valt, zou dit groepje niet
kunnen overleven nadat er met hen contact zou zijn gelegd. Het ge-
bied is voor geïsoleerde indianen onbruikbaar geworden als woon-
plek.
  – uit het verslag van Sydney Possuelo

Op grond van Possuelo's verslag is een beslag niet langer vol te hou- den. De rechter geeft een halfjaar later het terrein weer vrij en de fa- zendeiros vieren het besluit als een glorieuze overwinning. Marcelo en

Vincent zijn bezorgd. Het valt hun zwaar te geloven dat de indianen verdreven zijn. 'Want waar moeten ze naartoe?' zegt Vincent. 'Dit is het enige eilandje van groen in de omgeving.' Marcelo is nog stelliger: 'Ze zijn in de buurt. Ik weet het zeker. En wij gaan ze vinden.'

Als zijn vrienden Marcelo typeren, komen ze vroeg of laat met Don Quichot op de proppen. De sertanista heeft inderdaad veel van Cervantes' romanfiguur: een ongedurige idealist die stad en land afgaat voor een zaak die anderen als onmogelijk beschouwen. Waar de zaak voor de meeste anderen zou ophouden, begint het voor Marcelo pas. Zijn drang tot gerechtigheid wordt op sommige momenten een obsessie. Hij droomt regelmatig van een handjevol naakte en hongerige indianen die opgejaagd worden in het bos.

Hij besluit op eigen gelegenheid verder te zoeken en tips na te trekken. Zijn vaste maten op deze speurtochten zijn Vincent en Altair, een woudloper van eind twintig die knecht op een zagerij was, maar blij is 'het andere kamp' te kunnen helpen. Aangezien knechten van de fazendas doorgaans veel informatie opvangen, wordt het kantoortje van de vakbond van landarbeiders een vaste pleisterplaats. Ook in de assentamentos maakt Marcelo regelmatig een rondje. De arme kolonisten blijken waardevolle bondgenoten. Vaak brengen zij het drietal stiekem via achterafpaadjes de landerijen binnen. Ze wensen namelijk dat Marcelo en zijn vrienden indianen vinden, zodat de fazendeiros onteigend zullen worden.

Omdat iedereen in de wijde kennissenkring weet dat Marcelo op zoek is naar indianen, gaat er geen maand voorbij zonder tips. Ze komen van alle kanten, maar zijn altijd vaag. Een man die watertanks controleert op fazendas heeft horen praten over sporen. Een Funai-collega heeft iemand gesproken die wilde indianen zag wegglippen toen hij boomstammen aan het wegslepen was op een van de fazendas. De buurman van een kolonist zou bij het vissen indianen hebben zien wegvluchten. Een ander weet dat de beheerder van een fazenda beschoten zou zijn toen hij in het weiland een hek openduwde. Dat zou een represaille zijn omdat eerder een van zijn pistoleiros zou hebben gevuurd op een naakte indiaan die een weiland overstak.

Op een kaart tekent Marcelo alle incidenten in. Omdat er zoveel tips zijn en de plekken soms ver uit elkaar liggen, beginnen Vincent en hij te denken dat er misschien meerdere groepjes opgejaagde indianen zijn. Ruim een jaar nadat hij van de zaak af is gehaald, maakt Marcelo zijn eerste speurtocht. Er zullen er vele volgen. De mannen hebben het gevoel een race tegen de klok te lopen. Uit een van Marcelo's verslagen:

> *De jaren gaan voorbij, maar het geweld en de straffeloosheid blijven voortbestaan in dit gebied. De plekken waar de vorige expeditie sporen vond die wijzen op aanwezigheid van indianen zijn inmiddels geheel ontbost. De eigenaar van de Fazenda Perobal heeft nu net een bos omvergehaald. Alles is afgebrand om er grasland van te maken. Ibama[6] voert geen enkele controle uit. Deze week kwam mij ter ore dat een andere grondbezitter 7000 hectare aan de bovenloop van de Rio Verde heeft omgehakt. Het was de enige plek met ongerept bos waar deze indianen nog enigszins hadden kunnen overleven.*

Regelmatig trekt Marcelo door het gebied, keer op keer verstouwt hij de teleurstelling van tips die tot niets leiden, ooggetuigen die niets willen zeggen en sporen die al vele maanden oud zijn. Hij blijft verslagen naar Brasília sturen. Hij heeft zijn lot verbonden aan dat van indianen die hij nog nooit heeft gezien en van wie hij zelfs niet zeker is of ze nog leven. Zijn volharding en geloof zijn episch.

Uiteindelijk vindt hij vijf jaar na zijn eerste bezoek, als ieder ander allang de moed zou hebben opgegeven, opnieuw verse sporen. De Funai besluit onmiddellijk dat er een permanent *frente de contato*, een 'toenaderingsfront' voor geïsoleerde indianen, in Rondônia moet komen en vraagt Marcelo dat te leiden. Het toenaderingsfront heeft geld, een zeldzaamheid in de bureaucratie van de Funai.

De middelen komen van de Wereldbank. De bank heeft jarenlang de openlegging van het Amazonegebied gesteund, maar is daar na harde kritiek op teruggekomen. Een paar jaar eerder had David Price, een antropoloog die door de bank was ingehuurd, een bitter boek met de titel *Before the Bulldozer* (Voorafgaand aan de bulldozer) geschreven. Hij schetst hoe de Wereldbank zich laat lijmen door de Braziliaanse militaire regering die ten koste van de Nambikwara een weg wil aanleggen dwars door het woongebied van de indianen. Nu evenwel in Washington is ingezien dat de weg voor het milieu een ramp is, is er een soort wiedergutmachungfonds gekomen. Het heet Planafloro en de bescherming van de laatste overlevende nomadische indianen is er een onderdeel van.

Met een bijna nieuwe Toyota, met Planafloro-embleem op het portier, rijdt Marcelo medio 1994 tussen de landerijen door naar het dorp Corumbiara. Het is zijn eerste officiële missie sinds hij benoemd is in zijn nieuwe functie en negen jaar nadat hij met de Nambikwara-indianen de eerste sporen vond. Het is de droge maand augustus. Overal in het veld dwarrelen pluimen rook en de lucht is zo schraal dat hij achter het stuur last krijgt van tranende ogen.

Er zijn nieuwe tips, maar het stuk bos waar hij volgens de tipgevers sporen zou kunnen vinden, blijkt helemaal niet meer te bestaan. Het is omgehakt en er is geen plukje groen meer over. Keer op keer herhaalt de geschiedenis zich: als de Funai in de buurt is, laten landeigenaren bij geruchten over indianen de plek in kwestie onmiddellijk ontbossen. Enerzijds om sporen uit te wissen en anderzijds om het bos snel te verzilveren. Want er is altijd de kans dat de Funai beslag laat leggen op het terrein of het zelfs onteigent.

Marcelo heeft twee weken uitgetrokken voor de expeditie en besluit het bos dat nog wel overeind staat te onderzoeken. Op de laatste dag vindt hij daar resten van een recent kampvuur met ernaast afgekloven resten van geroosterde aap. Vlakbij is ook een palmboom met messneden die erop wijzen dat indianen er takken voor hun bogen vanaf hebben gehaald. Hij is dolblij: de indianen leven nog. In zijn verslag noteert hij met ouderwets revolutionair elan:

We kunnen de aanwezigheid van een groep indianen bevestigen. Ze leven gekooid in eilandjes van bos. Ondanks het systematisch geweld [...] hebben ze zich niet laten verjagen uit dit gebied. [...] De veehouders, speculanten en houthandelaren blijven doen alsof er geen indianen zijn, hakken meer bos en verhandelen op grote schaal hout. Het is onze grondwettelijke plicht om op te komen voor de rechten van de indianen. Daarom acht ik het dringend noodzakelijk dat alle instanties actie ondernemen [...] teneinde een klein deel van onze schuld die wij bij dit volk hebben in te lossen.

Er volgt spoedoverleg met superieuren en zij besluiten op basis van satellietfoto's tot 'operatie stofkam'. De satellietbeelden zijn een nieuw hulpmiddel om ontbossing gedetailleerd in kaart te brengen. Bos is op de foto's groen; grasland, akkers en grote stukken ontbost terrein knalroze en kleine akkers van een hectare of minder zijn meestal witte stipjes. Systematisch zal Marcelo alle witte stippen midden in het bos aflopen. Die kunnen niet van een houthandel zijn, want dan is er ook een pad zichtbaar waarlangs de bomen zijn weggesleept. Het zouden zwerfakkers van indianen kunnen zijn. Indianen ontbossen namelijk ook.

Maar het is een warreling van witte vlekjes op de foto's. Om de keuzes te vergemakkelijken bedenkt Marcelo een list. Alle landeigenaren worden aangeschreven met het verzoek mee te werken aan de speurtocht. Degenen die positief reageren worden door Marcelo in eerste instantie van zijn lijst afgestreept. Wie iets te verbergen heeft, zet het hek niet open, redeneert hij. Hij begint met de fazendas van de weigeraars.

Er gaat een jaar voorbij zonder dat hij een spoor terugvindt. Maar dan komt er een interessante tip binnen: in de fazenda van een van de onwillige grootgrondbezitters zou gevuurd zijn op een naakte indiaan.[7] Marcelo vertrekt onmiddellijk; de woudloper Altair gaat mee. Omdat de fazendeiro in kwestie een kwalijke reputatie heeft en hen nooit zou binnenlaten, besluiten de twee mannen via het terrein van de buurman binnen te dringen.

Ze hebben nauwelijks een halfuur op het terrein gelopen als ze veel verse sporen zien. Op de meegenomen satellietfoto's ontdekt Altair twee minuscule witte stipjes in het bos. Met behulp van de GPS gaan ze erop af. Uit Marcelo's verslag:

Na minder dan een uur lopen zien we drie bomen die omgehakt zijn om de honing eruit te halen. Er zijn veel gebroken takken onderweg. Tien minuten later ontdekken we een schuilplaats voor de jacht. [...] Hij is nieuw, want de takken zijn nog groen. We volgen vanaf hier de gebroken takken die een makkelijk aan te houden spoor vormen. Na een kilometer kunnen we aan de geplette bladeren zien dat het spoor vanaf daar veel en kortgeleden belopen is. Behoedzaam gaan we verder. Na 200 meter komen we bij een open stuk. We laten

onze rugzakken op de grond liggen en slechts met een mes en de ca-
mera lopen we heel langzaam verder. Het open stuk blijkt een akker
te zijn met vijftig meter verder een hut. Er komt geen rook uit en al-
les is heel stil.

De indianen zijn er niet, maar de hut blijkt overduidelijk in gebruik.
De palmtakken zijn vergeeld, maar nog niet verdroogd en bruin. Het
betekent dat de hut niet oud is. De as van het vuur is hoogstens twee
dagen oud. Zorgvuldig fotograferen de mannen alle gebruiksvoorwerpen. Die moeten antropologen een spoor verschaffen over de identiteit van de mysterieuze indianen. De stemming is euforisch, maar ook
gespannen. De kunst is zelf geen sporen achter te laten, want als de indianen zich bespied voelen, zouden ze de benen kunnen nemen.

Als ze de hut vanbuiten inspecteren, ontdekken ze een nieuw spoor
dat zichtbaar veel gebruikt wordt. Het zou naar andere hutten kunnen
voeren. Op fluistertoon overleggen de twee mannen. Zullen ze kijken
of omkeren?

Er zijn drie vuurplaatsen in de hut. Mogelijk telt de groep dus drie
leden. Dan zijn zij bij een confrontatie in de minderheid. 'Niet slim,'
zegt Altair.

Marcelo is bezorgd over de reactie van de landeigenaar. Als zij nu
indianen vinden, zal vroeg of laat uitkomen dat ze zonder zijn toestemming op zijn terrein zijn geweest. De fazendeiro zal hen onmiddellijk van huisvredebreuk beschuldigen. Beter is het om later terug te
komen met een dwangbevel van de rechter op zak.

Een week later keren Marcelo en Altair terug. De rechter in Porto
Velho heeft twee dwangbevelen afgegeven, ook voor de belendende
fazenda, voor het geval de indianen aan de loop zijn geraakt. De twee
worden vergezeld door Paulo, een woudloper van de Funai, Vincent
en een fotograaf en journalist van de krant *O Estado de São Paulo*.

De twee laatsten zijn toevallig in Vilhena komen aanwaaien voor
een interview met Marcelo over indianen. Op een jungletocht zijn ze
met hun nette stadskleren niet voorbereid, maar de uitnodiging op lokatie iets op te snuiven van het werk van een frente de contato hebben
ze dankbaar aanvaard.

Ze besluiten via een grote omweg naar de fazenda te rijden in de
hoop dat niemand hen dan ziet binnenkomen. De nacht brengen ze

door in het veld. Nog voor het licht wordt, vertrekken ze te voet het bos in. Paulo, de woudloper, blijft achter om op de Toyota te passen. Marcelo's permanente angst is dat pistoleiros de Toyota met het Planafloro-embleem zien en in brand steken. 'Eigenlijk is het van de gekke,' mijmert Vincent hardop. 'Wij hebben een gerechtelijk bevel, maar we moeten ons gedragen als dieven in de nacht. Wie zijn hier eigenlijk de boeven?'

Na een dag sjouwen en een tweede onrustige nacht in het bos bereiken de mannen de hut. Hij is verlaten. Maar verse asresten wijzen erop dat de indianen een of twee dagen eerder in de hut zijn geweest. Binnen vinden ze pijlen en bogen en ook fluiten verpakt in bladeren. Er is zaaigoed, opgerold in bladeren. Het terrein rond de hut is geveegd.

'Dat is vast uit voorzorg,' zegt Marcelo. 'Zo zie je onmiddellijk de voetafdrukken van indringers.'

'Hoe lossen we dat op?' vraagt Vincent.

Ze besluiten twee messen op de grond achter te laten bij wijze van geschenk. 'Dan weten ze dat het goed volk was.' Met zijn schoen trekt Altair er een cirkel omheen, zodat duidelijk is dat het geen vergeten spullen betreft.

Achter de hut blijkt een tweede spoor te beginnen.

'Kijk, gebroken takken. Daaraan kun je zien dat hier veel gelopen wordt,' legt Marcelo de journalisten uit. De fotograaf knikt en klikt.

Zwijgend loopt de groep op het nieuwe spoor, bedacht op ieder geluid. Er ligt een bemoste boom langs het pad waar de indianen honing uit gehaald hebben. 'Het mos betekent dat de boom hier lang ligt. Dus dat de indianen al geruime tijd in dit gebied komen,' licht Marcelo toe.

Als ze verder lopen, wordt het spoor breder. Er zijn zichtbaar takken weggekapt. Het maakt de mannen nerveus, en bij iedere stap groeit het gevoel dat de ontknoping nabij is. Het pad daalt naar een moerassig stuk waarover drie boomstammen zijn neergelegd om in natte tijden de doorgang te vergemakkelijken. Dit zou door blanken kunnen zijn gedaan, maar evengoed door indianen.

Opeens klinken er stemmen.

Marcelo, die vooroploopt met een geweer over de schouder, blijft verstijfd staan. Het is geen Portugees dat gesproken wordt. Behalve stemmen klinkt er ook een dof gebonk.

Dan houden de stemmen plotseling stil. Bij Marcelo slaat de paniek toe. Hij keert zich om en gebaart driftig naar de anderen dat ze terug moeten. Hij vreest een aanval.

'Snel. We gaan terug,' sist hij terwijl hij terugholt. Zijn makkers durven zich niet meer te verroeren. Het is duidelijk dat de indianen hen hebben gehoord, want daarom hielden ze op met praten. En iedere blanke is voor hen de vijand. Hoe kunnen ze duidelijk maken dat ze goede bedoelingen hebben?

Terwijl Marcelo terugrent, bukt hij zich alsof hij pijlen verwacht, die niet komen.

De anderen staan bewegingsloos op het pad en staren. Allen zien bleek en niemand durft wat te zeggen. Terug, gebaart Marcelo opnieuw.

Vincent zet met tegenzin zijn filmcamera uit en begint traag terug te lopen. Hij is het er zichtbaar niet mee eens, maar Marcelo heeft de leiding. Dertig meter gaan ze terug terwijl de dode takken plots hard lijken te kraken. Dan houden ze stil en overleggen fluisterend.

Altair en Vincent zijn opstandig. Hoe komt Marcelo erbij dat de indianen hen zouden aanvallen? 'Dat is helemaal niet zeker,' werpt Altair tegen. 'Er zijn ook vreedzame eerste ontmoetingen geweest.' Bovendien wijst alles erop dat deze indianen met weinigen zijn. 'Mogelijk minder dan wij.'

Marcelo worstelt. 'Maar als ze komen, wat moeten we dan doen?' De vreugde van de ontdekking is bij hem in een halve seconde omgeslagen in verlammende angst. 'We hebben geen tolk bij ons. Ik ben ervoor dat we nu vertrekken en over een paar dagen met een tolk terugkomen.'

'Verdomme, Marcelo. Wij gaan helemaal niet terug. Tien jaar hebben we gezocht naar deze indianen. Ben je besodemieterd? Nu gaan we door.' Vincent klinkt ferm. Hij is speciaal voor deze expeditie uit São Paulo komen vliegen. 'Tien jaar, man.'

Marcelo sputtert nog wat, maar Vincent krijgt bijval. Ter plekke wordt een akkoord uitgedacht waarin allen zich kunnen vinden. Ze zullen blijven staan en wachten. Als ze teruggaan, kunnen de indianen denken dat ze slechte bedoelingen hadden en zich betrapt voelen.

De minuten kruipen voorbij. De stilte wordt alleen doorbroken door af en toe een vallende tak en het gekrijs van vogels. Allen staren naar de heuvel aan het einde van het pad voor hen. Opeens horen ze iemand voorbijhollen. In de groep dreigt even paniek: zouden ze omsingeld worden?

Dan ziet Marcelo iets bewegen. Boven op de heuvel verschijnt een indiaan. Hij draagt pijlen en een boog. Als hij de groep in het oog krijgt, draait hij zich om en verdwijnt weer. Vincent, wiens camera draait, is verbaasd. Het oogde niet als een vlucht; daarvoor bewoog de indiaan zich veel te langzaam. Hij kijkt naar Marcelo, die wit is weggetrokken. Hij wil slikken, maar het gaat niet meer en zijn benen trillen van de zenuwen. Dit is het moment waarop ze al jaren hebben gewacht, schiet door hem heen.

Marcelo heeft het gevoel dat hij iets moet doen opdat de indiaan terugkeert. Hij geeft zijn beste imitatie ooit van een koerende duif. En onderwijl bidt hij dat de indiaan weer boven op de heuvel zal verschijnen.

Er klinken opnieuw stemmen.

'*Amigo, amigo*,' roept Marcelo. Vriend, vriend. Dat herinnerde hij zich uit het cursusboek voor sertanistas: indianen kondigen zich altijd roepend aan als ze bij anderen op bezoek gaan. Alleen de vijand komt geruisloos.

Een paar tellen later verschijnt de indiaan. Nu komt er ook een tweede indiaan boven op de heuvel. De indianen lopen achter elkaar enkele passen in de richting van de bezoekers, schrijden is het bijna. Dan blijven ze staan zonder ook maar een moment hun blik van de blanken af te wenden. Ze dragen beiden pijlen en een boog. Ook zij zien bleek, mogelijk van angst.

Marcelo, die snel zijn geweer op de grond heeft gelegd, roept en wenkt. De anderen vallen hem bij: 'Amigo, amigo.'

Geen van hen durft een stap te doen. Iedere beweging zou fout kunnen zijn. Dan gaat er bij een van de indianen een arm omhoog. Ook de andere indiaan steekt zijn hand op. Ze kijken er doodernstig bij.

Het blijkt geen groet; ze maken slingerbewegingen. Hun armen trekken cirkels door de lucht die eindigen met een korte handbeweging naar achteren, alsof ze iets over hun schouder wegwerpen. Af en toe houden ze stil en doen een paar passen in de richting van de groep. Als de indianen dichterbij komen, wordt duidelijk dat ze voortdurend blazen.

'Ze jagen de slechte geesten weg,' fluistert Altair de journalist in het oor.

Marcelo straalt en moet slikken. Hij voelt zich misselijk van zoveel geluk en kan geen woord meer uitbrengen en geen pas meer zetten. Als een zoutpilaar staat hij midden op het pad en kijkt.

Blazend komen de twee naderbij. Vincent heeft zijn camera laten zakken. De indianen zouden kunnen denken dat het een wapen is. De fotograaf volgt zijn voorbeeld.

De voorste indiaan blijkt geen man, maar een jonge vrouw te zijn. Als ze op een pas van Altair en Vincent is genaderd, pakt zij hun handen vast. De andere, een jonge man, grijpt Marcelo's arm en die van de journalist beet.

Communicatie is mogelijk zonder woorden. De vijf blanke mannen lachen. De indianen lachen terug. Ze begrijpen het simpele gebaar moeiteloos ook al hebben ze nooit eerder of nauwelijks contact gehad met blanken. Lichaamstaal blijkt van alle tijden en werelden. De indianen maken moeiteloos duidelijk dat ze deze blijdschap delen. Ze glimlachen, houden hun hoofd scheef en plukken liefkozend aan de blanke armen. Onderwijl praten ze druk met elkaar, alsof ze ieder detail van de vreemde lichamen en uitdossing becommentariëren.

Hun lippen bewegen nauwelijks en hun taal klinkt als getokkel met veel korte klanken van klinkers. Hun handen reizen over de behaarde armen van Marcelo, het T-shirt van Altair, de armen en handen van de journalist. Af en toe klinkt er een diepe zucht die lijkt op opluchting. Steeds weer grijpen ze de handen van de bezoekers.

'Volgens mij houden ze onze handen vast om te voelen of we nerveus zijn,' zegt Marcelo.

De vrouw kijkt hem bewonderend aan en glimlacht. Ze heeft een fijnbesneden, lichtgelig gezicht met scheve ogen die moe staan. Ze is mager, maar gespierd. Beide indianen dragen een handgenaaide bermuda van afgedankte zoutzakken die op de boerderijen gebruikt worden. Ook hun kettingen verraden contact met de blanke wereld: aan raffiadraad hangen behalve schelpen schijven meerkleurig plastic, gesneden uit emmers en plastic borden.

Ze dragen een opmerkelijk hoofddeksel bestaand uit een kalotje van leer, met daaromheen een gevlochten rieten rand waarin een veer is gestoken. En op hun rug hangt een bundel *envira*, touw gemaakt van de binnenzijde van boomschors. Als een witte pluimstaart zwiept die als ze lopen achter hen aan.

'Kijk, wij hebben geen kettingen,' zegt Altair in een poging enige dynamiek in het 'gesprek' te brengen. Hij wijst op zijn eigen kale T-shirt en vervolgens op de vracht versierselen die de man om zijn nek heeft hangen. De indiaan kijkt hem blij aan en pakt zijn hand vast.

De indianen nemen de bezoekers aan de hand mee naar een open plek, waar ze klaarblijkelijk wonen. Er staan twee hutten van palmblad en daartussen is een open 'keuken'. Deze bestaat uit een afdakje van palmblad, een vuur en daarboven een rooster van takken.

Er zijn twee huisdieren: een aap die in de keuken rondspringt en een zwijntje dat opgesloten is in een van de hutten.

De visite duurt de rest van de middag. De vrouw plukt bloedzuigers van de mannen af, die ze vervolgens tussen haar nagels openknapt en opeet. De jongeman prikt met een stok papaja's uit de boom, die hij de gasten aanbiedt. De vrouw lijkt meer op haar gemak en begint op een gegeven ogenblik geëmotioneerd te praten. Ze legt de blanken het zwijgen op. Misschien houdt ze een welkomsttoespraak, denkt Marcelo. De jongen zegt weinig. Hij lijkt wantrouwender; hij volgt nauwlettend iedere beweging van de bezoekers.

De indianen bestuderen met veel overgave alles wat de bezoekers bij zich hebben en dragen: de sokken in de schoenen, de veters, de camera en de losse lenzen. Vervolgens worden de rugzakken leeggehaald: wc-papier, een plastic beker, een zakmes, een zaklantaarn, een petje, een vislijn, filmrolletjes, papieren. Alles wordt bekeken, besnuffeld en vervolgens op een rij gelegd. Het gaat eindeloos traag en ordelijk. Een schone onderbroek wordt gepast. Onder de blanken zorgt de visitatie voor veel hilariteit en de indianen geven in hun tokkeltaal voortdurend commentaar op alles. Na afloop leggen ze alle spullen een voor een weer terug in de rugzakken van hun bezoekers.

Marcelo spiedt voortdurend in de rondte. Hij vraagt zich af met welk volk hij van doen heeft. De voorwerpen, de vorm van het huis, de voedselresten, de pijlen – alles kan een aanwijzing zijn over de origine van deze indianen. Het duo heeft diverse voorwerpen van blanken in gebruik. Er staan een jerrycan, pannen, messen en een verroest blik. Onder een palmrieten bandje dat de vrouw vermoedelijk ter versiering om haar biceps heeft gebonden, zit een lepel geklemd. De indianen zouden de spullen gestolen kunnen hebben van een fazenda.

De middag loopt ten einde. Marcelo maakt slaap- en loopgebaren. 'We komen over een week terug,' zegt hij in het Portugees. De india- nen knikken, maar het lijkt onwaarschijnlijk dat ze er iets van begre- pen hebben. De geschenken die Marcelo ter afscheid aanbiedt – we- derom messen – kunnen op meer enthousiasme rekenen.

De terugtocht is er een met hindernissen. De journalisten zijn aan het einde van hun Latijn. Ze struikelen en verstappen zich veelvul- dig. De fotograaf, de dikste van de twee, moet met kleren en al in een koude beek worden gedompeld omdat hij dreigt flauw te vallen. De nacht brengen ze opnieuw door in het bos. Vincent heeft te veel on- rijpe papaja's gegeten en moet voortdurend overgeven. Marcelo heeft een nachtmerrie en droomt dat bulldozers van de fazendeiro de hut- ten verpletteren. Hij hoort de motoren en wil terug om de indianen te redden.

'Rustig maar,' roepen de anderen vanuit hun hangmatten. 'Wij ho- ren helemaal geen bulldozers. Er is niets aan de hand. Ga terug, ga sla- pen.'

Marcelo herinnert zich de dag van het eerste contact als een van de gelukkigste uit zijn leven. Een zoektocht van tien jaar had nu resultaat gehad. En Vincent noemt het 'een van de meest indrukwekkende mo- menten die ik ooit heb meegemaakt'. De indianen zullen later beken- nen dat ze hadden willen vluchten toen ze de groep in de gaten kregen, maar het was te laat geweest.

Drie dagen na de ontmoeting brengt *O Estado de São Paulo* het verhaal onder de kop 'Nieuwe indianenstam ontdekt'. TV Globo, Braziliës best bekeken zender, zendt een door Vincent gemaakte reportage over het contact uit. Marcelo is tevreden. Zijn grote zorg is dat de indianen niet verjaagd of vermoord worden als hij enkele dagen naar Vilhena moet om een juridisch beslag te regelen. Publiciteit vormt voor de indianen de beste garantie om te overleven op dit precaire moment, hebben Vincent en hij vastgesteld.

4

Meer raadsels

Er zijn vragen waarop tot op de dag van vandaag geen antwoord is. Hoe kon het dat de landeigenaar Antenor Duarte de hutten van de indianen nooit gezien had? Hij kwam altijd per vliegtuig en de aanvliegroute lag precies boven de hutten en de zwerfakker, die alle vanuit de lucht duidelijk zichtbaar waren. Voor Marcelo lijdt het geen twijfel dat de indianen door een speling van het lot nog leven. 'Als Antenor ze had gezien, waren ze vermoord. Wie er geen moeite mee heeft landlozen te vermoorden, heeft dat helemaal niet met indianen.'

Het was een verwijzing naar de bloedige ontruiming van een kampement van landlozen dagen voordat het contact met de indianen plaatshad. De landlozen en hun gezinnen, in totaal ongeveer zeshonderd personen, hadden weken eerder een terrein van een familielid van Antenor Duarte bezet gehouden. Er lag een gerechtelijk bevel tot ontruiming. Op een ochtend begin augustus, toen het nog donker was, was hun kampement door een overmacht aan politieagenten omsingeld. Drie landlozen die wachtliepen, sloegen alarm. Haastig verdeelden de landlozen de wapenvoorraad – vijfendertig stuks, meest buksen. De wakker geschrokken landlozen voor wie er geen wapen meer was, grepen stokken en stenen om de politie van zich af te houden. De politie schoot traangasbommen af en stak plastic hutten in brand. De bezetters riepen leuzen als: 'Wij eisen landhervorming', en: 'De grond is van ons'. Toen werd er opeens van alle kanten geschoten. Bij de ontruiming kwamen dertien landlozen en twee politieagenten om. Dagen later bleek uit onderzoek dat de meeste landlozen waren geëxecuteerd. Meer dan honderd bezetters raakten gewond, velen omdat ze mishandeld waren in het politiebureau waar de gezinnen na de ontruiming naartoe gebracht waren.

Het verhaal van de ontruiming was ook naar Braziliaanse maatstaven gruwelijk en haalde alle voorpagina's en zelfs buitenlandse kranten. De arrestanten zouden een dag naakt op de patio van het politiebureau hebben moeten zitten, zouden uitgescholden zijn voor ratten, geslagen en zelfs beschoten. Een arrestant vertelde journalisten dat hij gedwongen was een hap uit de hersenen van een dode collega te nemen.

Amnesty International stuurt een delegatie om onderzoek te doen en die is net weg als Marcelo en Vincent terugkeren in Corumbiara. Ze ervaren de gemeente als anders. Het bloedbad is een waterscheiding. Er is een voor en daarna. Het lijkt alsof de bewoners hun angst voor de fazendeiros kwijt zijn en zij hun haat voor het eerst durven te tonen. Marcelo en Vincent worden op straat voortdurend aangehouden en gefeliciteerd met hun vondst. Veel bewoners geloven dat de ontdekking van de onbekende indianen op het terrein van Antenor Duarte de straf van God is, want het ligt in de lijn van de verwachting dat Duarte en ook andere fazendeiros die grond in hetzelfde bos bezitten land zullen kwijtraken. Volgens de landlozen orkestreerde Antenor Duarte de gewelddadige ontruiming. Zijn pistoleiros zouden de agenten instructies hebben gegeven.[1]

De landeigenaren beramen een tegenzet. De advocaat van de fazendeiros, die bijna allen kantoor houden in Vilhena, geeft interviews aan alle kranten. Marcelo heeft de indianen neergepoot in het gebied, zegt hij. 'Want hoe is te verklaren dat de ervaren sertanista Possuelo in veertig dagen zoeken niets vindt en Marcelo uitgerekend op de dag dat hij vergezeld wordt door journalisten uit São Paulo tegen indianen aan loopt?'

Als bewijs toont hij foto's. Daarop staan de net ontdekte indianen met enkele ingeburgerde indianen van elders en een antropoloog.[2] Terwijl Marcelo in Vilhena was om de bureaucratische rompslomp voor een nieuw beslag op de grond te regelen, blijken de fazendeiros met deze indianen in een vliegtuigje snel naar de fazenda te zijn gevlogen om de foto te ensceneren. Het verhaal dat ze eromheen spinnen is dat deze verwesterde indianen goede bekenden zijn van de geïsoleerde indianen, want ze hebben allen in hetzelfde gebied geleefd. En dat was natuurlijk niet de plek waar de geïsoleerde indianen nu zijn aangetroffen. Het verzinsel is vooral bedoeld voor de rechter die over het beslag gaat, maar tot Marcelo's grote opluchting laat deze zich niet van de wijs brengen. Er komt een nieuw beslag.[3]

De vraag die Marcelo het meest bezighoudt sinds het contact is of er nog andere indianen in het bos rondlopen. In de eerste, lege hut hadden ze pijlen aangetroffen. Maar deze zijn heel anders dan de pijlen van de ontdekte indianen. Pijlen zijn persoonlijk; iedere indiaan geeft zijn pijl met veren en kleuren zijn eigen stempel.

En wie zijn de indianen die ze hebben ontdekt? Tot welk volk behoren ze? Marcelo is met de videotapes van Vincent langs allerlei indianenreservaten gereden om de band af te spelen. Maar de andere indianen begrepen niets van de tokkeltaal van de net gecontacteerde rasgenoten.

Het hoofddeksel, het meest in het oog lopende ornament van het tweetal, is door geen enkele antropoloog of sertanist herkend.

'Weet je wat ik denk?' zegt Marcelo tegen Altair. 'Ze hebben de cowboys met hun cowboyhoeden nageaapt. Ze hebben hen vanuit het bos zitten begluren.'

'Verdomd, daar kon je weleens gelijk in hebben,' zegt Altair. 'Ze waren in de buurt van de fazendas want tenslotte hebben ze daar zoutzakken weggehaald om broeken van te maken. En die hoeden hebben ze natuurlijk ook gekopieerd.'

Pas twee weken na de ontmoeting slaagt Marcelo erin terug te keren naar de plek waar het tweetal woont. De teleurstelling is groot als hij aankomt, want de hutten zijn leeg en de indianen spoorloos. Marcelo is uit het veld geslagen. Zijn stille angst is dat de indianen in zijn afwezigheid vermoord zijn. Maar anders dan tien jaar geleden op het terrein van de Fazenda Yvipitã zijn de hutten hier in het bos intact. 'Ik geloof niet dat de fazendeiros het lef hebben,' sust Altair, die bij hem is. 'Alle ogen zijn gericht op Corumbiara vanwege het bloedbad. Indianen over de kling jagen zou een nog veel grotere rel geven. Dat doen ze niet.'

Marcelo besluit net als de eerste keer geschenken achter te laten. Met plastic zeilen richt de expeditie – er zijn ook twee antropologen bij en Vincent – vervolgens een provisorisch kampement in op ongeveer een halfuur lopen van de hutten. Als ze te dichtbij zouden komen, zou dat de indianen kunnen afschrikken.

Tot hun grote verrassing zijn de cadeaus weg als de mannen de volgende dag gaan kijken. Ze leggen opnieuw geschenken neer. En de dag daarop blijken ook deze verdwenen. De indianen laten zich evenwel niet zien.

'Dan maar zo,' zegt Marcelo. 'We weten nu tenminste dat ze leven en dat ze in de buurt zijn.' Hij begrijpt het. Waarom zouden de indianen hen na één bezoek vertrouwen als ze jaren opgejaagd zijn?

Het wordt snel routine: iedere dag begint met een wandeling naar de afwezige buren met geschenken in de rugzak. En keer op keer worden deze weggehaald. 'Zo krijg je wel een uitzet bij elkaar,' grapt Vincent. Zoektochten in andere delen van het bos leveren niets op. De dagen vullen zich met wachten en muskieten doodslaan.

Na een week keert het lot. Als Vincent en een van de antropologen het erfje op stappen, zien ze twee indianen die draagmanden aan het vullen zijn. De ene, een jonge vrouw, kennen ze niet. De andere is de vrouw van de vorige keer. Vincent weet hen gebarend over te halen mee te gaan naar het kampement.

Met groot enthousiasme worden de vrouwen daar ontvangen. De antropologen gaan meteen aan het werk. Ze wijzen en trekken vragende gezichten. Mond, oog, boom, pijl? Wat is dat in jullie taal? De indianen vinden het een vermakelijk spel. Hun gorgelende geluiden worden vastgelegd met de bandrecorder. De geluiden gaan de computer in en worden vergeleken met andere, reeds bekende indianentalen.

Eenvoudig is het onderzoek niet. Er worden meer dan honderdtachtig indianentalen in Brazilië gesproken en een aantal is niet beschreven of op de band vastgelegd. Een linguïst van het Goeldimuseum in Belém, in het noorden van de Amazone, ontdekt dat de woordenlijst voor 80 procent overeenkomt met die van het Kanoê-volk. Nu wordt ook duidelijk waarom geen van de indianen uit de reservaten iets had verstaan. Het Kanoê (spreek uit: Kaa-no-ee) is een geïsoleerde taal: hij vertoont geen enkele verwantschap met de andere bekende indianentalen.

Opeens hebben de onbekende indianen een verleden. Hun voorvaderen leefden volgens historische reis- en missieverslagen in het zuiden van Rondônia, bij de rivieren de Tanaru en Corumbiara, min of meer op de plek waar zij ook wonen. Dat ze niet of nauwelijks hebben rondgezworven zou kunnen verklaren waarom hun taal op zichzelf staat. De Kanoê hadden in ieder geval al vanaf 1929 af en toe contact met blanken, vooral met rubbertappers. Ze genoten faam als gehoorzame en ontvankelijke indianen, en vermoedelijk daarom werden ze in de jaren dertig door rubbertappers uit hun dorpen weggehaald. Als volk vielen zij uiteen.

Als semi-slaven – die werden betaald met messen, spiegeltjes en andere prullen – werkten sommige gezinnen op rubberconcessies in de regio. Ze moesten bomen hakken, paranoten verzamelen en iedere dag rubberbomen die verspreid in het bos staan langs om de vloeibare rubbermelk uit de bast af te tappen en te verzamelen. Sommige concessies werden geleid door ex-functionarissen van de Dienst ter Bescherming van de Indianen (Serviço do Proteção aos Índios oftewel spi naar de Portugese afkorting), de voorloper van de Funai. Terwijl zij juist geacht werden de indianen te beschermen.

In de jaren veertig werd een aantal Kanoê met andere indianen afgevoerd naar een reservaat[4] 200 kilometer noordelijker. De indianen moesten plaatsmaken voor een golf van tienduizenden arme migranten uit het noordoosten die als 'soldaten van de rubber' op de rubberconcessies kwamen werken. Door de wereldoorlog was de vraag naar rubber sterk aangetrokken. De militair gouverneur van het gebied vreesde dat deze unieke kans de regio tot economische bloei te brengen bedorven kon worden door de indianen. Ze zouden zich kunnen verzetten tegen een nieuwe invasie op hun grondgebied.

Een onbekend aantal indianen bleef achter. Dit waren indianen die zich schuilhielden omdat ze niet weg wilden en groepen waarvan men het bestaan niet kende omdat ze altijd het contact met blanken hadden vermeden. De verhuizing had veel van een deportatie. De indianen werden in kano's gezet en voeren de Guaporé-rivier af. Op de stukken met laagwater en veel rotsen in de bedding, waar de kano's gesjouwd of getrokken moesten worden, slaagden sommigen erin te ontsnappen. Niet dat het veel uitmaakte. Omdat bijna alle bos langs de oevers bij rubberplantages hoorde, werden de 'voortvluchtigen' snel gepakt en alsnog afgeleverd bij het reservaat.

Toen waren de Kanoê al sterk uitgedund. Het was hun vergaan zoals bijna alle indianenvolken na contact met de blanken. Ziektes als mazelen en kinkhoest, maar ook uitputting en gewelddadige confrontaties met goudzoekers en rubbertappers hadden voor massale sterfte gezorgd. In 1995 telt hun volk minder dan honderd mensen die verspreid in de deelstaat leven, sommigen in de stad, anderen in het reservaat. Vaak zijn ze getrouwd met leden van andere indianenstammen.

Omdat de Kanoê meer dan een halve eeuw intensief omgaan met blanken, spreekt bijna niemand meer de eigen taal. De linguïst van het Goeldi-museum in Belém schat dat er op z'n hoogst vijf oudjes zijn die iets van het Kanoê machtig zijn. Maar waar wonen ze? Marcelo belt Funai-posten en contacten in de regio af. Uiteindelijk vindt hij een van de laatste Kanoê-sprekers. Munuzinho, een mild gestemde, rimpelige zeventiger, zal meegaan het bos in, dat inmiddels weer tot verboden terrein is verklaard.

De indianen zijn evenwel voor de tweede keer verdwenen. Nu is het de oude Munuzinho die dagelijks de verlaten hutten bezoekt. Marcelo levert cadeaus aan, die opnieuw worden weggehaald. Na meer dan een week treffen Munuzinho en Marcelo een van de vrouwen.

Nu er een gesprek mogelijk is, verandert alles. Munuzinho wordt hartelijk begroet als een teruggevonden familielid, want hij spreekt immers de taal. Er komt allerlei nieuwe informatie door.

De groep blijkt niet uit drie maar uit vier volwassenen te bestaan. Het duo van het eerste contact is geen echtpaar, maar broer en zus. De andere jonge vrouw is een nicht, maar wordt 'zus' genoemd. En er is nog de moeder, die zich tot dan heeft schuilgehouden in het bos, maar nu tevoorschijn komt. Zij is, schatten Marcelo en Altair, eind veertig. Haar kinderen en de nicht zijn vermoedelijk in de twintig.

Er zijn ook namen. De moeder heet Mariututuá, hetgeen 'Wilde Bij' betekent. Haar familie spreekt haar aan als Tutuá.[5] De dochter heet Txinamanty (Apendarm), omdat ze toen ze klein was op haar buik voortdurend in het zand rolde zoals een darm kronkelt. Haar jongere broer wordt aangesproken als Operá (Jaguar). En de nicht die ongeveer net zo oud lijkt als de zus, heet Wajmoró (Spinnenweb).

Marcelo komt meteen met de vraag die hem sinds de ontdekking bezighoudt. Van wie is de eerste hut die hij gevonden heeft? Zijn vermoeden wordt bevestigd: er doolt nog een groep door het bos. Akuntsu ('de Anderen') noemen de Kanoê deze groep. Marcelo moet hen niet opzoeken, zeggen ze. Het zijn wilde indianen. Verder weigeren de Kanoê iets over de Anderen te zeggen.

Iedere ontmoeting met de indianen is vanaf nu een praatsessie, waarbij Marcelo en Vincent vragen afvuren op *seu* Munuzinho – 'meneer Munuzinho' zoals ze hem beleefd aanspreken. Heeft de Kanoê-familie hier altijd gewoond? Hoe kan het dat zij alleen in het bos zijn overgebleven? Wat is er met de rest van hun familie gebeurd? Munuzinho glimlacht meestal verlegen en zet zich na lang nadenken aan het vertalen. Hij heeft sinds zijn jeugd nauwelijks meer Kanoê gesproken en is veel woorden vergeten.

Beetje bij beetje komt het verhaal los. De net gecontacteerde indianen zijn vermoedelijk afstammelingen van de Kanoê die zich rond 1940 ten tijde van de 'deportatie' van de indianen naar het reservaat hebben schuilgehouden. De groep blijkt op een gegeven moment nog maar vijftig mensen, meest vrouwen en kinderen, te hebben geteld. Marcelo en Vincent kennen het fenomeen: de druk van blanken neemt toe en de sterfte onder mannen neemt toe. De mannen hebben meer contact met blanken en lopen daardoor sneller kans ziek te worden. En ze komen om in gewelddadige confrontaties, zowel met blanken als met andere indianenvolken. Die zijn talrijker omdat er steeds minder oerwoud beschikbaar is en indianen elkaar voor de voeten beginnen te lopen.

Er waren zo weinig mannen overgebleven dat huwelijken nauwelijks meer mogelijk waren, vertellen de Kanoê. Daarom besluiten de mannen andere indianengroepen te gaan zoeken waarmee de Kanoê kunnen trouwen. Alle mannen, de ouderen maar ook de jongens, treden aan. Mogelijk gingen allen mee op deze expeditie omdat zij met zo weinig waren en toch als talrijk en machtig wilden overkomen, denkt Marcelo. De vrouwen blijven achter met de kinderen.

De dagen gaan voorbij, maar de mannen keren niet terug. Twee vrouwen besluiten op zoek te gaan en keren na een paar dagen met rampzalig nieuws terug: hun echtgenoten en zonen zijn gedood door een andere indianenstam.

Overigens zullen de Kanoê maanden na dit relaas, dat Munuzinho voor Marcelo vertaalt, met een iets andere lezing komen. Dat is als een antropologe hen ondervraagt, wederom met hulp van Munuzinho. In de tweede versie worden hun vaders, broers en zonen meegenomen door vier vreemdelingen. De vreemdelingen zijn twee zwarten en twee blanken, die enige tijd ook bij hen in het dorp hebben gewoond.

Marcelo vindt de tweede lezing een plausibele versie. De vreemdelingen zouden rubbertappers kunnen zijn geweest die slaven voor de plantages zochten, denkt hij. Het zou ook verklaren waarom Txinamanty een enkel woord Portugees lijkt te spreken. *Morte*, 'dood', is daar een van.[6]

Hoe het ook zij, zonder hun mannen raken de vrouwen in paniek. Wie moet jagen? Ze besluiten dat de groep zelfmoord zal plegen. Groepszelfmoord komt vaker voor bij indianenvolken die geen uitweg zien. De vrouwen bereiden een gif, geven het hun kinderen te drinken en nemen het zelf. Tutuá, de moeder van het duo, drinkt ook, maar krijgt spijt. Ze slaagt erin wat ze gedronken heeft weer uit te spugen. Ze overtuigt haar zus niets te drinken en de twee geven hun kinderen niets. Met hun kinderen vluchten ze het bos in.

Maar de zus van Tutuá wordt gek. Ze begint te hallucineren en gelooft niet meer dat de mannen dood zijn. Op een dag loopt ze alleen het bos in op zoek naar haar man en zonen. Tutuá probeert haar tegen te houden, maar ze is niet te stuiten. Nooit vernemen de Kanoê meer iets van haar.

Vanaf dat moment staat Tutuá er alleen voor. Met haar twee kinderen en haar nichtje houdt ze zich schuil in het bos. Ze leren jagen, een taak die normaliter aan mannen en jongens is voorbehouden.

Steeds vaker horen ze lawaai en bomen die omvallen. De blanken zijn het bos binnengedrongen en komen dichterbij. Er zijn tijden dat ze niet langer dan één nacht op dezelfde plek durven te slapen.

Op een dag zien ze sporen van andere indianen in het bos. Ze hopen dat het familie is, maar het blijken Akuntsu (Anderen) te zijn, die ook op de vlucht zijn. Over hun relatie met de Akuntsu wijden de Kanoê niet uit.

Dat de andere groep nog in de buurt ronddwaalt, staat voor Marcelo en Vincent vast. Ze hebben verse vuurresten en voetsporen gevonden. Eenmaal tijdens een tocht zien ze een naakte indiaan tussen de bomen staan. Ze roepen en wenken hem, maar hij rent geschrokken weg. Marcelo en Vincent hebben de indruk dat de Kanoê de andere indianen voor hen verborgen willen houden. Hun voorstel samen op zoek te gaan naar de Anderen wordt gelaten ontvangen.

'We gaan zelf,' besluit Marcelo. 'Munuzinho gaat mee. Wie weet kan hij praten met de Akuntsu.' Als de Kanoê hen begrijpen, zou de tolk daar evenmin problemen mee moeten hebben.

Met gemengde gevoelens slaan de Kanoê de voorbereidingen voor de tocht gaande.

'Wij gaan met jullie mee, want anders maken de Akuntsu jullie dood,' deelt Txinamanty ten slotte via tolk Munuzinho mee.

De twee jonge vrouwen, Txinamanty en haar nicht Wajmoró, treden aan met pijl-en-boog in de hand en draagmanden op de rug. Ze weten precies waar ze de anderen moeten vinden, want binnen een uur staat de expeditie bij een kraal met verscheidene hutten, die Marcelo en de anderen nog nooit eerder hebben gezien.

In een van de hutten zit een bejaarde vrouw. Ze is naakt op kettingen na. Ze wendt haar hoofd onmiddellijk af als ze Marcelo en de andere blanken ziet. De Kanoê ratelen aan één stuk door alsof ze de oude indiaanse moeten overtuigen te blijven. De vrouw humt af en toe wat terug.

'De rest van de groep is jagen,' meldt Munuzinho na enige tijd.

De oude vrouw staat bij haar hut en steeds als niemand op haar let, draait ze zich om en probeert weg te lopen. Keer op keer sleurt nicht Wajmoró, de potigste van de Kanoê, haar terug naar het erf bij de hutten. Hetzelfde geldt voor de jonge, eveneens naakte man die nietsvermoedend na enkele uren als eerste terugkeert van de jacht. In zijn ogen staat paniek te lezen. Hij wil het onmiddellijk op een lopen zetten als hij de blanken bij de hut ziet. Maar ook hij vindt Wajmoró als een onverzettelijk blok op zijn pad.

De ontmoeting kent vermakelijke momenten. Dat Marcelo een nieuwe, glimmende soeppan aan de oude vrouw schenkt, bevalt Wajmoró niets. Als de oma niet kijkt, pakt ze de pan weg en zet hem bij haar eigen draagmand. Marcelo heeft het door en bezorgt oma de soeppan weer terug. Tien minuten later is de nicht er weer mee aan het sjouwen. Dit keer worden er geen halve maatregelen genomen: ze verstopt de pan in het bos. De oude vrouw duwt ze als troostprijs een plastic beker in de handen. De indiaanse kijkt naar de beker alsof het een beest is dat ieder moment tot leven kan komen. Ze heeft vermoedelijk nog nooit iets als een drinkbeker gezien.

Uit veel details blijkt dat de Akuntsu in tegenstelling tot de Kanoê bijna niets kennen van de blanke wereld. Als Marcelo een lucifer tevoorschijn haalt, knikken de Kanoê begrijpend en maken het sisgeluid van een vlam. Maar de jonge Akuntsu laat alles van schrik uit zijn handen vallen als een van de lucifers waarmee hij speelt plots begint te vlammen.

De groep is groter, maar omdat de andere Akuntsu niet verschijnen, besluiten Marcelo en Vincent dat ze allemaal de nacht zullen doorbrengen in een van hun hutten. Vincent en Marcelo slapen met de jonge Akuntsu tussen hen in om te voorkomen dat hij de benen neemt.

Wajmoró is bedrijvig en alert. Ze zorgt dat de indianen niet weglopen. Dat de anderen maar niet komen opdagen, lijkt haar eer te na. Als ze op een gegeven moment het bos in loopt, kondigt Munuzinho aan: 'Ze brengt de anderen hiernaartoe.' Na twee dagen komt Wajmoró weer tevoorschijn. Ze troont een circa vijftigjarige indiaan mee die de chef van de groep blijkt. Babá heet hij, en hij heeft twee echtgenotes en twee dochters. In totaal bestaat de groep dus uit vijf volwassenen en twee kinderen. Ze dragen allen kettingen, meest dezelfde als waarmee de Kanoê zich versieren, maar ze lopen naakt.

De communicatie met de nieuwe indianen blijkt en blijft een groot probleem. De Akuntsu spreken een onbekende taal. Linguïsten stellen op grond van de woorden en syntaxis vast dat hij tot de familie der Tupí-talen hoort. Tupí-talen komen zowel aan de kust als in het Amazonegebied voor. Allerlei Tupí sprekende indianen uit Rondônia worden door Marcelo naar de nieuwe indianen gebracht, maar geen van hen begrijpt de Akuntsu goed. De Akuntsu-vrouwen lijken voor dezelfde dingen ook andere woorden te gebruiken dan de twee mannen. De taal die het meest op die van de Akuntsu lijkt, is het Mekens, gesproken door een volk dat een uur rijden verderop leeft. Een bejaarde Mekens die Passaká heet blijft daarom als tolk.

Zo goed en zo kwaad als het gaat, probeert Marcelo nu Babá te ondervragen. Babá vertelt dat ze niet in dit gebied leefden maar hiernaartoe zijn gevlucht nadat zij door blanken uit hun eigen bos waren gejaagd. De blanken zouden bij deze gelegenheid zijn zoon, broer en twee ooms hebben doodgeschoten.

'De blanken hebben ons aangevallen en met schoten gedood. Ik had een grote zoon die ze met een schot hebben gedood.' Babá doet het geluid van schieten na: *poe, poe, poe.* 'Ik heb geen familie meer. De blanke heeft mijn vrienden gedood. Nu ben ik hier alleen. Maar ik snuif aldoor *rapé*. Ik ga nergens meer heen. Ik blijf aldoor hier zitten.'

Hij vertelt Passaká over de grote moestuin die hun vroegere dorp had en waar hij veel maïs en maniok maar ook pinda's, tabak, papaja, banaan en *urucum* teelde. De indringers hadden volgens Babá een groot pad in het bos gemaakt en hun hutten en moestuin vernield.

Babá heeft zelf ook vragen. Hij noemt allerlei namen van indianen van andere Tupí-volken die hij toen hij jong was had leren kennen bij feesten of als ze op bezoek gingen. Een voor een noemt hij ze op en hij kijkt verwachtingsvol tolk Passaká aan. Passaká blijkt de meesten ook gekend te hebben, maar steeds schudt hij zijn hoofd. Nee, die is dood. En die is ook dood. En die ook. Babá schudt zijn hoofd en kijkt naar de grond. Hij is zichtbaar terneergeslagen na dit slechte nieuws. Uiteindelijk pakt hij Passaká bij zijn arm en zegt: 'Je hebt mij gevonden. Nu moet je iedere dag naar mijn huis komen.'

Het is een ontroerende scène. De tolk houdt Babá voor dat hij en zijn familie in dit bos moeten blijven. Ze moeten niet meer vluchten. Hier is het veilig.

'Dan moet jij ook niet meer weggaan. Blijf hier,' zegt Babá. 'Je moet hier bij mij komen wonen.' En terwijl hij knikt naar zijn vrouwen en dochters die verderop zitten, zegt hij: 'We hebben ook vrouwen.'

Tolk Passaká glimlacht verlegen en zwijgt.

Babá ziet andere kansen. 'Breng twee zonen hier om met deze meisjes te wonen. En breng ook een vrouw, voor mij.'

Als de tolk daartegen inbrengt dat zijn oudste zoon met een blanke vrouw woont, staat een van Babá's echtgenotes op en mengt zich in het gesprek. 'Breng hem toch maar. We nemen hem.'

Het oudste meisje, dat met een toekan rondloopt, zegt trots: 'De toekan is mijn zoon. Ik heb hem grootgebracht.'

Babá keert steeds terug naar het onderwerp dat hem hoog zit: het gebrek aan mannen. 'Je moet twee mannen brengen,' zegt hij tegen Passaká. 'De vrouwen hebben een man nodig. Vrouwen jagen niet.'

Als Marcelo Babá vraagt waar hij vroeger woonde, wijst hij in de richting van de fazendas Yvipitã, Yvyporã, Irga, São José en Olga. Hij vertelt ook over een ding 'met twee ogen' dat bomen wegtrok. Dat moeten volgens Marcelo en Vincent de tractoren van de houthakkers zijn geweest. 'Ik was bang en ben hierheen gevlucht. Je zag alleen maar bomen die omvielen,' aldus Babá. 'Ik was aldoor op de vlucht. Ik maak hier een huis, andere daar, andere hier, want ik ben bang van de blanke man. Als ik het ding hoorde, holde ik weer weg.'

Hij zou graag uit zijn vroegere bos takken van de buritipalm halen. 'Maar ik ben bang. Het bos is ver weg vanwaar ik nu woon. En je moet een pad oversteken.'

Na Babá's verhalen is Marcelo ervan overtuigd dat de vernielde hutten die hij tien jaar geleden ontdekte van de Akuntsu waren. Mogelijk waren de voortvluchtige indianen die een nacht in het huis van Lurdes hadden doorgebracht hun familie.

Net als bij de Kanoê blijken bij de Akuntsu de familieverhoudingen niet te zijn wat ze lijken. Zij zijn, zoals Babá al liet doorschemeren, eenlingen die door hun tragisch lot op elkaar aangewezen zijn en een nieuwe familie vormen.

De jonge man, die Pupak blijkt te heten, is geen zoon van Babá, zoals Marcelo dacht. Hij is evenmin directe familie van de anderen. Hij is bij een bloedbad zijn ouders, vrouw, schoonouders, broers en zussen kwijtgeraakt. Niet duidelijk is of dat het bloedbad is waarvan Marcelo vermoedt dat het heeft plaatsgehad op de fazenda van Junqueira Vilela. Pupak heeft in ieder geval nog het litteken van een schampschot op zijn arm.

Babá heeft de twee vrouwen die hij nu heeft, tot echtgenotes genomen, omdat ze geen man meer hadden, vertelt hij. Een van de vrouwen is zijn nichtje. De twee meisjes zijn hun dochters. Het is onduidelijk of de oudste dochter een kind van Babá is; de jongste is dat wel. De oude vrouw, Ururu geheten, is mogelijk een oudere zus van Babá, maar ook dat wordt niet echt duidelijk.

Bij de Akuntsu refereren de namen eveneens aan de natuur om hen heen. De chef wordt Babá genoemd, maar heet eigenlijk Konibuátsu (een slangensoort). Een van de dochters heet Papakú ('rood als urucum'). Hoe Marcelo en de tolk ook proberen, het blijft onduidelijk hoe de Akuntsu – de naam die de Kanoê immers gebruiken – zichzelf noemen.

De veldverslagen van de Funai uit de eerste maanden na het contact geven een idee van het dagelijks leven van Akuntsu en Kanoê. De indianen werken naar gelang de behoefte op hun zwerfakker. Als het vlees op is, gaan de families uit jagen. Voor het overige rommelen de indianen in en rond hun hutten.

De hele tijd hebben ze te maken met geesten die van alles willen en die zich voortdurend kenbaar maken. Vooral buiten de hut zijn wereld en universum druk bevolkt. Om met de geesten te communiceren snuiven de Kanoê en de Akuntsu bijna iedere dag hun snuiftabak met gestampt zaad van de *angico*, een mimosa-achtige boom. Boze geesten worden uit de lucht getrokken en weggegooid of -geblazen. Na het snuiven van deze rapé wordt er nog driftiger geblazen.

Babá is behalve de leider van de Akuntsu ook hun *pajé* (spreek uit: pazjee); dat is de medicijnman die de groep moet beschermen tegen boze geesten en ook de genezingen uitvoert. Dit laatste houdt in dat de kwade geesten uit of van de zieke moeten worden getrokken.

Babá's vrouwen waken over hem als was hij hun lievelingskind. Als hij op een dag koorts heeft, staan zijn twee echtgenotes en zijn zus om zijn hangmat. Ze leggen kruiden en stukjes hout op warme stenen onder zijn hangmat, zodat hij de lucht kan inademen. Hij krijgt in het vuur opgewarmde bladeren tegen zijn voeten en onder zijn neus. En met handbewegingen en prevelen worden de slechte geesten van hem af getrokken.

Volgens Altair bestaan er bij indianen ook ingebeelde ziektes. Als op een dag twee Kanoê-vrouwen melden dat ze ziek zijn, schrijft hij in zijn verslag: 'Het ziet eruit als aandacht trekken.'

Zowel de Kanoê als de Akuntsu zijn gastvrij. Als Marcelo of de anderen hun erf bezoeken krijgen ze altijd fruit, maïs of pap aangeboden. De pap is gemaakt van maïs en er wordt volgens Altair ook in gespuugd. Dit is vermoedelijk om de gisting op gang te brengen.

Nicht Wajmoró gaat regelmatig 's nachts in haar eentje jagen. En haar huisdier, het aapje, mag soms mee. De Kanoê en ook de twee Akuntsu-mannen zijn enthousiaste jagers. Geen van hen laat een gelegenheid voorbijgaan om een stuk vlees te schieten. Wie weggaat om te jagen, komt altijd ergens mee terug. Als ze niets vinden, halen de indianen een paar vissen uit de kreek. Het is hun eer te na om met lege handen aan te komen.

Altair is erbij als Wajmoró een keer een gordeldier buitmaakt. Ze vangt eerst steekmieren, wikkelt deze in een groot blad, dat ze vervolgens aan een stok bindt. De stok wordt in het hol van het gordeldier gestoken en het blad wordt met behulp van een andere stok opengevouwen. Het beest, wanhopig door de stekende mieren, klimt uit zijn hol en valt in de handen van de indiaan.

Bij de Kanoê is de rolverdeling diffuus. Allen jagen bijvoorbeeld. Maar Txinamanty is zichtbaar de leider. Zij is ook de pajé en haar broer de nummer twee. Wajmoró is het sloofje; zij zoekt hout en kookt. En moeder is eveneens altijd aan het werk met kappen, snijden en sorteren.

Bij de Akuntsu is de rolverdeling duidelijker: de mannen jagen en de vrouwen zoeken honing en noten. Als Babá terugkomt van de jacht, verdeelt hij zijn prooi netjes tussen zijn twee echtgenotes.

De Kanoê en Akuntsu zijn zich niet bewust van een land dat Brazilië heet, van dorpen die zijn ontstaan of fazendas met namen en hekken. Ze hebben ook geen idee met hoevelen wij, de westerlingen, zijn. Maar ze weten dat zij geen kant meer op kunnen, blijkt als Altair op een dag met Operá en zijn moeder op expeditie is. Uit zijn verslag:

Het is bijna middag als we een kudde zwijnen tegenkomen. Operá weet er twee met zijn pijlen te raken. We moeten een heel eind sjouwen voor we hen terugvinden. Met veel moeite slepen we de zwijnen naar de plek waar we Operá's moeder hebben achtergelaten. Zij begint ze in stukken te snijden. De rugzak is daarna heel zwaar.

We zetten onze tocht voort. [...] Tweehonderd meter verder komen we bij een mooi kreekje met helder water, een zijriviertje van de Omerê. Aan deze kreek, iets stroomopwaarts, is bos dat de oude Tutuá heeft gerooid om een zwerfakker te maken. Maar volgens Operá en zijn moeder is het water vervuild. We besluiten hier bivak te maken. Tutuá neemt het voortouw, zoekt brandhout en maakt een grill, waar ze het vlees en de darmen op legt om te roken. Lever, hart en nieren kookt ze. Operá gaat naar de akker en komt terug met bananen en taioba. Als het donker wordt, horen we schoten en motorgeronk. De Kanoê vallen stil en luisteren aandachtig. Daarna wijzen ze in alle richtingen en doen ze het geluid van de motoren na. Ze weten dat ze omsingeld zijn.

Af en toe blijkt uit de veldverslagen ook iets van de grote angst waarmee de indianen leven. Ook voor andere indianenstammen. Babá wil van tolk Passaká weten of diens volk hem niet zal vermoorden als hij op een dag met hem meegaat. De Akuntsu zijn – vermoedelijk vanwege het bloedbad – banger dan de Kanoê voor blanken en voelen er niets voor om samen met de Funai-mannen op expeditie te gaan, zoals de Kanoê deden met Altair.

Babá zegt tegen Passaká dat zijn hart zo bonkt dat het uit zijn borst lijkt te springen als hij een blanke ziet. Passaká moet hem ervan overtuigen dat de blanken die hij nu ziet goed voor hem zijn. Na verloop van tijd maakt Babá onderscheid. Dan zijn er 'de mensen daar' of de 'boze en wilde blanken' als hij de indringers bedoelt.

Als er een keer een vliegtuig overvliegt, krijgt Babá het benauwd. 'Ik ben bang dat ze iets op me gooien en me doden,' zegt hij. Volgens de tolk bedoelt hij kogels.

De tochten die Marcelo en Altair met de indianen maken moeten hen helpen vast te stellen waar ze in het verleden gewoond hebben en akkers hadden. Beide groepen zijn aangetroffen aan de rechterkant van de Omerê-rivier vanaf de bron gerekend. Maar aangezien de Kanoê met negen namen van zijrivieren op de proppen komen, die alle aan de linkerkant liggen, vermoedt de Funai dat de Kanoê aanvankelijk aan de linkerzijde woonden. De Akuntsu komen alleen met namen van zijtakken en andere rivieren aan de rechterkant.[7]

Op een van de tochten komen Altair en de Kanoê de resten van een kampement van houthakkers tegen. De agressie van de indianen vlamt even op: ze trekken de palen die het dekzeil van plastic omhoog hebben gehouden uit de grond. En ze spugen in de richting van het pad dat de houthakkers hebben opengekapt.

Ze laten Altair onderweg met takken gefabriceerde schuilplaatsen zien van waaruit ze vroeger het pad in de gaten hielden. Operá vertelt dat hij vaak vanuit een boom urenlang de mensen observeerde die aan het werk waren bij de houten keetjes, die functioneerden als dependance in het veld van de Fazenda São Sebastião. Als de mensen aan het einde van de middag verdwenen, gingen zijn moeder en hij naar de keten toe en haalden ze gereedschap en kapmessen weg. De pijlen die de blanken vonden waren niet bedoeld als dreigende boodschap. Ze zagen het als ruilhandel, zoals ze die ook met andere indianenvolken voerden: de pijlen kwamen in de plaats van de messen. Bij de keetjes hadden ze ook de zakken weggehaald waarvan ze zelf hun bermuda's hadden genaaid.

Maar echte kleren van de blanken waren natuurlijk het summum. Operá vertelt dat zijn moeder op een dag kleren zag die lagen te drogen bij een beek. Ze stopte ze snel in haar mand, maar werd betrapt door een blanke man. Ze was het bos in gehold en had van schrik alles, inclusief haar draagmand, achtergelaten, vertelt Operá.

Indianen houden doorgaans niet van de smaak van rund- of varkensvlees maar voor de Kanoê waren de koeien gemaksvlees als ze met de jacht geen geluk hadden. Met zijn moeder holde Operá dan achter de kudde van Antenor Duarte aan. Als hij een kalf beethad, bonden ze zijn poten vast en doodden ze het met een mes of pijl.

Door de gezamenlijke expedities met de Kanoê en Akuntsu krijgt de omgeving voor Marcelo en Altair een nieuw gezicht. Er zijn andere namen voor rivieren en kreken. De indianen hebben het over de kreek met modder, de kreek van de zwarte aap, de kreek van poep van de tapir, de schone kreek (met helder water), de kreek van de angico, de rijke kreek (met veel schelpen en kaaimannen). Bossen hebben geen namen, maar worden omschreven: daar vind je bamboe voor pijlen en fluiten, daar zijn veel zwijnen om te jagen, daar komt het water in het natte seizoen, daar is die en die doodgegaan, daar woont dat volk.

Het bos dat voor blanken onbekend, geheimzinnig en daardoor bedreigend is, is het thuis van de indianen. De Kanoê en Akuntsu weten alles van bomen, beesten, planten, mosjes, wind of regen. Als op een dag een grote, harige rups op het blote been van een van de Funai-medewerkers springt, zoekt Pupak het blad van een bepaalde varen. Hij kauwt erop en legt het op de rode, jeukende plek. De jeuk gaat meteen weg.

Hun gedetailleerde kennis over planten en dieren zie je terug in de taal. Amazone-indianen hebben doorgaans drie of vier keer zoveel woorden voor een kikker, een mier of een banaan, omdat ze veel meer verschillen zien die voor hen ter zake doen. Onze indeling van de dierenwereld met categorieën als gewervelden, niet-gewervelden, reptielen, geleedpotigen of zoogdieren is op basis van wetenschappelijke feiten tot stand gekomen. Voor hen is dat een zinloos onderscheid. Een kat (katachtige) en een hond (wolfachtige) zijn in hun taal hetzelfde soort dier. Indianen kijken naar het gebruik. Voor hen is belangrijk of er op dieren gejaagd kan worden. De Kanoê hebben drie categorieën woorden voor dieren: dieren die zich op de grond voortbewegen, die hoog in de boom zitten en dieren die ertussenin leven.

Afstanden meten wij in kilometers, maar de Kanoê en Akuntsu tellen in dagen lopen. Ze kennen de droge en natte tijd, maar geen jaartelling.

Hoe kom je er dan achter hoe oud ze zijn? Hun tijdsbeleving biedt vier aanknopingspunten: geboorte, overlijden, het moment waarop een kind gaat lopen en waarop een meisje begint te menstrueren. Maar in de bureaucratie kom je daarmee niet ver. In de Funai-documenten moet een geboortedatum worden ingevuld. Al was het alleen maar omdat ook zij als nieuwe burgers in de Federale Republiek Brazilië later recht hebben op een pensioentje.

De kwestie wordt door Marcelo praktisch opgelost. Iedereen in het kampement doet een schatting; het gemiddelde wordt ingevuld en de geboortedatum is puur fictie. Hun achternaam is de naam van hun groep, een gewoonte die alle indianen aanhouden. Marcelo en de zijnen komen tot het volgende lijstje:

Ururu Akuntsu (de oude vrouw)	–	75 jaar
Babá Akuntsu (chef)	–	(niet ingevuld)
Bugapia Akuntsu (oudste echtgenote)	–	40 jaar
Nanoí Akuntsu (haar nicht of dochter)	–	28 jaar
Inontéi Akuntsu – oudste dochter	–	12 jaar
Papakú Akuntsu – jongste dochter	–	7 jaar
Pupak Akuntsu – jonge man	–	34 jaar
Tutuá Kanoê – moeder	–	50 jaar
Txinamanty Kanoê – dochter	–	25 jaar
Operá Kanoê – zoon	–	20 jaar
Wajmoró Kanoê – nicht	–	27 jaar

De Kanoê komen veel op bezoek in het Funai-kampement. Ze logeren er zelfs af en toe. Bij de Akuntsu ligt dat anders. Zij komen niet uit zichzelf. Als Altair daar via de tolk Babá mee plaagt, zegt de chef dat hij wacht op een officiële uitnodiging. En hij laat weten dat hij hoopt bij deze gelegenheid ook cadeaus te zullen ontvangen. Babá komt trouwens regelmatig met verlanglijsten: kleren, pannen, messen, een hangmat. En het allerliefst zou hij een buks hebben, vertrouwt hij tolk Passaká toe. Dan wordt het jagen een stuk makkelijker.

Pupak is degene die als eerste zes maanden na het contact het kampement betreedt. Hij is op eigen initiatief meegekomen met de verpleegster van de Funai die de Akuntsu die ochtend bezocht. Nieuwsgierig loopt hij rond. Hij raakt van alles aan en bekijkt het aandachtig. Vooral het transistorradiootje en de waterfilter hebben zijn bijzondere belangstelling. De Toyota, waar een van de Funai-mannen bij wijze van demonstratie een paar meter mee rijdt, fascineert en roept tegelijkertijd schrik op. De indiaan draait om de auto heen, maar steeds op veilige afstand.

Pupak blijkt buitengewoon ingenomen met alles wat hij heeft gezien. Babá meldt Altair via de tolk dat hij op bezoek zal komen om zijn huis te bekijken. Pupak heeft hem verteld dat Altairs huis heel mooi is.

Dagen later is het zover. Uit het verslag van Marcelo:

Zoals afgesproken arriveren Babá, Pupak en de oude Ururu. Ze zijn nieuwsgierig naar alles en belagen tolk Passaká. Die heeft het moeilijk. Stel voor: hij moet de werking van een generator, de radio, de batterijen, conservenblikken en dergelijke uitleggen. Zoals te verwachten moeten ze erg lachen om onze wc (een septictank) en het kippenhok. Babá stort zich vanwege zijn rapé op onze tabaksplanten, die hij kaalplukt op twee blaadjes na. Ze eten vervolgens ons quati-vlees met geroosterde maïs die ze zelf hebben meegenomen. Ze pakken de rest van het vlees in om mee te nemen voor de vrouwen en dochters, die ons een volgende keer zullen bezoeken, zeggen ze. De beek bij ons kampement heet bij hen de Ekip Peton en meer stroomopwaarts staan paranotenbomen waar zij geregeld noten verzamelen. Ze wijzen naar de andere kant van het weiland. Daar woonden ze toen ze moesten vluchten voor een aanval van de blanken.

Na enkele maanden krijgt het leven in het Funai-kamp een vast ritme. De mannen hebben een kostgrondje aangelegd. De Kanoê komen vaak langs en de Funai-medewerkers bezoeken om de dag de 'dorpen' van de Akuntsu en de Kanoê. Er moet geplant, gewied en geoogst worden. Marcelo en Altair wisselen elkaar af in de leiding van het kampement. Er is bijna altijd een verpleegster en er zijn woudlopers, die ook als chauffeur en manusje-van-alles optreden.

De verpleegster is degene die na wat routineonderzoekjes het grote nieuws brengt: Txinamanty is zwanger. De verpleegster schat dat ze al vier maanden ver is.

'Txinamanty?' roept Marcelo als hij het nieuws hoort. 'Maar van wie in godsnaam?'

Hij moet onmiddellijk denken aan die ene nacht in de eerste weken na het contact. Ze sliepen toen nog in hangmatten onder een plastic afdak. Hij was wakker geworden omdat er iets bewoog. Hij voelde dat hij betast werd en dat er iemand in zijn hangmat klom. Hij sloeg meteen alarm. Toen een collega een zaklantaarn aanknipte, bleek het Txinamanty te zijn, op zoek naar een bijslaapje. Eigenlijk kon hij het goed begrijpen. Ze was een temperamentvolle vrouw; dat kon je zien aan de manier waarop ze tegen haar familie praatte. Jaren zwierf ze nu al door het bos en vermoedelijk had ze nooit de kans haar seksuele driften uit te leven. Op zijn verzoek hadden ze daarna iedere avond een vuur brandend gehouden. Het licht zou haar ervan weerhouden een andere hangmat uit te proberen, redeneerde hij.

Maar wie zou de vader van de baby van Txinamanty zijn?

'Als we onszelf niet meerekenen, zijn er theoretisch vijf mogelijkheden,' zegt Altair droog. 'Babá, Pupak, een van de twee tolken of haar broer Operá.'

5

Op bezoek

Ik word wakker van het gekrijs van papegaaien. Het laken ligt als een prop onder in de hangmat. Ik ben in het oerwoud en het is ruim een jaar geleden dat Marcelo voor het eerst oog in oog met de indianen stond.

Mijn voorhoofd is nat en ik zweet over mijn hele lichaam als volvette kaas in de zon. Hoewel de oerwoudprofessionals naast me gisteravond bloot in een boxershortje onder het muskietennet doken, had ik me met het oog op een nachtelijke aanval van muggen en andere prikbeesten uitgedost als een ridder die de Heilige Oorlog in gaat, met lange mouwen, een trainingsbroek en sokken. Het heeft een prijs: alles plakt en stoomt.

Door het gat in de hut dat als deur dient gulpt licht naar binnen. Marcelo's hangmat is leeg en het muskietennet hangt gedraaid als een vlecht aan de balk erboven. Ik ben de laatste die opstaat, want nergens in de andere hangmatten zie ik bobbels aan de onderkant die gewicht verraden.

Mijn kampgenoten tref ik aan de houten tafel in de keuken. Er is bezoek. Op het uiterste puntje van de bank zit een geelbruin vrouwtje met Aziatische scheve ogen. Er steken stakige benen uit een korte, smerige broek en gekruist over haar blote borst hangen de kleurige plastic kettingen die ik herken van de foto van de Kanoê uit de krant. Door haar neus steekt iets wat eruitziet als een botje. Op haar gladde, bijna kortgeschoren haar draagt ze een kalotje. Het maanvrouwtje monstert mij zoals ik haar met mijn ogen langs ga. De verwondering over de afmetingen is wederzijds.

'Dit is Wajmoró,' zegt Selma.

We schudden handen en lachen naar elkaar. Uit Wajmoró's keel komen klokkende en gorgelende geluiden.

Tolk Munuzinho vertaalt: 'Jij bang voor mij. Ik bang voor jou. Jij heel groot. Jij lijkt jaguar.'

Het moet het tijgerprinthemdje zijn dat ik zonder veel nadenken heb aangetrokken. Haal dingen uit hun context en ze betekenen iets anders. Wat in de wereld van het asfalt mode is, kan in het bos een voorouderlijke geest zijn. In de wereld van Amazone-indianen keren de doden vaak terug als dieren en de jaguar is een favoriet bij de reincarnatie, heb ik gelezen. Om het ingewikkeld te maken doet zich in hun mythologie ook het omgekeerde voor: jaguars die zich voordoen als mensen. Zou de indiaan denken dat ik een voorouderlijke geest ben?

Wajmoró biedt geen aanknopingspunt. Ze is nog lang niet uitgekeken en inspecteert aandachtig mijn benen. 'Alles groot en dik. Mooi,' zegt ze.

Aangezien groot en dik bij een ondervoed volk vermoedelijk het beste compliment is dat je kunt krijgen, bedank ik de Kanoê met een buiginkje. Ze lacht. Dan zie ik puntig gevijlde, zwarte tanden. Nog een schoonheidsideaal dat we niet delen.

'De Kanoê hebben de jeep gisteren horen aankomen en Wajmoró was hier vanochtend om zes uur al om poolshoogte te nemen,' zegt Marcelo, die uit de moestuin achter de keuken komt aanlopen. Hij heeft de maniokplanten, lange groene stengels met vingerachtige dunne bladeren, geïnspecteerd.

'Maar ze wonen toch in het andere bos? Hoe kunnen ze dat horen?'

'Indianen horen veel meer dan wij. Als het voor jou stil is, horen zij al dat er een vliegtuig aankomt.'

Nicht Wajmoró is de vrolijkste van de Kanoê, weet ik van Marcelo. Als ze in het kampement logeert, begint ze vaak ver voor het ochtendgloren in haar hangmat liedjes te zingen.

Ik lepel mijn ontbijt naar binnen, terwijl Wajmoró iedere beweging volgt. De Amazonekeuken blijkt een nieuwe verrassing in petto te hebben: pap op basis van 'melk' van fijngemalen paranoten, bij ons ook bekend als de brazielnoot.

'We gaan eerst naar de Akuntsu. Meteen vanochtend,' zegt Marcelo. De Akuntsu leven afwisselend in drie verschillende dorpen. De dag voor onze komst heeft Paulo hen getroffen in de hutten die het dichtst bij de Funai-post liggen, op ruim een uur lopen.

'Als ze niet meer in het eerste dorp zijn, krijg je het zwaar. De andere hutten liggen heel diep in het bos. Dat zijn lange tochten,' houdt Marcelo me voor. 'Als ze daar al zijn.'

Het hangt in de lucht dat ze vertrekken, denkt hij. Babá heeft immers tolk Passaká toevertrouwd dat ze gaan jagen. Uit de veldverslagen weet ik inmiddels wat jagen kan betekenen: soms gaat de hele familie mee en kan de tocht dagen duren. De nachten worden doorgebracht onder ter plekke gemaakte afdakjes van palmbladen of gewoon in de openlucht – hangmat tussen de bomen en klaar.

'Opschieten. We gaan,' jaagt Marcelo. 'We moeten er nu naartoe, voor ze gevlogen zijn.'

Hij is een week niet bij de indianen geweest en dat maakt hem onrustig. De Akuntsu verschijnen slechts af en toe in het kampement en het contact met hen is onstabiel. Als hun iets niet bevalt, verdwijnen ze voor een paar weken. Misschien als represaille, denkt Marcelo.

Ik zoek mijn spullen bij elkaar en besluit voor de zekerheid alle blote lichaamsdelen niet alleen in te smeren met een in Nederland aangeschafte insectenspray maar ook met No Pick, een in de Colombiaanse jungle gekocht wonderzeepje tegen muggen.

Wajmoró, het maanvrouwtje, doet nukkig. Zij wil dat we eerst het Kanoê-dorp bezoeken.

'De Kanoê kijken neer op de Akuntsu. Dat vinden ze smerige, wilde indianen,' legt een van de mannen uit.

Marcelo heeft de ontevreden Wajmoró apart genomen onder een palmboom en spreekt haar met hulp van tolk Munuzinho toe. Het is een vertederende scène. Hij heeft haar ene hand gepakt en Munuzinho de andere. 'We komen jullie heus opzoeken. Zeg dat maar tegen Txinamanty. We komen snel. De nieuwe blanke vrouw komt ook naar jullie dorp.'

Hij overhandigt haar twee geslachte kippen, die we onderweg hebben gekocht. Wajmoró rolt het vlees onmiddellijk in groene bladeren en legt het in haar draagmand, die gevuld is met maïs en onduidelijke pakketjes in bladeren. Ze loopt naar de keuken en inspecteert wat er in een rugzak meegaat naar de Akuntsu. Vervolgens maakt ze nog een rondje door de slaaphut waar onze hangmatten en kleren liggen en kijkt wat wij in andere tassen allemaal meenemen. Daar kan ze zich klaarblijkelijk in vinden, want met trage gebaren bereidt ze in de keuken vervolgens haar vertrek voor. Ze zwaait de mand op haar rug en schuift het hengsel van envira op haar voorhoofd. Haar kapmes en de bundel samengebonden pijlen en de boog die de hele tijd rechtop tegen de stammetjeswand van de keuken hebben gestaan, klemt ze onder een arm. Zonder plichtplegingen of ons verder maar een blik waardig te keuren loopt ze het terrein af.

'Het blijft een probleem,' zegt Marcelo. 'De Kanoê gunnen de Akuntsu niets. Ze willen voor zichzelf het beste en willen alles als eerste.' Hij begint te rommelen op de keukenplank.

'Waar is het touw?' De rol touw die we in de supermarkt in Vilhena hebben gekocht, moet ook mee in de rugzak. Het is een relatiegeschenk voor de Akuntsu-chef Babá.

'Het touw ligt achter in de Toyota,' antwoordt Paulo. Hij staat bij de tafel en steekt een patroonhouder in het geweer dat hij de avond tevoren heeft schoongemaakt.

'Heb je tabak? Babá vroeg eergisteren ook om tabak,' vraagt Paulo. Met een klak sluit hij het laadgat. Dan legt hij het geweer aan op zijn schouder om het vizier te checken. Het wapen gaat mee op onze tocht.

Revolvers en vooral geweren behoren tot de standaarduitrusting van de veldwerkers van de Funai. Je kunt immers altijd een jaguar of een agressief zwijn tegenkomen. 'Maar bovenal een smakelijk stukje vlees,' zoals Chico, de man van het apenvlees in notenmelk, opmerkt. Wapens moeten bovendien de indianen ervan weerhouden hun hulpverleners aan te vallen. Een 'stam' met wapens dwingt respect af. Vreedzaam contact met geïsoleerde indianen garandeert namelijk niet dat een aanval daarna is uitgesloten. De indianen hebben hun eigen logica en bovendien alle reden om blanken sterk te wantrouwen. De afgelopen vijfentwintig jaar werden honderdveertig veldwerkers van de Funai door 'wilde' of net gecontacteerde indianen gedood. Maar vuren of zelfs terugschieten op indianen mag niet. Ook niet als de pijlen je om de oren vliegen. *Morrer se preciso for, matar nunca,* is de uitdrukkelijke dienstorder: 'Sterven indien nodig, doden nooit.'

Vanuit de post Omerê bekeken wonen de Kanoê-indianen rechts en de Akuntsu links. De Kanoê wonen het dichtstbij, in een bos aan de andere kant van de heuvelachtige grasvlakte waar Marcelo en ik de vorige avond in de auto overheen zijn gehobbeld. De Akuntsu wonen in een ander bos, dat meteen begint aan de overzijde van de beek.

Over het stroompje ligt een boomstam. Deze geïmproviseerde brug blijkt de eerste, met een strak gezicht te nemen horde op de route naar de Akuntsu. Ik slik. De boomstam is ontmoedigend rond, bemost en glibberig, en de 'brug' loopt ook nog schuin omhoog. Zeven meter lager stroomt het water. De oevers zijn steil, de vooruitzichten gemengd.

'De BBC-reporter die hier een paar weken geleden was, is er vanaf gevallen met al zijn apparatuur om zijn nek.'

'Je moet niet naar beneden kijken, dan word je duizelig.'

'Je kunt het best daar naar boven klimmen als je in de beek valt.' Chico wijst behulpzaam aan waar in de modderige helling boomwortels zitten waaraan ik me in geval van een tewaterlating kan optrekken.

Maar soms overtreft een mens zichzelf. Met de blik op een non-existente horizon bestijg ik de boomstam en schuifel naar de overkant.

In ganzenpas stappen we daarna door het bos. Chico voorop. Hij slaat links en rechts met zijn machete, een groot kapmes, takken weg. Want een pad in het oerwoud is slechts enkele dagen een pad. We zijn met een complete delegatie: behalve Chico, de verpleegster Selma, de tolk Passaká, Marcelo met rugzak en Paulo met het geweer. Iedereen is blij met een verzetje en wilde mee. Munuzinho is achtergebleven om de post te bemannen.

We klauteren, stijgen, dalen en soppen. De bodem veert dankzij een dikke laag rottende bladeren. Het is donker in het bos en het ruikt er naar schimmel en vocht. Oerwoud is bos dat met zijn omgevallen, rottende bomen en bladeren permanent in staat van ontbinding verkeert.

Er zijn varens zo groot als struiken, maar de meeste bomen zijn dun als lantaarnpalen. Ze moeten de lucht in als de bladerkroon licht wil hebben. Alles is groen, op oranje mossen en een enkele rode, wasachtige bloem na.

Het is warm en insecten zoemen om ons heen. Af en toe staan we stil om te luisteren naar de vogels. Eentje snerpt onbarmhartig als een fluitketel. Maar er zijn ook vogels die koeren en die zachte trillers of melodieuze zangstrofen produceren. De veelheid van klanken verrast. Een van de vogels roept het als honderdmaal versterkte geluid van gegorgel van water.[1] Marcelo wijst zijn nest aan: een geweven zak die aan een boomtak hangt met een opening onderin.

Na tien jaar intensief het oerwoud verkend te hebben, ziet Marcelo onmiddellijk waar indianen langs geweest zijn. Hij wijst op kerven in boomstammen om larven te vinden en boomschors die is afgesneden om van de envira aan de binnenkant touw te maken. Afgebroken twijgjes zijn vaak de eerste aanwijzing dat indianen ergens een doorgang hebben gemaakt. 'Indianen kappen niet, maar breken takken af.' Hij herkent voetstappen in de bladerenlaag en ziet of die van een blanke of van een indiaan zijn. Indianen lopen altijd op blote voeten en daardoor staan hun tenen wijder uit elkaar.

Ik had voor ik naar de indianen vertrok wat extra uurtjes getraind op de loopband in het fitnesscentrum in Rio de Janeiro. Dat leek me voldoende voorbereiding op de fysieke inspanningen die mijn verblijf in het oerwoud met zich mee kon brengen. Parcours 5 (klimmen en dalen) van de loopband blijkt een pantoffelparade vergeleken bij de handicaprace waaraan ik me nu onderwerp.

Er zijn glibberige hellingen, verraderlijke, onder een dikke bladerlaag verscholen gaten en zompige stukken drijfzand. De lianen zijn taaie stengels, soms zo dik als een arm. Ze knopen struiken en boomtakken aan elkaar tot een ondoordringbare wand en bedekken als een net de grond. Ik struikel meermalen omdat mijn voet blijft haken achter een liaan.

Aan lopen in het oerwoud blijkt ook veel bukken te pas te komen, want er zijn struiken met stekels die als mesjes je kleren openscheuren, takken die in je gezicht slaan, bomen met naalden die je door drie lagen kleding heen verwonden en weer andere die een kleefstof afscheiden die niet onderdoet voor onze tweecomponentenlijm. Behalve de hellingen die beklommen moeten worden zijn er talloze omgevallen bomen die als slagbomen over ons pad liggen. Soms zijn ze hoog (want dik), week (want half verrot) en glibberig, en zit er niets anders op dan met handen en voeten te klauteren. Ik tel in totaal 22 boomstambruggetjes op onze route, die ik nu zonder met mijn ogen te knipperen neem.

Deze uitputtingsslag leveren we in een sauna, want bladeren, boomstammen, varens, mossen – alles lijkt vocht af te geven. Stroompjes zoeken een weg van mijn haargrens over mijn rug. Ook mijn ogen lopen vol en mijn lange denimbroek plakt aan de benen. Afvegen heeft geen zin en van verdampen is geen sprake.

'Als je met indianen op jacht bent, kun je hen nauwelijks bijbenen,' zegt Marcelo terwijl hij me de hand reikt om over een reusachtige stronk heen te klimmen. 'Ze rennen door het bos.' Ik kan me het niet voorstellen.

Mijn broekspijpen heb ik op advies van verpleegster Selma in mijn sokken gestopt. Van haar heb ik ook een petje gekregen. Ik had het afgewezen omdat het me te warm leek, maar een verhaal over wespen die zich massaal uit de bomen laten vallen zodra de grond begint te trillen door een voetstap, heeft me van het nut van hoofdbedekking overtuigd.

Er blijkt een ark van Noach aan beestjes op de uitkijk te liggen die zich verlekkerd op me storten. Dit bijzondere menu van roze stadsvlees komt tenslotte niet iedere dag langs. Er zijn teken, wespen, mieren – in diverse kleuren en formaten – die bijten en muggen die grote, rode, stijve plakkaten op mijn arm achterlaten.

Selma waarschuwt voor bijzonder hardnekkige en onzichtbare gasten, zoals een luis die binnenkomt door je broekspijp en meteen doormarcheert naar de schaamstreek. Deze veelvraat laat zich zelfs niet verwijderen met alcohol en veroorzaakt de verschrikkelijkste jeuk. Nog zo'n pijnlijke plakker is de *bicho do pé*, de zandvlo. De vrouwelijke vlooien boren zich in je huid om daar hun eitjes te deponeren. Van het gaatje zie je niets, maar na een paar dagen verschijnt er een harde witte bobbel met een zwart puntje, die steeds groter wordt. De zandvlo maakt door de flitsende pijnen het lopen tot een bezoeking als hij zich in je voetzool heeft genesteld. De ongewenste woekeraar laat zich na een paar dagen slechts met een mes verwijderen.

Tegen zo'n vijandelijke invasie is de coalitie van Bayer-gif en Colombiaanse No Pick vast niet bestand. Maar wat onvermijdelijk is, kun je maar beter niet vrezen, hou ik mezelf voor.

Tot opluchting van Marcelo maar vooral van mij zijn de Akuntsu nog steeds in het eerste dorp. Ze hebben ons horen aankomen. Een oudere, magere man met een grote grijns stapt opeens tussen de struiken het pad op. 'Dat is Babá,' fluistert Selma, die achter me loopt.

Met zijn toegeknepen ogen heeft ook Babá wel iets van een Chinees, maar hij is een tint donkerder dan Wajmoró en zijn trekken zijn grover. Babá draagt een smerige bermuda en een T-shirt. Op zijn rug zwabbert als een lange pluim een bundel envira-touw. Als we dichterbij komen zie ik dat hij onder zijn T-shirt kettingen draagt die net als die van de Kanoê ooit plastic emmers waren. Ook in zijn oren heeft hij een fleurig stukje emmer hangen.

De begroeting is uitbundig. Babá houdt Marcelo's hand langdurig vast. Af en toe plukt hij aan diens armen en buik alsof hij wil zeggen: ook een pondje aangekomen. Er wordt veel gelachen. Dan beent Babá voor ons uit door een rommelige akker met maïspluimen en maniokplanten.

We belanden op een open plek met twee hutten van vergrijsde palmbladen en een los afdak. De hutten staan in een halve cirkel, waardoor de ruimte aan een kraal doet denken. Vier vrouwen naderen nieuwsgierig. Ik herken hen van foto's die Marcelo liet zien als Babá's vrouwen en dochters.

Ze hebben gezwollen buiken en zijn veel kleiner dan ik me hen had voorgesteld, want ze reiken hoogstens tot mijn oksel. Allen zijn naakt, op kettingen en been- en armversieringen na. Hun huid is vlekkerig van het vuil en hun pikzwarte sluike haar is liniaalrecht afgesneden en laat hun voorhoofd geheel vrij. Een van de vrouwen en ook een van de dochters lijken een tic te hebben. Ze schudden nerveus met hun bovenlichamen naar voren, een beweging die soms gepaard gaat met een klein voorwaarts stapje.

Op de schouder van het meisje zit een toekan die het allemaal best vindt. 'Indianen hebben vaak een papegaai of een aapje als huisdier, dat ze meestal uit het nest plukken en adopteren,' legt Marcelo uit.

We worden opgewonden becommentarieerd door de vrouwen. Ze grijpen onze handen en leggen die op hun hoofd. Iedereen wordt vastgepakt, ik ook. Een van de vrouwen legt mijn hand op haar borst.

'Ze denken vermoedelijk dat je ook verpleegster bent,' zegt Selma.

Dan wijzen ze naar mijn ogen. Ik ben de enige in het gezelschap met blauwe ogen, en misschien de eerste voor de Akuntsu. De vrouwen brengen hun gezicht dicht bij het mijne en kijken intens in mijn ogen, alsof ze willen zien wat erachter zit. Er volgt wederom druk commentaar.

Hoe cultuurgebonden is ons begroetingsritueel met alle beleefd-heidsformules eromheen. Nieuwsgierigheid naar de ander wordt hier zonder enige gêne uitgeleefd. De dames tasten en knijpen in mijn borsten.

Marcelo grinnikt. 'Je bent zo groot dat ze niet kunnen geloven dat je een vrouw bent.'

Als ik de knoopjes van mijn tropenhemd open voor verdere inspectie, gaat er bij de dames een tevreden gegrom op.

De chef nodigt ons uit op bankjes te gaan zitten. De vrouwen blijven achter ons staan en kwetteren verder. De taal die ze spreken, klinkt in mijn onwennige oren als Chinees: *oeroeroe-wainee-oomee-atjietjie.* Ze zingen als vogeltjes met voortdurend variërende toonhoogtes.

Marcelo is naast Babá gaan zitten. De indiaan houdt breed gebarend een verhaal tegen hem. Met sisgeluiden doet hij een slang na die hij tegenkwam. Uit de dreigende gebaren die erop volgen – hij maakt een vuist en zwaait beide armen in de lucht, om ze dan met veel geblaas te laten vallen – maak ik op dat het met de slang slecht is afgelopen. Babá moet zelf het hardst lachen om zijn eigen verhaal en er volgt met veel gesticuleren een ander avontuur.

Tolk Passaká verontschuldigt zich: 'Ik begrijp niet alles. Hij praat zo anders dan wij.'

Babá is zichtbaar tevreden met het bezoek en niet gehinderd door de communicatiestoornis. Hij rebbelt maar door en lacht veel.

'Ze zijn heel behoeftig,' zegt Selma. 'Alles willen ze je laten zien; ze willen alles van je weten en leren. Maar ze mochten zich weleens wassen.' De vrouwen staan om haar heen, trekken aan haar en laten haar allerlei plekjes op hun huid zien. Aan de kleine wespjes die in een zwerm om hen heen hangen, storen ze zich niet.

'Eigenlijk hebben ze zelf kruiden voor veel ziektes, maar sinds ze pillen en zalfjes hebben gezien willen ze alleen die.' Selma is niet blij met deze nieuwe afhankelijkheid. Maar een bot nee zou niet begrepen worden en zou de fragiele relatie kunnen bederven. Dus plakt ze maar veel pleisters.

Uit de verste hut komt een stokoude vrouw tevoorschijn. Dat moet Ururu zijn, mogelijk de zus van Babá. Oogt ze naakter dan de anderen omdat haar huid in duizend plooien om haar heen hangt? Ze beweegt moeizaam. Haar benen staan als een hoepel en haar knieën zijn dik-

ke klonten. Selma denkt dat haar benen vervormd zijn geraakt doordat ze lang geleden geraakt is door een vallende boom. 'Dat komt veel
voor.'

Ook Ururu heeft een huisdier. Een roodbruin aapje hangt om haar
arm en kijkt ons nieuwsgierig aan. Hij heeft een vast parcours op de
bewegende klimmuur die het oudje voor hem is: via haar oksel, waar
hij ook een tijdje blijft hangen, klimt hij naar haar hoofd, om vervolgens aan haar nek te gaan hangen en weer een nieuw rondje te maken.
Ururu negeert de slingerende aap volkomen. Ze pakt een stok, prikt
een papaja uit de boom en laat zich op enige afstand van ons met behulp van de stok op de grond zakken.

Het is duidelijk hoe in de kraal de woningen zijn verdeeld: de grootste hut is van Babá met zijn vrouwen en hun dochters, en de tweede
hut is van de oude vrouw en Pupak, de andere man uit de groep, die nu
uit jagen is. Het afdakje dient als voorraadschuur. Op een houten rekje
ligt de voorraad maïskolven, zo hoog dat beesten er niet bij kunnen.

De Akuntsu zijn inventieve knutselaars. De bankjes zijn korte stukken boomstam, die door hen aan de onderkant vlak gemaakt zijn, zodat ze niet wiebelen als je erop zit, en aan de bovenkant is een kuil ge-
maak waar je billen in passen. Het hout is bijzonder licht, zodat ze
makkelijk meegenomen kunnen worden.

De hutten zijn wegwerpsimpel: enkele boomstammetjes zijn in de
grond geslagen. Van takken en vezels van een palmboom is een ruit-
jesraamwerk gemaakt, dat tussen de boomstammen is vastgebonden.
Daartegenaan zijn rechtop twee meter of nog langere palmbladen
gezet. De toppen van de langste bladen raken elkaar en vormen een
puntdak. Voorin is een gat opengelaten als ingang. Als de familie op
jacht is, wordt het gat afgesloten met een apart schot van palmblad.

Het meubilair bestaat uit dunne, gevlochten hangmatten van vezels
en gehaakte touwtassen[2] en draagmanden van palmriet om spullen
in te bewaren. Er bestaat ordening. Spullen die niet iedere dag nodig
zijn, zoals een voorraad maïskolven of zaaigoed, liggen hoog op een
vlondertje van stammetjes tussen enkele palen. De kleinere zaken zoals schelpjes worden opgeborgen in stukken holle bamboe. De deksels
om de bamboebuis af te sluiten zijn proppen bladeren. De langgerekte en halfronde *pacova*-bladeren die eruitzien als bootjes fungeren als
borden.

De bladeren zijn multifunctioneel. Je kunt er ook resten eten in rollen om mee te nemen voor onderweg.

In de droge tijd kunnen de nachten vrieskoud zijn. Dekens of doeken om onder te slapen kennen de Akuntsu niet. Ze maken onder of naast hun hangmat een vuurtje, dat de hele nacht blijft branden. Vuur werd met vuursteen en een speciaal stukje hout gemaakt tot Marcelo met lucifers en een aansteker kwam. Om 's nachts licht te hebben gebruiken de Akuntsu fakkels: takken met aan het uiteinde vloeibare rubber, die ze aftappen uit een boom.

Alles in deze minisamenleving is uit het oerwoud en zelfgemaakt. Afval is er niet. Vermoedelijk fabriceren de Akuntsu hun gebruiksvoorwerpen met de technieken die hun voorouders duizenden jaren geleden ontwikkelden. De grootste verandering die de afgelopen eeuwen in deze miniatuurwereld heeft plaatsgehad was waarschijnlijk de introductie door Marcelo van twee producten van buiten: het mes en de aansteker.

In de beslotenheid van het oerwoud is immers niet externe wetenschap maar de door ouders doorgegeven ervaring de bron van kennis. Zo ging het ook bij ons, Europeanen, in het stenen tijdperk. Opeens realiseer ik me hoe bijzonder deze situatie is: ik kijk naar onze eigen prehistorie. Zo ongeveer hebben wij ook geleefd. De Akuntsu zijn als Ötzi[3], de bevroren mummie die begin jaren negentig in de Alpen werd gevonden. Ötzi leefde in de bronstijd en liep in een geitenvel rond met pijl-en-boog. Net als de Akuntsu had hij een mand die hij met banden op zijn rug droeg, maar in plaats van bamboebuizen gebruikte hij opbergbussen van berkenbast. Ötzi sneed de geitenvellen vermoedelijk met scherpe rotsstenen; de Akuntsu gebruikten totdat Marcelo hen leerde kennen behalve stenen ook scherpe bamboepunten en tanden van dieren. Ötzi had stukjes zwam van de berkenboom met laxerende werking bij zich – zijn antibiotica. De Akuntsu hebben hun kruiden, blaadjes en stukjes boombast.

En hier sta ik, reiziger in de tijd. Ik kijk naar leven dat in dit vlekje oerwoud millennia lang bevroren is. Hier sta ik en verwonder me, ook over ons. We zijn opgewonden als we potscherven of bijlpunten van duizenden jaren geleden opgraven. En hoeveel wetenschappers hebben zich niet gebogen over Ötzi in de hoop iets meer te weten te komen over ons verleden? Alles van hem is onderzocht, inclusief zijn

DNA. Er werd voor hem een speciaal museum gebouwd en hij staat op rugzakken, aanstekers en *mouse pads*. De gletsjermummie werd een held. Waarom zijn we niet zo zuinig op de Akuntsu en de Kanoê, de laatste overlevenden van oeroude volken? Zij zijn onze levende prehistorie met hun gebruiksvoorwerpen, geloof en mythen nog intact.

Ururu is snel haar hut weer in gekropen en ik besluit haar achterna te gaan. Als ik haar domein binnenkom, kijkt ze me neutraal aan en gaat verder met haar bezigheden. Ze stampt met een houten knuppel maniok fijn tot meel. Met doffe bonken komt de knuppel, die ze in haar linkerhand heeft, neer. Ze heeft een grote, gespierde hand, een klauw die niet past bij haar broze lichaam.

Het is een levendig huishouden. Ururu zit in kleermakerszit op de grond naast haar vuurtje en het aapje schommelt wild aan een liaan die aan de wand hangt. Dan springt hij om Ururu heen en begint haar te likken. Hij kijkt daarbij steeds naar mij. Er is ook een papegaai. Die zit opgesloten in een bamboekoker met een prop bladeren en wordt bevrijd als hij zich laat horen. Als de aap de papegaai molesteert, grijpt Ururu in en zet de vogel in een kooi van bamboetakken. Mij keurt ze de hele tijd geen blik waardig. Ze mompelt af en toe wat voor zich heen. Ik had er net zo goed niet kunnen zijn.

Ik heb bewondering voor de hoogbejaarde. Ze gaat niet meer mee op jacht, vertelde Marcelo. Maar als de groep naar een andere hut trekt, is zij erbij. Het moet een kardinale krachtmeting zijn: met zulke knieën klauteren over stenen en stronken met je hele hebben en houden op je rug.

Zou Ururu keus hebben? Hoe zwak kan ze zich tonen in de hordeloop die voortbewegen in het oerwoud is? Zieken en zwakken zijn de groep tot last in het oerwoud. Wil ze niet verstoten worden, dan zal ze zich op haar best moeten voordoen. Alles draait immers om het collectief overleven. Bij de Yanomami-indianen die ik begin jaren negentig bezocht, is het gebruik een baby na de geboorte te doden als de moeder een ander kind heeft dat nog niet kan lopen. De moeder kan immers maar één kind tegelijk meesjouwen. Infanticide komt ook voor als er te weinig voedsel is voor de groep.

Wij kunnen ons solidariteit met zieken en zwakken permitteren. Respect voor zieken en ouden geldt in onze moralistische samenle-

[boven] *Marcelo (links) in 1985 met een speer en andere gebruiksvoorwerpen van indianen die hij vond in de Fazenda Yvipitā. Rechts: Vincent en een Nambikwara.* © I S A – Beto Ricardo

[onder] *Zwartgeblakerde stronken in het landschap in Zuid-Rondônia verraden dat het terrein ontbost werd. De babaçupalmen schieten vanzelf weer omhoog. Oranje termietenheuvels staan als miniatuurpiramides in het gras.*

Op het pad zagen Marcelo en zijn metgezellen twee indianen verschijnen. Ze zwaaiden met hun armen om de kwade geesten weg te jagen.
© AESP – Marcos Mendes

De Kanoê Purá – toen nog Operá geheten – uitgedost met zijn pluimstaart van envira uren na het eerste contact in 1995. Het horloge had hij van Altair ge-vraagd, en gekregen. © A E S P – Marcos Mendes

[boven] *De Kanoê Txinamanty begin 1996, reeds zwanger, in het Funai-kampement.* © Hein van der Voort

[onder] *De Kanoê Wajmoró vertrekt met in haar draagmand het kapmes, maïs en een gekregen kip uit het Funai-kampement.* © Hein van der Voort

[boven] *De Kanoê-moeder Tutuá (links) met tolk Munuzinho op de achtergrond. Tutuá draagt oorbellen en kettingen gemaakt van gestolen plastic emmers.* © Hein van der Voort

[onder] *De Kwazá Mario (links) en de Kanoê Txinamanty. Txinamanty draagt het schotelvormige hoofddeksel dat mogelijk een imitatie is van de cowboyhoed.* © Hein van der Voort

[boven] *De Kanoê Wajmoró (links) en Purá – dan nog Operá – vertrekken bepakt en gezakt uit het kampement. Tussen hen in, met kapmes, staat tolk Munuzinho.* © Hein van der Voort

[onder] *Voor een hut in het Funai-kampement staan van links naar rechts: de Kanoê Wajmoró en Purá, de Kwazá Mario, de Braziliaanse linguïste Jussara en Altair.* © Hein van der Voort

[boven] *De Akuntsu Pupak met Altair. Pupak draagt het kalotje dat de Kanoê maakten en steeds opzetten. De kettingen van emmer ruilde hij met hen tegen jachtvlees.* © Hein van der Voort

[onder] *Jussara (links), een Braziliaanse linguïste, en Ururu, de oude vrouw van de Akuntsu.* © Hein van der Voort

[boven] *Ururu, de oude vrouw van de Akuntsu. Haar grote en stevige handen lijken net klauwen. Haar bovenarmen verraden dat zij gevlochten armbanden heeft gedragen.*

[onder] *Inontéi, de dochter van de Akuntsu, ruimt op in de hut waar zij met Babá en zijn echtgenotes woont. Hun spullen bewaren de Akuntsu in de maricos, de gehaakte vezeltassen.*

ving zelfs als criterium voor de beschavingsgraad. Maar hoe solidair kun je zijn in een vijandige omgeving als het oerwoud? Of als je op de vlucht bent, zoals de Akuntsu? Misschien is solidariteit geen norm in hun samenleving.

Een van Babá's vrouwen schuift de hut binnen. Ze brengt het oudje eten: vlees opgerold in een bananenblad. Oma eet dus mee uit de pot.

Bedanken is er niet bij. Ururu legt zonder een spier te vertrekken het opgerolde bananenblad in de smeulende as en prikt er met haar vingers stukjes vlees uit. Zou bedanken een teken van zwakte zijn? Of worden geven en krijgen in een minder individualistische samenleving dan de onze anders gewaardeerd? Of heeft ze als oudere zus van Babá automatisch recht op deze gift? Of zijn hebben en geven niet relevant in deze maatschappij, omdat de natuur oneindig is? Het is een winkel waaruit iedereen vrij kan pakken.

Later vraag ik Marcelo ernaar. Oneindig is de natuur allang niet meer. In sommige gebieden, zoals het bos van de Akuntsu, wordt de jachtbuit schaars. En indianen delen heus niet alles, zegt hij. 'Dat is een romantisch vooroordeel van blanken over indianen.' Eten kan gedeeld worden; dat is aan de jager en de vrouw van de jager. Want 'voedsel is van degene die het geproduceerd of geschoten heeft'.

Geven heeft vele aspecten. Geven is bij indianen ook een band creëren. 'De ander staat bij je in het krijt. Hij is aan je verplicht. Dat zie je veel.'

De mate van solidariteit varieert van groep tot groep. Marcelo herinnert zich een oude vrouw die nadat haar man was overleden vroeg naar het bos gebracht te worden. Ze kon niet voor zichzelf zorgen. 'Daar werd ze levend begraven, met haar hoofd boven de aarde.' Ook doden de meeste groepen baby's met een afwijking, maar niet als de groep zich vestigt en er genoeg eten is. Zelf slaagde hij erin de Nambikwara bij wie hij woonde ervan te overtuigen een baby met een hazenlip in leven te laten.

Buiten wordt inmiddels heel wat afgestampt. Babá bereidt in een holle vrucht van de paranotenboom die de omvang heeft van een kleine meloen[4] de rapé ter ere van het bezoek. Vandaag is het een huis-tuin-en-keuken-rapé van nog groene tabaksbladeren zonder hallucinogene noot. Babá schuift wat groen poeder op zijn handpalm en steekt een lang, dun bamboeriet in zijn neus. Weer een ingenieuze constructie: de bamboe is als een pijp met de dop van een paranoot als pijpenkop. In de pijpenkop ligt het poeder.

Na Babá zijn de vrouwen aan de beurt. Ze snuiven met hun ogen dicht. Na enkele minuten hebben ze allemaal een groene druipneus.

Wil het bezoek ook? Ja, het bezoek doet mee.

Ik manipuleer met de bamboestok en inhaleer diep. De rapé prikt onaangenaam in mijn neusholte en het spul ruikt muf. Ik voel niks en vind niks.

Marcelo heeft Babá met veel moeite geprobeerd duidelijk te maken dat hij enkele dagen in de stad is geweest. Hij wil van hem weten of de Akuntsu in die tijd houthakkers of andere indringers in het bos hebben gesignaleerd. Babá begint druk met zijn armen te zwaaien en maakt gromgeluiden. Passaká vertaalt: Babá heeft geen blanken gezien, maar hij is bang dat de Funai-mensen weggaan, zegt de tolk.

De Akuntsu-chef heeft nog meer te vertellen. Hij wijst naar mijn dijbeen en prikt er met zijn vinger in. De tolk: Babá wil de gast graag als zijn nieuwe vrouw. Ze is groot en dik. Bovendien doet hij het al zo lang met dezelfden. In ruil biedt hij Marcelo zijn twee vrouwen aan.

Marcelo weigert beleefd. Babá vindt het een goeie mop. Hij lacht en slaat zijn hand vrolijk tegen die van Marcelo. Marcelo, die geen lachebek van zichzelf is, grijnst. Ik betwijfel of het zelfbeschikkingsrecht van de vrouw hier enig gewicht heeft.

De chef heeft nog een andere wens. 'Hij wil vrienden,' zegt de tolk. Als Marcelo de andere indianen vindt, moet hij die naar Babá brengen. 'Hij wil dat ze hier komen wonen.'

Ik waag het erop te vragen wat Babá van de westerlingen vindt die om hem heen wonen?

Mijn vraag blijkt ongemak op te roepen.

Passaká aarzelt en haalt diep adem. Hij schuift dichter naar Babá toe, totdat hij op zijn hurken voor hem zit. Dan pakt hij de Akuntsu-chef met beide handen vast en begint lang te praten – veel langer dan mijn vraag zou kunnen duren.

Ben ik te ver gegaan? Heeft de tolk mijn vraag niet begrepen?

'Wij zijn te direct,' legt Marcelo uit. 'Zij praten uren en stellen nooit vragen.'

De vraag is dan misschien niet vertaald, maar er komt wel een antwoord.

Babá praat en wijst naar het bos. Hij maakt een beweging alsof hij iets wegduwt en wijst dan naar de andere kant. De woordenstroom gaat door en hij maakt van zijn handen een blaaspijp. Hij heft ook zijn wijsvinger en moet af en toe lachen.

De vertaling: 'Hij is nog steeds bang voor de blanken van de andere kant. Zij hebben zijn vrouw en kinderen gedood, en veel stamleden. Daarom is hij nu alleen. Hij heeft hulp van Marcelo. Anders zou hij nu ook dood zijn. Hij weet dat de slechten van de andere kant komen.'

Ik besluit er meteen een tweede vraag aan toe te voegen: 'Is het leven nu slechter of beter?' Babá wijst na deze vraag naar de lucht. De vrouwen die achter hem staan, zijn stilgevallen en luisteren naar wat Babá te zeggen heeft. De tolk knikt begrijpend en vertaalt: 'Hij is nog steeds bang. Ze hebben moeten rennen. Er waren veel blanken.'

Babá zwijgt geduldig; de procedure van het vertalen is hem duidelijk bekend. Daarna klakt hij met zijn tong alsof hij Passaká's woorden kracht wil bijzetten.

Babá was de eerste maanden na het contact nog zo gestoord van angst dat hij zijn hut nauwelijks uit durfde, vertelt Marcelo. Hij zat naast de deuropening en gluurde om de paar minuten naar buiten om te kijken of er iemand aan kwam. Marcelo vermoedt dat de tic van zijn echtgenote en de dochter ook met een trauma uit het verleden te maken heeft. Zijn grote angst is dat de groep weer op de loop gaat, in een ander bos terechtkomt en alsnog wordt vermoord.

'Zeg hem dat hij niet bang hoeft te zijn. Wij brengen alleen goede blanken hier,' zegt Marcelo tegen Passaká.

De boodschap over de goede blanken lijkt te zijn overgekomen; Babá knikt in ieder geval instemmend.

Voorzichtig waag ik nog een vraag. 'Wat ziet Babá als hij rapé snuift?'

Alle westerlingen luisteren aandachtig als de tolk met de vertaling komt: 'Hij ziet alles. Hij ziet de wereld, water, rotsen. Alles.'

6

Over strebers en underdogs

'Deze indianen zijn overlevers,' zegt Marcelo 's avonds als we weer in de boomstammetjeskeuken van het kampement zitten. We hebben allemaal een bad genomen in de beek; de tweede en laatste maaltijd met supermarktvlees uit de koeldoos is genuttigd, de radioboodschappen zijn net rondgeëchood, het aggregaat loeit en Chico heeft opnieuw de lof gezongen van de Amazonekeuken. Ik ben er nog geen achtenveertig uur, maar het kampleven met zijn routine komt me reeds vertrouwd voor.

Het verzoek van Babá om bescherming heeft bij Marcelo veel losgemaakt. 'Wij kunnen ons niet voorstellen wat zij hebben geleden. Ze zijn hun land kwijtgeraakt en voortdurend opgejaagd, hun hutten en akkers zijn platgebulldozerd, ze hebben onder vuur gelegen, hun familieleden voor hun ogen zien doodbloeden. En hier zijn ze. Ze zijn hartelijk, gul en vrolijk, en hebben nieuwe akkers en nieuwe hutten gemaakt. Ze zijn helden.'

Dit is de Marcelo uit de verslagen van de Funai, bedenk ik me. De bevlogen maar ook sentimentele strijder tegen onrecht. Tegelijkertijd is hij een praktische allesdoener. En zijn zorgzaamheid voor 'zijn' indianen ontroert.

Voor het donker werd heeft hij het door hem aangelegde kostgrondje laten zien en verteld over slakken, torren en ander ongedierte dat hij daar bestrijdt. De ananas die wij als dessert kregen, komt uit de tuin. Er staan behalve maniokplanten bonen, maïs, kruiden en zelfs dragende fruitbomen. Niet alleen van gerechtelijke procedures en carburateurs, maar ook van landbouw moet je dus als je sertanista bent verstand hebben. Je moet de weg kunnen vinden in het oerwoud, kun-

nen jagen, een beest slachten, een hut bouwen, een satellietfoto inter-
preteren en je een scheldende grootgrondbezitter van het lijf kunnen
houden.

Aan de overkant van de beek heeft Marcelo samen met zijn mannen
eveneens een moestuin aangelegd. Deze wordt keer op keer geplunderd door de Akuntsu. Paulo en Chico zijn geïrriteerd. Nooit kon er
geoogst worden. 'Laat ze op hun eigen akker werken.' Marcelo grijpt
in: 'Het is juist goed dat ze ervan eten.' Hij legt mij uit: de indianen zijn
ondervoed. Doordat het bos zo klein is geworden, loopt de wildstand
terug. 'Ze hebben er steeds meer problemen mee om aan voedsel te
komen.'

De schorre schreeuw van een papegaai klinkt door de nacht en insecten zoemen rond de enige lamp. Selma is aan de afwas en rammelt
met de pannen.

'Heb je de littekens op Babá's arm gezien?' vraagt Marcelo.

Ik moet hem teleurstellen. Ik heb alleen de gaatjes bij zijn lip gezien
waarin ter versiering stokjes kunnen worden gestoken.

'Babá heeft nog hagel in zijn arm zitten. En de oude vrouw is zes
kinderen kwijtgeraakt. Allemaal door blanken vermoord.'

En wist ik dat de vrouw en het kind van Pupak, de jonge man die ik
niet gezien heb, ook zijn doodgeschoten? Hijzelf heeft een litteken van
een schampschot.'

Tolk Munuzinho en de indiaan Passaká, die aan de houten tafel
in de keuken zitten en meeluisterden, kondigen hun vertrek richting
hangmat aan. Zouden ze zich ongemakkelijk voelen bij het onderwerp? Een trauma? Of zijn ze gewoon moe?

'Omdat Pupak zoveel geleden heeft, ziet hij er zo oud uit,' zegt Selma. 'Hij is vermoedelijk begin twintig, maar oogt als veertig.'

Selma is voor een paar weken uitgezonden. Ze hoopt op verlenging.
'Ik ga me steeds meer aan hen hechten,' zegt ze over de indianen. 'Het
zijn lieverds.' Haar moeder was bang geweest toen ze had verteld dat ze
bij net gecontacteerde indianen zou gaan werken. Zij kende alleen de
krantenberichten over indianen die uit protest blanken gijzelen. 'Indianen doden. Kijk jij maar uit.' Haar vrienden in São Paulo hadden
zich afgevraagd wat ze zo nodig 'bij die wilde beesten' moest. Maar het
avontuur trok. 'Ze hebben geen idee waar ze het over hebben. Voor
hen is Rondônia hetzelfde als het einde van de wereld.'

'Babá heeft mij kleren gevraagd,' zegt Paulo, die met Chico domino speelt.

Het blijkt een van de vele dilemma's. Marcelo is tegen kleren geven. Kleren scheuren en worden vies in het bos. Aangezien de Akuntsu niet van wassen houden, kunnen ze door vieze kleren makkelijk infecties oplopen. Ze weten niet hoe ze met kleren moeten omgaan, legt hij uit. 'Als ik de kans krijg, pak ik kleren van ze af. Maar het probleem is dat Babá aan iedereen steeds kleren vraagt.'

'En schoenen,' zegt Paulo. 'Hij kijkt net zo lang naar je schoenen tot je ze uitdoet en hij ze kan passen.'

'Ja, die kennen we. De doornen prikken, zegt hij dan,' lacht Marcelo. 'Help me eraan herinneren, Paulo, dat ik volgende keer als ik naar Vilhena ga teenslippers voor de Akuntsu koop.'

De jonge Kanoê vertonen zich nooit meer zonder kleren. Ze vragen voortdurend kleding en ook schoenen. En omdat zij wel wassen, krijgen ze van tijd tot tijd een kledingstuk. 'Het is niet tegen te houden,' zegt Marcelo.

In het kampement verschijnen de Kanoê meestal in vol ornaat. Dat wil zeggen in een rare mix van westerse kleren en traditionele attributen. Een short of lange broek, een T-shirt, vele strengen kettingen, arm- en beenbanden, een pluim van envira op de rug en een hoed of tenminste het kalotje. De Kanoê zijn ijdel en zich bewust van hun uiterlijk. Als ik hun een keer vraag of ik een foto mag maken, staan ze erop eerst uitgebreid toilet te maken. Ze gaan baden, kammen hun haren en trekken een schoon shirt aan.

De Akuntsu krijgen van Txinamanty afdankertjes. Volgens Marcelo is het een poging van de Kanoê om de Akuntsu te 'civiliseren'. De Kanoê geven voortdurend blijk van een drang om de in hun ogen vieze Akuntsu in het gareel te krijgen. Ze bezorgden de Akuntsu bijvoorbeeld hetzelfde soort kalotjes als die waarmee ze zelf hun hoofd bedekken. Marcelo heeft herhaaldelijk meegemaakt dat de Akuntsu door de Kanoê een kalotje opgezet krijgen als ze het wagen zonder te lopen. De meeste kettingen die de Akuntsu dragen, komen ook van de Kanoê. De Akuntsu hebben deze geruild tegen jachtvlees of gewassen.

Het superioriteitsgevoel van de Kanoê was vanaf het eerste contact al zichtbaar, vertelt Marcelo. Na de ontmoeting met de Akuntsu hadden de twee chefs, Babá en Txinamanty, een krachtige rapé gesnoven.

Txinamanty had gedanst, gezongen en gegild, en Babá moest haar op een gegeven moment nadoen. En dat deed hij ook braaf. Het leek een reinigingsritueel. Toen het was afgelopen, knipte Txinamanty met een net van Marcelo gekregen schaar het haar van alle Akuntsu kort, alsof ze hen wilde kuisen. Marcelo had sterk de indruk dat de Akuntsu niet wilden. De scène riekte naar vernedering. En er was natuurlijk het incident met de nieuwe soeppan die Wajmoró inpikte omdat ze hem te mooi vond voor de Akuntsu.

Ik had nooit gedacht dat er bij primitieve indianen ook discriminatie bestond. Onwillekeurig was ik ervan uitgegaan dat alle Amazone-indianen ongeveer hetzelfde waren en dat ze een collectief vormden waar bezit of uiterlijkheden geen rol van betekenis speelden.

In het kampement bij de beek leer ik snel bij over relaties en machtsstrijd in het oerwoud. Het is net zo gecompliceerd als bij ons, of misschien nog gecompliceerder, want de Europese Unie is een zakdoek vergeleken bij de lappendeken van krap tweehonderd volken en restjes van volken die allemaal een andere taal spreken.

Wij hebben bondgenootschappen; zij hebben intertribale huwelijken die dorpen en stammen aan elkaar verplichten. Wij hebben stedenbanden, sporttoernooien, conferenties en steunfondsen. Zij hebben beleefdheidsbezoeken, feesten, ook sportwedstrijden[1], gezamenlijke rituelen en geven geschenken. Wij maken elkaar af in oorlogen over olie, grond en macht. Bij hen begint de trammelant vaak met vrouwen. De ene stam steelt vrouwen van de andere. Vervolgens organiseren de gedupeerden een wraakexpeditie, die meestal weer door een tegenactie wordt gevolgd. Er zijn imperialistische stammen die de andere, meer meegaande volken onderwerpen, en wreedheden zijn gewoon. Kongsies wisselen voortdurend.

Grond was nooit een probleem; het oerwoud was eindeloos groot. Maar conflicten over grond komen ook bij indianen tegenwoordig steeds meer voor, omdat de stammen die hun traditionele woon- en jachtgebied kwijtraakten aan Brazilianen, met andere moeten concurreren om het overgebleven stuk bos.

Wij hadden de slavernij. Hoewel Wajmoró bijna als een slaaf behandeld wordt door de anderen kennen Amazone-indianen geen slavernij. Sommige oorlogszuchtige stammen, zoals de Mekens van tolk Passaká, maakten wel krijgsgevangenen. Babá kent de faam van de

Mekens vermoedelijk, aangezien hij bij tolk Passaká informeerde of hij gedood zou worden door diens stam als hij met hem meeging op bezoek.

Krijgsgevangenen werden door de indianen niet verkocht zoals bij ons, maar konden worden doorgegeven bij wijze van relatiegeschenk. De vrouwen waren het best af; zij werden meestal door de nieuwe 'eigenaar' gehuwd en verder als lid van de stam behandeld. De gevangen mannen belandden uiteindelijk vaak in de soeppot.

In zijn *Índios do Brasil*, een van de beste boeken over indianen in Brazilië, schrijft de antropoloog Julio Cezar Melatti in 1970 dat er maar van één Braziliaanse stam bekend is dat die slaven hield. Het zijn de Kadiwéu, die tegenwoordig in het grensgebied met Paraguay leven. De Kadiwéu waren een atypisch volk. Ze waren taaie vechtersbazen en beschikten over paarden, waardoor ze automatisch een strategisch overwicht op andere volken hadden. Dat voordeel buitten ze uit: ze leefden van wat ze stalen van anderen of lieten andere stammen 'belastingen' betalen. Als er in de eigen groep een babytekort dreigde, stalen ze kinderen van andere volken.

Waren de Akuntsu en de Kanoê vroeger gezworen vijanden? Het is een van de vele vragen waarop Marcelo noch tolken antwoord weten. In de historische boeken, waarin overigens alleen de Kanoê af en toe worden genoemd, vermelden de reizigers niets over een oorlog. Munuzinho, die rond 1920 geboren moet zijn, herinnert het zich evenmin.

Vermoedelijk hebben beide groepen voor de ontbossing zelden contact gehad.[2] Duidelijk is in ieder geval dat de Akuntsu en de Kanoê door de komst van de blanken naar elkaar toe zijn gejaagd. Maar hun relatie is verre van idyllisch. Altair merkt een halfjaar na het eerste contact dat ze elkaar pesten als schoolkinderen. Hij schrijft in zijn verslag:

> *De Kanoê zeggen dat Pupak vier dagen geleden in de voet van Txinamanty heeft geschoten. Maar volgens de versie van de Akuntsu kwam Txinamanty bij hun dorp en deed ze het geluid van een aap na. Pupak rende met zijn boog naar buiten om de aap te schieten. De rest van het verhaal lijkt verzonnen. Maar als de Akuntsu nu ter sprake komen, spugen de Kanoê in hun richting om hun afkeuring te laten blijken.*

Marcelo denkt dat de twee groepen sinds ze hetzelfde territorium delen – en dat is volgens hem ongeveer vijf jaar voor het contact gebeurd – hoogoplopende conflicten hebben. Achter een van de dorpen van de Akuntsu had de Funai-missie kort na het contact een versperring van in de grond gestoken stokken aangetroffen. Aanvankelijk begrepen de Funai-mannen de zin er niet van. Was het een ritueel bouwsel? De Kanoê bleken echter met de stokken een soort grens te hebben gemaakt. Marcelo: 'Ze hadden het bos in tweeën gedeeld.'

Doordat de groepen verschillende talen spreken, is de communicatie vermoedelijk altijd moeizaam geweest. De burenruzie kan zijn ontstaan vanwege de zwerfakkers. De Akuntsu vertelden Marcelo dat ze steeds dieper het bos in hadden moeten trekken omdat hun akkers voortdurend geplunderd werden. Marcelo vermoedt dat de Kanoê dat deden. Wajmoró heeft in ieder geval aan tolk Munuzinho bekend dat ze de Akuntsu bespioneerde vanachter de bomen en hun gewassen stal als ze er niet waren.

De conclusie dat de Akuntsu underdogs zijn is echter te simpel. De Kanoê kijken neer op de Akuntsu en misschien zouden zij hen zelfs willen knechten, maar tegelijkertijd zijn ze heel bang voor hen. Ze dichten hun bovennatuurlijke krachten toe. Zodra een Kanoê begint te hoesten, denkt de rest van de familie meteen dat de Akuntsu boze geesten op hen af hebben gestuurd. De bandopnames die cineast Vincent maakt tijdens zijn bezoeken aan het kampement in de eerste maanden na het contact bevestigen dat er veel latente vijandigheid bestaat tussen de twee groepen. De angst om door de anderen gedood te worden blijkt daarin een rode draad. Txinamanty vertelt tolk Munuzinho: 'Mama en mijn broer liepen. We kwamen de Anderen tegen. Ik ga niet daarnaartoe want anders zullen ze mij doden.' Ook Munuzinho moet voor de Akuntsu oppassen, vindt Txinamanty. 'Je moet daar niet rondlopen want anders zullen ze je doden. Als je daar rondloopt, moet je je kleren uitdoen. Anders denken ze dat je een blanke bent.' En later: 'Zij [ze bedoelt de Akuntsu] willen alleen maar vechten. Ze willen alleen maar ons doden met een pijl.'

Babá zegt over de Kanoê: 'Ik vergeet die mensen niet. Ze zeggen aldoor dat ze me willen doodmaken. De Kanoê zijn geen familie. Ik ben bang voor hen.'

En bij een andere gelegenheid vertrouwt hij tolk Passaká toe: 'Ik was alleen. Daarna kwamen de Kanoê achter me aan en ze vonden me. Daarna wilden ze me doden. Dus ben ik weer van hen weggelopen.'

Sinds de komst van Marcelo en de zijnen staat de heersende orde in het bos onder druk. Op Marcelo's verzoek zijn de Kanoê verhuisd naar het bos waar ze nu wonen. Het idee was dat de Akuntsu zich dan vrijer kunnen bewegen in hun bos, want aanvankelijk woonden de Akuntsu en de Kanoê beiden in hetzelfde bos, dat achter de beek begint.

Marcelo had zich erover verbaasd dat de Akuntsu nooit in het kampement op bezoek kwamen. De tolk legde hem uit waarom niet: ze werden tegengehouden door de Kanoê, die halverwege woonden. Zelfs de ene keer dat Pupak mee was gekomen met de verpleegster, werd hij in het dorp van de Kanoê geïntimideerd. Waarom?

'Een mysterie,' zegt Marcelo. 'Maar als je het mij vraagt, zijn de Kanoê jaloers. Ze willen alles voor zichzelf houden, inclusief ons.'

De Kanoê-moeder Tutuá lijkt de visionair. Volgens tolk Munuzinho is zij degene die als eerste toenadering tot de Akuntsu had gezocht toen ze ontdekte dat er nog meer indianen door hetzelfde bos zwierven. Ze had voorgesteld dat ze in één dorp samen zouden wonen, hetgeen ze even geprobeerd hadden. Tutuá had gehoopt dat haar dochter en niet zwanger zouden raken van Pupak, of mogelijk van Babá zelf, en dat Babá een dochter aan Operá ten huwelijk zou geven. Dat zijn tenslotte de enige mogelijkheden tot voortplanting, aangezien incest bij indianen taboe is.[3]

Txinamanty zou – volgens de tolk – enige tijd met Pupak hebben geleefd. Of dat althans geprobeerd hebben. Er is een passage op de banden van Vincent waarin Txinamanty naar de mislukte verbintenis lijkt te verwijzen: 'De Akuntsu waren boos op mij. Ik wil niet dat ze me doodmaken. Hij [Pupak] wilde alleen met zijn moeder slapen. Ik praat niet meer met hem. Niet meer met hem en niet met zijn moeder,' zegt ze op een gegeven moment. Vermoedelijk bedoelt Txinamanty met 'zijn moeder' Ururu.[4]

De groep indianen zou alleen kans maken te overleven als de Kanoê en de Akuntsu erin zouden slagen zich te vermengen. De pogingen banden te smeden lopen evenwel op niets uit. Tragisch genoeg blijken de Akuntsu en de Kanoê net zo kleingeestig als veel blanken: trots en op de korte termijn prevaleert eigenbelang. Babá wil zijn dochters niet kwijt. Hij lijkt niet in te zien dat hij zelf op termijn ook baat zou hebben bij een huwelijk, omdat hij met een schoonzoon zijn concurrentiepositie tegenover Pupak, de andere man in de groep, zou verstevigen. Als hij straks immers oud en moe is en niet meer kan jagen of zijn akker bewerken, loopt hij het risico onttroond te worden als chef. Een schoonzoon zou hem helpen.

Sinds de twee groepen apart wonen, zijn amoureuze allianties moeilijker geworden. Babá heeft Marcelo laten weten dat hij alleen akkoord gaat met een huwelijk als Operá bij de Akuntsu komt wonen en voor hem gaat werken. Voor de Kanoê met hun superioriteitscomplex is wonen bij de primitieve Akuntsu ondenkbaar. Bovendien willen de drie vrouwen hun enige man niet kwijt.

De baby van Txinamanty, die zes weken voor mijn komst is geboren, is een nieuwe ontwikkeling. De drang tot voortplanting bij de Kanoê is daardoor verlicht. De baby fungeert in ieder geval als bliksemafleider. 'De Kanoê hebben het over niets anders meer,' zegt Marcelo.

Wie de vader is, blijft een vraagteken. Marcelo kan niet geloven dat het een van de Akuntsu-mannen is, gezien Txinamanty's weerzin. Hij houdt het nu op een tolk, de voorganger van Passaká. Samuel was net als Passaká een Mekens, maar jonger en eigenzinniger. Als Txinamanty in het Funai-kampement was, had hij haar altijd veel aandacht gegeven en haar ook meer dan eens uitgenodigd te blijven logeren.

Marcelo loopt voorop als we de volgende dag naar de Kanoê gaan. Dit keer gaat Munuzinho, de andere tolk, mee. De anderen laten het afweten. 'Het is een mooie dag om kleren te wassen,' zegt Paulo, die met een bundel vuile was naar de beek vertrekt. En tegen mij: 'Ja, Braziliaanse mannen weten heus wel hoe ze moeten wassen.'

Een horde koeien volgt nieuwsgierig op afstand als we de grasvlakte oversteken. In de felblauwe lucht drijven gebeeldhouwde wolken – voorbodes van de regentijd, die in dit deel van de Amazone in november begint.

Vergeleken bij de tocht naar de Akuntsu blijkt deze excursie een ommetje. Na een paar honderd meter door het bos houdt Marcelo stil. Het pad is breed en schoon. Je zou er zelfs met een brommer kunnen rijden. Marcelo klapt in zijn handen en roept. 'Bezoek moet je altijd aankondigen,' legt hij uit.

Na een halve minuut verschijnt het maanvrouwtje. Weer worden er handen geschud. Een gebaar dat is aangeleerd door de blanken?

'Ja, dat dachten wij ook,' zegt Marcelo. 'Totdat ik zag dat de Kanoê en de Akuntsu ook onder elkaar handen schudden.'

Ook de Kanoê hebben een soort kraal. Het dorp is pas drie maanden oud, maar de Kanoê hebben al een maïsveldje aangelegd, dat zichtbaar netter is dan dat van de Akuntsu. En in tegenstelling tot de andere groep koken ze buiten. In de smeulende houtresten ontdek ik een geblakerde kop van een wild zwijn.

Ik maak kennis met moeder Tutuá, die naakt is op enkele kettingen na, en met zoon Operá, gekleed in een roze bermuda en een wit T-shirt. Schuin gekruist over zijn borst draagt Operá de gekleurde kettingen van stukjes emmer die ik herken van de foto uit de krant.

Wederom is er een uitgebreide begroeting. Langdurig houdt Operá Marcelo bij zijn beide handen vast. Af en toe wordt er iets gezegd, en er vallen stiltes waarbij de jonge Kanoê Marcelo intens en vragend aankijkt. Steeds opnieuw komt hij met mededelingen. Of zouden het vragen zijn? Misschien is het begroetingsritueel net als in Afrika een batterij vragen, als een lied met vele refreinen. Hoe is het met je vader en je moeder? Met je broers en zussen? Met je dorp? Met het huis? Met het bos?

Ik sla de ceremonie gade. Als begroeting een criterium is voor beschaving, zijn wij de barbaren. Want liever dan een hand te drukken en tijd voor de anderen te nemen, roepen we een vaag 'hallo' in de ruimte.

Ook de Kanoê zijn klein. Ze ogen ranker dan de Akuntsu en hebben hoog opgeknipt haar. Moeder reddert rond, versleept spullen, biedt ons bananen aan en kapt *babaçu*-noten open die volgens Marcelo bestemd zijn voor het zwijntje dat haar zoon houdt. Operá lacht verlegen. Hij heeft de delicate manieren die in de blanke wereld geassocieerd zouden worden met homoseksuelen.

Txinamanty, de zus van Operá, zit in haar hut. We kruipen naar binnen. De baby ligt verpakt in bananenbladeren in een hangmat en wordt door de jonge moeder heen en weer gewiegd. Er hangen diverse hangmatten en touwtassen in de hut. Er brandt een vuurtje en in de hoek staan pijlen en een boog. Txinamanty is de vrouw van de foto in de krant. Ze is bijna naakt en zonder hoofddeksel, zoals nu, oogt ze als een kwetsbare puber.

Marcelo heeft nog twee kippen meegenomen die we onderweg hadden gekocht. Ze worden gelaten in ontvangst genomen. Die zijn om te eten, laat Marcelo Munuzinho vertalen. Sinds de baby geboren is, hapert de voedselvoorziening. Geen van de vier volwassenen gaat nu nog uit jagen. Ze zitten de hele dag in stille aanbidding bij het verpakte prulletje.

In de donkere hut wiebelen we wat in een hangmat en glimlachen naar elkaar. De gebaren, de handelingen en het gesprek – alles gaat ongelooflijk traag. Na iedere mededeling valt er een lange stilte. Af en toe pakt Operá Marcelo's arm beet; het lijkt een gebaar van affectie. Marcelo kijkt wazig. Hij zwijmelt een beetje van indianen, denk ik.

Txinamanty observeert mij aandachtig en met lange tussenpozen komen er vragen via de tolk. Hoe heet ze? Heeft ze kinderen? Heb je in haar bos ook indianen?

Na ieder antwoord humt ze tevreden en kijkt me stralend aan. Telkens dwaalt haar blik daarna over alles wat ik aan en bij me heb.

Dan steekt er een wind op. Er klinkt het geraas van neervallende bomen en het bliksemt. De baby houdt zich stil. Txinamanty keurt het propje trouwens geen blik waardig. Ze kijkt voor zich uit in het luchtledige en begint de slechte geesten weg te drijven. Als buiten de tropische regen neerklettert, trekt ze met een arm cirkels in de lucht. Het is een flinke klus, die meer dan een kwartier in beslag neemt. 'Bij de Nambikwara zijn storm en bliksem de voorbode van een ziekte,' fluistert Marcelo.

Txinamanty is geconcentreerd bezig. Ze gromt en rochelt. Uiteindelijk haalt ze diep adem, zet haar beide handen als een toeter aan haar mond en blaast met iets dat lijkt op windkracht 8 alle duivels en ander kwaad volk de hut uit. Althans, dat hoop ik, voor haar en voor mij.

Als het weer stil wordt, hoor ik gillen.

'Nog een baby?' grap ik.

'Nee, dat is het zwijntje,' zegt Marcelo. Het beest is inzet van een familiedrama, vertelt hij. Operá's huisdier is een wild zwijn dat hij vertroetelt alsof het zijn partner is.

Indianen kennen doorgaans maar twee soorten dieren: wilde dieren en huisdieren. Hun huisdieren zijn vaak jonkies van moederdieren die ze bij de jacht hebben doodgeschoten en zelf verder grootbrengen. Vermoedelijk zijn zo ook de toekan en het aapje bij de Akuntsu beland. Wilde dieren jaag en eet je. Huisdieren horen bij de familie en die zul je dus nooit opeten. Het verklaart waarom veel indianenvolken alleen met grote moeite tot veeteelt te brengen zijn. Dat je vee kunt verzorgen en later opeet, is voor hen niet alleen onbegrijpelijk, maar ook weerzinwekkend.

Het zwijntje woont normaliter in de hut van Operá en Txinamanty, slaapt in een speciaal voor hem gemaakt hangmatje, wordt gewassen in de rivier en geliefkoosd. Sinds de baby is geboren, heeft Operá evenwel alleen nog maar belangstelling voor de nieuwe nakomeling. Het zwijntje is nu opgesloten in de eenvrouwshut van Wajmoró, maar protesteert luid krijsend. 'Hij eist dag en nacht aandacht,' zegt Marcelo.

Het bos dampt als we de terugtocht aanvaarden. Operá loopt met ons mee tot aan de grasvlakte. Wajmoró ziet ons niet. Ze zit voor haar hut en probeert het gillende zwarte zwijntje tot bedaren te brengen. Het beest is versierd met kralenkettingen.

Later begrijp ik uit een verslag dat dit het tweede troetelzwijntje van Operá is. Zijn zus doodt het eerste beest enkele weken nadat Marcelo contact met de indianen heeft gelegd. Operá huilt langdurig als hij ontdekt dat zijn huisdier is geslacht. Tijdenlang is het crisis bij de Kanoê. Operá blijft uit protest tegen Txinamanty een tijd logeren in het Funai-kampement en weigert terug te keren naar het Kanoê-dorp. Tutuá, die haar zoon koestert, trekt zich boos en verdrietig drie dagen terug in het bos.

Txinamanty of Wajmoró snijdt het zwijntje in stukken en verpakt het in bananenbladeren om het langzaam te garen op het rooster boven het vuur. Na zeven maanden worden de bladerpakketjes weggehaald en begraven. Tolk Munuzinho is bij de begrafenis. Het verslag meldt letterlijk wat hij daarover zegt:

Om middernacht begonnen zij te zingen en op de fluit te spelen. Het zwijntje werd begraven bij de omheinde boom op enkele meters van het erf van het dorp. Een voor een droegen de indianen stukken zwijn richting boom via twee verschillende paden. Zij sprongen zigzaggend over het pad en onderwijl zongen zij. Ze keerden achteruit springend terug naar het erf over hetzelfde pad. Toen ze alle stukken zwijn bij de boom hadden gelegd, bedekten ze het met andere, oude botten die daar al lagen. Toen zeiden zij: 'Nu is het zwijn vertrokken. Hij zal op een andere plek opnieuw geboren worden.'

Munuzinho kruipt als we op de post terugkeren meteen in de verste hoek van de bank in de keuken. Het is zijn vaste plek en vaak zit hij er uren achtereen stilletjes voor zich uit te staren.

Net als Passaká is hij een terneergeslagen en lusteloze man. Het liefst zou hij zich willen verstoppen, lijkt het.

Volgens Marcelo komt het doordat ze allebei als semi-slaven op rubberplantages hebben gewerkt. Dat zijn vreselijke ervaringen geweest, vergelijkbaar met die in een concentratiekamp. 'Alle indianen die dat hebben meegemaakt, zijn voor het leven getekend,' zegt hij.

Munuzinho, die ergens in de zeventig is, heeft in de twee uur dat we bij de Kanoê zijn meer gepraat dan de twee dagen daarvoor bij elkaar. Hij geniet zichtbaar van het contact.

'Waarom gaat u niet bij ze wonen?' vraag ik hem.

De tolk lacht verlegen. Hij zou het graag willen, bekent hij.

'Waarom?'

Munuzinho is geen prater; slechts met veel vragen komt zijn verhaal eruit. 'Ik vind het fijn bij hen. Ik leer veel van ze.'

'Wat zoal?'

'Allerlei dingen die ik was vergeten, zoals pijlen maken en schieten. Woorden die ik niet meer wist. Ik hoor verhalen van vroeger.'

'Maar waarom gaat u dan niet?' houd ik aan.

'Mijn kinderen zijn erop tegen.' Verbeeld ik het me of kijkt de doorgaans gelaten Munuzinho bij deze mededeling sip? De oude man is gegijzelde van zijn kinderen, zo blijkt. Munuzinho woont met hen in een reservaat honderden kilometers ten noorden van de post Omerê.[5] Sinds een paar jaar krijgt hij een staatspensioentje en zijn kinderen leven ervan. Hij is door zijn uitkering de enige in de familie die geld inbrengt.

Ik vraag Munuzinho naar vroeger. Beetje bij beetje komt het verhaal eruit. Hij herinnert zich dat hij en de andere Kanoê toen hij jong was naakt liepen. 'We waren índios bravos, wilde indianen.' Iedere familie had een eigen hut en ze leefden van de jacht, visten en hadden moestuinen. De beste herinneringen heeft hij aan de beleefdheidsbezoeken die de groep van tijd tot tijd bracht aan de Makurap, het machtigste volk uit de regio. In hun gebied stond bamboe, dat goed was om pijlpunten van te maken. Ze vierden met hen, maar ook met andere indianenvolken feesten, dronken *chicha* en hielden kopbalwedstrijden. Kopbal is als voetbal, maar dan met het hoofd. Makurap was de voertaal die de verschillende groepen gebruikten om met elkaar te communiceren. Hij sprak het ook.

Het contact met westerlingen was er al toen hij klein was. Via de rivier kwamen af en toe rubbertappers, handelaren en missionarissen. Hij ging soms met zijn vader mee, die weleens werkte op een fazenda in ruil voor gereedschap. De missionarissen hebben de Kanoê 'beschaving' bijgebracht, zegt Munuzinho. Het woord 'beschaving' klinkt raar uit zijn mond.

Door het contact met westerlingen stierven veel Kanoê aan blanke ziektes, inclusief Munuzinho's ouders. Hij was wees toen hij twaalf was. Zijn zus werd toen ze jong was meegenomen door de rubbertappers. Haar heeft hij nooit meer teruggezien.

Na de dood van zijn ouders ging Munuzinho bij de Salamãi-indianen wonen, met wie hij uitsluitend Salamãi sprak. Vermenging met andere groepen was gewoon geworden. Omdat er weinig mannen waren, trouwden de Kanoê-vrouwen vaak met mannen van andere volken en verlieten hun eigen groep.

Munuzinho was een van de indianen die door de overheid waren weggehaald – de verplaatsingsoperatie in verband met de komst van de 'soldaten van de rubber' – en naar het kampement voor indianen ongeveer 200 kilometer noordelijker waren gebracht. Een chef hadden de Kanoê toen al niet meer. Ze waren een minderheid te midden van andere groepen waarmee ze moesten wonen. Hun eigen taal spraken ze nog nauwelijks. Ook in het kampement stierven veel indianen door de ziektes van de blanken, met name mazelen en kinkhoest.[6] Munuzinho zelf verloor vijf van zijn acht kinderen door besmettelijke ziektes. Zijn echtgenote stierf ook. 'Maar dat was tijdens de bevalling,' zegt hij. Het klinkt als een vergoelijking.

Herinnert hij zich iets over de indianen die in het bos achterbleven?

'Ja, we hadden familie die mijn ouders Cabeça Seca (Droog Hoofd) noemden, omdat ze hun haar heel kort knipten.'

'Zoals de vier Kanoê hier,' zegt Marcelo, die in stilte heeft meegeluisterd. 'We denken dat ze afstammen van de Kanoê die altijd het contact met de blanken vermeden hebben.'

Brazilië heeft twee Amazones. Er is de Amazone van dona Ursula, grootgrondbezitters, kolonisten en andere avonturiers. Dat is een groot leeg land dat wacht om geëxploiteerd te worden. Het is de Amazone met goud, diamanten, tin en andere ertsen in de grond. Het is de Amazone met kuddes van 30 000 koeien en overheidssubsidies. Het is de Amazone waar met het wapen in de hand om grond wordt gevochten. In deze Amazone hoor je opmerkingen als: 'De Amazone is niet voor amateurs', 'Alleen indianen houden van bos', 'Wat heb je aan bos als je niet te eten hebt?', 'De Amerikanen willen hier een dierentuin van maken'. 'De Amerikanen' kunnen ook andere buitenlanders zijn, want in deze Amazone is de complottheorie populair. Achter alles vermoedt men de machtige hand van buitenlands kapitaal dat niet wil dat Brazilië zich ontwikkelt. In deze Amazone tref je stickers op de autoramen met teksten als *Weg met Greenpeace. De Amazone is van de Brazilianen.* In dit kamp vindt men trouwens dat de indianen belachelijk veel grondgebied hebben. Twaalf procent van het territorium is indianenreservaat, terwijl indianen slechts 0,26 procent van de Braziliaanse bevolking uitmaken.[7]

De andere Amazone is van mensen als Marcelo, Brazilianen uit steden als São Paulo en Rio, buitenlandse hulporganisaties en regeringen. Zij vinden dat de indianen recht hebben op veel land, want heel Brazilië was tenslotte van hen. Bovendien leven sommige groepen van de jacht en daarvoor heb je nu eenmaal een groot terrein nodig. In deze Amazone maakt men zich zorgen over het oerwoud dat in brand staat en over klimaatverandering. Deze Amazone wordt bedreigd door vernielzuchtige mijnwerkers, houthandelaren en corrupte politici. Het is de Amazone van biodiversiteit. Hier zeggen mensen dingen als: 'De Amazone zijn de longen van de aarde.'

Met biodiversiteit en de ozonlaag hoef je in de andere Amazone niet aan te komen. De enige diversiteit die ze daar kennen is die van meningen. Zij willen afbranden en kappen en jij maakt hun het werken onmogelijk.

Maar er begint heel langzaam iets te veranderen. Rondônia heeft tegenwoordig enkele milieuactivisten van eigen bodem. En soms kom je ook een twijfelaar of zelfs een bekeerde onder de bewoners tegen. Dat ontbossing een prijs heeft beginnen ook zij te zien.

Het Funai-kampement telt twee bekeerlingen: de rubbertapper Chico en Paulo. De stugge Paulo komt uit het hart van Brazilië, waar hij als knecht op boerderijen werkte. Ontbossen? Daar was hij een kei in. Zijn vader had een stuk grond gekocht in het Amazonegebied en Paulo besloot mee te gaan. Maar de verkoper bleek een oplichter te zijn. Hij had zijn vader een stuk bos verkocht in een indianenreservaat, hetgeen veel gebeurde. De dichtstbijzijnde weg was vier dagen lopen. Omdat geen autoriteit wist dat ze er waren, besloten ze te blijven. Paulo zag hoe vrachtwagens van houtbedrijven het reservaat binnendrongen, hoe er paden werden gemaakt en bomen weggehaald en hij was verontwaardigd. Als vanzelf werd hij tipgever voor de Funai. Tegenwoordig is hij een van de vaste bosverkenners voor de Funai. Zijn vader is teruggegaan naar waar ze vandaan kwamen.

Chico groeide op een rubberconcessie in Noord-Rondônia op. Hem werd van jongs af aan verteld dat een indiaan gevaarlijk was. 'Als jij hem niet doodt, doodt de indiaan jou,' zei zijn vader. Zijn vader was rubbertapper en ging voor dag en dauw op pad om zijn rubberbomen te 'melken'. Want als de zon gaat schijnen, wordt het witte vocht dat uit de snedes in de bast komt dik en stroperig, en koekt de inkerving dicht. De eerste ronde was om snedes te maken en er emmertjes onder te hangen. Op de tweede ronde leegde hij de emmers. Daarna moest de rubbermelk op vuren tot transporteerbare ballen worden gebrand.

Als zijn vader en de andere rubbertappers aan het einde van de middag terugkeerden, gonsde het van de verhalen. Chico: 'Er ging geen maand voorbij zonder dat er een rubbertapper gewond raakte door pijlen. Als er een gedood werd, ging er een groep van de concessie, meestal zo'n man of vijftien, het bos in. Ze zochten net zo lang tot ze een indianendorp hadden gevonden; het deed er niet toe wat voor dorp. Maar het hele dorp werd dan bij wijze van wraak uitgemoord.' Chico herinnert zich nog een collega van zijn vader die een vuur ging maken voor koffie toen hij met pijlen werd beschoten. Het was ongeveer zes uur 's ochtends. De anderen vonden hem met een opgereten buik. De milt was eruit. Een andere rubbertapper was met zijn vrouw borden gaan wassen in de beek. Hun lichamen waren vreselijk toegetakeld. 'De armen, het hoofd en het dijbeen waren weg.' De hoofden vonden ze later terug, bungelend aan een tak boven de beek.

De rubbertappers onderscheidden slechte en goede concessiehouders. De beruchtste was een zekere Manel uit Guajará-Mirim, op wiens concessie Chico tot zijn achttiende woonde. Hij was een baas die werk maakte van het doden en daartoe mitrailleurs aan de overzijde van de rivier in Bolivia kocht. Hij dreef de indianen uit de hutten. 'Ze gaven zich meteen over, want ze waren nog maar met weinigen. Misschien veertien of vijftien, en meest vrouwen en kinderen. Hij liet hen op een rij zitten en executeerde hen een voor een.' Manel is de enige die ooit gevangenisstraf heeft gekregen voor de bloedbaden, weet Chico. Hij verschilde van de anderen omdat hij persoonlijk mensen doodschoot en er zoveel behagen in schepte. 'Maar de meeste bazen waren wreed. Voor hen waren indianen wilde beesten.'

'En wat deden de goede concessiehouders dan?'

'Die waren goed omdat ze de indianen niet doodden, maar "slechts" uitbuitten. Ze waren gewoon slaven.' De indianen zochten geneeskrachtige kruiden en jaagden op kaaimannen en jaguars, waarvan de huiden werden verkocht, vertelt hij. En ze moesten de gelekte latex die over de grond was gelopen bij elkaar zoeken. In ruil voor hun werk kregen ze messen en soms wat gereedschap.

Sommige rubbertappers op de concessie waren getrouwd met een indiaans meisje. 'Als je twee of drie jaar in het bos zit zonder vrouw, is ieder meisje dat langskomt en lacht goed.' Chico herinnert zich indianen die als ze verscheidene kinderen hadden een dochter ruilden voor een geweer. En er was een vader die zijn dochter weggaf in ruil voor voedsel dat hij iedere week kwam ophalen. Zelfs chefs van indianendorpen kwamen meisjes brengen. 'Als ze hun eerste menstruatie hadden gehad, waren ze klaar om afgeleverd te worden.'

Dat de rubbertappers zelf de boodschappers van de dood waren vanwege de ziektes die de indianen bij hen opliepen, realiseerde niemand zich. 'Het zou ook niemand wat hebben kunnen schelen,' geeft hij toe.

Schoksgewijs werd hij zich van de situatie bewust toen hij vrachtwagenchauffeur van de vakbond voor rubbertappers werd en daarna voorzitter. 'Onze echte vijand waren niet de indianen, maar dat was de baas. De baas pakte alles van ons af. We mochten niets planten, zodat we gedwongen waren bij hem in de winkel voedsel te kopen tegen een prijs die hij bepaalde. De rubber kocht hij van ons op, maar ook tegen een prijs die hij vaststelde. Hij behandelde ons zoals blanken indianen behandelen.'

Toen pas ging hij indianen anders bezien. 'We hadden met de ogen van de baas naar hen gekeken.' Nu vindt hij dat de indianen gelijk hadden. 'Ze deden niets anders dan hun eigen gebied verdedigen.'

Munuzinho zegt niets als Chico zijn verhaal vertelt. Hij moet de verhalen kennen, want hij woont vlak bij waar Manel zijn rubberconcessie had.

'Wat vindt u?' vraag ik hem.

'Het is allemaal waar.'

En vervolgens vertelt Munuzinho dat ook hij toen hij jong was met andere Kanoê als slaaf heeft gewerkt. Maar dat was op een fazenda. De tolk herinnert zich nog goed dat twee van de bewakers een elfjarige Kanoê-jongen verkrachtten. De indianen waren woedend. Ze doodden een van de verkrachters; de andere wist te ontkomen door naar Porto Velho te vluchten. De vader van de jonge indiaan ging hem achterna.

De bewakers van de fazenda waren na de dood van hun collega razend. Diverse Kanoê werden doodgeschoten als represaille.

Ik vraag hem hoe het afliep met de vader van de jongen.

'We hebben hem nooit meer teruggezien.'

Niet iedere dag worden de hutten bezocht. In het kampement worden de stille dagen besteed aan de moestuin, sleutelen aan de jeep, kleren wassen en – als het vlees op is – jagen.

In het begin van een stille middag komt Pupak op een dag op bezoek. Ik zit in de keuken en sla hem gade. Geruisloos loopt hij over het erf en komt binnen. Daarna schudt hij handen en kijkt schichtig om zich heen. Zijn pijlen en boog zet hij rechtop neer tegen de buitenwand van de keuken. Dan loopt hij naar het kostgrondje, waar hij zijn draagmand vult met maniok en ananassen. Hij vraagt niet, maar doet er evenmin geheimzinnig over.

Chico kijkt eveneens. Hij vindt het volgens mij niks dat de tuin wordt leeggehaald. Eigenlijk vind ik Pupak ook maar brutaal. Dat is natuurlijk een dom, etnocentrisch oordeel, maar onze omgangscode, ons idee van bezit, ons arbeidsethos en wie weet wat nog meer – het zit in me als een reflex.

Pupak is uitgewinkeld in de moestuin en licht in de keuken de deksels van alle pannen op om te kijken of er iets te eten is. Selma biedt hem een cracker aan. Die bekijkt hij van alle kanten en propt hem dan haastig in zijn mond, alsof iemand hem zou kunnen afpakken. De andere crackers worden in een blad gevouwen en opgeborgen in de draagmand.

Binnen in de slaaphut ontdekt Pupak tolk Passaká in een hangmat. De twee mannen verhuizen naar buiten, waar ze zich naast de hut op hun knieën laten zakken. Zo, op hun hurken, praten ze een lange tijd.

Als Pupak weggaat, wijst hij op mijn zonnebril. Hij lacht, houdt zijn hoofd charmant schuin en prikt met zijn vinger in zijn borst. De boodschap is helder: hij wil mijn zonnebril hebben.

Wat moet ik doen? Wat moet hij met een zonnebril in het bos? Niets natuurlijk. En wat moet ik zonder? Dagen het schelle licht aanzien? Houden dus? Maar dat is kleingeestig. Als ik hem er een plezier mee kan doen? Wat bezit hij nou, deze arme sloeber? En wat stelt een zonnebril tenslotte voor? Geven dus?

Pupak houdt niet aan. Ik besluit opportunistisch de zonnebril mooi te laten waar hij is: op mijn neus.

Aan de houten tafel ontspint zich die avond opnieuw een boeiende discussie over inburgering van de indianen. De Akuntsu en Kanoê zijn in contact gekomen met de blanke maatschappij en zullen dat contact onderhouden. Denken dat je hen volledig kunt afschermen of hun cultuur in oorspronkelijke staat kunt bewaren is een illusie. Ze zijn de afgelopen maanden sinds het contact al veranderd, en dat proces is niet meer te stoppen ook al is er door het toegangsverbod een soort cordon sanitaire om hen opgeworpen dat maakt dat ze behalve met ons verder geen contact met westerlingen hebben.

Hoe moet je bijvoorbeeld reageren op de steeds terugkerende vraag: 'Mag ik dat hebben?'

Het begint met kleren. Dan komt het eten.

'Alles wat wij eten, willen zij ook,' zegt Selma.

'Waarom zou je hun geen koekje mogen geven?' daag ik uit.

'Suiker,' zegt Marcelo, 'is slecht voor hun gebit.' Eigenlijk willen de indianen alles wat ze zien, bedenken we. Van het pak maïzena uit de keuken, de aansteker, mijn zonnebril tot de Toyota en een vliegtuig.

'Is vragen, krijgen en geven niet hun manier van zeggen dat we vrienden zijn?' probeer ik.

Marcelo: 'Ja, daarom leggen we ook cadeaus neer als we contact zoeken. Maar blijven geven is paternalistisch. Bovendien krijgen ze zo het gevoel dat ze overal recht op hebben. Alsof wij permanent bij hen in het krijt staan.'

Selma filosofeert hardop: 'Ze willen alles, omdat ze eigenlijk ons leven willen.'

'Het is de cultuur van alles-en-nu-meteen,' analyseert Marcelo. 'Pas als het vlees op is, gaat de indiaan jagen. Ze hebben geen idee van de relatie tussen werk en bezit.'

'Waarom zouden ze? In het bos is alles gratis en je vindt er wat je nodig hebt,' werp ik tegen.

'Het is de vloek van het contact,' verzucht Marcelo. 'Daarom wil je hun het contact besparen. Maar in een situatie als hier hebben we geen keus. Je moet hen voorbereiden op een andere wereld, een maatschappij met geld. Geld en bezit kunnen een volk verscheuren.'

'Hoe kun je indianen voorbereiden op een wereld met geld?' vraag ik.

Marcelo vertelt over 'zijn' Nambikwara. Die wilden net als Babá vuurwapens omdat ze doorhadden dat ze dan meer en makkelijker wild konden jagen. Het gevolg was dat twee jaar later geen van de jongeren meer met pijl-en-boog kon schieten. En de wapens hadden economische afhankelijkheid gecreëerd: ze moesten inkomsten vergaren om munitie te kunnen kopen. Door kettingen te maken en die te verkopen aan toeristenwinkels probeerden ze geld te verdienen, maar dat was een hele opgaaf. Marcelo hield hun voor dat ze de pijl-en-boog in ere moesten herstellen, al was het maar om het schieten niet te verleren. Ze konden het in de toekomst nodig hebben, als ze geen munitie meer konden kopen of als de wapens zouden worden geconfisqueerd. Hij probeerde hen te overtuigen met het voorbeeld van de Bororo- en Xavantes-indianen. Deze twee volken, die in reservaten leven, hadden een conflict, waarbij veel doden vielen. Daarom besloot de regering dat de indianen ontwapend moesten worden. De vuurwapens werden in beslag genomen en de indianen begonnen honger te lijden. Ze konden niet meer omgaan met pijl-en-boog. Sindsdien jagen Marcelo's Nambikwara zowel met wapens als met pijl-en-boog.

Marcelo koestert de mini-overwinning, maar hij tekent aan: 'Gesprekken met indianen over de toekomst verlopen altijd moeizaam. Rekening houden met later bestaat voor hen niet.'

'En de Kanoê en Akuntsu?'

'Het idee is dat ze hun werktuigen zo veel mogelijk zelf moeten blijven maken.'

'Maar ze krijgen messen.'

'En wij vragen een pijl terug. We proberen zo veel mogelijk overal een ruil van te maken.'

Marcelo ontvouwt zijn plan. De Kanoê en Akuntsu gebruikten veel geneeskrachtige kruiden. 'Iemand zou met hen het bos in moeten en alles vastleggen. Het patent levert hun straks een aardig inkomen op. Dan hoeven ze in ieder geval geen bomen te kappen als ze geld nodig hebben.'

Het probleem is dat het snel moet gebeuren. In dit eerste jaar van contact is al veel kennis weggeëbd, vreest hij. 'Babá vraagt almaar pillen, ook als hij niet ziek is.'

'De Akuntsu willen het bos helemaal niet meer in om kruiden te zoeken,' zegt Selma.

Op de ochtend van ons vertrek naar Vilhena tref ik Marcelo boven een stafkaart die de keukentafel bedekt. Hij heeft een GPS in de hand en leest posities af, die hij vervolgens met een rood potlood op de kaart intekent.

'Kijk, hier hebben we de lege hutten gevonden.'

Chico en Paulo buigen zich over de kaart. Marcelo's vinger zwerft naar een beek. 'En hier staan ook hutten.'

Ik ben verrast. 'Zijn er nog meer indianen?'

'Ja,' zegt Marcelo. 'Maar ze zitten in een ander bos, hier ongeveer 40 kilometer verderop. Het is nog veel kleiner dan dit bos, en we vermoeden dat het om indianen van een nog onbekende stam gaat.'

'Hoezo?'

'Alle hutten die we gevonden hebben, zijn voorzien van een gat in de grond. En soms zijn er ook gaten omheen.'

'Wat doen ze daarmee?'

'We weten het niet. Ze zouden erin kunnen slapen. Of misschien heeft het te maken met hun religie.'

Marcelo wijst naar stippen op zijn kaart. Iedere stip staat voor een hut. Hij denkt op grond van de tips en de etensresten die hij heeft aangetroffen dat het om twee personen gaat, misschien wel een vader en een zoon.

Ik kijk naar de kaarten en verwens nogmaals mijn ticket, de wereld van 'stoelriemen vast', deadlines en vervaldata die op mij wachten.

7

Een nieuwe, onbekende mensensoort

Hoeveel indianen er in 1500 waren, toen de Portugezen landden op de kust van wat wij nu Brazilië noemen, is onduidelijk. Het land was uitgestrekt, moeilijk toegankelijk en dichtbegroeid. De meest behoudende schatting gaat uit van 1 miljoen voor het hele land. De tot voor kort hoogste taxatie heeft het over 5 miljoen indianen voor alleen het Amazonegebied. De Franse antropoloog Claude Lévi-Strauss kwam uit op 7 à 8 miljoen voor heel Brazilië.

Men neemt aan dat de Portugezen Brazilië toevallig ontdekten. Ze waren op weg naar India uit koers geraakt en hadden vanwege zwaar weer besloten tot een landing. De zeilschepen waren voor anker gegaan bij de monding van een rivier. De admiraal die de expeditie leidde zond een van zijn mannen, een zekere Nicolau Coelho, in een sloep op weg om de rivier te onderzoeken.

De ontmoeting met de bewoners van de onbekende kuststreek liet niet lang op zich wachten, want toen Coelho de kust naderde, doken er uit het bos langs de oevers mannen op. Ze kwamen aanlopen in groepjes van twee en drie, zou Pedro Vaz de Caminha, de kroniekschrijver die mee was, schrijven in een brief aan de koning in Lissabon:

Tegen de tijd dat de sloep de monding had bereikt stonden er reeds achttien tot twintig man. Ze waren donkerhuidig en geheel naakt, zonder iets om hun geslachtsdeel te bedekken. In hun hand hadden ze pijlen en bogen. Nicolau Coelho gebaarde hun de bogen neer te leggen en ze legden deze neer. Hij kon niet met hen spreken, omdat de golven beukten op de kust. Hij gooide slechts een rode hoed en de

kap die hij op zijn hoofd droeg en een zwarte hoed naar hen toe. Een
van hen gaf hem een hoofdtooi van lange veren met een klein bosje
rode en grijze veren, zoals van een papegaai. Een ander gaf hem een
lang snoer van heel kleine witte kralen die eruitzagen als kleine, on-
regelmatige parels.

De Portugezen bleven ruim een week en Vaz de Caminha beschreef
met een bijna wetenschappelijk oog voor detail de reacties. De rap-
porteur realiseerde zich het belang van zijn taak: de mannen stonden
oog in oog met een nieuwe, onbekende mensensoort.

Er was ook een geestelijke aan boord, die na de ontmoeting op het
strand een mis opdroeg. De indianen keken gefascineerd toe. Toen de
mis was afgelopen, stonden velen op. Alsof ze begrepen dat het hier
een ritueel betrof, begonnen ze daarna aan hun eigen sessie. Ze bliezen
op meegevoerde lange hoorns, sprongen en dansten.

Een andere episode die Vaz de Caminha uitvoerig beschrijft is die
van de plaatsing van een kruis op het strand. De admiraal had de tim-
merlieden aan boord opdracht gegeven een kruis te maken. De bewoners volgden de handelingen op de voet, meldt de kroniekschrijver.
Hij vermoedt dat ze zich meer interesseerden voor het ijzeren gereedschap dan voor het product, aangezien ze zelf hun hout met puntig
geslepen stenen zaagden. Die stenen waren in een stuk hout bevestigd
dat tussen twee stokken was vastgebonden.

Toen het kruis klaar was, gaf de admiraal zijn mannen het bevel te
knielen en het kruis te kussen, zodat de indianen zouden zien dat zij
het voorwerp aanbaden. 'We deden dat en drongen aan dat zij hetzelfde zouden doen: ze gingen allemaal tegelijk en kusten het,' schrijft Vaz
da Caminha. De indianen bleven de blanken nadoen. Toen de blanken
opstonden op het moment dat de priester voor het opgerichte kruis
aan zijn preek begon, deden zij dat ook. 'En toen wij weer knielden en
de hostie omhooggehouden werd, namen ze onze houding aan met de
handen omhoog, en ze deden het zo rustig dat ze ons geestelijk zeer
sterkten, dat verzeker ik u, Uwe Hoogheid.'

Er bestond geen indiaanse natie in Brazilië. Hier en daar leefden groepen indianen die soms een soortgelijke taal spraken en dezelfde gewoontes hadden, maar vaak ook niet. Ze dreven onderling handel,

maar de meeste groepen waren met elkaar in oorlog. We weten nu dat de indianen die de Portugezen welkom heetten, Tupí[1] waren. De Tupí-mannen hielden van vechten. Het was goed voor hun prestige en een manier om aan meer vrouwen te komen. De Tupí waren kannibalen. Krijgsgevangenen voerden de Tupí mee naar hun dorp om hen later tijdens een ceremonie te doden en op te eten.

De Portugezen toonden zich in de eerste decennia tegenover de Tupí van hun beste kant. Ze hadden bondgenoten nodig aangezien ze graag handel wilden drijven in het nieuwe gebied en er ook indianen-volken aan de kust waren die vijandig op hen reageerden. Vooral de houthandel was lucratief. De Portugezen stuurden eens in de zoveel tijd een schip. De indianen hakten dan de bomen die bij de kust ston-den om. En aangezien de schepen vanwege de lage waterstand ver van het strand voor anker gingen, sleepten ze de loodzware blokken hout op hun blote rug kilometers door het water om ze op het schip af te le-veren.[2] In ruil daarvoor kregen ze kleren en de zo vurig gewenste mes-sen en bijlen, die hun leven veel makkelijker maakten. Tot op de dag van vandaag zijn metalen voorwerpen favoriet op de wensenlijst van net gecontacteerde indianen.

Alle indianenvolken reageerden anders op de komst van de vreem-delingen op hun grondgebied. Sommige volken verzetten zich hevig; andere gaven toe aan de druk of zochten zelf toenadering. Maar con-tact bleek uiteindelijk in alle gevallen een regelrechte ramp. De india-nen die zich verzetten, werden gedood of verjaagd. De zachtmoedige indianen die toenadering zochten, werden gedwongen tewerkgesteld en als slaven misbruikt. Het contact met westerlingen was voor veel indianen de doodskus: ze liepen ziektes als mazelen en kinkhoest op waartegen ze geen weerstand hadden. De indianen die het overleef-den, moesten zich aanpassen aan een vreemde cultuur om in hun ei-gen land te kunnen overleven.

Het resultaat is nog steeds zichtbaar. Er zijn miljoenen Brazilianen met een koperkleurige huid en donker, sluik haar, de zogeheten *cabo-clos* (halfbloeden), nakomelingen van indianen die geruisloos assimi-leerden. Het aantal volbloed indianen wordt op niet meer dan 370 000[3] geschat, een dramatisch getal als je denkt aan de miljoen (of miljoe-nen) voorouders in 1500.

Isolement bleek uiteindelijk het meest effectieve verzet. Want de enigen die hun leefmilieu, groep en cultuur hebben kunnen handhaven, zijn de indianen die het contact hebben gemeden en steeds dieper het Amazonewoud in zijn getrokken.

Omdat hij heeft gehoord over mijn belangstelling voor de indianen in Omerê, vind ik op een dag een boodschap van een Nederlandse linguist in mijn elektronische brievenbus. Het toeval wil dat Hein van der Voort uitgerekend in Rondônia indianentalen bestudeert. 'Er is ontzettend veel vernietigd. Ik probeer wat van die puzzels op te lossen en ben altijd geïnteresseerd in mensen die zich ook met Rondônia bezighouden. Ik wil graag mijn kennis en ervaringen delen,' schrijft hij.

De linguïst zal op doorreis Rio de Janeiro aandoen en stelt een ontmoeting voor. Waarom kom ik als ik wat meer van zijn werk wil weten niet naar het gastcollege dat hij zal geven in het Nationaal Museum?

Het is een winterdag die zomers aanvoelt als ik door het park loop van São Cristovão, een rumoerige wijk niet ver van het centrum. Hier bevindt zich het Nationaal Museum, een vervallen roze paleis dat lange tijd dienstdeed als residentie van de Portugese koninklijke familie toen die op de vlucht voor Napoleon was uitgeweken naar Brazilië. Nu hebben opgezette vogels, skeletten van dinosaurussen en een handvol antropologiedocenten en linguïsten er onderdak.

Er staat een steiger tegen de achtermuur. De restauratie, in gang gezet nadat jaren geleden was ontdekt dat een termietenkolonie in stilte de kozijnen opat, is nog steeds niet ten einde. Door een labyrint van gangen die versperd worden door archiefkasten zoek ik mijn weg. Achter de laatste deur die ik op goed geluk open zit Hein van der Voort te werken.

Hij is een beminnelijke man met het lichaam van een jongen: mager en tanig, alsof hij net als de indianen leeft op het bosdieet van jachtvlees, insecten, water en maïs. Zijn aarzelende formuleringen verraden een natuurlijke neiging tot precisie en volledigheid, die goed past bij het monnikenwerk dat hij doet. Vlug wisselen we informatie uit. Alle coördinaten zijn bekend: Vilhena, Marcelo, Omerê, Babá, Antenor Duarte. We constateren tot beider genoegen dat we eindelijk iemand hebben gevonden met wie we kunnen praten over de wonderbaarlijke wereld duizenden kilometers verderop waarvan zo weinigen weet hebben. Zelfs dona Ursula kennen we allebei.

Hein van der Voort bracht het Kwazá, een van de talen die gesproken werd in het gebied van de Kanoê en Akuntsu, in kaart. Hij is inmiddels bezig aan een andere taal – het Arikapú – die voor zover bekend nog maar door vier oude indianen in Zuid-Rondônia wordt gesproken. Hij doet zuiver wetenschappelijk onderzoek op kosten van Nederland. 'Het is een geste om de historische schuld die we tegenover inheemse volken hebben af te betalen,' zegt de linguïst.

Talen zijn belangrijk, legt hij uit. Het regenwoud werkt immers tegen bij de studie van het verre verleden: alles verpulvert en verrot. Terwijl in de gure Andes of de kurkdroge woestijn van Peru en Chili zelfs geweven kledingstukken in bijna perfecte staat eeuwen overleefden, hebben we op rotstekeningen, enkele stenen voorwerpen en resten aardewerk na helemaal niets tastbaars van Braziliës oorspronkelijke bewoners. Maar de mythen en liederen die oudere indianen aan jongeren vertellen bevatten verwijzingen naar wat er met het volk is gebeurd. Ze kunnen helpen bij de reconstructie van de geschiedenis. En door de talen zelf te vergelijken is het mogelijk migratiepatronen vast te stellen. Volken kunnen nu op duizenden kilometers van elkaar leven, maar verwantschap tussen hun talen duidt erop dat ze in een ander tijdperk bij elkaar hoorden en op dezelfde plek woonden.

Om het Kwazá in kaart te brengen leefde Hein van der Voort anderhalf jaar met zijn vriendin in een houten hut met een vloer van aangestampte aarde in het oerwoud. Het was een eenzaam leven. 20 kilometer verderop was het indianendorp waar de meesten van de vijfentwintig nog Kwazá sprekende indianen leefden. Naast hem woonde Mario, een Kwazá die als zijn gids optrad en net als de meeste Kwazá ook Portugees sprak. Voor het overige communiceerde Hein met handen en voeten, en foto's. Iedere dag was hij met zijn opnameapparatuur in de weer om zo veel mogelijk woorden, klanken en gesprekken op te nemen. Alles was nieuw en niets was beschreven. 'Het is als eerste stappen in de verse sneeuw doen.'

Met de opnames was Hein teruggekeerd naar zijn bovenverdieping in Amsterdam. Twee jaar lang keerde hij ieder woordje, ieder woorddeel en elke klank binnenstebuiten. Toen hij terugging naar het gebied, had hij de grammatica van het Kwazá gereconstrueerd, een woordenboek samengesteld en sprak hij de taal een beetje.

Zijn gids viel van zijn kruk. Hier stond een blanke voor hem die meteen in zijn taal tegen hem begon te praten. Hein had een branddende vraag. Alles klopte in de grammatica, behalve één ding. Hij legde Mario de zin die niet paste voor. Hoe zat het met de vervoeging van het werkwoord in die bijzin? Samen luisterden ze naar het bandje. Mario was niet goed verstaanbaar geweest en had zo de linguïst op een vals spoor gezet.

In een modern zaaltje waar de airconditioner voor een koelkasttemperatuur heeft gezorgd, wachten studenten en collega's op de gastdocent. Heins collega-linguïsten blijken bijna allen vrouwen van middelbare leeftijd en de linguïsten in opleiding zijn jong en ogen met hun rugzakjes niet anders dan de gemiddelde studentenpopulatie.

Het college gaat behalve over voor- en tussenvoegsels, samengestelde en ondergeschikte zinsdelen in het Kwazá ook over Rondônia als linguïstische lappendeken. 'Europa is er saai bij,' poneert Hein van der Voort uitdagend. Daar behoren alle talen tot dezelfde Indo-Europese taalfamilie, een enkele uitzondering, zoals het Hongaars, het Saami (van de Lappen) en het Baskisch daargelaten. In Rondônia worden behalve het Portugees maar liefst dertig indianentalen gesproken, die tot vijf verschillende taalfamilies behoren. Daarnaast zijn er drie geïsoleerde talen. Vermoedelijk zijn er vroeger nog meer talen gesproken, maar dat is niet meer na te gaan als de laatste spreker sterft en zijn of haar taal nooit is beschreven.

Ik luister gefascineerd. Rondônia, waar na alle eeuwen van blanke 'beschaving' de slotavond van de gymnastiekvereniging het hoogtepunt van het culturele leven vormt, blijkt als het om talen gaat een schatkamer van wereldimportantie. Een van de rijkste gebieden ter wereld zelfs. De meeste talen blijken precies in en rond het gebied van de Kanoê en de Akuntsu gesproken te zijn. In de prehistorie was het vermoedelijk een aangename pleisterplaats met veel wild en waterbronnen zodat volken op doorreis er bleven plakken.

In het zaaltje luidt de Nederlandse linguïst de noodklok. Meer dan de helft van de talen in Rondônia staat op het punt uit te sterven. 'Talen sterven sneller uit dan diersoorten.' Behalve het Akuntsu en het Kanoê bevindt ook het Salamãi, dat slechts door twee vrouwen wordt gesproken, zich in de gevarenzone. Het Purubora, dat misschien ook nog twee sprekers heeft, staat eveneens op uitsterven. 'Als we geluk hebben, kunnen we nog wat redden,' zegt Hein. Maar, waarschuwt hij, 'het is altijd de vraag of de oudjes de taal echt beheersen of zich slechts enkele woorden herinneren'. De collega's knikken instemmend. En ik denk aan Munuzinho, de tolk van de Kanoê, die in ieder gesprek nieuwe woorden leert omdat hij de taal sinds zijn jeugd niet meer heeft gesproken.

We worden armer zonder dat we wisten hoe rijk we waren. Wat stelt een taal nou voor die wordt gesproken door anderhalf gerimpeld oud vrouwtje in de groene heuvels van Rondônia, waar alles draait om geasfalteerde kilometers, kubieke meters hout, een nieuw slachthuis en andere kenmerken van economisch succes? Op z'n hoogst een exotisch verhaal met mooie foto's in de Braziliaanse editie van de *National Geographic*. Zou behalve de antropologen en linguïsten, iemand zich realiseren dat zo'n taal een unieke kans is om iets te weten te komen over een andere manier van leven en denken? Als mijn Braziliaanse vrienden het over de oudheid hebben, praten ze over Egypte of Griekenland en nooit over die in eigen land. En waarom maken zij en wij ons wel druk over bomen die gekapt worden en historische panden die verzakken, maar nooit over talen die verdwijnen?

'Rondônia gaat Californië achterna,' voorspelt Hein. Daar werden door de indianen meer dan honderd talen gesproken voordat de bulldozer van het Engels eroverheen kwam. 'De jonge indianen daar zijn wanhopig nu ze zien wat er de afgelopen tweehonderd jaar aan cultuur en taal verloren is gegaan.' Er wordt in het zaaltje geschuifeld. Een paar studenten beginnen te schrijven. 'Taalbehoud is geen kwestie van nostalgie,' benadrukt Hein. 'Als indianen hun grond verlaten of kwijtraken, laten ze vaak ook hun oorspronkelijke levensstijl varen. Ze verliezen hun taal en daarmee eveneens de kennis van hun wereld.'

Na afloop van het college hebben de studenten geen vragen. Stil pakken ze hun rugzakjes in. Ze lijken overbluft.

Ik heb wel vragen. Die komen later aan bod als we bij mij thuis in een luie stoel zitten en krekels met hun doordringende tremolo's de avond hebben aangekondigd. Wat is Hein te weten gekomen over het verleden van de indianen in Rondônia? Hoe kan het dat de Akuntsu en de Kanoê elkaar begrijpen als ze beiden zo verschillende talen spreken? Wat zegt de taal van de indianen over hun manier van denken? Bestaan er in indianentalen abstracte begrippen als de toekomst, blijdschap en geluk?

Volgens Hein wonen de Kanoê – of voorlopers van de Kanoê – vermoedelijk al achtduizend jaar in Rondônia.

'Achtduizend jaar? Dus toen wij nog in de steentijd zaten en in huiden rondsjouwden tussen de grote rivieren met een vuursteen op zak?' grap ik.

'Ja, net als zij hier.'

'Maar hoe kom je aan zo'n jaartal?'

'Als je zinnetjes in het Kanoê en het Kwazá vergelijkt, zie je dat de woorden weliswaar heel anders zijn maar dat ze het op dezelfde manier zeggen.'

Hein pakt een papier en schrijft.

'De koffie is zwart,' lees ik van het vel dat hij me toeschuift.

En daaronder: 'vocht – zwart vocht – is.'

'De Kanoê en de Kwazá gebruiken dezelfde volgorde en omschrijven het begrip op dezelfde manier. In hun talen bestaat er geen verschil tussen benzine, melk, bloed, soep, een rivier, koffie of water. Het is allemaal vocht, alleen koffie is zwart vocht. De overeenkomsten doen vermoeden dat ze afstammen van dezelfde vooroudertaal,' legt hij uit.

Linguïsten hebben ook tijdsbalken, begrijp ik. Een klankverschuiving als van het Duitse *Pferd* naar het Nederlandse 'paard' – de aangeblazen *pf* wordt een harde *p* – betekent dat de talen duizend jaar eerder één waren. Als alleen de structuur hetzelfde is, moet de afsplitsing langer dan achtduizend jaar geleden hebben plaatsgehad. Als er in een bepaald gebied zeer veel talen van een en dezelfde taalfamilie worden gesproken, concluderen linguïsten dat de taal vermoedelijk daarvandaan komt. Dat geldt bijvoorbeeld voor het Tupí, dat door veel indianen langs de 5000 kilometer lange kust gesproken werd en wordt, maar van oorsprong uit de regio rond Vilhena komt. Daar vonden de linguïsten die in Rondônia onderzoek doen zestien onderling zeer afwijkende Tupí-talen, waarvan de taal van de Akuntsu er één is.

'De fazendeiros zullen het niet fijn vinden, maar de Akuntsu wonen precies daar waar ook hun voorouders gewoond hebben,' stelt Hein met een vals lachje vast.

'En hoe kan het dan dat de Portugezen Tupí aan de kust tegenkwamen?'

'Ze zijn aan de wandel gegaan. Als je naar de verschillen met de vooroudertaal uit Rondônia kijkt, moeten deze groepen ongeveer tweeduizend jaar voordat de Portugezen kwamen richting kust zijn gegaan.'

Dat de Kanoê en de Akuntsu verschillende talen spreken maar elkaar toch zonder moeite lijken te begrijpen, verbaast hem niet. Hij heeft banden afgeluisterd waarop de indianen met elkaar praten: 'Volgens mij hebben ze een eigen mix gemaakt om met elkaar te praten – een contacttaal, zeg maar. Er zitten in ieder geval veel woorden Kanoê in. Vermoedelijk begrijpen de Kanoê wel wat van de Akuntsu, omdat er veel Tupí-talen in het gebied worden gesproken. Net als wij het Engels als lingua franca hebben, gebruiken indianen vaak de taal van de machtigste stam in een gebied om met elkaar te praten.'[4]

Ik leg hem de dialogen voor die ik heb genoteerd en vertel over mijn spraakverwarring met Babá. Kennen indianen abstracte begrippen of denken ze net zo concreet als ze spreken?

In het Kwazá hebben sommige abstracte begrippen die wij heel belangrijk vinden, zoals blijdschap of geluk, geen plaats, legt Hein uit. De Kwazá hebben evenmin een woord voor bijvoorbeeld 'toekomst'. 'Maar je kunt wel in het Kwazá zeggen dat je ergens goed in bent. Of dat je plezier hebt. Of bang bent.' Hij kijkt me guitig aan. 'De Kwazá hebben vooral veel woorden voor kikkers, mieren, palmen en bananen.'

'Taal is een weerspiegeling van de werkelijkheid om je heen,' zeg ik, de vele woorden die wij in Nederland hebben voor waterstromen indachtig.

'Ja, maar ook wat ze belangrijk vinden. De Kwazá hebben bijvoorbeeld geen woord voor "dank je wel".'

'Waarom niet? Telt beleefdheid niet?'

'In hun sociale verkeer speelt het geen rol, denk ik. Ze glimlachen ook niet en zwaaien evenmin.'

Zou dat bij de Kanoê net zo zijn? Toen we vertrokken uit hun hut, keken Txinamanty en Operá niet op of om. Maar ik had blijdschap gezien op Operá's gezicht toen hij Marcelo terugzag.

'De Kwazá hebben ook veel verschillende woorden voor eten,' herneemt Hein. 'Voor het eten van papperige dingen is een woord en voor het eten van bijvoorbeeld stevige dingen een ander.'

Marcelo moet onderzoeken waar de indianen thuishoren. Maar kennen indianen die nomaden of semi-nomaden waren het begrip 'thuis'?

Hein glimlacht. 'Dat is een goeie. Thuis is bij de Kwazá de plek waar je naartoe gaat.'

Het klinkt me in de oren als een new-ageconcept: thuis is dat wat voor je ligt. De nabije toekomst is geen zwart gat, maar thuiskomen. Maar het betekent ook dat de hut van een bevriende stam 'thuis' is, als je daarnaar op weg bent. Is dit inheems kosmisch denken: de wereld is mijn huis en de hemel mijn dak?

Bij het Kwazá ontdekte Hein subtiliteiten waar Europeanen niet op komen. De Kwazá hebben twee soorten 'wij', een inclusief de toegesprokene en een exclusief de toegesprokene. Het eerste 'wij' correspondeert dus met ik plus jij en eventueel anderen; het tweede met ik en anderen.

Het ergert hem dat veel mensen ervan uitgaan dat indianen primitieve wilden zijn, zegt Hein. Hun talen bewijzen eigenlijk het tegendeel. Linguïsten gaan er weliswaar van uit dat iedere taal net zo geschikt is om gevoelens of gedachten te verwoorden en dat geen enkele taal moeilijker is dan een andere voor een kind om te leren. Maar dat is politiek correcte praat. Aan indianentalen ziet hij vaak dat hoe primitiever de samenleving is, hoe ingewikkelder de taal.

'Het Kwazá heeft acht modussen en meerdere aanvoegende wijzen. Daarbij vergeleken is het Chinees simpel. Bovendien moet je als je halverwege de zin van onderwerp verandert, dat al aan het begin met een voorvoegsel hebben aangekondigd.'

Hij pakt opnieuw het vel en noteert:

'Aap – ik liep door bos – toen aap uit boom sprong.'

'In het eerste zinsdeel is ik het onderwerp; in het tweede de aap. De wijziging van onderwerp moet je in het begin van de zin al aankondigen.'

'Mijn god, je moet je kop er dus verschrikkelijk bij houden. Dat is drie keer zo lastig als Duitse voorzetsels met naamvallen.'

Hij glimlacht. 'Hun taal vereist een groot denkvermogen, omdat je heel precies moet formuleren als je praat.'

'En jij spreekt die taal.'

'Ach, je moet wat,' grinnikt hij.

Voordat ik naar Brazilië verhuisde had ik indianen in Peru en Bolivia gezien, meest in de bergen: mannen met gelooide gezichten en vrouwen met lange zwarte vlechten die op hun rug in een doek als mummies verpakte kinderen meesjouwden. Ze verbouwden groenten en maïs op berghellingen met het ingenieuze terrassensysteem dat hun voorouders hadden uitgedacht.

De prekoloniale bouwsels verbijsterden me keer op keer. Ik stond op het platform van een tempel dat zo groot was als een voetbalveld, beklom piramides en verdwaalde in een lemen stad. In Peru hadden de indianen hun tempels en paleizen aardbevingbestendig gemaakt met rotsblokken in trapeziumvorm. En hoe hadden ze de loodzware stukken steen omhoog kunnen krijgen? Ze kenden het wiel immers niet. En nog nooit had ik ook zoveel goud en zilver bij elkaar gezien. De vitrines van de musea waren afgeladen met borstplaten, sieraden, oorbellen in filigrein, alles gemaakt met de precisie van een horloge-maker.

In Brazilië was ik niets van dat alles tegengekomen. Hutten van palmblad, veren hoofdtooien, gevlochten manden, kettingen van pit-ten, maskers van boomvezels en simpele aardewerken schalen en pot-ten – het was een povere oogst in vergelijking met wat de indianen aan de andere kant van de Andes hadden klaargespeeld. Daar hadden de indianen vee gehouden en met irrigatiekanalen de grond inten-sief bewerkt. Hun samenleving was een complexe wereld met taken en specialisaties. En ook een met heren en knechten.

In de uitbundige Amazone, met veel wild en vis, ontstond een an-dere maatschappij. De grote indianenvolken, zoals de Tupí, leefden voor zover men weet langs de rivieren. Daar vonden ze genoeg om van te leven. Dat er zoveel indianentalen zijn – vroeger meer dan vijf-honderd – wijst erop dat de volken in de Amazone versnipperd in vele groepen leefden.

De Braziliaanse indianen jaagden, visten, verzamelden planten en insecten, en deden ook aan zwerflandbouw. Als de grond uitgeput raakte of de jacht moeilijker werd, migreerden ze. Of er splitsten zich enkele families af. Van specialisatie was geen sprake; iedereen kon al-les. Er waren wel verschillen tussen wat mannen en vrouwen deden. Vrouwen – vanwege het moederschap geïdentificeerd met vrucht-baarheid – plantten en oogsten. De mannen gingen op jacht en deden zwaar werk als bomen omhakken voor de zwerfakkers.

De indianengemeenschappen telden hooguit een paar honderd leden; de chef had doorgaans niet meer bezittingen dan anderen. Hun dorpen bestonden uit grote hutten waarin verscheidene families samenleefden. Vermoedelijk hield men het geboortecijfer laag door ongewenste baby's te doden.[5]

Goederen die de indianen niet hadden, ruilden ze met andere dorpen en volken. Braziliaanse indianendorpen en -volken voerden wel oorlog met elkaar, maar ze ondernamen nooit een grote landveroveringscampagne zoals de Inca's in de Andes deden.[6] In wat nu het zuiden van Rondônia is, woonden tientallen indianenvolken die dankzij de rivieren veel contact met elkaar hadden. Er waren verschillen, maar vanwege het contact en het feit dat ze allemaal in dezelfde omstandigheden leefden, leek hun dagelijks leven op elkaar. Allen jaagden met pijl en boog en verbouwden op hun akkers bananen, maïs en maniok. Deze volken dronken chicha en vermaakten zich met kopbal. Tijdens hun feesten en rituelen maakten ze muziek met bamboefluiten. Hun bezittingen droegen ze in langgerekte draagmanden of -tassen, de *maricos*, op hun rug. Hun sjamanen communiceerden na het gebruik van een hallucinerend middel met de geestenwereld, want al deze volken hadden een diepgaande kennis van de geneeskrachtige en andere kruiden in het bos.

De eerste honderd jaar merkten de indianen niet veel van de kolonisatie van de Portugezen. Daarna verschenen er af en toe blanken, meest missionarissen. Ze waren bijna altijd met stevige kano's via de rivier de Guaporé gekomen en vervolgens de zijrivieren op gevaren.[7]

Aangezien de Guaporé de grens met Bolivia vormt, had de Spaanse koning missieposten op de oever laten bouwen. Via de missionarissen wilde hij zijn greep op het gebied verstevigen. Net als de Portugezen waren de Spanjaarden bang dat anderen stukken oerwoud zouden inpikken.

De Spaanse missionarissen zochten de indianen in het bos op en haalden hen naar de missiepost. Daar werden ze meestal met honderden tegelijk in de bijgebouwen ondergebracht. Vervolgens leerden ze de 'kinderen van het oerwoud', zoals ze de indianen noemden, alles wat ze nuttig achtten: vee hoeden, suikerriet kappen, zeep en kaarsen maken, lakens weven en heiligenfiguurtjes smeden uit zilver.

De Portugezen kozen een andere koers. Ze lieten de indianen aan hun kant van de grens met rust. Het idee was dat ze 'in het wild' nuttiger waren. Als kloeke krijgers verdedigden de indianen hun eigen woongebied en daarmee de grensstreek. Het werkte.

Soms vluchtten de indianen van de Spaanse kant zelfs naar de overzijde, om te ontsnappen aan de genadeloze discipline van de jezuïeten. De Spaanse jezuïeten wisten van geen wijken en begonnen ook posten op de rechteroever van de Guaporé, het Portugese deel dus. Om hun expansiedrang te beteugelen stuurde het hof in Lissabon halverwege de achttiende eeuw enkele eigen geestelijken. De Portugese priesters ontdekten dat het makkelijker was getemde indianen te 'stelen' bij de Spaanse missieposten dan wilde indianen te vangen en tot de Here te brengen. Dat gebeurde dus ook op grote schaal, aangezien succes werd gemeten naar het aantal gekerstende zieltjes.

Maar er waren meer kapers op de kust, blijkt uit de missieverslagen die vooral ten bate van de fondswerving in Portugal werden gemaakt en nu een belangrijke bron van informatie zijn. Zo was er een zekere pater Agostinho die zich boos maakte over sertanistas die makke indianen van de missiepost verhandelden.

De sertanistas in de achttiende eeuw waren meestal afkomstig uit de kuststreek waar blanken en indianen al twee eeuwen contact hadden. Ze hadden vaak indiaans bloed en leerden van de Amazone-indianen trucs om in het oerwoud te overleven: welke vruchten ze konden eten, hoe ze met bijlslagen in boomstammen een weg konden markeren en dat soort dingen. Net als de missionarissen paaiden de sertanistas hen met spullen en soms met medische hulp. Er zijn indianenstammen – de Mekens van tolk Passaká bijvoorbeeld – die zo'n handelaar als hun leider gingen beschouwen. De pater in het grensgebied rapporteerde verontrust dat de indianen onder de slechte invloed van de sertanista rebelleerden tegen de missiepost. Omdat de sertanistas zijn goede-buurpolitiek met de indianen verstoorden, vaardigde het hof in Lissabon op verzoek van de missionaris een decreet uit: de sertanistas mochten voortaan niet langer dan drie dagen op een missiepost verblijven.

Ook goudzoekers poogden indianen te vangen om hen voor hen te laten werken. Ten noorden van Cuiabá was aan het begin van de achttiende eeuw op diverse plekken goud gevonden. Een groep Parecis liet zich inkapselen. Maar de Nambikwara, de indianen met wie Marcelo later zou werken, trokken zich terug. Vanuit hun schuilplaatsen vielen ze voortdurend de kampementen van blanken in hun territorium aan. De goudzoekers waren bang voor hen. Het gerucht ging dat de Nambikwara in het stroomdal van de Guaporé zeer gevaarlijke kannibalen waren.

Omdat het onmogelijk bleek indianen te vangen, besloten de goudzoekers zwarte slaven te kopen die door handelsfirma's uit Afrika waren gehaald. Veel zwarte slaven slaagden erin te vluchten, zeker toen de mijnen in verval raakten en de controle verslapte. Om in het oerwoud te overleven plunderden ze de kostgrondjes van indianen en om aan vrouwen te komen voerden ze oorlog met hen. De meest bloedige botsingen vonden uiteindelijk plaats tussen negers en indianen, en dat bleef hangen in het collectief geheugen. Er zijn groepen indianen in Rondônia die daarom nog steeds contact met zwarten mijden.

Aan het eind van de achttiende eeuw werd het rustiger in het bos. De meeste grenzen waren vastgesteld en het resterende goud zat te diep voor de goudzoekers. Deskundigen sluiten niet uit dat sommige indianen die door missieposten en goudzoekers onderworpen waren zich opnieuw terugtrokken in het oerwoud.

De enigen die nu nog verschenen waren ondernemende handelaars: eenlingen zoals jagers – de handel in exotische huiden en veren bloeide – en handelaren in medicinale kruiden en latex die spullen ruilden met indianen.

Rond 1850 begon de rubberhausse, die grote veranderingen bracht.[8] De zoektocht naar de hoge rubberbomen met de gladde, grijsachtige schors, die alleen in de Amazone in het wild voorkwamen, bracht rubbertappers steeds dieper het bos in. In Rondônia doken veel Boliviaanse rubbertappers op. Er was op een gegeven moment zoveel handel dat er zelfs een lijndienst kwam op de Guaporé-rivier.

Dociele indianen werden geronseld als rubbertappers en ook als slaven ingezet bij de bouw van de Mamoré-Madeira-spoorlijn.[9] Ook de indianen die niet betrokken waren bij deze megaklus leden eronder, omdat duizenden migranten die aangetrokken waren voor de bouw daarna in het gebied bleven. Velen trokken het oerwoud in om te proberen wat te verdienen met producten uit het bos.

Alhoewel een rapport later melding maakt van bos van 'zeer goede kwaliteit' met veel noten- en rubberbomen in het zuiden van

Rondônia, drongen slechts enkele blanken door tot het gebied van de Akuntsu en Kanoê. Men was bang, want men kende de verhalen over kannibalen en vijandige indianen, en elders viel meer te halen. Het resultaat was dat de meeste indianengroepen in dit gebied een kleine honderd jaar geleden nog steeds onbekend waren.

Toch moeten de indianen ook hier gemerkt hebben dat er iets aan de hand was, want er was een volksverhuizing op gang gekomen. Indianengroepen die stroomafwaarts hadden geleefd, waren na de invasie van blanken naar de bovenlopen gekomen en hadden op hun beurt de indianen die daar leefden dieper het oerwoud in gedrongen. Wie niet verdreven was, hoorde er in ieder geval over. Dankzij een dicht netwerk van rivieren en kreken in het stroomdal van de Guaporé onderhielden de indianendorpen intensief contact met elkaar.

De meeste groepen kregen pas vanaf 1909 voor het eerst contact met westerlingen. Dat gebeurde door Cândido Rondon, de man naar wie de deelstaat decennia later zou worden genoemd. Kolonel (later generaal en maarschalk) Rondon had vlak voor 1900 opdracht gekregen telegraaflijnen aan te leggen in de Amazone en zo het gebied te ontsluiten. Een van de tracés begon in Cuiabá en voerde vandaar noordwaarts dwars door savannen en oerwoud die nooit door blanken betreden waren. Om zijn missie te kunnen laten slagen moest Rondon vrede sluiten met indianengroepen op wier grondgebied de telegraafpalen kwamen te staan. Dat deed hij met bewonderenswaardige moed, inzicht en geduld. Rondon, zelf een wees met indiaans bloed, geldt mede daarom als de eerste belangrijke voorvechter van de indianen.

Rondons eerste expeditie, in 1909, ging door het stroomgebied van de Pimenta Bueno en de Corumbiara, de regio van de Kanoê en Akuntsu dus. Hij legde toen vreedzaam contact met zes groepen, waaronder de Kanoê. Later zouden andere groepen volgen.

De militair was een ontdekker van het kaliber Livingstone. Hij legde in totaal 40 000 kilometer af in het oerwoud, oftewel een rondje rond de aarde – de meeste lopend of in een kano. Eerst ging het om de telegraaflijn; later waren Rondons expedities gericht op het vergaren van zo veel mogelijk wetenschappelijke informatie over natuur, indianen en ziektes.

Tot 1900 waren het vooral buitenlandse wetenschappers en avonturiers geweest die in de Amazone onderzoek hadden gedaan. In Europa zag men het oerwoud als schatkamer van grondstoffen en kennis. De koning van Frankrijk, de tsaar van Rusland, allerlei musea en rijkaards hadden expedities gefinancierd omdat men bang was anders achterop te raken.

Rondon was tijdens mijn bezoek aan Omerê regelmatig ter sprake gekomen. Marcelo bewonderde hem. Rondon had zich voorgenomen dat zijn mannen en hij nooit op een indiaan zouden vuren, ook al viel deze hen aan. Het motto *Morrer se preciso for, matar nunca* ('Sterven indien nodig, doden nooit') was van Rondon.

Op een dag stelt het Museum van de Indiaan in Rio de Janeiro Rondons particuliere fotocollectie tentoon. Aangezien ik na mijn bezoek aan de post Omerê enkele van Rondons expeditieverslagen heb gelezen, ben ik nieuwsgierig naar de beelden die erbij horen. Hoe zag het Rondônia eruit dat de kolonel bijna een eeuw voor mij had aangetroffen?

Tot mijn verbazing blijk ik de enige bezoeker die het rondje langs de vitrines met foto's maakt. Als Rondon vroeger in Rio de Janeiro een lezing hield over zijn reizen – hetgeen zelden voorkwam, want hij was altijd onderweg –, was de zaal afgeladen. Hij werd op handen gedragen, ook door presidenten, en was de trots der natie.

De militair genoot zo veel aanzien en vertrouwen dat hij van de regering iedere rivier die hij ontdekte zelf een naam mocht geven. Daaraan dankt Brazilië de Roosevelt-rivier, die Rondon vernoemde naar Theodore Roosevelt, die hem vergezelde toen hij de loop van de rivier in kaart bracht. Ook Kermit, de zoon van de Amerikaanse ex-president, deed aan deze expeditie mee. De beminnelijke Rondon maakte prompt van een zijriviertje de Kermit-rivier.

De Brazilianen droegen de ontdekker toen hij al op leeftijd was tevergeefs voor de Nobelprijs voor de Vrede voor. Maar na zijn dood in 1958 werd de oerwoudreus in het pantheon van nationale helden snel overschaduwd door legendarische presidenten, voetballers en zangers.

Op de foto's is Rondon een fragiele man met een snor. Hij zit in het kampement achter een tafel bij een tent en schrijft alsof er geen wespen, malaria en brandende zon bestaan. Uit de expeditieverslagen weet ik dat hij een teen miste; die was afgebeten door piranha's toen hij zwemmend een rivier over moest. Eenmaal had hij zes uur achtereen gezwommen om in een zelf gefabriceerd bootje van ossenhuid zieken en goederen naar de overzijde te duwen.

Niets van lijden is zichtbaar op de foto's. Rondon en zijn luitenanten gaan steeds gekleed in kaki uniformen met tropenhelmen. De jasjes zijn ondanks de hitte tot bovenaan gesloten en de mannen dragen hoge leren laarzen. De foto's lijken vooral bedoeld om de opdrachtgevers te overtuigen van de perfecte organisatie en het succes van de onderneming.

In werkelijkheid worstelde Rondon vaak met muitende soldaten. Dat was begrijpelijk, aangezien de mannen maanden moesten sjouwen in de gloeiende zon. Ze kregen bijbelse slagregens over zich heen, werden belaagd door miljoenen insecten, leden honger en werden door vijandige indianen beschoten met gifpijlen. Op ezels en ossen werd voedsel voor maanden meegesjouwd. De kisten en tonnen waarin het voedsel zat, werden 's nachts gebruikt om een muurtje rond het kampement te bouwen tegen roofdieren en pijlen. Als er te veel pakezels en trekossen stierven, liet Rondon kisten met voedsel achter en zette hij zijn mannen op rantsoen, want het transport van de rollen metaaldraad voor de telegraafleiding ging voor.

Op de foto's staan de manshoge rollen. De mannen hebben net een *picada*, een gang, in het oerwoud gekapt, zodat er telegraafpalen kunnen worden geslagen. Uit verhalen weten we dat de indianen de indringers vaak bespiedden. Zij wisten niet wat ze ervan moesten denken, zouden ze later vertellen. Een van hen dacht dat de eerste blanke man die hij zag een geest was. De vraag die hem kwelde was of hij een volgzame (goede) of wilde (gevaarlijke) geest voor zich had.

De Nambikwara die er zelf kostgrondjes op na hielden, concludeerden dat de blanken een grote akker aan het aanleggen waren. Alleen de akker hield nooit op en er werd evenmin gezaaid. Het viel hun tevens op dat er nauwelijks oude mannen in de groep waren. Daaruit maakten ze op dat de bouw van deze akker bijzonder gevaarlijk was en veel levens had gekost. Omdat de mannen ook nauwelijks gebruikmaakten van de picada, vreesden ze dat het pad behekst was.

Het vlees dat Rondon bij wijze van cadeau voor hen achterliet, gooi-

den ze onmiddellijk weg. Ze waren ervan overtuigd dat het mensen-
vlees was. Hetzelfde gebeurde met de melk. Ze twijfelden er niet aan
dat de blanken net als zij kannibalen waren.

Rondon wist de politiek ervan te overtuigen dat indianenvolken behandeld moesten worden als machtige buitenlandse naties. Hun verzet was terecht, zei hij; ze verdedigden immers hun eigen land. Indianen verdienden in zijn ogen respect en hadden naast het eigen land
recht op een eigen sociale organisatie en geloof. Dat was revolutionair
in die tijd. Tot dan toe waren het vooral missionarissen geweest die
zich bezighielden met indianen. Hun werk was erop gericht van hen
goede christenen te maken.

Maar Rondon had de politieke wind mee. De slavernij was net afgeschaft en de monarchie afgedankt. Er heerste optimisme over de maak-
baarheid van de nieuwe republiek.[10] Rondon en andere idealistische ac-
tivisten hadden gehoopt dat ze de machthebbers zover zouden krijgen
dat in de nieuwe grondwet de eigen 'Amerikaans-Braziliaanse staten'
van de indianen erkend zouden worden. Maar zo ver wilden de grootgrondbezitters en ondernemers die de dienst uitmaakten niet gaan.

De grondwet van de jonge republiek maakte uiteindelijk slechts
één keer melding van indianen. De regeringen van de deelstaten, die
net als in de Verenigde Staten autonoom optraden, werd verboden indianen te bekeren tot het katholicisme en 'te beschaven'. Bovendien
mochten ze van hen geen landarbeiders maken.

De nieuwlichters vonden de bepaling slap en geenszins een garantie
tegen misbruik. De goudkoorts en rubberhausse hadden immers laten
zien dat indianen uitgeroeid of stiekem als slaven tewerk werden gesteld als ze niet actiever werden beschermd. Dankzij Rondon zag daarom in 1910 de Dienst ter Bescherming van de Indianen het licht.

Deze dienst, beter bekend als s p i, naar de afkorting in het Portugees, kreeg tot taak vreedzame contacten met indianenvolken te leggen en hun medische verzorging en andere hulp te geven. De s p i was
de voorloper van de Funai.

De indianen op de fototentoonstelling gaan opmerkelijk vaak gekleed. Ook dat was domineeswerk van Rondon. Een groot deel van
zijn carrière geloofde hij dat assimilatie iets goeds was. Kleding, een
huis en een beroep waren de orde en vooruitgang die hij voor ogen
had. De paternalistische Rondon leidde zelf indianen die al contact

hadden met westerlingen op tot telegrafisten voor de door hem gestichte telegraafposten. De beginners moesten op de kabels passen; de gevorderden deden het onderhoud en gealfabetiseerde indianen leerden morse.

Rondon heeft vermoedelijk de foto van een chef van een indianenvolk in het officiële telegrafistenuniform met epauletten en gouden knopen trots aan iedereen laten zien. De indiaan poseert als een marionet met zijn armen strak tegen het lichaam. Het was mogelijk de eerste keer dat hij kleren en schoenen aanhad.

Een fotograaf – misschien was het Rondon zelf – heeft zich beijverd een andere kleedpartij stap voor stap vast te leggen. Een Nambikwara met pijl-en-boog, naakt op wat draadjes na, wordt aangekleed door twee man. Hij krijgt een kostuum aan en een hoed opgezet. Hulpeloos staat hij daarna in het harnas van zijn 'beschavers'. Brede, blote voeten steken onder uit de pijpen.

Indianen die van geen contact wilden weten kwam Rondon ook tegen. Bij de expeditie die hij met Roosevelt maakte, vindt Rondon diverse malen sporen van onbekende indianen. Eenmaal hoort hij zelfs stemmen. De indianen stellen zijn aanwezigheid niet op prijs: ze schieten zijn hond dood – een duidelijke boodschap. De hutten die Rondon tegenkomt, zijn steeds verlaten.[11]

Rondon woonde in zijn laatste levensjaren in Rio de Janeiro in een appartement met veel planten en parkieten. Hij werd in de negentig en was tot het einde van zijn leven helder van geest. Allerlei feiten over zijn vele expedities reproduceerde hij zonder problemen. Alhoewel hij tijdens zijn ontdekkingstochten voortdurend indianen tegenkwam die verloederd waren door het contact met westerlingen, zou hij pas aan het einde van zijn leven toegeven dat isolement in veel gevallen beter was geweest.

De telegraafleiding die hij met zoveel moeite had aangelegd in de naam van vooruitgang, bleek bij opening al verouderd. De radio was inmiddels geïntroduceerd en bleek praktischer. Rondon weigerde dat te accepteren en bleef tot in de jaren veertig stug boodschappen per telegraaf sturen. Nog tragischer was dat zijn telegraafleiding de indianen wie hij zo'n goed hart toedroeg vooral ellende heeft gebracht. Zijn expedities baanden de weg voor andere Brazilianen die vanaf dat moment in het gebied verschenen.

Om te beginnen expansieve rubberhandelaren, die hun kans schoon zagen en grote stukken bos claimden. Tien jaar na Rondons eerste expeditie stonden langs de bevaarbare rivieren overal zogeheten *barracões*, houten keten waar rubbertappers de in het bos verzamelde latex tot rubberen ballen rookten en opkopers met hun kano's langs voeren. De indianen bespiedden de vreemdelingen die over de rivier kwamen. Velen weerstonden de verleiding niet en bezochten de barracões van de westerlingen, gefascineerd door alles wat de vreemdelingen bij zich hadden.

8

Ooggetuigen

De ontmoeting met vreedzame, traditioneel levende indianen was ook rond 1900 een overrompelende ervaring. Bijna alle reizigers rapporteren jubelend over warmhartige, zorgeloze indianen met soepele lijven en een groot gevoel voor humor. 'Allen, mannen, vrouwen, jongens en volgroeide jonge meisjes zijn geheel op hun gemak en spontaan, zoals veel vriendelijke dieren,' schrijft Theodore Roosevelt over de Nambikwara, niet gehinderd door de politieke correctheid van nu. De Amerikaanse ex-president ontmoet hen in 1914 in de savannen ten zuiden en ten noorden van Vilhena. Rondon, zijn begeleider, heeft enkele jaren eerder het eerste contact met hen gelegd.[1]

De indianen dansen en zingen voor en met hen. Roosevelt vergelijkt hen met Afrikanen en Australische aboriginals die hij kent van andere reizen. De Amazone-indianen zijn primitiever dan welke Afrikaanse stam ook, maar desondanks aangenamer en knapper om te zien, stelt hij vast. Ze lopen naakt, maar nooit betrapt hij de indianen op 'een onbeschaamde blik of een opzettelijk obsceen gebaar'. De chef van de Nambikwara gebruikt weliswaar een aantal vrouwen als pakezel, maar Roosevelt constateert niets van mannelijke wreedheid zoals bij de aboriginals.

De indianen hangen vrolijk kwebbelend om hem en andere expeditieleden heen, ook als Roosevelt te paard zit of loopt. Ze zijn nieuwsgierig. Als Roosevelt schrijft, moet hij hen voorzichtig wegduwen, zo dicht staan ze op hem. Wanneer hij op een ochtend wakker wordt, blijken alle indianen die hij de avond tevoren heeft ontmoet voor zijn tent te zitten wachten. Omdat ze naakt zijn, is het onmogelijk stiekem dingen mee te nemen. Een van de Nambikwara-vrouwen pakt een vork weg. Opdat haar buit niet wordt afgepakt, begraaft ze hem in het zand en gaat op de plek zitten.

De reizigers die tot 1950 het gebied van de Kanoê en de Akuntsu aandoen en erover schrijven, zijn op de vingers van twee handen te tellen.[2] De bekendste is zonder meer Claude Lévi-Strauss. Hij accepteert in 1934 een baan als socioloog aan de universiteit in São Paulo en maakt in de jaren daarop diverse tochten om indianenvolken te bestuderen. Een van de routes staat vast: het door de expeditie van Rondon opengehakte 700 kilometer lange pad onder de telegraafdraden. Lévi-Strauss onderneemt de tocht in 1938 en trekt een halfjaar uit voor de reis, precies zo lang als het droge seizoen duurt.

Zijn beschrijving, opgenomen in *Tristes Tropiques*, maakt in de allereerste plaats duidelijk hoe afgelegen het gebied van de Kanoê en Akuntsu ruim zestig jaar geleden nog was. Het kost Lévi-Strauss grote moeite begeleiders te vinden die de weg weten en niet bang zijn voor de indianen. De militairen die destijds mee waren met Rondon en die hij weet op te sporen in Cuiabá raden hem de tocht ten sterkste af. 'Het is een vreselijke streek, heel vreselijk, vreselijker dan welke andere streek dan ook.'

Zelf beschrijft de antropoloog de tocht langs de telegraaflijn als reizen op de maan: 'Men dient zich een grondgebied voor te stellen zo groot als Frankrijk en voor drie kwart nog ongeëxploreerd, waar alleen kleine groepjes inheemse nomaden doorheen trekken die tot de primitiefste ter wereld horen, en dat wordt doorsneden door een telegraaflijn. Het provisorisch vrijgemaakte pad dat de lijn volgt [...] vormt [...] het enige oriëntatiepunt [...] aangenomen dat de piste zelf nog van de wildernis te onderscheiden is.' De draden van de telegraafleidingen zijn vaak vergaan of liggen op de grond, vernield door termieten of door indianen. De indianen denken dat de vibraties op de leiding gezoem van bijen is, merkt hij op. Er leven rond de telegraafleiding zo'n honderd mensen. Indianen van het Parecis-volk, die opgeleid zijn door Rondon en militairen om de leidingen en apparaten te onderhouden, maar 'desalniettemin nog steeds met pijl-en-boog jagen'. En blanke gelukzoekers ('ongelukkige bewoners' zijn ze bij Lévi-Strauss) die achtergebleven zijn.

Het isolement heeft de telegrafisten tot zonderlingen gemaakt. Het bezoek van de nomadische indianen, twee keer per jaar, is voor de meesten een dankbare onderbreking van hun eenzame bestaan in de wildernis. Maar als een telegrafist met pijlen doorboord levenloos wordt aangetroffen, worden indianen en een mogelijke aanval een obsessie voor de Brazilianen. Een van de telegrafisten schiet iedere dag als hij een bad neemt in de rivier zoveel kogels in het rond om denkbeeldige indianen af te schrikken dat zijn gezin honger lijdt omdat er geen kogels meer zijn voor de jacht.

Net als Roosevelt treft ook Lévi-Strauss eerst de Nambikwara. Het is in zijn geval een groep van ongeveer twintig indianen die in de savannen 200 kilometer bezuiden Vilhena op zoek zijn naar voedsel en enkele dagen neerstrijken bij een missiepost. Het contact verloopt soepel. De Nambikwara helpen de Fransman met woordjes leren en laten zich zonder enig probleem door hem fotograferen.

Ook hij is gefascineerd door de Nambikwara, die klein zijn en donkerder dan de meeste andere indianen, en gracieus en teder tegenover kinderen. Seks speelt een grote rol. Copulerende dieren worden bijvoorbeeld nauwgezet gevolgd en becommentarieerd. Stelletjes die zich terugtrekken achter de struiken kunnen vaak ook rekenen op een aandachtig spiedend publiek.

Lévi-Strauss vergelijkt wat hij ziet voortdurend met wat hij van andere indianen kent. Hij is verrast door de armoedige cultuur. De Nambikwara versieren zichzelf nauwelijks, gebruiken geen hangmat en bouwen geen degelijke hut. Ze slapen meest buiten op de grond bij een vuurtje als het koud is.

Ze leven in groepen die elk een eigen dialect spreken. De groepen splitsen zich snel op als iets ze niet bevalt of als er problemen ontstaan met bevoorrading. Leider is degene die zich uitslooft voor het welzijn van de groep, initiatief neemt en de groep vermaakt, maar ook geeft wat anderen van hem vragen. Als hij oud en te zwak is voor zijn leidersrol, wijst hij zelf zijn opvolger aan. Maar een leider die niet voldoet, kan makkelijk onttroond of in de steek gelaten worden.

Soms voeren de groepen oorlog met elkaar. Dat kan een represaille zijn als de ene groep van de andere een vrouw heeft gestolen, maar vaker nog is het jaloezie ('Jij hebt wat ik niet heb') gekoppeld aan een onbedwingbare neiging de eigen kracht te testen. De Nambikwara zijn zoiets als de 'kindertijd van een beschaving', concludeert Lévi-Strauss.

De schokkendste ontdekking die de Fransman naar zijn gevoel doet, is dat er nog maar tweeduizend Nambikwara over zijn. Rondon had hen minder dan dertig jaar eerder op het tienvoudige geschat.[3] Lévi-Strauss komt slechts subgroepen tegen van tientallen indianen terwijl deze vroeger vele honderden leden telden.

De besmettelijke ziektes die sinds de telegraafleiding in het gebied de ronde hebben gedaan, blijken ook de Nambikwara een hel van dood en verderf te hebben gebracht. Lévi-Strauss noemt het voorbeeld van een griepepidemie die in 1929 binnen achtenveertig uur de dood van driehonderd Nambikwara veroorzaakte. Een groep die hij bezoekt, telde drie jaar tevoren nog twaalf mannen. Als hij ze tegenkomt, zijn er slechts drie over. De Nambikwara zijn de westerlingen gaan zien als kwade geesten omdat zij de dood brengen, schrijft hij.

Omdat hij de telegraaflijn aanhoudt, moet Lévi-Strauss in de buurt van de Akuntsu en de Kanoê zijn gekomen. Hij noemt hen niet, maar veel uit zijn beschrijvingen gaat ook op voor hen. Zoals het feit dat de indianen voortdurend slechte geesten wegblazen en veel angico-poeder snuiven. Of dat de vrouwen (net als bij de Akuntsu) anders praten dan de mannen.[4]

Bij een van de telegraafposten ten noorden van Vilhena[5] hoort Lévi-Strauss over een onbekend indianenvolk, waarvan men had aangenomen dat het uitgestorven was. De droom van iedere etnograaf is natuurlijk als eerste een onbekend volk te treffen en te beschrijven. Als hij een handelaar vindt die de streek kent en hem er tegen een beloning naartoe wil brengen, is een nieuwe mini-expeditie geboren. De indianen blijken vijf dagen stroomopwaarts langs de Pimenta Bueno te leven, de rivier waar Babá en zijn familie tot eind jaren tachtig ook veel verkeerden.

Met een handvol vertrouwelingen en hulpkrachten vertrekt hij in twee kano's die van uitgeholde boomstammen zijn gemaakt, richting bron van de Pimenta Bueno. Daar treft hij een groep van vijfentwintig licht gekleurde, naakt lopende indianen met een Aziatisch uiterlijk plus een krijgsgevangen indiaanse van een ander volk.

Hij gelooft dat hij de eerste blanke is die deze indianen ziet. Sommigen zijn immers zichtbaar bang door zijn huidskleur. Hun taal is vrolijk; de woorden eindigen op klanken als *zip, zep, pep, tap* en *kat* die als een paukenslag het gesprokene afronden. Hij blijft er enkele dagen – lang genoeg om hun dagelijks leven te beschrijven.

Hij neemt ook foto's. Net als de Kanoê en Akuntsu branden deze indianen hun haar kort. Een van de vrouwen die hij fotografeert, draagt een ketting van glanzende schelpen. Dezelfde ketting zag ik bij een van Babá's vrouwen. Net als de Akuntsu hebben deze indianen ook een gaatje boven en onder de mond om stokjes in te steken, maar zij gebruiken stokjes zo lang als haaknaalden, in tegenstelling tot de luciferkopjes van de Akuntsu. Hun hut is groot en rond als een circustent en geheel gemaakt van palmbladen.

Het volk noemt zichzelf de Mundé, schrijft Lévi-Strauss. 'Dat is een nieuwe naam.' Later is duidelijk geworden dat deze indianen tot de Salamãi behoorden. Mundé was vermoedelijk de eigennaam van de leider.[6]

Er is veel verwarring over namen van indianenvolken. Bezoekers kopiëren vaak de naam die ze van derden horen. Later blijkt dan dat het volk zichzelf anders noemt. Zoals de Akuntsu, wier echte naam we niet weten, maar die wij gemakshalve 'de Anderen' (in het Kanoê) blijven noemen. Rondon en Lévi-Strauss komen ook met namen van volken die nooit meer teruggevonden zijn. Mogelijk omdat ze in de tussentijd zijn uitgestorven, maar helemaal zeker zijn we daar niet van.[7]

In de jaren vijftig maakte de bekende Braziliaanse antropoloog Darcy Ribeiro voor het eerst een inventarisatie van indianenvolken die als betrouwbaar wordt aangehouden. Het is een schokkende statistiek: een kwart van de dan bekende volken blijkt in de periode 1900 tot 1957 geheel uitgestorven te zijn.[8] Hoe frequenter het contact van de stam met de blanken is, des te groter de kans dat niemand het overleeft, blijkt voorts, want van de volken die rond 1900 reeds intensief contact met blanken hadden, bestaat een halve eeuw later meer dan 70 procent niet meer.[9] Van de 105 geïsoleerde stammen die in 1900 helemaal geen contact hadden gehad, slaagt minder dan een derde erin afgezonderd te blijven leven. Dramatisch is wat er gebeurt met degenen die wel contact met westerlingen kregen: bijna de helft van deze volken bestaat een halve eeuw later niet meer of staat op het punt om uit te sterven.

De grootste tragedie blijkt zich te hebben voltrokken precies daar waar Rondon de telegraafleiding heeft aangelegd. In dit gebied verdwijnen in luttele jaren achttien primitieve volken van de aardbodem. Het is een vingerwijzing naar wat zich op grotere schaal zal herhalen als in de jaren zeventig de Amazone met wegen wordt opengelegd. In 1957 was het regenwoud nog steeds moeilijk toegankelijk en waren boten, kano's en ossenwagens het aangewezen transport. In vergelijking met de vloedgolf aan westerlingen die in de jaren zeventig het oerwoud in bezit nam, kwamen ze toen nog maar druppelsgewijs het gebied binnen.

Het verhaal van de Tupari, een groep die taalkundig verwant is met de Akuntsu, geeft een indruk van hoe achteloos het einde van indianenvolken in Zuid-Rondônia zich voltrok. De Tupari woonden in het stroomgebied van de Rio Branco, evenals de Corumbiara een zijrivier van de Guaporé. De bron van de Rio Branco ligt hemelsbreed ongeveer 65 kilometer van de Pimenta Bueno-rivier waar de Akuntsu veel kwamen.[10] Volgens Franz Caspar, een Zwitser die in 1948 een halfjaar bij de Tupari leeft en hun taal leert spreken, kregen zij rond 1920 contact met blanken, tien jaar nadat de eerste rubberbarakken in hun gebied waren gebouwd.[11]

De leider van de Tupari vertelt hem hoe zij als eersten van de Makurap-indianen horen over 'rare, onbekende mannen' die stroomopwaarts over de rivier voeren. Sommigen hadden een witte huid, anderen een zwarte, en ze waren niet naakt, maar droegen een hemd en een broek. Hun boten waren groot en maakten ongelooflijk veel lawaai – indianen zelf varen namelijk in kano's, gemaakt van een holle boomstam. De vreemdelingen jaagden niet met pijl-en-boog, maar met een stuk riet waaruit met een harde knal korrels kwamen die tot in het lichaam van de beesten doordrongen, en ze spraken een onbegrijpelijke taal.

De onbekenden waren doorgedrongen tot aan de hut van de Makurap en hadden hun veel kettingen, spiegeltjes, messen en bijlen gegeven. Op de rivieroever hadden ze daarna huizen gebouwd. Ze maakten akkers en in het bos zochten ze bomen die het sap geven waarvan de indianen ballen maken. De Tupari bedoelt latex.

De indiaan vertelt Caspar hoe zij zagen dat de vreemdelingen de Makurap almaar spullen gaven – behalve messen en bijlen ook kleren, hangmatten en muskietennetten. In ruil daarvoor moesten de Makurap hen helpen bij het bomen vellen en paden maken.

Hun vrouwen huilden toen ze over de vreemdelingen hoorden; ze dachten dat ze slechte geesten waren die ook naar het Tupari-dorp zouden komen om de kinderen te doden. Maar de mannen waren diep onder de indruk van de messen en de bijlen, die het werk in het bos vele malen lichter maakten. De Tupari-leider zegt tegen Caspar: 'Deze bijlen waren veel harder dan de stenen bijlen waarmee wij in het bos werkten. En ze braken ook niet als je ermee werkte. Ook de messen van de vreemdelingen waren veel beter dan de bamboemessen en grashalmmessen waarmee wij het vlees en pijlpunten sneden. Wij wilden ook zulke bijlen en messen, maar we waren bang voor de vreemdelingen. Onze ouderen zeiden dat zij geen mensen waren maar *Tarüpa*, boze geesten die ziektes brengen en mensen doden.'

Als de Tupari op een keer op bezoek gaan bij de Makurap, krijgen ze op hun verzoek de oude, botte messen mee die de Makurap niet meer gebruiken. De Tupari zien echter dat veel Makurap hoesten en sterven. Voor hen staat vast dat het hoesten moet komen door de lawaaimakende motoren van de vreemdelingen; deze brengen de dood.

Daarna horen de Tupari dat de blanken naar de dorpen van de Jabutí, Wayorá, Aruá en Arikapú zijn gegaan en ook hen hebben meegetroond om te werken op hun akkers en in het bos. Ook deze indianen krijgen spullen en beginnen te hoesten. 'Ze kregen hoofdpijn en koorts en zeer velen gingen dood. Kort daarna waren er nog maar heel weinig in leven,' aldus de indiaan.

Ten langen leste verschijnen er twee witte mannen in hun eigen dorp. De chef van de Makurap die hen door het bos heeft gegidst, loopt voorop en Arikapú-indianen dragen hun bagage. De geschrokken Tupari stellen zich met pijl-en-boog op voor hun hutten. Vrouwen en kinderen huilen en verstoppen zich binnen of vluchten het bos in.

Maar de vreemdelingen lijken niets kwaads in de zin te hebben en delen suiker en zout[12] uit aan alle Tupari, vertelt de chef Caspar. Ze beloven ook de Tupari bijlen en messen als ze komen werken. Veel Tupari-mannen doen dat en brengen inderdaad een bijl mee terug. 'Dat waren de eerste goede bijlen die we hadden.' Daarna beginnen ook de Tupari te hoesten en gaan dood. Lange tijd mijden ze de blanken.

Maar hoewel ze het risico kennen, kunnen en willen ze niet meer zonder het fantastische gereedschap, verklaart de chef. Ook hij meldt zich van tijd tot tijd bij de rubberconcessie om te werken, geeft hij toe. Met tegenzin, want 'bij de Tarüpa zijn veel ziektes en de rubbertappers zitten alle vrouwen achterna'. Hij gaat uitsluitend om bijlen en messen te halen en is slechts vijf keer in zijn leven geweest. Caspar denkt op basis van het verhaal en wat hij ziet aan messen en bijlen dat de indianen met tussenpozen van twee à drie jaar korte tijd werken op de plantage. 'Als ze aan nieuwe werktuigen toe zijn.'

Het relaas van de Tupari-leider staat in het boek dat Caspar schreef over zijn tijd bij de Tupari en dat toepasselijk *Tupari. Unter Indios im Urwald Brasiliens* (Tupari. Onder indianen in het Braziliaanse oerwoud) heet.

Caspar is in de twintig en leerling-uitgever als hij in het indianendorp verblijft. Hij doet korte tijd ontwikkelingswerk bij indianen in Bolivia en wordt gedreven door zijn zin voor avontuur en zijn ambitie.[13] Hij wil primitieve indianen zien en meemaken en komt zo in Brazilië terecht.

Overigens ontdekt hij na zijn vertrek uit het dorp van de Tupari dat de meesten van 'zijn' indianen eigenlijk tot het Wakaraü-volk horen. Slechts een handvol van de zogenaamde Tupari zijn werkelijk Tupari. Omdat verschillende volken zo uitgedund waren – soms was er maar één man over – waren allerlei uitgedunde indianenvolken gaan samenwonen in een dorp. De indianen blijken zelfs helemaal geen Tupari te spreken, maar Wakaraü, de taal die de meesten kenden. 'De vreemdelingen noemen ons Tupari, omdat zij niets weten,' sneert een van Caspars informanten. Caspar besluit hen toch maar Tupari te blijven noemen, aangezien zij zichzelf ook als zodanig beschouwen.

Caspar is de enige ooggetuige uit deze vroege jaren die zich richt op één groep. Zijn boek levert interessante inkijkjes op in het bestaan van de Tupari, die in 1934 al bezocht waren door de etnoloog Emil Snethlage. Gezien de verwantschap en geografische nabijheid lijkt hun wereld vermoedelijk op die van de Akuntsu toen deze nog talrijk waren.

De groep Tupari bestaat als Caspar hen bezoekt uit tweehonderd indianen, verdeeld over veertig gezinnen. Ze wonen in twee gemeenschappelijke hutten, groot en rond als een circustent, en lopen naakt rond. Ze hebben af en toe contact met blanken, voornamelijk als ze spullen van de rubberplantage willen hebben.[14]

Het dagelijks bestaan in het Tupari-dorp bestaat uit hard werken op het kostgrondje, ook in de brandende zon. Vooral het bomen rooien is zwaar. Daarbij vergeleken is jagen een uitje. Bezoekers als Caspar worden geacht mee te werken op de akker. De chef moet het hardst werken; alleen dan dwingt hij respect af en zijn de anderen tot meehelpen bereid.

Het belangrijkste product van het kostveldje is de maïs, waarvan de vrouwen chicha maken. Om de haverklap zijn er feesten die dagen achtereen duren waarbij het doel is zo veel mogelijk chicha te drinken en als een dronken tor in een hangmat te vallen. Ook dan blijven de vrouwen kalebassen met chicha aanslepen en porren ze de slapende mannen weer wakker. Overigens drinken vrouwen ook, maar discreter en onder elkaar.

In hun vrije tijd spelen de Tupari op het erf tussen de hutten kopbal en ze duelleren met bamboe speren. Bij de chichafeesten wordt veel gedanst. Muziek maken de indianen met fluiten en toeters, en ze zingen. Mannen en vrouwen die getrouwd zijn kunnen bij elkaar in de hangmat slapen, maar overdag zijn hun werelden en activiteiten gescheiden.

Caspar is geschokt door de wreedheid waarmee sommige mannen hun vrouwen behandelen. Ze schieten zelfs pijlen op hen af. Hij is er getuige van hoe een echtgenoot met een knuppel zijn slapende vrouw op haar hoofd slaat. De vrouw gaat hem vervolgens met een speer te lijf en breekt voor zijn ogen zijn met zorg gemaakte pijlen en verbrandt zijn boog.

Vooral uit de man-vrouwrelatie blijkt wat de Tupari belangrijk vinden. Een slechte vrouw is een vrouw die lui is en de jachtbuit van haar man niet opeet, vertellen ze Caspar. Kinderen bezegelen de band. Zolang er geen kinderen zijn, geldt het huwelijk niet.

Caspar zelf kan zich verheugen in veel belangstelling van de dames. Twee vrouwen doen moeite hem te versieren. Door handtastelijkheden bij het groepsdansen, door hem in het donker toe te fluisteren en zelfs – net als Txinamanty bij Marcelo – door in zijn hangmat te klimmen, of door het zo te organiseren dat hij en zij samen brandhout in het bos moeten zoeken.

Caspar wordt niet alleen als een aantrekkelijke huwelijkspartner gezien, op een gegeven ogenblik wijst de chef van het dorp hem ook aan als zijn opvolger. De Zwitser, in bezit van aspirine, vuurwapens waarmee de jacht een stuk makkelijker is geworden en een radio die stemmen van hemelgeesten laat horen, lijkt hem een goede partij. Caspar weigert. Evenmin voelt hij voor het vriendelijk, doch dringende aanbod gaatjes in zijn lippen, neus en oren te maken. Zonder neus- en mondversiering – dezelfde die de Akuntsu gebruiken – en oorbellen ziet hij eruit als een aap, vinden de Tupari.

De wereld van de Tupari gaat niet verder dan het stadje Guajará-Mirim, op ongeveer twee weken te voet en met de kano van hen vandaan. Daar woont de blanke stam, zeggen ze. De Tupari zijn ervan overtuigd dat de blanke stam veel honger moet lijden, omdat ze geen apen, tapirs en andere wilde beesten hebben om te schieten, want ze weten dat in Guajará-Mirim geen bos meer is.

Met alle indianen die om hen heen leven zijn of waren de Tupari bevriend, maar niet met bloeddorstige koppensnellers die ze de Hamno noemen. Welk volk ze bedoelen is onduidelijk. Als op een dag hun sporen en een afgebroken knuppel in de buurt gesignaleerd worden, wordt er evenwel meteen groot alarm geslagen. De angst voor de Hamno is zo groot dat de Tupari zelfs even overwegen naar de dichtstbijzijnde rubberconcessie te vluchten.

Uiteindelijk verschansen ze zich onder veel krijgsgebrul in hun hutten en vuren met Caspars wapen in de lucht. De logica van primitieve indianen is dezelfde als die van veldheren uit latere tijden: verbeelding beheerst de wereld. De Hamno moeten denken dat hier een volk woont dat beter bewapend is dan zijzelf, legt de Tupari-chef uit. Ook de zwerfakker zal dat idee bevestigen; ze zullen zien dat daar niet gewerkt is met stenen bijlen, maar met onbekende werktuigen.

Ieder van de twee hutten heeft een eigen chef. Net als bij de Kanoê en de Akuntsu zijn de leiders ook de pajés. Ze zuigen geesten uit de lucht en blazen of wapperen ze weg. Ze bezweren ziektes, beheksen vijanden en neutraliseren andere gevaren die de stam bedreigen. Dat doen ze in soms uren durende snuifsessies; dankzij het angico-poeder en tabak kunnen de pajés daarna communiceren met de voor anderen onzichtbare geesten. Het poeder wordt via een lange bamboe blaaspijp, die lijkt op die Babá bij mijn bezoek gebruikte, bij elkaar krachtig in de neus geblazen.

Zelf bewerken de stamleden de geesten ook van tijd tot tijd. Een vader schildert op een gegeven ogenblik een rode stip op de nek van zijn kind dat slaapproblemen heeft; dat dient om de kwade geest die hem uit zijn slaap houdt weg te jagen. Er zijn ook goede geesten: als het op een gegeven ogenblik regent, vangen de Tupari het water op in hun handen en verspreiden het over hun hele lichaam. 'Dan jaag je beter.'

In de magische wereld van de primitieve indianen wordt aan alles leven toegekend en dit leven lijkt op dat van henzelf. Zo zijn de sterren bij hen ook mensen en het komt voor dat een ervan afdaalt om een Tupari-vrouw te bezwangeren. Wanneer het hevig regent, is een van de belangrijke slechte geesten boos. Als in het droge seizoen door de branden de zon en maan in mist zijn gehuld en soms rood kleuren, geloven de Tupari dat de hemellichamen ziek zijn; ze zijn gebeten door een krokodil en bloeden. Niemand durft onder deze omstandigheden nog te werken in de moestuin. De pajés beleggen onmiddellijk een snuifsessie op het erf tussen de hutten om de zon en de maan te helpen. Als de zon een brandende maïssigaret krijgt toegestoken om op te roken, wordt hij weer beter, zeggen ze. Natuurlijk hebben ze gelijk: de volgende dag is de lucht stralend blauw en schijnt de zon.

De grote raadsels des levens, onze herkomst, geboorte en dood, zijn ook de raadselen waar primitieve indianen een antwoord op proberen te vinden. De Tupari geloven dat de eerste mensen onder de grond leefden. Ze hadden dierlijke trekken en kwamen 's nachts af en toe via een gat naar buiten om noten en maïs van het veld te stelen, totdat de twee geesten die wel op aarde leefden hen bevrijdden en hun een wat menselijker uiterlijk bezorgden. De Tupari bleven vlak bij het gat wonen; de andere menselijk gemaakte holbewoners trokken verder weg.

De Tupari weten hoe kinderen gemaakt worden, maar die wetenschap verklaart niet waarom de ene vrouw wel zwanger wordt en de andere niet. Daarop bedachten ze de volgende verklaring: het kind is de vrucht van twee oergeesten die ze als hij zo groot is als een handpalm op een nacht bij de slapende vrouw inbrengen, zodat hij verder kan groeien.

Het mysterie van de dood is het begin van nieuw leven bij de indianen. Het licht uit de ogen wordt een geest die ver weg in een dodenrijk leeft. Deze geest is daarheen gevoerd door krokodillen en slangen. Een regenboog is niets anders dan slangen met geesten die onderweg zijn naar het dodenrijk. Dat rijk ziet eruit als het bos van de Tupari: met een grote rivier en hutten, en er wordt chicha van pinda's geschonken. Als je beneden op aarde in je slaap lawaai hoort, zijn dat de geesten daarboven die feest vieren.

Als het licht uit de ogen van de dode is vertrokken, is het belangrijk het lichaam snel in de grond in de hut te begraven, omdat er nog een geest zal opstaan. Binnen enkele dagen groeit er in het hart van de overledene een klein mensje dat uit het hart zal springen zoals een vogel uit een ei. De pajé zal hem vervolgens tijdens snuifsessies uit de grond trekken, wassen en vormen, want deze geest is in het begin niet meer dan een stuk klei. Daarna stuurt de pajé hem naar de hemel.

De Tupari 'eten' van tijd tot tijd de adem van de onzichtbare hemelzielen en andere geesten die in de lucht voorbijkomen. Caspar beschrijft het gebaar als met hun handen lucht naar hun mond brengen en opzuigen, iets wat de Kanoê en Akuntsu eveneens veelvuldig doen.

Franz Caspar keert in 1954 terug naar de Tupari. Het is een tragisch bezoek: in de zeven jaar van zijn afwezigheid blijkt het volk bijna uitgeroeid. Meer dan twee derde van de indianen is overleden. Een mazelenepidemie heeft enkele maanden eerder huisgehouden op de rubberplantage waar ze werkten. In het dorp vindt hij slechts 66 Tupari; zes jaar eerder waren er nog 200.

9

De ingenieur en de lokroep van goud

Hein van der Voort houdt woord en zendt mij af en toe berichten met wetenswaardigheden die hij tegenkomt bij zijn speurtocht. Op een dag meldt hij dat hij een nieuwe bron van informatie over Rondônia heeft ontdekt. Het is een oude mijnbouwingenieur die voor Rondon het jachtgebied van de Kanoê en Akuntsu van boven tot onder en van links naar rechts heeft doorkruist. Hij is de man die destijds ook veel foto's van indianen uit het gebied heeft gemaakt voor Rondons naslagwerk.

'Wanneer is "destijds"?'

'Begin jaren veertig.'

Mijn hart springt op: nu kan ik een ooggetuige uit die tijd in levenden lijve ondervragen. Het is een unieke kans om een beter idee te krijgen van de laatste jaren dat de Kanoê, maar ook andere volken in het gebied, als groep nog iets voorstelden. Misschien kan de ingenieur een tipje van de sluier oplichten over de mysterieuze Akuntsu.

'Vraag hem vooral naar zijn foto's,' dringt Hein aan. 'Hij heeft een enorme collectie thuis.'

Victor Dequech woont in Belo Horizonte, hoofdstad van de ertsrijke deelstaat Minas Gerais (letterlijk: Algemene Mijnen), ongeveer een uur vliegen van Rio de Janeiro. Hij is achtentachtig maar nog volkomen helder van geest, weet ik van Hein. Als ik het nummer bel dat ik van hem heb gekregen, neemt de hoogbejaarde ingenieur zelf op. Natuurlijk mag ik langskomen.

'Ik wil nuttig zijn. Ik vind dat het niet aangaat deze informatie voor mezelf te houden,' zegt hij. Zijn stem klinkt helder en luid, alsof hij dagelijks in een rumoerige bedrijfskantine zijn personeel toespreekt. Van

internet weet ik dat hij na zijn carrière bij het ministerie van Mijn-
bouw een mijnprospectiebedrijf heeft opgericht waar tegenwoordig
duizend man werken en dat hij zijn particuliere mineralencollectie cadeau heeft gedaan aan een museum.

Dequech woont vlak bij het centrum in een ruime, maar sobere flat
met zware houten meubels. Slechts een olieverfschilderij met indianen herinnert aan het verleden waar ik voor kom. Hij is van Libanese
afkomst, en later zal hij me vertellen dat hij zijn vier dochters indiaanse namen heeft gegeven: Iracema, Jurema, Yara en Moëma. Zijn zonen
niet. Zij moesten als toekomstige kostwinners 'gepaste' namen hebben, vond hij.

Op de familiefoto's op het dressoir staat Dequech in zijn jonge jaren: een elegant geklede man met een grote zwarte snor, gearmd met
zijn knappe vrouw. Nu vallen zijn bos wit haar en grote, ouderwet-
se bril op. Zijn echtgenote, een alzheimerpatiënte, schuift aan de arm
van een verpleegster af en toe door de zitkamer. De oude Dequech is
gezien zijn hoge leeftijd opmerkelijk fit en werkt met militaire discipline zijn nog steeds drukke agenda met zaken, lezingen en reizen af.

Hij was nog maar vijfentwintig jaar toen hij naar het Amazonegebied vertrok, maar tot mijn vreugde herinnert hij zich moeiteloos allerlei details uit het verleden. Bang was hij niet geweest. 'Ik had alle
boeken van Rondon en andere naturalisten gelezen en wist dat er niet
veel kon gebeuren.'

Rondon was ervan overtuigd dat er in Rondônia bij Vilhena een
rijke goudader liep.[1] Er moest snel duidelijkheid komen over de ertslagen, omdat de regering het achterland wilde bevolken. Eind jaren
dertig had Brazilië een president die zich liet inspireren door het natio-
naalsocialisme in Europa. Hij wilde het land snel economisch en sociaal moderniseren en tot een sterke, onafhankelijke eenheid smeden.
Er was een volksverhuizing, die hij de 'Mars naar het Westen' noemde,
voor nodig om de 'lege' savannen in West-Brazilië te integreren met de
rest van het land.[2] De aanwezigheid van ertslagen zou een extra argu-
ment voor de Mars naar het Westen zijn.

Dequech, werkzaam bij het Nationaal Departement voor Minerale
Productie, was nieuwsgierig naar het *hinterland*, zoals het in zijn kringen werd genoemd, en meldde zich vrijwillig aan. Hij werd uitgeko-
zen omdat hij in zijn vrije tijd grotten onderzocht en veel kampeerde,

maar vooral omdat hij kerngezond was. Zijn voorganger, ook werkzaam bij het ministerie, was met malaria en tyfus meer dood dan levend van de vorige expeditie teruggekomen.

Dat Dequech het gebied niet kende, vond Rondon geen groot probleem. Er was een kaart, en de generaal wist nog een voortreffelijke gids: een indiaan die bij de marine in Rio de Janeiro zat, maar was opgegroeid in het gebied.

Dequechs eerste reis, in 1941, duurde slechts enkele maanden en leverde geen goudkorrels op. Rondon, niet gehinderd door twijfel, besloot dat het te kort was geweest en zond de ingenieur het jaar daarop opnieuw het oerwoud in, dit keer voor ruim een jaar.

Het dagblad *O Globo* bracht het vertrek op de voorpagina naast het oorlogsnieuws van het front in Europa. De kop luidde: 'Goud in overvloed bewaard door indianen.' De bron van het verhaal over de expeditie was natuurlijk Rondon, die – vermoedelijk om steun te garanderen – tegenover de verslaggever had benadrukt dat het bestaan van de mijnen buiten kijf stond. Deze reis was uitsluitend bedoeld om de omvang van de ertslagen vast te stellen, aldus de generaal.[3] Dequech werd vergezeld van twee technici van het departement en drie ervaren goudzoekers die opgepikt waren in Minas Gerais.

De snelste manier om in die tijd naar het westen van de Amazone te komen was naar Bolivia vliegen. De Amazone was voor piloten een zwart gat aangezien er geen radiocommunicatie mogelijk was, kaarten incompleet waren en het regenwoud vanuit de lucht geen enkel referentiepunt bood. Het jaar voordat Dequech vertrok was er op deze route een lijnvliegtuig van Lloyd Aéreo Boliviano, de Boliviaanse luchtvaartmaatschappij, verdwenen zonder dat de resten ooit zijn teruggevonden.

Na een week vliegen en een treinreis kwamen de mannen aan in Porto Velho. Dequech herinnert zich de regionale hoofdstad, ontstaan met de aanleg van de spoorlijn voor de rubber, als een groot dorp. 'Houten huizen, veranda's, hordeuren, want het stierf van de muskieten.' Elektriciteit was er nog niet. Twee keer per week was er leven in de brouwerij als de op hout gestookte stoomtrein uit Guajará-Mirim, ruim 300 kilometer verderop op de grens met Bolivia, kwam binnentjoeken.

Dequech meldde zich bij de directeur van de spoorlijn, toen nog steeds de belangrijkste autoriteit in het stadje. De spoorwegdirecteur was door Rondon via de telegraaf[4] geïnformeerd en had reeds een paar dozijn kandidaat-expeditieleden voor Dequech uitgezocht. De meesten waren werkloze rubbertappers en oerwoudbewoners met indiaans bloed. Dequech: 'Wie in aanmerking wilde komen moest aan vier eisen voldoen: hij moest kunnen vissen, jagen, bomen omhakken en snel een hut maken van materiaal dat voorhanden was.' De voedselvoorraad zou per boot naar het kampement worden gevaren door een van de firma's in de Amazonestad Manaus, die alle rubberconcessies en nederzettingen in het regenwoud op deze wijze van proviand voorzagen. Maar net als de Funai nu had ook de voorloper, de SPI van toen, voortdurend kasproblemen. Zolang er geen geld kwam, bleven de blikken met suiker, koffie, koekjes en vet in Manaus op de plank staan en kon Dequech niets anders doen dan urgente telegrammen naar de departementen in Rio sturen en wachten. Dequech: 'Je kunt alleen vertrekken naar het oerwoud als alles goed geregeld is. Als je eenmaal diep in het bos zit, vergeet iedereen je, terwijl de problemen iedere dag verergeren.'

Van tevoren was bepaald dat het basiskamp gebouwd zou worden bij een waterval aan de Pimenta Bueno-rivier, die Cascata 15 de Novembro werd genoemd. Het is hemelsbreed 25 kilometer vanwaar nu de Akuntsu en de Kanoê leven. Omdat de Pimenta Bueno verraderlijke stroomversnellingen had, zou de expeditie via de Guaporé reizen en daarna stroomopwaarts de Corumbiara op gaan. Via een spoor dat zowel indianen als rubbertappers gebruikten moesten de mannen dan nog circa 100 kilometer met pakken van 30 kilo bagage op de rug sjouwen.

Er was veel bagage. Naast een generator, radio's, een motor, blikken benzine, kerosine en smeerolie, gereedschap, wapens en instrumenten zou door een foerageringsbedrijf nog 12 ton voedsel worden aangeleverd. Dat moest – dacht Dequech – genoeg zijn om met veertig man een jaar te overleven. Omdat het niet nat mocht worden, zat veel eten in blikken die dichtgesoldeerd werden met tin. In 1942, toen de Tweede Wereldoorlog al enige tijd gaande was, was tin schaars en hadden de blikken slechts hier en daar een tinlasje. Het gevolg was dat de expeditie een jaar lang vet, suiker en koffie met insecten consumeerde.

Je kon in de jaren veertig op de grote rivieren in het Amazonegebied al comfortabel reizen met boten die twee verdiepingen hadden en markiezen tegen de zon. Het eerste stuk over de Guaporé legde de expeditie af in een gehuurde stoomboot van de Transportmaatschappij Guaporé- en Mamoré-rivieren. Om de zoveel uur moest het schip aanleggen om nieuw hout voor de motor in te laden. Meestal lag dit klaar op de oever, maar af en toe moest de bemanning zelf het bos in om te kappen.

De Guaporé staat bekend als een van de mooiste rivieren van de Amazone.[5] Hij is breed en rustig, en soms liggen er bij de oever mooie, gladde hunebedachtige rotsen. In het droge seizoen vallen gele oeverstrandjes droog. De rivier is niet aan weerszijden met hoge bomen omzoomd zoals veel Amazone-rivieren, maar de begroeiing rijst geleidelijk, waardoor er lucht, licht en uitzicht is. In de jaren veertig was de fauna nog uitbundig. Kaaimannen lagen loom op de oever of gleden door het water met hun kraalogen net boven de waterlijn.

Als de bemanning bomen moest hakken, gooiden Dequech en zijn mannen een hengeltje uit, zochten schildpadeieren op het strand of jaagden op wilde eenden en kaaimannen. Diersoorten waren niet bedreigd met uitsterven en munitie was goedkoop. Dequech: 'Schieten was een tijdverdrijf. Je deed het voor de lol, om trefzeker te worden.'

De tocht over de Guaporé 'was toerisme vergeleken met wat daarna kwam', zou Dequech later in zijn dagboek schrijven. De rivierboot had een afdak gehad, maar op de veel smallere Corumbiara zaten ze in een kano in de brandende zon – en ook in de stromende regen. 's Nachts sliepen ze zo goed en zo kwaad als het ging zittend of liggend op de bagage in de boten. Of ze hingen een hangmat tussen de bomen op de oever, die drassig was of onder water stond.

Er waren dagen dat ze slechts een paar kilometer vooruitkwamen, want de rivier werd nauwelijks bevaren en was op veel plekken dichtgegroeid met takken, omgevallen bomen en een tapijt van waterplanten en lianen die door dieren gebruikt werden om over te steken. Varen hield in dat ze een doorgang moesten hakken en moesten bomen. Soms was de *colcha*, of mat, van waterplanten zo dik en dicht dat er niets anders overbleef dan in het water springen en met man en macht de boten over het tapijt heen te trekken. Indianen zagen ze niet tijdens de moeizame tocht, maar Dequech twijfelde er niet aan dat zij vanaf de oever hun bewegingen volgden.

Het basiskamp bij de waterval bestond uit twee grote en drie kleine houten hutten op palen met een dak van palmblad. De palen waren nodig omdat de Corumbiara in het natte seizoen buiten zijn oevers treedt. Het terrein was gevarieerd. Er was dicht regenwoud, maar in het gebied waren ook savannen met eilandjes van bos. Zo waren er langs de Corumbiara uitgestrekte grasvlaktes, waar Dequech en zijn mannen vaak op herten jaagden. Want de expeditie had weliswaar meer dan 1000 kilo gedroogd vlees meegesjouwd, maar een verse bout had de voorkeur.

Bij de schaarste van nu is de overdaad van zestig jaar geleden nauwelijks voor te stellen. Kuddes van honderd bosvarkens waren heel gewoon. De bomen bewogen voortdurend vanwege de vele apen. Dequech: 'Ze vielen bijna vanzelf in de pan. Als ze ons hoorden praten, kwamen ze door de bomen aangesprongen, want het zijn nieuwsgierige beesten.' Het aanbod was zo rijk dat ze een dier als de tapir, waar de Kanoê en Akuntsu nu in opperste verrukking over zouden zijn, lieten lopen. Die vonden ze te groot. Dequech: 'Zo'n beest moet je stropen en in stukken verdelen. Daar hadden we geen tijd voor.'

Het gebied dat Dequech moest onderzoeken was zo groot als de provincies Groningen, Friesland, Drenthe, Overijssel en Utrecht bij elkaar. Wegen waren er niet; wel paden die eruitzagen als sporen. Die werden gebruikt door zowel rubbertappers als indianen. 'In 1940 was er geen bos meer waar niet al rubbertappers hadden gelopen,' zegt Dequech.

In het gebied van de Kanoê en Akuntsu zwaaide rubberbaron Américo Casara de scepter. Casara was een flamboyante Italiaanse architect die na een paar jaar Ecuador het avontuur had gezocht in de Peruaanse Amazone en daar geld had verdiend met rubber. In 1913 toen de rubberhausse net over zijn hoogtepunt heen was, was hij naar Brazilië gekomen. Omdat overal al rubberconcessies waren, was Casara via de zijrivieren steeds dieper het gebied in getrokken. Hij woonde met zijn gezin en personeel halverwege de Corumbiara-rivier bij een groot meer, waar hij van de Braziliaanse regering 300 000 hectare bos in concessie had gekregen. Daartoe behoorde bijna zeker ook het woon- en jachtgebied van de Kanoê en Akuntsu.

Bij zijn nederzetting lagen pontons en boten. Casara hield ossen en paarden, had gras ingezaaid voor koeien en zelfs akkers laten aanleggen. Iedereen die het gebied in ging, legde bij hem aan. Gasten bleven weken, maanden of jaren. Zo zat in de jaren veertig een van de tegenstanders van de president drie jaar bij de familie Casara ondergedoken. Er kwam daar toch nooit iemand kijken.

De nederzetting van de Casara's fungeerde als 'winkel' van het gebied. Zijn mannen onderhielden het pad tot het 200 kilometer verderop gelegen telegraafstation Pimenta Bueno, dat ook door hen bevoorraad werd. Casara verkocht zaken als gedroogd vlees, kaas, graan, rijst, klompen rietsuiker, bijlen en messen aan de telegrafisten en andere rubberplantages, maar ook aan indianen. Indianen ruilden de goederen of betaalden met latex.

Bij Casara werkten onder meer Kwazá, Aikanã, Aruá, Kanoê, Salamãi en mogelijk ook Mekens (waartoe tolk Passaká behoort) en Kepkiriwat-indianen, meestal als oerwoudverkenners. De rubbertappers waren namelijk vaak mestiezen. Vermoedelijk sprak Casara ook een indianentaal. Volgens de s p i buitte hij de indianen uit, hetgeen de familie tot de dag van vandaag tegenspreekt.

Op de rubberplantage van Casara werden Dequech en zijn mannen ingehaald alsof ze verloren familie waren, en bij hun vertrek gingen vuurpijlen de lucht in. Er woonden in dit gebied van duizenden vierkante kilometers slechts een handjevol blanken. De onderlinge solidariteit tussen de blanken was daardoor groot. Je kon elkaar immers nodig hebben om te overleven.

Anders dan bij de expedities van Rondon was een mogelijke aanval van vijandige indianen geen onderwerp van gesprek meer. De machtsverhouding was begin jaren veertig duidelijk. Dequech: 'Wij hadden zoveel wapens bij ons. De indianen durfden nooit iets te doen. Er was geen enkele reden om bang te zijn.'

Dequech nam een aantal indianen van Casara over. 'Op de rivier hebben ze ons heel goede diensten bewezen. Ze kenden alle stroomversnellingen en watervallen.' Ze 'betaalden' de indianen met messen, bijlen, scharen en pannen. 'En soms ook in vuurwapens.'

Ik ben verbaasd.

De geoloog kijkt me sceptisch aan. 'Om het jagen te vergemakkelijken. Ingeburgerde indianen doden niemand.'

Er waren ook 'wilde' indianen. Als Dequech en zijn mannen sporen zagen waarvan ze vermoedden dat ze van onbekende indianen waren, legden ze volgens de methode-Rondon cadeaus neer. De meeste indianen pakten de spullen weg. Als ze vrede wilden sluiten, legden de indianen ook geschenken neer, zoals een pijl-en-boog of een fluit.

Over confrontaties – Dequech spreekt nadrukkelijk over 'incidenten' – met indianen is de ingenieur terughoudend. 'Die waren van geen enkel belang.'

Als ik aandring, komt hij met een voorbeeld. De Nambikwara, die toen werden beschouwd als de gevaarlijkste indianen, hadden een keer het drinkwater bij het kamp vergiftigd. Omdat iedereen diarree had en moest overgeven, had hij snel doorgehad wat er aan de hand was.

In kleine groepen trokken Dequech en de collega-ingenieurs dieper de wildernis in om het gebied geologisch in kaart te brengen en monsters te nemen. Ze sliepen in hangmatten in het bos. Tegen malaria slikten ze pillen die ze via de Amerikanen hadden gekregen, maar waarvan je huid en oogwit groengeel werd. Een probleem waren de plensbuien in de regentijd, want over stukken plastic beschikten ze in die tijd nog niet. Daarom fabriceerden ze hun eigen waterdichte zeil door rubber af te tappen van de rubberboom en dat uit te smeren over ruw katoenen doek. Of ze maakten – als de indianen – een afdak van palmbladen. Dequech: 'Zoiets is in een halfuur klaar als je een beetje ervaring hebt.'

Indianengroepen die bang waren van westerlingen of hun vijandig gezind waren, trokken dieper het oerwoud in om contact te vermijden. Dat er vreemdelingen in het bos waren gekomen, hadden ze vermoedelijk net als de Tupari gehoord van andere indianen die wel met westerlingen contact hadden. Dequech: 'Als er eenmaal een indiaan bij je werkt, verspreidt het nieuws dat je er bent zich vanzelf.'

Nieuwsgierige indianen kwamen iedere dag buurten in het basiskamp. Dat waren vooral Aikanã, een volk waarmee de Kanoê op goede voet stonden en ook huwelijken waren aangegaan.[6] Soms bleven ze slapen; ze hingen hun hangmatten onder de paalwoningen aan de balken. Ze maakten vuurtjes, kookten en kletsten. Dequech: 'De rook kwam dan tussen de planken door de hut binnen en de hele nacht hoorde je hen zachtjes praten.' De indianen zaten uren bij hen en bestudeerden aandachtig wat ze deden en bezaten. 'Ze wilden alles leren wat ze bij ons zagen.'

Allen, inclusief de stamleiders, vroegen Dequech na verloop van tijd om een Europese naam. 'Ze schaamden zich zo voor hun indiaanse naam dat ze deze daarna aan niemand meer vertelden.'[7]

Het enthousiasme over de bezoekers was niet onverdeeld, blijkt uit Dequechs dagboek:

> *De kok Costa Lima is boos. Dat is hij altijd als er een groep india-nen aankomt en ik hen naar de keuken stuur om daar aan de grote tafel te gaan eten. Nu is er opnieuw een groep indianen op bezoek. Hij zegt dat hij een hekel aan hen heeft omdat ze geen 'goede ma-nieren' hebben: ze plukken muggen van hun eigen lichaam of dat van de anderen en eten deze op. Hetzelfde doen ze met vlooien. Ze eten met smerige handen en laten het bestek liggen. Ze blijven niet zitten, maar klimmen over de tafel heen van de ene naar de andere kant. Ze lachen en gillen. Ze laten zonder veel plichtplegingen boe-ren en winden.*

Dequech was zich bewust van het unieke van wat hij zag. In volgeschreven schriften staan zijn dagelijks observaties van het gedrag van de indianen. Hij noteerde woorden uit hun taal, tekende sieraden na en fotografeerde hun dagelijks leven. Tijdens ons gesprek verandert de eettafel van lieverlee in een oerwoud van schriften met notities, vergeelde kranten, documenten, kaarten en foto's. Met een loep speurt Dequech op iedere foto naar bekende gezichten waar hij mij iets over kan vertellen. Hein heeft niet te veel gezegd: hij heeft dozen met foto's overgehouden aan zijn reis.

Dequech wijst op een afbeelding van een rij naakte meisjes. Hun billen en ruggen zijn volledig bedekt met ingenieuze geometrische motieven. 'Tot op de dag van vandaag weet niemand tot welke stam ze horen. Misschien bestaan ze niet eens meer.' Hij kijkt me vanachter zijn dikke brillenglazen doordringend aan alsof hij van mij een antwoord verwacht.

Het valt me op dat er op alle foto's veel mensen staan. Het krioelt van de indianen: indianen die kopbal spelen, krijgers die poseren bij de rivier, spelende kinderen. De hutten zijn steeds de immense circustenten van palmbladen waarover ook Franz Caspar schrijft. Dit is het rijke sociale leven waar Akuntsu-chef Babá naar terugverlangt.

De gelijkenis van sommige indianen met de Akuntsu is groot. De Aikanã dragen dezelfde schelpenkettingen en trapeziumvormige oorbellen, en hebben eveneens een hoge, rechte haarlijn. 'Ach, zoveel indianen hebben zulke kettingen en zulk haar,' relativeert Dequech.

De Aikanã waren in 1942 eveneens nog maar een schaduw van hun vroegere volk en worstelden met een vrouwentekort. De hoofdman van de Aikanã, Batiak, vertelde Dequech trots over oorlogen met andere volken, die met zorg werden voorbereid. Wanneer ze het dorp van een andere groep overvielen, letten ze altijd op dat ze geen vrouwen doodden. Die werden meegenomen. Het traditionele woongebied van de Aikanã lag bij de rivier de Tanaru, dezelfde rivier waar de geheimzinnige indianen van het gat rondlopen met wie Marcelo contact hoopt te leggen.

Als ik Dequech mijn foto's van de indianen laat zien en vraag of hij dit volk kent, schudt hij ontkennend het hoofd. Hij is stellig. 'Dat zijn indianen uit de buurt van de Rio Branco,' zegt hij van een foto met de Akuntsu. De Rio Branco is de noordelijker gelegen rivier waar de Tupari en andere volken leefden. Hoe weet hij dat zo zeker? Heeft hij hen gezien toen hij daar op expeditie was? vraag ik hem.

Dequech schudt opnieuw zijn hoofd en zegt: 'Ik ken ze niet en heb deze indianen nog nooit gezien.' Een verdere toelichting blijft ook na aandringen uit.

Ik ben verbaasd: Dequech blijkt op de hoogte van het verhaal van Marcelo en de ontdekking van de Akuntsu en Kanoê. Hij heeft daar zijn eigen lezing van, die verrassend veel lijkt op die van de grootgrondbezitters. 'Er waren in dat gebied nauwelijks meer indianen. Dat hele verhaal over indianen die zouden zijn vermoord door de fazendeiros is overdreven.'

Vroeger werden veel indianen vermoord, stelt hij nadrukkelijk. Maar dat was in de tijd van de rubberhausse. 'De rubberbaronnen hadden bewakers die op indianen jaagden. En indianen doodden elkaar. Ze voerden voortdurend oorlog om aan grond te komen.'

Ik moet ook niet geloven dat deze zogenaamde teruggevonden Kanoê in de regio thuishoren, waarschuwt hij. 'Ze zijn door functionarissen van de Funai, die de indianen wilden bevoordelen, in een vrachtwagen gezet en daarnaartoe gebracht.'

Ik kijk hem aan en kan mijn oren niet geloven. Op de delfstoffenkaart die hij in 1943 maakte van de regio en die op tafel voor ons ligt, heeft hij alle hem bekende indianengroepen ingetekend. Ook de Kanoê (door Dequech gespeld als 'Canoê') staan erop. Ze woonden toen op bijna precies dezelfde plek als waar Marcelo hen vond.

Als ik hem op deze inconsequentie wijs, krabbelt Dequech terug.

'Maar het waren er maar heel weinig,' bagatelliseert hij. 'Hoogstens een stuk of twintig, die af en toe op een nabijgelegen boerderij verschenen, maar nooit in het kampement.'[8] Dat er nog weinig Kanoê over waren kan kloppen, want begin jaren veertig waren immers de meeste indianen, inclusief de Kanoê, op last van de gouverneur naar de indianenpost Ricardo Franco, 200 kilometer verderop, gebracht.

De andere indianen hadden de Kanoê een bijnaam gegeven, herinnert Dequech zich. Ze noemden hen 'Vleermuizen'. 'Indianen houden van dierennamen. Ik weet niet of er wat achter zat.'

Toen de expeditie op zijn eind liep, had hij Rondon voorgesteld van het basiskamp een medische hulppost voor indianen te maken, maar ze kregen er met geen mogelijkheid personeel voor. Men vond het te afgelegen.

Op de indianenpost Ricardo Franco, waar hij nog weleens een kijkje had genomen, werden de indianen redelijk goed verzorgd. Ze hadden in ieder geval medische verzorging. 'Maar er werd niets aan inburgering gedaan.'

'Wat bedoelt u daarmee?'

'Ze hadden de indianen moeten alfabetiseren, iets praktisch met hun handen moeten leren. Zoals vroeger tijdens het militaire regime in kazernes gebeurde. Dan hadden ze daarna tenminste in de stad geld kunnen verdienen. Nu heb je indianen die een vliegtuig hebben en nog steeds hun hand moeten ophouden bij de Funai.'

We praten ten slotte over recentere tijden. Mede omdat er later veel ertslagen werden ontdekt, is hij vaak in Rondônia geweest, vertelt Dequech. In 1975, toen de regering met de kolonisatie begon, had hij met zijn broers een stuk land gekocht bij Corumbiara. Hij kende het gebied natuurlijk als zijn broekzak. Bovendien beschikte hij dankzij zijn mijnprospectiebedrijf over luchtfoto's en radarbeelden. Zo had hij de beste grond – een mooi vlak stuk – kunnen uitkiezen. 'Wij hadden meer informatie dan het Incra zelf,' grijnst hij.

Maar wat hij daarna zag, had hem geschokt. Geen van de fazendeiros hield zich aan de regel dat je maar 50 procent van het bestaande bos mocht kappen. Iedere keer als hij in Corumbiara kwam, zag hij dat er weer meer bos tegen de vlakte was gegaan. 'Het Rondônia van toen bestaat niet meer. Er was geen enkele controle van de regering.' Hij zwijgt even. 'Die is er nog steeds niet of nauwelijks.'

De fazenda in Rondônia heeft hij niet meer. Tegenwoordig bezit hij grond in de deelstaat Bahia. Maar het wordt steeds lastiger om een fazenda te hebben, omdat je voortdurend te maken hebt met invasies van landlozen, zegt hij. 'En justitie is heel coulant tegenover die zogenaamd zielige landlozen.'

Die landlozen waren indianen. Dequech blaast van opwinding. Voor hem waren het geen indianen. 'Ja, zo noemden ze zich. Maar een echte indiaan is niet dik. Als hij dik is, kan hij niet jagen. Dit waren landlozen die veren hadden opgezet en een rieten rokje hadden aangedaan. Ze deden alsof ze indianen waren.' Met afschuw vertelt Dequech over deze – in zijn ogen – nepindianen die zijn land in Bahia bezet hielden. Ze deden alsof de grond van hen was terwijl hij kon bewijzen dat de landerijen al honderd jaar in handen van blanken waren.

Ik ben verbaasd over zijn felle reactie. Hij praatte met zoveel genegenheid en kennis over de indianen die hij in de jaren veertig had meegemaakt. Als hij indianen zo intensief bestudeerd heeft, moet hij toch weten dat veel indianen van hun oorspronkelijke grond verdreven zijn en dat zij als ze verwesteren en overstappen op snelkookrijst en casinobrood ze vanzelf dikker worden. Maakt dat hen minder indiaan?

Vlak voor ik wegga, zie ik dat ook Dequech het boek van Caspar over de Tupari heeft liggen. Hij laat me zien dat hij overal in de kantlijn commentaar heeft genoteerd. 'Klopt niet!' en 'Overdreven!' zijn de meest voorkomende kreten.

'Die man is daar niet alleen geweest. Hij heeft zeker hulp gehad, maar dat schrijft hij nergens,' zegt hij.

'En wat klopt er dan niet?'

'Allerlei dingen. Hij schrijft bijvoorbeeld dat hij geen bad in de rivier kan nemen vanwege de piranha's. Maar piranha's doen niets zolang je geen bloedende wond hebt. En van kaaimannen heb je ook geen last.'

Hij is een man van de feiten, zegt hij. Hij houdt niet van overdrijven. 'Maar Caspar wilde succes hebben.'

Na zijn expedities werd hem vaak gevraagd naar de gevaren die hij in het oerwoud had getrotseerd. 'Mensen willen namelijk horen over slangen, jaguars en krokodillen. Je grootste vijand zijn de muggen, antwoordde ik altijd. Die vallen je vierentwintig uur per dag aan.'

Dequech kijkt me aan met een blik van verstandhouding. 'Ik ben serieus en wil de waarheid vertellen. Maar de waarheid willen mensen niet horen, want die vinden ze niet spannend.'

Korte tijd na mijn bezoek aan Dequech krijg ik thuis in Rio de Janeiro een telefoontje van een bedrijf uit Belo Horizonte. De telefoniste wil mijn adresgegevens checken. Dagen later bezorgt de post een dikke bruine envelop. Er zitten kopieën van foto's en oude krantenartikelen van Victor Dequech in. De oude ingenieur had me materiaal toegezegd toen ik in Belo Horizonte was, maar ik had er niet op durven rekenen. Beloftes aan onbekenden die inspanning vereisen en de initiatiefnemer niets opleveren worden in Brazilië tenslotte zelden gestand gedaan.

Ik weet niet goed wat ik van Dequech moet denken. Ik vind hem in alle opzichten een innemende man. Zijn belangstelling voor indianen, zijn hang naar volledige en juiste feiten, en zijn wens informatie te delen met anderen lijken me oprecht. Ik twijfel er niet aan of hij is de waarheid toegedaan als een toegewijde wetenschapper. Maar hoe is dan zijn geheugenverlies omtrent de Kanoê die pontificaal op zijn kaartje stonden te verklaren? Waarom had hij eerst hun bestaan in dit gebied ontkend en vervolgens het onzinverhaal opgedist over Marcelo die de Kanoê van elders zou hebben overgebracht? En wat moet ik met zijn stellige opmerking over de Akuntsu die ergens anders zouden hebben geleefd terwijl hij de Akuntsu naar eigen zeggen nooit heeft gezien?

Dat Dequech met bewondering spreekt over de indianen die hij zestig jaar eerder is tegengekomen en afgeeft op de geaccultureerde indianen van nu, is misschien te verklaren door de veranderde omstandigheden. Hij zat tijdens de Tweede Wereldoorlog in het oerwoud. In Brazilië dat aanvankelijk sympathieën koesterde voor de fascisten, heerste in deze jaren veel xenofobie en racisme; de Europese immigranten[9] golden in die tijd als verdacht en minderwaardig. Indianen werden daarentegen verheerlijkt als een Braziliaanse versie van Blut und Boden. Net als de Duitse fascisten het ideaal van pure, sterke en edele ariers cultiveerden, hadden de Braziliaanse nationalisten ook behoefte aan een archetype. De indianen werden opeens de gulle, dappere oer-Brazilianen die van geen opgeven wisten.

Zijn afkeer van verwesterde indianen deelt Dequech met veel Brazilianen uit de hogere klassen, en vooral fazendeiros. Het is een reactie op de steeds bitterder wordende strijd om grond en de overtuiging dat indianen te veel land hebben, maar ook op de corruptie bij de Funai, en indianenleiders die op grote schaal hout verkopen. Het dilemma dat zich steeds meer opdringt in het debat over (gratis) grond voor indianen is in hoeverre indianen die eruitzien en zich gedragen als blanken, een beroep mogen blijven doen op de voorrechten die de wet hun gunt.

Ik leg mijn twijfels over Dequech en zijn beweringen over de Akuntsu en Kanoê aan Hein voor. Ook tegen hem had Dequech aanvankelijk het bestaan van de Kanoê in de regio ontkend. Vanwege zijn vriendschap met plaatselijke grootgrondbezitters heeft hij het verhaal over overgeplante indianen misschien geloofd, veronderstellen we. Of hij weet drommels goed dat het een leugen is, maar wil zijn vrienden tegenover vreemden niet afvallen. Want het is duidelijk dat Dequech veel fazendeiros, inclusief de slechteriken van Marcelo's lijstje, goed kent.

Waar zou de fazenda van Dequech hebben gestaan? In de lijst van fazendas die ik van Marcelo kreeg, vind ik geen aanknopingspunt. Maar als ik mijn andere aantekeningen over Rondônia doorloop, kom ik plotseling wel de naam 'doutor Victor' tegen. Een landarbeider die ik na mijn bezoek aan de indianen sprak, vertelde mij dat ene doutor Victor alle grond tot in de verre omgeving bezat. Ik besluit de gegevens na te trekken. Doutor Victor blijkt inderdaad Victor Dequech. Samen met Antonio José Junqueira Vilela, de fazendeiro van het eerste uur die volgens Marcelo mogelijk indianen had laten doodschieten, had Dequech begin jaren zeventig het koninkrijk van 300 000 hectare van rubberbaron Casara overgenomen. Dequech had daartoe met zijn broers een firma opgericht: Guaratira Recursos Naturaís, die onder meer de Fazenda Guarajús beheerde, en die komt wel voor op de lijst die ik van Marcelo kreeg. Op het terrein van deze fazenda had hij namelijk in 1985 de eerste valkuil met spiezen gevonden. Het verklaart in ieder geval waarom Dequech zoveel fazendeiros goed kent.

Dequech en zijn broers blijken hun bezit kort na Marcelo's ontdekking te hebben verkocht. Een deel van de fazenda werd door de overheid gekocht en verdeeld onder landlozen. Ik besluit alle Funai-documenten die ik in Rio de Janeiro heb liggen na te vlooien op de Fazenda Guarajús. In een van zijn verslagen schrijft Marcelo over landarbeiders op de fazenda die in de jaren tachtig regelmatig zout en suiker zouden hebben geruild met primitief levende indianen uit de omgeving.

Ik besluit Victor Dequech opnieuw te bellen en het hem voor te leggen. Misschien is dit een tweede geval van opportunistisch geheugenverlies. Kwamen er af en toe nomadische indianen aanlopen op de fazenda? Dequech ontkent in alle toonaarden. 'Dat was niet zo. Het kan niet zo zijn geweest. Ik had het geweten als het zo was. Het personeel vertelde alles wat er op de fazenda gebeurde.'

Ik kan er niet veel tegen inbrengen. Dequech is stellig en Marcelo's bron is onduidelijk. Ik vermoed dat de opmerking – zoals de meeste tips tijdens zijn zoekactie – van een landarbeider of van de vakbond van landarbeiders afkomstig was.

Zijn broers en hij hadden de fazenda medio jaren tachtig verkocht, vertelt Dequech. Niet omdat Marcelo sporen had ontdekt maar omdat er voortdurend posseiros, grondkrakers, opdoken op hun terrein. 'Vanaf het moment dat de regering met de kolonisatie begon, hadden we daar last van.'

Maar liepen er in de beginjaren op zijn fazenda helemaal nooit nomadische indianen rond? Ik besluit het opnieuw te proberen, want als er een fazendeiro is die iets zou kunnen weten over wat er is gebeurd voordat Marcelo zijn zoektocht begon en het misschien ook nog wil vertellen, is het Victor Dequech. 'Nee,' zegt Dequech vriendelijk maar beslist aan de andere kant van de lijn. 'Je had daar geen indianen meer toen wij er waren.'

10

Wraak

Vier jaar na mijn eerste bezoek keer ik terug naar Rondônia. Dit keer is het niet Marcelo, maar Altair die mij met de witte Toyota afhaalt bij het hotel van dona Ursula. Ik had de slungelige bosloper kort ontmoet toen ik de vorige keer met Marcelo in Vilhena was.

Marcelo heeft ontslag genomen, vertelt Altair als wij wegrijden met in de laadbak wederom vaten met olie en dozen met voorraden voor het kampement. Hij was verliefd geworden en opeens kon hij de telefonades naar Brasília niet meer opbrengen; de smeekbedes om geld; de zoveelste panne met de Toyota; de doodsdreigementen van de grootgrondbezitters. Het was alsof hij over een onzichtbare grens was gegaan. 'Hij was moegepest.'

Zijn oerwoudjaren bleken dubbel te tellen en dus kon hij zich op zijn achtenveertigste laten pensioneren. Met hetzelfde vuur waarmee hij zich had opgeworpen voor de indianen, had Marcelo zich nu aan de liefde overgegeven. Hij woont samen met zijn nieuwe liefde, een vertegenwoordigster in schoonheidsproducten, in Goiás, een deelstaat met veel veeboeren in het hart van Brazilië, vertelt Altair. 'En hij houdt kippen en heeft een moestuin.'

'Don Quichot heeft zijn Dulcinea gevonden,' zeg ik.

'Nee, ze heet Divina.' Altair kijkt me aan met een grijns van oor tot oor.

Divina, goddelijk. *What's in a name?* Marcelo was een hemelbestormer, dus waarom niet een Divina, een Goddelijke, als zijn gade?

'Ik mis hem vreselijk,' herneemt Altair. 'We hebben jarenlang alles samen gedaan.'

Trots vertelt hij hoe Marcelo nog de voorpagina's van de *Folha do Sul* en de *Folha de Rondônia* had gehaald. De Braziliaanse regering had hem op de valreep uitgeroepen tot Ridder in de Orde van Rio Branco. Marcelo was naar de hoofdstad geweest omdat de president hem hoogstpersoonlijk de medaille wilde opspelden.

Het kost me moeite om me Marcelo, met zijn natuurlijk wantrouwen jegens iedere autoriteit, voor te stellen op het Perzisch tapijt in het marmeren presidentieel paleis. Volgens Altair had de ceremonie zich onder bedekt protest voltrokken. Het ministerie van Buitenlandse Zaken bleek hem te hebben voorgedragen vanwege 'zijn succes in het buitenland'. Wat zat erachter? Dankzij de publiciteit over de Kanoê en de Akuntsu had de Funai extra geld van buitenlandse hulporganisaties gekregen voor de afdeling Geïsoleerde Indianen. Marcelo werd onderscheiden voor zijn verdiensten voor de schatkist, niet omdat hij indianen van de dood had gered.

Marcelo had met ouderwets elan onmiddellijk de koe bij de hoorns gevat. 'De regering interesseert zich nauwelijks voor de indianen of het milieu,' had hij in *Folha do Sul* gesneerd. Maar uiteindelijk was hij toch in zijn sas geweest, verklapt Altair.

Ik kijk naar buiten. Vilhena heeft zich in een paar jaar de allure van een stadje aangemeten. Tussen de houten pioniershuizen staan nu villa's in pastelkleuren met ornamentale hekken. In de hoofdstraat zijn megasupermarkten en woonwinkels gekomen, maar de meest in het oog springende boodschapper van de nieuwe tijd is een reusachtige slachterij met koelhuis langs de BR. Het parkeerterrein is groter dan het voetbalstadion en staat bomvol auto's.

'Capaciteit achthonderd koeien per dag,' zegt Altair. 'Ze hebben hun zin gekregen.'

'Ze' zijn de grootgrondbezitters. Ik herinner me dat zij en politici in 1996 dagdroomden over de slachterij en vleesexport.

'Dát is vooruitgang,' zeg ik in een poging de droge Altair tot meer commentaar te verleiden.

Hij houdt zijn blik strak op de weg gericht en zwijgt. Pas als we de vleesfabriek achter ons hebben gelaten en de eerste heuvels hebben genomen, zegt hij: 'Het ziet er prachtig uit, maar als de wind fout staat, stinkt het als een mesthoop.'

Ik weet dat er ook bij de indianen veel is veranderd. De jongste dochter van de Akuntsu-vrouwen is dood. Ze werd vermorzeld door een omvallende boom. Maar het grootste drama is de dood van de Kanoê Wajmoró, het maanvrouwtje met de puntige tanden. Wajmoró, de hard werkende en altijd vrolijke nicht van Operá en Txinamanty, werd vermoord door de Akuntsu maanden na mijn eerste bezoek aan het kampement. Ik had toen nog telefonisch contact met Marcelo en hij had mij de gruwelijke details verteld. Haar lichaam was doorboord met pijlen en haar hoofdhuid losgesneden en haar armen lagen elders.

Niets had erop gewezen dat deze moord eraan zat te komen. Wajmoró was zoals vaker alleen uit jagen gegaan, maar bleef dit keer opmerkelijk lang weg. De Kanoê waren ongerust geworden. Operá was bij Altair gekomen, die op dat moment de post bemande. Ze dachten aanvankelijk dat ze onder een omvallende boom was gekomen aangezien vallende bomen een permanent gevaar in het oerwoud vormen. Samen waren ze gaan zoeken. Niet ver van de akker van de Akuntsu hadden ze haar gevonden. Dat de Akuntsu de daders waren, was snel duidelijk geweest. Er waren geen andere mensen in het bos. Bovendien hadden de Akuntsu na de moord hun hutten verlaten en lieten zich niet meer zien.

In het kampement blijkt van alles veranderd. De hutten van palmtakken zijn nieuw. 'Dat doen we iedere twee jaar. Ze worden aangevreten door de ratten,' zegt Altair. We hoeven niet meer met onze handdoek en stukje zeep naar de beek. Er is op het erf een douchecabine geïmproviseerd: een houten hokje met een waterton op het dak. De moestuin is uitgebreid en tot mijn grote opluchting is de boomstam over de beek vervangen door een dikker exemplaar. Er zijn drie nieuwe gezichten. Selma, de verpleegster uit São Paulo die haar familie had moeten uitleggen dat indianen geen wilde beesten zijn, is opgevolgd door Amélia, een mulata met hier en daar een plukje grijs haar. Marcelo ontdekte haar in het ziekenhuis van Vilhena, waar ze met uitzonderlijk talent indianen had opgevangen.

Er is een nieuwe aspirant-bosloper: Sidnei, de ambitieuze, vriendelijke neef van de bosloper Paulo, die nog steeds van de partij is. Net als Chico, de voormalige rubbertapper zonder tanden.

En er is een nieuwe tolk, Pedro, net als zijn voorganger Passaká een

Mekens. Passaká is terug naar zijn dorp in het reservaat. 'Hij had geen zin meer,' zegt Altair. En Munuzinho, de fragiele Kanoê die zo graag bij Txinamanty en haar familie had willen wonen, mocht van zijn kinderen niet langer blijven en is vertrokken. Altair had grote problemen gehad een nieuwe tolk te vinden. 'De meesten zien ertegen op de hele dag met blanken op te trekken.' Bovendien vinden ze het kampement primitief. 'Ze zijn het leven in het bos ontwend.' Maar een paar weken tevoren was Altair in het reservaat deze oude baas tegengekomen, die nog het Mekens goed sprak en dus het Akuntsu een beetje zou moeten snappen. Pedro had zich laten meetronen omdat hij graag zakgeld wilde verdienen.

Pedro lijkt een kopie van Passaká. Hij draagt eveneens een petje, glimlacht veel en zegt weinig.

'Passaká is familie,' legt hij uit als ik hem naar de gelijkenis vraag.

Altair verduidelijkt. 'Bij indianen zijn alle leden van dezelfde stam of hetzelfde dorp familie. Er hoeft geen bloedband te zijn.'

'Net als in Afrika, waar iedereen broer of zuster heet,' opper ik.

'Ja, zoiets.'

Pedro zal meegaan als we de volgende dag de Kanoê bezoeken. Maar verstaat hij hen wel, vraag ik. Tenslotte spreekt hij geen Kanoê en begrijpt hij het Akuntsu hooguit bij benadering.

'Met z'n allen komen we er wel uit,' zegt Altair en hij graaft in een stapel vergeelde tijdschriften die in de hoek van de keuken ligt. Er komt een multomap tevoorschijn. In een ouderwets schoonschrift is het onbegrijpelijke getokkel van de Kanoê gemodelleerd tot lettergrepen en woorden.

'Daarmee kunnen we een aardige boom opzetten,' grapt Altair.

Het is een woordenlijst opgesteld door een Braziliaanse linguïst[1] die het kampement bezocht om de grammatica van het Kanoê op te stellen voordat de laatste sprekers zijn overleden. Ik staar naar de rijtjes. Het had net zo goed Chinees kunnen zijn.

'Je moet opletten. Operá heet nu Purá,' zegt Altair, die mijn exercitie met de eerste woorden Kanoê volgt.

'En het kind is nu Operá.'

'Om het makkelijker te maken.'

'Ja, 't is even wennen. We hebben het idee dat Operá de naam is voor de laatst geboren zoon.'

De naam lijkt een titel. De oude Operá geeft zijn naam door aan de nieuwe generatie en neemt zelf een andere naam aan. Hoe langer ik erover nadenk des te sympathieker komt deze geste mij voor. Je eigen naam afstaan aan een familielid schept een band. Jij bent wie ik was. Ons vernoemen is daarbij een frivoliteit, die oppervlakkige sentimenten genereert bij oma's die zich geëerd of juist gepasseerd voelen.

Als we 's anderdaags het erf van de Kanoê op lopen, klinken er doffe klappen. Moeder Tutuá zit wijdbeens op een minuscuul bankje. Recht voor haar heeft ze een mand met kokosnoten zo groot als een tennisbal. Het zijn noten van de babaçu, een oliepalm. Met een groot kapmes slaat ze de noten op een plankje trefzeker in tweeën, pelt de schil af en werpt het restant in een zwartgeblakerde ijzeren pan. Ze lacht als ze ons ziet naderen, maar staat niet op. Haar dochter komt met druipend haar en nat wasgoed aanlopen. Ze is bij de rivier geweest. Haar inmiddels vijfjarige zoontje kleeft op haar heup alsof hij een baby is. Het is een typisch indianenkind, lichtbruin met sluik zwart haar, maar door zijn lange handen en voeten die slap langs zijn lichaam hangen heeft hij ook iets katachtigs.

Txinamanty zet de mand neer, schudt handen, praat met iedereen en kamt haar haar. Maar ze maakt geen aanstalten haar zoon neer te zetten. Toch moet hij gezien zijn leeftijd een flink gewicht hebben. Pas als we weggaan, laat ze hem op de grond zakken. Operá wiebelt op zijn dunne benen en dreigt even om te kiepen. Maar hij hervindt op het nippertje zijn evenwicht. Hij loopt anderhalve pas en laat zich onmiddellijk neerzakken naast oma Tutuá. Ik kom er niet uit of Operá een syndroom heeft of dat zijn gebrekkige motoriek en spierontwikkeling het gevolg zijn van de opvoeding door Txinamanty, die hem volgens Altair nauwelijks laat lopen.[2]

Terwijl Altair met moeder en dochter praat, spied ik om me heen. Als ik niet zeker wist dat dit dezelfde plek was die ik vijf jaar geleden had bezocht, had ik het niet geloofd. Niets is meer hetzelfde. Toen stonden er wat maniokplanten tussen boomstronken; nu zijn er links en rechts van het pad keurig rechte akkers, die op hun beurt weer onderverdeeld zijn in secties alsof het een modeltuin op de jaarlijkse landbouwtentoonstelling betreft. Suikerriet, maniok, ananassen, pinda's, maïs, bananen- en papajabomen; het terrein is groot, de variëteit enorm en er is geen plukje onkruid te bekennen. In het oerwoud, waar mossen, schimmels, varens en ander loof dag en nacht voortwoekeren, getuigt dat van een bovenmenselijke inspanning.

De grootste verrassing evenwel is het erfje zelf. Toen stonden er drie rommelige hutjes, niet groter dan een glasbak. Nu staan er vier indrukwekkend ruime hutten met houten palen. De constructies zijn nog imposanter als je bedenkt dat ze door drie personen zijn gebouwd. Een van de hutten is een open keuken; de andere is een opslagruimte voor maïs en maniok.

Net als de meeste blanke Brazilianen hebben de Kanoê in hun hut een *filtro*, een waterreservoir met een koolstoffilter, om hun drinkwater te zuiveren. En ze gebruiken hem ook, zegt Altair.

Voor de huisdieren is er een aparte stal die aan de zijkanten met boomstammetjes is verstevigd zodat de beesten niet kunnen uitbreken maar ook 's nachts veilig zijn voor roofdieren. De woonhut is groot en rond en komt mij bekend voor. Toen Altair, Marcelo en de anderen het Funai-kampement bouwden, kwamen de Kanoê elke dag kijken. Ze zaten urenlang stil op de grond. Geen detail ontging hun. Maanden nadat het kind geboren was, waren ze zelf begonnen te bouwen. Zij construeerden exact zo'n hut als de Funai-post heeft.

Binnen in de palmrieten hut heerst dezelfde perfectionistische ordening als op de akkers. Ieder van de Kanoê heeft zijn eigen gedeelte met hangmat en daarboven een plank met bezittingen, zoals de pijlen en bogen. In de hoek staat – net als in het kampement – op een tafel een apart rekje voor de aluminium pannen, borden en bekers, die alle keurig zijn schoongeboend.

Purá is degene die ons de hut van binnen laat zien. Hij geniet zichtbaar van het bezoek. Hij pakt Altairs hand vast, waarop Altair wat Kanoê woorden lispelt. Purá antwoordt en straalt nog meer.

Hij is voorkomend. Alles waarnaar ik wijs, pakt Purá en laat hij zien. Zijn veren voor de pijlen bewaart hij in kokers van bamboe. Ze zijn op soort, kleur en lengte geordend. Vogelnagels en klauwen hangen eveneens gesorteerd aan bundels aan de balken. Verder zijn er manden, een draagnet van envira en nieuw gevlochten palmrieten hoeden.

Plastic zakken zijn populair in het Kanoê huishouden. Niet als afvalzak, maar om kleinoden in te bewaren. Daarna worden ze opgevouwen tot envelopformaat en achter de balken gestopt. Het huis blijft eruitzien alsof de complete inventaris in een draagmand moet kunnen worden meegesjouwd.

We communiceren met handen, voeten en veel lachen. En roepen vaak *morerê* (spreek uit: moreurè), goed, mooi. Heel erg morerê is de een meter lange bamboefluit die Purá tevoorschijn haalt. Tolk Pedro, die bij alle mededelingen van enige importantie aantreedt, vertaalt. Vroeger, toen ze nog met veel waren, hadden ze feesten met chicha. Dan speelden ze net als de Tupari van Caspar op de bamboefluiten. Tegenwoordig speelt hij nooit meer.[3]

'Zou hij wat willen spelen?'

Ik schrik zelf van mijn spontane vraag. Het waren tenslotte eens vrolijker tijden voor de Kanoê. Maar Purá glimlacht sereen en vriendelijk als steeds en produceert drie of vier zachte, steeds terugkerende klanken; een repetitieve trance-deun; etnische minimal music waarop meestal door indianen in een kring gedanst wordt. Twee stappen naar voren en een naar achteren of opzij.

In de halfdonkere hut gaat Purá op in zijn spel. Hij heeft geen vrienden meer om mee te praten of te drinken en muziek te maken, geen toernooien en feesten met andere volken, bijna geen familie en geen vooruitzicht dat hij zelf ooit kinderen krijgt. Misschien is Purá midden twintig. Wat een leven; wat een eenzaamheid moet het zijn.

Met een stevige luchtstoot rondt hij zijn muzikaal optreden af. We klappen enthousiast. Morerê, morerê. Purá glimt zo dat hij bijna lijkt licht te geven in de donkere hut. Morerê, zegt hij ons stralend na.

Tot besluit bezoeken we wat Altair 'het kerkhof' noemt. Opzij van het erf aan de bosrand staat een reusachtige vijgenboom met plankwortels. Ze ogen als steunberen in een gotische kerk en omdat ze meters breed en hoog zijn vormen ze aparte vakken voor wie rond de boom loopt. De Kanoê hebben in elk van deze vakken botten gedeponeerd, vermoedelijk van alle beesten die zij gegeten hebben. Het zijn indrukwekkende stapels; ik herken de smalle kaken van miereneters en de schedels van apen. We waden door een dikke aslaag en staren naar de grijsgeblakerde botten. Opnieuw treft de ordening: ook de botten zijn gesorteerd.

Wat betekent dit voor indianen, die geloven dat mensen na hun dood terug kunnen komen als dieren?

''t Is een mysterie,' zegt Altair. 'We denken dat de boom een rituele functie heeft, maar niemand weet hoe of wat.'[4]

Altair is een opmerkelijke persoonlijkheid. Marcelo was de man van grote emoties; zijn opvolger is daarentegen discreet met veel oog voor detail en droge humor. Marcelo had Altair geroemd als bosloper. Hij wilde bij voorkeur met Altair op pad, want Altair schoot beter dan wie ook, zag, hoorde meer en wist bij iedere boom wat je met het blad of de bast kon doen. Vincent, de filmer, was onder de indruk van zijn invoelend vermogen in het contact met de indianen en zijn intelligentie. Altair, die half analfabeet was, schreef rapporten en was de beste kaartlezer van hen en ook het handigst met de GPS.

In het kampement noemt iedereen Altair Alemão (Duitser) vanwege zijn blonde haar, blauwe ogen en afkomst uit Zuid-Brazilië, waar veel Duitse Brazilianen wonen. Altair was als vijftienjarige met zijn ouders naar het Amazonegebied gekomen na de advertentiecampagne van de regering. Zijn vader had een stuk grond willen kopen om te boeren, maar zijn spaargeld ging op aan het gezin. De kinderen waren namelijk voortdurend ziek. Altair zelf herinnert zich dat hij in een jaar dertien keer malaria opliep. Omdat hij toch wat moest, besloot pa tot een baan bij een houthandel.

Houthandelaren waren rouwdouwers, mannen van het snelle geld die een spoor van vernieling achterlieten. Ze kapten vaker zonder dan met vergunning; haalden bomen weg uit indianenreservaten, buitten hun personeel uit en fraudeerden met papieren. 'Mijn vader was de enige die eerlijk was,' aldus Altair. Bij gebrek aan beter begon Altair zijn werkend leven als knecht bij de houthandel. Zes jaar lang gidste hij de houthakkers door het oerwoud. In die tijd leerde hij weken te overleven in het bos met bijna niets. Nooit had hij het idee dat ontbossen goed was, maar hij hield zijn mond. 'Je hebt geen argumenten.' Toen hij in aanraking kwam met mensen van de Funai, besloot hij de overstap te maken.

Het is moeilijk je de milde Altair, die een intuïtieve kameraadschap met de indianen lijkt te hebben, voor te stellen in een kamp van houthakkers die zonder wroeging het woongebied van indianen vernielen.

Ik zin op een rustig moment om met Altair te praten omdat ik meer wil weten over de moord op Wajmoró. Als het kampleven 's middags verstilt, krijg ik mijn kans. Altair zit in de keuken en werkt het verslag voor de bazen in Brasília bij met de laatste bevindingen.

Amélia is met een teil met kleren en een stuk kokoszeep uit de supermarkt van Vilhena vertrokken naar de rivier om te wassen. Want ze wil ook weleens geen mannen zien, heeft ze verklaard. In het schuurtje achter onze slaaphut hoor ik af en toe gelach. Paulo, Sidnei en Chico sleutelen aan een motorfiets die het heeft opgegeven. Ik vermoed dat tolk Pedro in een hangmat ligt te slapen.

Altair houdt onmiddellijk op met schrijven als ik hem vraag naar Wajmoró. Marcelo vertelde me dat hij destijds met moeite over de moord had kunnen praten. Nog steeds lijkt het hem veel te doen. Hij zegt niets, maar kijkt naar zijn papier en trekt met zijn pen steeds grotere kringen. Het lijkt alsof hij een stille strijd met zichzelf voert om de herinneringen toe te laten. Na een lange stilte steekt hij van wal.

'Het was gruwelijk. En de maanden daarna waren heel moeilijk.'

'Hoezo?'

'Het was bijna oorlog. De Kanoê waren boos en verbitterd. Ze wilden de moord wreken. Marcelo en ik hebben erg op ze moeten inpraten om hen daar vanaf te krijgen.'

'Is ooit duidelijk geworden waarom de Akuntsu Wajmoró hebben vermoord?'

'Ik denk omdat ze voedsel van hen stal.'

Voor het contact met de Funai verhuisden de Akuntsu veelvuldig, omdat hun akkers steeds werden geplunderd, hadden ze verteld.

'We denken dat het de Kanoê waren die dat deden. Of misschien was het alleen Wajmoró. Wajmoró wilde steeds alles inpikken. Herinner je je de pan?' Ik herinner me het voorval op de dag van het eerste contact met de Akuntsu.

Hij had meermalen meegemaakt dat de Akuntsu spullen die ze van de Funai hadden gekregen snel in het bos verstopten als Wajmoró eraan kwam, vertelt Altair. Bij ieder bezoek aan hun dorp ging Wajmoró namelijk de hutten binnen en haalde ze de boel overhoop om te kijken of er iets van haar gading bij was. 'Het conflict sleepte al jaren.'

'Waarom hebben ze haar zo gruwelijk toegetakeld en aan stukken gesneden?'

'Het kan van alles zijn.' Altair pauzeert en zucht diep. 'Er is zoveel dat we niet weten over deze indianen. Vincent gelooft dat de Akuntsu bang waren voor Wajmoró. Dat zij dachten dat zij behekst was en kwaad bracht.' Maar het omgekeerde was ook het geval, herinner ik me. Filmer Vincent had tapes uit het eerste jaar laten vertalen. Txinamanty zegt daarop voortdurend dat ze bang is voor de Akuntsu en denkt dat zij haar en haar familie zullen doden.

Zonder armen kon Wajmoró in een volgend leven in ieder geval niet meer stelen. Zou het dat zijn geweest? De mummies van indianen die ik in een museum in Peru zag, hadden een gat in het voorhoofd. Het was bij deze indianen de gewoonte het voorhoofd te perforeren opdat de geest van de vijand uit de schedel kon ontsnappen. Als ze dat niet deden, kon de geest opnieuw opstaan en zich tegen hen keren, dachten ze.

De Akuntsu hadden zich twee jaar lang schuilgehouden, vertelt Altair. Met Marcelo had hij diverse expedities ondernomen om opnieuw contact te maken. Ze waren bang geweest dat er iets met hen zou gebeuren, dat de Kanoê hen te pakken namen of dat zij in een ander bos zouden gaan zwerven met alle risico's van dien.

Er was geen moment sprake van geweest dat de Akuntsu gestraft zouden worden. Volgens de Braziliaanse wet kunnen de Akuntsu nooit vervolgd worden voor de moord. Traditionele indianen vallen in de categorie zwakzinnigen en andere niet toerekeningsvatbaren. 'Je kunt het hun niet aanrekenen. Hun besef van leven en dood is anders,' zegt Altair.

Ik realiseer me dat hun vlucht ook anders gelezen moet worden. Het is niet de vlucht van iemand die zich schuldig weet. Zij waren op de vlucht voor de slechte geesten die de Kanoê vermoedelijk op hen af hadden gestuurd.

Altair staat op en schenkt twee glazen koffie in die hij voor ons neerzet.

'Ik heb er lang niet over gepraat,' zegt hij als hij weer is gaan zitten. 'Het was een les voor mij.'

Ik kijk hem onderzoekend aan.

'Ik probeer nu afstand te houden,' verduidelijkt hij.

'Hoe bedoel je?'

'Ik was me aan hen gaan hechten. Je denkt dat je hen begrijpt, dat je dichter bij hen komt te staan, maar het is niet zo. Hun drang tot wraak is voor ons moeilijk te begrijpen en te voorkomen.'

Hij neemt een slok van zijn koffie. 'Het doden gaat hun zo makkelijk af. Soms denk ik dat het voor hen geen groot verschil maakt of ze een mens of een dier doden.'

Alsof hij zelf schrikt van zijn bewering begint hij onmiddellijk over hoeveel hij geleerd heeft van de indianen. Purá heeft hem op hun vele tochten laten zien wat eetbaar is in het bos. Hoe je een noot kunt bereiden. En je kunt veel lol hebben met indianen. 'Het is een vrolijkheid als die van kinderen. Alles is een bron van plezier.' Vissen die niet willen happen, een gevonden tor of de schoen die verkeerd is aangetrokken. 'De Kanoê en de Akuntsu hebben niet het achterbakse en het berekende van indianen die al langer contact met de blanken hebben.'

Hij vindt dat hij ook in positieve zin veranderd is door de Kanoê en de Akuntsu. 'In het begin lette ik heel erg op mijn spullen, mijn hangmat, mijn slippers. Ik werd boos als ze wat hadden weggepakt en eiste het terug. *Alemão bravo.* Duitser boos, zeiden de Kanoê dan.'

Hij moet lachen bij de herinnering.

'En nu?'

'Nu kan het me minder schelen. Alleen als ik iets niet kan missen, zeg ik er wat van. Of omdat ik vind dat ze moeten weten dat niet alles voor niets en te geef is.'

Het laatste doet me denken aan wat Marcelo bij mijn eerste bezoek zei over geven en de basisprincipes van onze economie die hij hun wilde bijbrengen. Altair vindt ook dat hij de Kanoê en Akuntsu daarin moet sturen. 'Je wilt dat ze iets meer begrijpen van de blanke wereld. Je moet hen voorbereiden op het contact.'

Met een plof valt er een mango uit de boom op de grond. Als het ooit zover komt, denk ik. Zullen de Akuntsu en Kanoê ooit meer contact met de blanke wereld krijgen dan nu via het kampement van de Funai? Zullen de indianen ooit in Corumbiara boodschappen doen? Zal Operá, de zoon van Txinamanty, op een dag naar een blanke school gaan?

Altair is opgestaan en het erf op gelopen. Hij komt met de mango terug. 'Zo, dat is het toetje,' zegt hij als hij de vrucht boven op een keukenplank neerlegt.

Hij bewondert het groepsgevoel en het respect van indianen voor hun familie, zegt hij als hij weer gaat zitten. 'Als een van de indianen gaat jagen, verdeelt hij bij thuiskomst de buit. Alles is voor de groep.'

'Ja, alles voor de groep. Daar ben ik ook voor,' zegt Chico, die is komen aanlopen. Zijn handen zitten onder de smeer. 'Had jij niet tabak gekocht in Vilhena, Alemão? Waar ligt ie?'

De Akuntsu die moorden en op de loop gaan, intrigeren me. Wraak kwam ook veel voor bij de Tupari. Ik herinner me dat zij Caspar achteloos vertelden dat hun chef een van de eigen mannen met pijlen had doodgeschoten omdat hij als hij dronken was vervelend werd en achter de vrouwen aan zat. Dezelfde chef had met bewondering gesproken over de capabele leider van de Makurap omdat deze zoveel andere indianen had gedood.

Het doden van een naaste was dus niet zo'n taboe als in onze joods-christelijke samenleving. Bij het avondmaal besluit ik het onderwerp wraak en dood nogmaals aan te kaarten.

'Als indianen iemand doden, is er altijd een reden,' zegt Altair.

Chico valt hem bij: 'En ze hebben een geheugen als een olifant.'

Altair heeft dezelfde ervaring. 'Er kan iets twintig jaar eerder zijn voorgevallen. Het kan een detail zijn dat anderen allang vergeten zijn, maar zij niet. Niets wat er in de tussentijd nog gebeurt, telt dan. Zij hebben besloten tot wraak en die zal volgen. Ze wachten desnoods jaren om het geschikte moment te vinden.'

Allen hebben voorbeelden. Chico kende toen hij op een andere post werkte een blanke Funai-medewerker die uit Bahia kwam. Bahianen staan bekend als flierefluiters. De man sliep – in weerwil van de regels – af en toe met een van de indiaanse vrouwen. Op een dag knuppelden de indianen hem dood.

'Hij had het ernaar gemaakt,' zegt Chico. Uit het zwijgen van de rest van het gezelschap maak ik op dat de mening gedeeld wordt.

Anders ligt de communis opinio bij het geval-Sobral, een sympathieke Funai-werknemer met een lange staat van dienst. Sobral werkte in het noorden van de Amazone bij net gecontacteerde Korubo-indianen, die ook wel de knuppelaars werden genoemd omdat zij hun vijanden doodknuppelden. De indianen hadden een dekzeil gepikt uit het Funai-kampement. Bij een bezoek aan hun hutten, viel Sobrals oog op het zeil, dat de indianen in het palmtakken dak van hun onderkomen hadden verwerkt. Hij werd driftig en trok het dekzeil naar beneden om mee te nemen. Maanden later werd hij doodgeknuppeld door Korubo-vrouwen. Allen aan tafel zijn het erover eens dat het om het dekzeil moet zijn geweest. De Funai had hem moeten overplaatsen, vindt Altair. 'Ze wisten dat de indianen zich wilden wreken. Hij was maanden eerder ook al door dezelfde indianen beschoten met pijlen. Hij was gemerkt.'

Waarom zouden indianen zo wraakzuchtig zijn? Of zijn wij in de grond even wraakzuchtig maar wordt onze natuurlijke neiging in bedwang gehouden door een bijbels gebod, strafwetten, een grote pakkans en praktische problemen? Zo simpel is het niet iemand te vermoorden.

Ik leg het mijn maten in de tropennacht voor, maar we komen er niet uit.

'Indianen zijn niet gewelddadiger,' stelt Altair. 'We hebben tijdens de koloniale tijd miljoenen indianen over de kling gejaagd. Dat kan je omgekeerd niet zeggen.'

'Maar onze destructieve kracht is groter. Wij hadden vuurwapens,' argumenteer ik.

'En wat dacht je van sommige rubberbaronnen?' Chico klinkt verontwaardigd. 'Die hadden geen enkel moreel probleem om een rijtje indianen of andere sloebers naar een andere wereld te helpen.'

'Hun wereld is als de natuur. Je kunt indianen niet met blanken vergelijken.' Paulo heeft de hele tijd zijn mond gehouden, maar valt nu in. 'In de natuur is de dood gewoon.' Altair knikt. 'In de natuur wordt goed en kwaad bepaald door het overleven. Het is geen moreel goed en kwaad. Doodslag is voor hen niet slecht.' Maar tekent hij aan: indianen maken wel onderscheid tussen *manso*, tam, of *bravo*, wild. Je hebt wilde (boze) indianen en wilde (boze) blanken voor hen. Maar wild is ook moedig.

Ik herinner me een documentaire waarin indianen opschepten dat hun voorvaderen zoveel blanken hadden gedood. Ook kinderen putten inspiratie uit dit oorlogszuchtige collectieve zelfbeeld. Er was een jongen die iedere keer als hij met zijn pijlen een boom had geraakt, opgewekt riep: 'Weer een blanke gedood.'

Altair kent het. Doden als lakmoesproef. 'Er zijn stammen waar je als jongen eerst een mens moest doden om geaccepteerd te worden als man. Hij moest laten zien dat hij moed had. En doden zonder getuige erbij gold niet. Toch denk ik dat je uiteindelijk onder indianen net als onder blanken gewelddadige en vreedzame types hebt.'

De regentijd is begonnen dus zijn er meer slangen gesignaleerd in het kampement. Altair geeft de volgende dag verhoogd alarm af.

Waar kan ik het gevaar verwachten, vraag ik hem. En bovenal, wat moet ik doen als ik zo'n griezel op mijn weg tref?

Amélia giebelt. 'We hebben er al een in de keuken gehad en laatst zag ik er een toen ik naar de wc ging. Er liep een wit straaltje over de stapel hout die achter de slaaphut ligt. Ik dacht dat het een vogel was maar het was een slang die zat te poepen.'

Op een plank in de keuken staan vier ampullen met serum. Serums zijn schaars, maar Amélia wuift mijn zorgen weg. 'Maak je geen zorgen. Wij hebben in het ziekenhuis nog nooit serums gebruikt. Je pakt de beet vast en daarna zuig je het gif op.'

En als dat niet werkt is er *surucina*, een indiaanse aardappel, die je moet raspen. Ik zal twee lepels van het vocht moeten drinken en de rest – vezels – op de beet moeten leggen. 'De hoofdpijn die na zo'n beet komt, zakt meteen tot in je voeten.' Amélia kijkt me triomfantelijk aan. 'En er is ook zwarte steen die je in melk moet wassen die je erop kunt leggen.'

'Alsof je melk in het oerwoud hebt.' Chico, die aan de tafel in een tijdschrift zit te bladeren, mengt zich in het gesprek.

Amélia is verstoord. Ze houdt er niet van tegengesproken te worden. Alsof er geen slangen bestaan, loopt ze met blote voeten in haar plastic teenslippers de moestuin in en wenkt mij. Ze wil me het traject van de slang laten zien, zegt ze.

Amélia geniet zichtbaar van de aanwezigheid van een andere vrouw in het kampement. Bedreven spint ze een samenzweerderig net met confidenties en blikken van verstandhouding. Ik moedig het aan want op mijn beurt vermaak ik me met haar verhalen, waarin een buitengewoon groot aantal oplichters en overseksete mannen figureren. Amélia heeft vijf kinderen van drie mannen die haar allen in de steek lieten. Hoewel ze verpleegster is, is ze in het kampement een soort moederoverste. In een verbluffend tempo maakt ze iedere dag meerdere gerechten klaar op het houtvuur en tussendoor bakt ze broden. Koken is eigenlijk een taak van iedereen. 'Als ik moet eten wat die mannen koken, lijd ik honger,' verontschuldigt ze haar eigen regelzucht.

Amélia komt bij als ze in het kampement is, heeft ze me verteld. Haar bestaan daarbuiten is een uitputtingsslag waarin alles draait om geld. Het moederhart lijkt niet gekweld door wroeging of heimwee. De oudste kinderen zorgen voor de jongste als zij weken achtereen in het oerwoud zit. Amélia rekent voortdurend uit hoeveel zakken cement ze kan kopen met het geld dat de Funai haar wegens overwerk nog schuldig is. Haar huis is krap en ze wil nog een kamer bijbouwen. Wanden metselt ze zelf, heeft ze me toevertrouwd.

'Laten we naar de beek gaan,' zegt Amélia tegen mij. 'Ik wil je wat vertellen'.

We gaan zitten op het houten plankier dat gebouwd is om het baden en wassen in de beek te vergemakkelijken. We kijken naar de libellen die over het water dansen.

'Wat vind je van Pupak? Ik vind hem aardig, maar het is een snoeper.' Ik knik en veins onwetendheid. Amélia heeft niet meer aanmoediging nodig. Ze komt meteen met het verhaal dat haar hoog zit.

Op een avond toen ze een bad in de beek nam, had ze iets horen ritselen. Een van de daaropvolgende keren had ze Pupak zien staan gluren tussen de struiken. Hij had een neukgebaar gemaakt tegen haar.

'Maar hoe weten indianen wat een neukgebaar is?'

'Nou ja, of zoiets.' Amélia wappert de vraag weg. 'Ik weet zeker dat hij iets wilde, want hij stond me gewoon te bespioneren.'

'Maar zij lopen toch de hele dag in hun blote kont. Zouden ze het dan interessant vinden om ons bloot te zien?'

'Als het zo gewoon zou zijn, hoeft hij toch niet achter een struik te zitten,' snuift Amélia tegen.

Daar zit wat in.

Ze weet wat er aan de hand is, zegt Amélia. 'Pupak snakt naar een vrouw. Hij is jong. Hij wil seks.'

Wij nemen Pupaks kansen door. Het houdt niet over. Txinamanty voelt zich lichtjaren verheven boven de Akuntsu. Maar ze zou best ondertussen met Pupak de bosjes in kunnen duiken, opper ik. 'Als de hormonen opspelen, is het verstand voorbij.' En ik vind ook dat Operá met zijn dikkere lippen op Pupak lijkt. Tolk Passaká had gezegd dat Txinamanty Pupak 'de gek' noemde, maar op een van de tapes van Vincent had ze verteld over een mislukte nachtelijke ontmoeting. Zij was alleen geweest. Pupak had de deur van zijn hut vastgebonden met lianen, maar ze had hem opengerukt. Maar toen hij haar in zijn hangmat had geduwd, was ze gevlucht.

Amélia schudt beslist het hoofd. Txinamanty doet het met Babá, gelooft zij. 'Zij gaat met Babá, want dat is de chef van de Akuntsu.' Babá is volgens haar ook de vader van het kind.

Ze baseert haar stelligheid op mededelingen die Txinamanty haar zou hebben gedaan. Niet zonder trots komt ze met een onthulling. 'Txinamanty heeft tegen mij geklaagd dat Babá's penis zo klein is.'

Even geloof ik haar niet. Ik kan me geen dialoog hierover voorstellen met de woordenlijst uit de multomap, maar bedenk vervolgens dat de twee vrouwen natuurlijk heel goed met handen en voeten over de grootte van het geslachtsorgaan kunnen hebben gecommuniceerd.

Als Txinamanty Pupak boycot, zoals Amélia denkt, zou Pupak kunnen uitwijken naar de dochter van Babá. Of hij kan met een van Babá's vrouwen in de hangmat kruipen. Ik leg het Amélia voor.

'O, nee. Dat gebeurt nooit. Dat zal Babá nooit toestaan.' Amélia schudt heftig haar hoofd. Volgens haar zit Pupak onder de plak van Babá. 'Want Babá spuugt op de grond als ik naar Pupak vraag. Hij doet alleen maar aardig tegen Pupak als hij brandhout verzameld heeft of met vlees terugkomt van de jacht.'

Amélia, die instinctief solidair is met alle verstotenen der aarde, heeft met Pupak te doen. 'Hij is het werkpaard en wordt door de anderen gebruikt. Hij wordt niet door hen geaccepteerd.'

De andere Akuntsu laten voortdurend doorschemeren dat Pupak gewelddadig is. Zelf is Amélia daarvan niet overtuigd. 'Ik heb er tenminste nog nooit iets van gemerkt.'

'Zij doen dus net zo aan roddel en achterklap als blanken,' concludeer ik.

Amélia knikt. 'En zal ik je nog eens wat vertellen?' Haar stem daalt. Ik weet niet of het is omdat ze denkt dat iemand ons zou kunnen afluisteren of omdat ze meer effect op mij wil bereiken. 'Ze zeggen dat Pupak samen met de oude vrouw Wajmoró heeft vermoord.'

11

De indiaan van het gat

De Akuntsu hadden nooit wroeging getoond over de dood van Waj-moró, vertelt Altair. Opmerkelijk genoeg hadden de Kanoê zich daar-entegen wel schuldig gevoeld aan de dood van het Akuntsu-meisje, ter-wijl zij daar helemaal niets aan konden doen. De boom was omgeval-len tijdens een storm korte tijd nadat de Akuntsu waren teruggekeerd naar hun erfje. Ruim een jaar hadden ze rondgezworven. Toen Marcelo en Altair hen uiteindelijk vonden – dat was medio 1998 geweest – wa-ren ze ernstig vermagerd. Ze hadden zich gemakkelijk laten overhalen weer een van hun oude dorpen te gaan bewonen. Maar de Akuntsu hadden ieder contact met de Kanoê gemeden en omgekeerd. Zodra ze merkten dat de Kanoê in het kampement waren, keerden ze om.

Dat de boom precies op het moment dat de Akuntsu daar in het bos liepen was omgevallen, was in de door onzichtbare krachten beheers-te wereld van de indianen natuurlijk geen toeval geweest. Een wraak-geest was op verzoek van de Kanoê in actie gekomen. In de Middel-eeuwen zouden wij vermoedelijk net zo hebben gedacht; toen werd onze wereld beheerst door God, de duivel en kwelgeesten en zagen we oorzakelijke verbanden geheel anders. Calamiteiten waren een straf van God. Nu weten we dat bomen omvallen als ze rot zijn en het hard waait.

Na het ongeluk was Pupak door het bos komen aanrennen om hulp te vragen. Hij had op zijn been gewezen en 'Babá' gezegd. De dochter was al begraven toen Altair, Amélia en de anderen bij de plek des on-heils aankwamen. Op hun gezichten hadden alle Akuntsu met uru-cum snorharen en lijnen geschilderd. 'Ze zagen eruit alsof ze katten waren,' herinnert Amélia zich.

Babá had aan de omgevallen boom een verbrijzeld dijbeen overgehouden en moest naar een ziekenhuis worden gebracht. In een hangmat hadden ze de kreunende Akuntsu-chef door het oerwoud terug
naar het kampement gesjouwd. De hele familie, inclusief de oude
Ururu, had er in ganzenpas achteraan gelopen. 'Lijden en afzien was
het, voor iedereen,' zegt Amélia.

Babá moest vervoerd worden in de Toyota, maar omdat hij onder
de modder zat, moest hij eerst gewassen worden. Dat stuitte op hevig protest. Bij iedere pijnkreet van Babá stampten de andere Akuntsu
met meegenomen speren op de grond en spogen ze.

Babá's vrouwen begonnen te huilen toen Altair en Amélia Babá in
de achterbak van de Toyota legden. 'Ze waren doodsbang. Volgens mij
dachten ze dat ze hem nooit meer terug zouden zien,' zegt Amélia. De
speren moesten mee in de auto, net als een stuk smeulend hout, zodat
Babá vuur zou kunnen maken op de plek waar hij terechtkwam. 'Ze
zijn één keer tijdens hun vlucht het vuur kwijtgeraakt en hebben toen
weken honger geleden.'

Ze brachten Babá naar de stad Cuiabá. Elf uur hadden ze erover gedaan. Voor Babá, die nooit buiten het bos was, moet het een wereldreis
zijn geweest.

Maar in het ziekenhuis wilde Babá, die daar geopereerd werd, het
grootste deel van de tijd niets zien en weten van de wereld waarin hij
verzeild was geraakt. Hij was bijna voortdurend 'stikchagrijnig', volgens Amélia. Op zulke dagen kreunde, zuchtte en jammerde hij aan
één stuk door en moesten de gordijnen ook overdag van hem dichtblij-
ven. Alleen als hij een goed humeur had, liet hij zich in een stoel naar
het raam schuiven. Dan keek hij door een spleetje tussen de gordijnen
naar beneden waar een bushalte was en mensen liepen. Hij praatte in
zichzelf en na een paar minuten vond hij het meestal genoeg. Vervolgens trok hij zich terug en moesten de gordijnen weer potdicht.

Vaak lag hij in een bed met een erectie en wilde hij dat Amélia boven op hem ging zitten. De verpleegsters konden op zijn niet-aflatende belangstelling rekenen. Volgens Amélia, die dag en nacht bij hem
was, maakte hij bij iedere vrouw die in de deuropening verscheen een
obsceen gebaar met zijn vingers. Zijn nadrukkelijke uitnodiging re-
sulteerde in het tegenovergestelde: in de kliniek was Babá de schrik
van de gang. 'Hij was zo opgewonden dat ik de deur op slot moest

doen. En de verpleegsters durfden de kamer niet in als wij er niet bij waren,' vertelt Amélia.

Toen Babá na ruim drie weken terugkeerde naar de post Omerê, verschenen als eersten de oude Ururu en Pupak. Toen Babá zag dat de kust veilig was, gaf hij Pupak opdracht een steen op een bepaald stuk hout te leggen. Dat bleek een afgesproken teken, want pas daarop verschenen Babá's vrouwen en de dochter. De vrouwen waren er beroerd aan toe: ze waren sterk vermagerd en hadden alle drie buikloop. Ze waren na Babá's vertrek het bos in gevlucht en hadden niet meer in hun eigen hutten geslapen – alsof ze zonder Babá bang waren voor Ururu en Pupak.

Babá zou enkele maanden in het kampement blijven, was afgesproken met de ziekenhuisarts. Amélia kon zo oefeningen met hem doen. Maar daarvan was geen sprake meer toen Babá's vrouwen verschenen. 'Zodra ik een vinger naar Babá uitstak, sprongen ze op en protesteerden. Hij was hun bezit.'

Halverwege de revalidatie moest Babá voor controle terug naar het ziekenhuis. Met behulp van de tolk maakte Altair het nieuws bekend. Babá's vrouwen begonnen te spugen. Amélia koos de weg van de minste weerstand en zei de dokter af. 'Ik had het gevoel: als ik dit doorzet, ben ik mijn leven niet meer zeker.'

Aangezien de Akuntsu vanwege Babá's revalidatie wekenlang in het kampement rondhingen, was een confrontatie met de Kanoê onvermijdelijk geworden. Het was spannend; de Funai-medewerkers waren op alles voorbereid.

Babá had binnen in de slaaphut in een hangmat gelegen toen Txinamanty op een dag het kampement betrad. Ze spraken met elkaar zonder elkaar te zien, want ze ging de hut niet binnen maar bleef in de keuken staan. De volgende dag verscheen Txinamanty opnieuw. Babá zat op dat moment buiten en nodigde haar met een handgebaar uit rapé te snuiven. Tijdens de sessie wisselden ze geen woord met elkaar en Txinamanty had haar kind tussen hen in gezet alsof ze een buffer wilde hebben.

Na een tijdje riep Babá zijn vrouwen die verderop zaten. Ze pakten Operá vast, iets wat Txinamanty gewoonlijk zelden toeliet, en begonnen te huilen. Twee tellen later snikte iedereen.

Mogelijk hadden Babá en Txinamanty het de dag tevoren over de moord op Wajmoró en mogelijke daders gehad. Want toen de oude Ururu en Pupak na de snuifsessie verschenen, spuugden zowel Txinamanty als de andere Akuntsu op de grond. Niet eerder hadden de Kanoê en Akuntsu zo'n duidelijk teken van afkeuring afgegeven.

'Volgens Babá en zijn vrouwen hebben zij het gedaan,' zegt Amélia. Ze weet nog steeds niet of ze het moet geloven. 'Je weet het nooit bij indianen.'

Voor hen lijken wij op elkaar. Voor ons lijken zij op elkaar. Toch zijn ze heel verschillend. De Akuntsu kreeg je voor het ongeluk en ook daarna niet meer in de Toyota. Met geen stok. De Kanoê daarentegen houden van autorijden. Vooral Purá. Hij zit kaarsrecht, ernstig kijkend en met zijn pijlen en boog tussen zijn voeten geklemd op de achterbank. Als de auto begint te rijden, slaat hij vanuit zijn ooghoeken de onbekende wereld gade die zich ontrolt. Geen moment draait hij zijn hoofd van de weg af, alsof hij alles onder controle moet houden. Bij iedere onverwachte beweging of elk raar geluid van de motor verstijft hij, maar hij geeft geen kik.

Altair vertelt dat Purá al twee keer mee is geweest naar Corumbiara. Daar heb je huizen van planken en van baksteen met een verdieping erop, vensters met glas, verf, kleuren en bloemen, winkels vol onbekende voorwerpen, straten, kruispunten, blanke kinderen en veel, heel veel mensen die door elkaar lopen, en niet achter elkaar zoals in het bos. Het moet een duizelingwekkende hoeveelheid nieuwe informatie zijn. Maar Purá ondergaat de ontdekking van de wereld van de blanke vijand ernstig en gelaten. 'Hij laat nooit doorschemeren wat hij vindt,' zegt Altair.

De Akuntsu blijven bang voor de Toyota. De eerste keer beschoten ze het witte beest toen het ronkend in beweging kwam. De Akuntsuvrouwen lopen in een boog om de auto heen. Ook nu langzamerhand tot hen is doorgedrongen dat de Toyota alleen gehoorzaamt als een blanke aan knoppen morrelt, blijven ze wantrouwend. Babá en Pupak hebben de auto sinds Babá naar het ziekenhuis is geweest weleens aangeraakt. Dat gebeurde op aandringen van Altair. Maar ze trokken hun hand razendsnel terug. 'Ik denk dat ze bang zijn dat ze gebeten worden,' zegt Altair. Hij vermoedt dat ze het geluid van de motor, de beweging en de rokende uitlaatpijp associëren met kwade geesten: het begin van het einde, want als de tractoren van de houthandelaren kwamen, raakten ze daarna hun bos kwijt. Het doet denken aan de Tupari, die ervan overtuigd waren dat de motor van de boot van de westerlingen de ziektes veroorzaakte waaraan alle indianen daarna doodgingen.

Pas vijf jaar na het eerste contact kreeg Altair Babá en Pupak zover dat ze een keer instapten voor een kleine proefrit op de grasheuvel. Maar toen het portier dichtging en Altair de motor startte, raakten ze in paniek. Ze begonnen druk te praten, draaiden op hun stoel, schokten met hun lichaam en probeerden tevergeefs te gaan staan, hetgeen nog ingewikkelder was dan gewoonlijk vanwege de vele pijlen en bogen die ze mee de auto in hadden genomen. Pupak probeerde uit het zijraampje te klimmen. Toen hij merkte dat het gat te klein was, wilde hij de ruit kapotmaken. De hele scène duurde hooguit een paar minuten, maar sindsdien willen de Akuntsu helemaal niets meer weten van een ritje in de Toyota.

Dit soort incidenten, maar ook kleine details uit de dagelijkse omgang roepen vragen op over het verleden. Hoe kan het dat de Kanoê en de Akuntsu zo verschillend reageren op het contact met westerlingen? Zijn hun cultuur en organisatie zo verschillend? Zijn hun ervaringen zo anders geweest? In het verleden moet de sleutel liggen van het heden, denk ik.

De westerlingen waren hun vijand. Toch zijn de Kanoê gefascineerd door onze wereld. De Akuntsu daarentegen interesseren zich nauwelijks voor ons, mensen met lichaamshaar die hun behoeften doen in een gat in plaats van in het bos, die water hebben dat naar wens stopt en loopt, en die met knallende, ijzeren buizen apen uit de boom schieten. Zij blijven het liefst in hun eigen bos. Zelfs het grasland naast het kampement dat de Kanoê bijna dagelijks oversteken om de Funaimensen te bezoeken, mijden ze. 'Zij willen de bescherming van het bos. Ze voelen zich kwetsbaar in de open vlakte,' gelooft Altair.

In deze dagen dat ik wederom in het kampement verblijf, is er dagelijks bezoek van één of meer Kanoê. Txinamanty draait dikke sigaretten van de tabak die Altair meeneemt uit Vilhena en pakt koffie uit de thermosfles. Alle Kanoê gebruiken nu suiker. Als er gegeten wordt, eten de Kanoê als vanzelfsprekend mee. Niemand nodigt hen uit. Ze pakken een bord, sluiten zich aan bij de rij, lichten de pandeksels op, kijken kritisch naar de inhoud en scheppen op. Ze eten met een vork. Na afloop schuiven ze de botjes in de vuilnisemmer, spoelen hun bord onder de kraan om en zetten het in het afdruiprek. Het is een perfecte imitatie van ons gedrag.

In hun eigen dorp houden de Kanoê vast aan hun traditionele voedsel: maniok, maïs, pinda's, vis, larven, wat vruchten en af en toe wat vlees, als ze met succes op wild gejaagd hebben. Ze bereiden het vlees nog op traditionele wijze: het wordt dagenlang gerookt op een rooster van takken boven een vuurtje of in bladeren gerold en in de hete as gegaard.

Moeder Tutuá loopt nog met ontbloot bovenlijf, maar Txinamanty en Purá gaan volledig gekleed. De Kanoê wassen zich vaak in de rivier, maar hoe je kleren schoon en heel kunt houden, weten ze nog niet. Txinamanty en haar zoontje lopen vaak in smerige, halfversleten vodden.

Ondanks de gewoonte zich te kleden, lijken de kleren voor de Kanoê eerder een statussymbool of versiering, net als hun kettingen, pluimstaart of hoofddeksel. Bij de Kanoê dient kleding ook niet om naaktheid te bedekken, vermoed ik. Als ik Txinamanty een keer vraag of ik een foto van haar mag maken, gaat ze de hut in en zoekt een schoon shirt uit. Ze komt halfnaakt de hut weer uit en verkleedt zich voor mijn ogen buiten.

De Kanoê zijn zwijgzaam, op het neerslachtige af. Ze observeren, knikken en glimlachen vooral. De Akuntsu zijn gezellige vertellers. Ze praten en lachen veel, en alle verhalen worden door gesticuleren begeleid. Bij de Akuntsu is het zowel in als buiten de hutten een rommeltje. Op de grond liggen resten van vruchten en bananenschillen, maar ook een mes dat wegroest. De Kanoê zijn systematisch en geordend. Hun erf is altijd schoongeveegd, evenals de vloer van de hut. Met hun oog voor detail, hun discipline en hun werklust zijn de Kanoê geweldige ambachtslieden. Sommige bezoekers van de post namen zakjes kraaltjes in diverse kleuren mee. De Kanoê maakten er smaakvolle armbanden van. Ook de traditionele kettingen die ze droegen op het moment van het eerste contact, getuigen van esthetisch inzicht. Het plastic materiaal dat ze vonden, zoals de emmers, hebben ze in gelijke vormen gesneden. Er zijn kettingen met ongeveer vier centimeter grote rondjes en andere die zijn opgebouwd uit ongeveer even grote stukjes plastic in trapeziumvorm. Door de trapeziumvorm waaiert de ketting mooi uit. Het moet een duivelse klus zijn geweest met hun primitieve werktuigen uit het harde en halfronde plastic steeds precies gelijke stukjes te snijden en er ook nog fijne gaatjes in te boren. Er is heel goed over nagedacht. De stukjes worden bijvoorbeeld iets kleiner bij de hals, waardoor de ketting nog mooier valt. En ook de kleurencombinatie is doordacht. In een ketting die de Akuntsu-vrouwen kregen in ruil voor vlees, zitten bijna alle kleuren en ze verlopen geleidelijk. Zelf dragen de Kanoê-vrouwen kettingen van rood en oranje plastic, de kleur waar indianen volgens Altair verrukt van zijn. 'Bijna alles is immers groen of bruin in het bos.'

Het werkstuk dat de meeste bewondering afdwingt, is een broek. Purá had van iemand een oude, te grote broek gekregen. Hij had hem geheel uit elkaar gehaald, passend gemaakt en weer opnieuw genaaid. Met niets anders dan een draad en naald zette hij een perfecte en passende jeans in elkaar met gulp, zakken, Franse naden en dubbele stiksels. De steken zijn zo regelmatig dat ze eruitzien alsof ze met een machine gemaakt zijn. 'Die jongen is een monnik,' zegt Amélia.

De toenadering tot de westerse maatschappij is een onvermijdelijk proces. *Aculturação*, of acculturatie, noemen de Brazilianen het. Maar van acculturatie spreek je als twee culturen nader tot elkaar komen en op basis van gelijkwaardigheid in elkaar opgaan. Dit proces is eigenlijk inculturatie of assimilatie, want er is een dominante cultuur – de onze – waaraan de andere – die van de indianen – zich geheel onderwerpt. Wij nemen tijdens dit proces niets over van de indiaanse cultuur.

Het proces van aanpassing van de Kanoê en Akuntsu loopt vijf jaar na het contact nog steeds moeizaam. Het lastigste punt in het kampement blijft bezit en het verband tussen werk en bezit, waar Marcelo al mee bezig was geweest. Met de Kanoê kwam het zelfs tot een conflict. Stukken zeep, batterijen, kledingstukken, gebruiksvoorwerpen uit de keuken – van alles pikten ze uit het kampement mee, inclusief dingen waaraan ze zelf niets hadden zoals cassettebandjes, pennen of een spel kaarten. Wie iets buiten de hutten had laten liggen, wist zeker dat het binnen enkele uren door de grijpgrage Kanoê was weggenomen.

Het was vervelend en lastig. Altair kaartte de kwestie met hulp van tolk Pedro aan. Dit waren spullen die op het kampement hoorden en van iemand anders waren. Als de Kanoê iets wilden hebben, moesten ze het niet stiekem pakken maar vragen. Of, zoals met eten, pakken waar iedereen bij zat.

De opvoedkundige les werd een mislukking. De Kanoê werden boos op de tolk. Hoe kwam hij erbij hun bevelen te geven? De tolk weigerde daarna nog iets te vertalen, want ook hij was in zijn wiek geschoten.

Daarop besloot Altair tot een andere strategie: iedere keer als de Kanoê iets gestolen hadden, zouden de Funai-mensen bars en stil zijn. Dat bleek zeer effectief. De Kanoê werden onrustig van de norsheid en vroegen dan via de tolk wat er aan de hand was. Als de Brazilianen het uitlegden, begrepen ze het en kwamen de spullen terug.

Het stemt tot nadenken: dat nukkig doen in twee zulke verschillende culturen hetzelfde effect sorteert. Door de ander te negeren kun je aandacht afdwingen en je zin krijgen. Het verlangen naar harmonie is klaarblijkelijk universeel. Uit de reactie van de Kanoê blijkt eveneens hoezeer ze hechten aan vriendschappelijke betrekkingen met het kampement.

De Akuntsu stelen vooral eten. Suiker is nummer één op hun lijst. 'Ze vragen,' zegt Altair. 'En als we weigeren, pakken ze het weg. Ik denk dat ze vinden dat wij, Brazilianen, veel hebben en best wat kunnen missen.'

'Daar hebben ze natuurlijk niet helemaal ongelijk in,' stook ik.

'Ja, we kunnen best wat missen. Maar zij moeten leren dat het soms nee is.'

'En wat doe je als ze het wegpakken?' Nukkig doen en negeren zullen bij de Akuntsu niet werken, omdat ze maar af en toe de post bezoeken. Bovendien is het gestolen goed allang opgegeten tegen de tijd dat ze weer verschijnen.

'We pakken het terug,' zegt Altair. 'Dat vinden ze prima. Ik heb nog nooit een kwaad woord gehoord.'

Misschien bestaat stelen helemaal niet voor de indianen, bedenk ik me later. Hein van der Voort, de linguïst, ontdekte dat bijvoorbeeld de Kwazá, wier taal hij bestudeerde, het begrip stelen in de zin van iets wegnemen dat van iemand anders is niet kennen. Dingen kunnen wel worden gegeven in het Kwazá maar niet worden weggenomen. 'Bij traditionele indianen is alles van iedereen. En dan kun je niet stelen,' vermoedt Hein. De Kwazá hebben wel een woord voor handelen. Je kunt ook cadeaus geven. Dat is trouwens in hun taal hetzelfde als iets voor iemand doen. Valt er een conclusie te trekken uit het gegeven dat het er voor de Kwazá klaarblijkelijk niet toe doet wat je geeft, of dat een voorwerp is of een dienst? Misschien dat de indianen meer waarde hechten aan het doel – het verstevigen van de band – dan aan wat er overgedragen wordt.

De Akuntsu laten zich niet zien tijdens mijn verblijf. 'We zullen ze zelf moeten opzoeken,' zegt Altair.

Op een ochtend om zes uur, voordat het bloedheet wordt, vertrekken we. Als we puffend de laatste helling nemen, duikt opeens de Kanoê Purá op uit de struiken. We hebben hem niet in het kampement gezien toen we vertrokken en evenmin gemerkt dat hij achter ons aan kwam. Deze overvaltechniek wordt vaker toegepast, zegt Altair.

'De Kanoê willen er toch het liefst bij zijn als we naar de Akuntsu gaan.'

Purá heeft zich op hoog bezoek gekleed. Hij draagt een nieuwe spijkerbermuda, een vlekkeloos wit T-shirt – in het oerwoud met rode aarde en alom kleverige stoffen een niet-geringe prestatie – en een safarihoedje. Als je zijn lichtblauwe, in de supermarkt in Vilhena gekochte plastic teenslippers, de kettingen en pluimstaart op zijn rug wegdenkt, ziet hij eruit als een Japanse toerist.

Voor de Kanoê reserveert Babá het hartelijkste welkom. Minutenlang staan Purá en de Akuntsu-chef tegenover elkaar. Ze omarmen elkaar. Dat wil zeggen Babá, bedekt over zijn hele lichaam met opgedroogde modder, grijpt de Kanoê stevig bij zijn bovenarm. Purá laat zijn handen ergens ter hoogte van het middel van zijn gastheer hangen en beroert diens lichaam en smerige T-shirt zo min mogelijk. Ze wisselen in deze positie minutenlang teksten uit. Purá glimlacht en Babá schatert voortdurend. Zou de moord op Wajmoró nog een rol spelen in het burencontact? Zou Babá aardig tegen Purá doen omdat hij wil dat hij zijn akker gaat bebouwen en bij de Akuntsu komt wonen?

Altair slaat net als ik de scène gade.

'Babá is een groot diplomaat,' zegt hij.

De vrouwen van Babá waren maïskorrels aan het fijnstampen, ieder in een eigen bak en bij een eigen vuurtje. Ze zijn opgehouden met werken en slepen behulpzaam bankjes aan, zodat we kunnen zitten.

[boven] *Hoofdstraat van het dorp Chupinguaia.*
[onder] *Nieuwsgierige bultrunderen volgen ons als we bij het vallen van de
avond over het weiland teruglopen naar het kampement.*

[boven] *Met een knuppel stampt de oude Akuntsu Ururu in haar hut de maniok fijn. Daarna wrijft ze het meel door een gevlochten vezelrooster.*
[onder] *Het is een rommel in de hut van Pupak. De Akuntsu zit in zijn zelf-gemaakte hangmat en gebruikt zijn envira pluimstaart als kussentje.*

[boven] *Akuntsu-chef Babá. Boven zijn lip het mondsieraad zo groot als een luciferskop. Zijn haar is vermoedelijk weggeschroeid.*
[onder] *De harem van Babá. Van links naar rechts: Bugapia, de oudste echtgenote, Nanoí, de jongste echtgenote, en dochter Inontéi, die de groene huispapegaai liefkoost.*

[boven] *Inontéi, het Akuntsu-meisje, draagt een mondsieraad zo groot als een luciferskop. Haar lichaam is vlekkerig van het vuil: de Akuntsu baden zelden.*
[onder] *Babá met de auteur. De ketting is van schelpen die vermoedelijk in de rivierbedding zijn gevonden en in het zakje in zijn handen zit rapé.*

[boven] *Nanoí (links), de jongste vrouw van Babá, en Inontéi (rechts), het tienermeisje. De kettingen, van plastic emmer, pitten en schelpen, verkregen ze door ruilen met de Kanoê.*

[onder] *De Akuntsu-vrouwen met de auteur op hun erfje. Van links naar rechts: Ururu, Bugapia met de huispapegaai, Nanoí en Inontéi.*

[boven] *Vincent vergrootte een van de beelden van zijn videofilm uit. Daarop bekijkt de indiaan door een gaatje in de wand van zijn hut zijn belagers.*
[onder] *Er is niets van angst of woede in de blik van de 'indiaan van het gat'. Hij kijkt eerder moe en gelaten. Met zijn langgerekte neus lijkt hij het meest op de Kanoê.* © Vincent Carelli

[boven] *De hut van de indiaan van het gat aan de rand van de zwerfakker valt nauwelijks op omdat hij is gemaakt van het blad van de palmen die eromheen staan.*

[onder] *Het gat met het staketsel is zo groot dat de indiaan zich vast met moeite kan bewegen in de kleine hut. De enige logische functie lijkt dat je erin kunt zitten of liggen.*

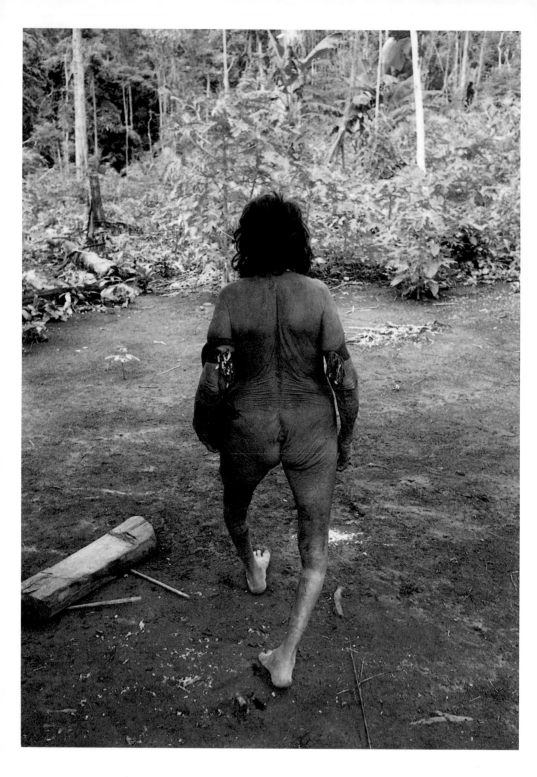

Ururu draagt uitsluitend kettingen en rieten armbanden. Ze loopt moeizaam vanwege haar kromgegroeide benen, mogelijk veroorzaakt door een verwaarloosde breuk.

Het verschil met de Kanoê is opnieuw groot. Hoewel de Akuntsu een voor mij nieuw dorp bewonen, is alles nog zoals ik het me ongeveer herinner van het vorige bezoek. Dezelfde slordig gebouwde hutten van schuin omhooggezette palmbladen en een rommelig erfje met stukken boomstam om op te zitten. De vrouwen zijn spiernaakt op wat kettingen na en de twee mannen lopen in gescheurde, vieze T-shirts. De dochter is van een prille tiener een vrolijke jonge vrouw met grote borsten geworden. Ze is nerveus en heeft nog steeds dezelfde tic. Af en toe pakt ze een borst beet, trekt eraan en slaat erop.

Ze is zichtbaar gesteld op Altair en dartelt om hem heen. Hij moet kijken naar haar vogel, een flodderige toekan. En hij moet mee naar de hut. En dan wil ze hem iets in de boom laten zien. Altair laat zich geduldig meetronen. Hij lacht en luistert naar haar. Ik hoor hem in zijn beste Kanoê – de taal van de Akuntsu blijft een mysterie – iets terugzeggen.

Ik word door hen gemonsterd, toegelachen en vastgepakt. Het is duidelijk dat de Akuntsu zich mij niet meer herinneren, maar er heeft dit keer geen borstonderzoek plaats. Babá heeft evenmin extra belangstelling voor me. Blank damesbezoek is klaarblijkelijk de afgelopen vier jaar gewoner geworden.

Babá's vrouwen en de dochter trekken zich na tien minuten terug. Ze zoeken in elkaars haren naar vlooien en daarna schroeien ze met hete as elkaars pony weg. De restjes haar op hun voorhoofd trekken ze tussen duim en wijsvinger uit, waarbij het slachtoffer geen spier vertrekt.

Met behulp van tolk Pedro vraag ik Babá wat hij vond van de wereld van de westerlingen toen hij in het ziekenhuis lag. 'De blanken hebben goed werk gedaan,' antwoordt Babá bij monde van onze tolk. 'Anders was hij doodgegaan door zijn been.'

'Zou hij nog weleens naar de stad willen?' vraag ik de tolk.

Als de tolk de vraag vertaalt, begint Babá te gorgelen en te giebelen. Hij vindt de vraag kennelijk een goeie mop. Maar het antwoord verrast zelfs Altair.

'Ja, hij wil opnieuw,' zegt Pedro. 'Hij vond de reis leuk. Maar hij wil niet lopend. Dat is te ver.'

'En hoe vond hij het om te vliegen?' De terugweg had Babá deels in een klein vliegtuigje afgelegd, weet ik van Altair.

De chef knikt begrijpend en wordt nu zelf even vliegtuig: hij maakt wijde zwaaibewegingen met zijn arm, trekt cirkels en laat een keur van brommende geluiden horen. Hij straalt en lacht. De vrouwen houden op met hun gepluk en beginnen ook te schateren.

'Hij vond het goed. Hij heeft veel gezien.'

Voor we weggaan poseren we voor foto's. De stemming zit er goed in. Als ik mijn arm in die van een van de vrouwen wil haken, ontstaat er grote verwarring. Die beweging is onbekend. Onze armen raken in de knoop. Naar achteren? Naar voren? Buigen? De vrouw van Babá die naast me staat, worstelt en probeert onze armen tevergeefs in elkaar te laten passen. Ik grijp haar hand vast. Ze omklemt onmiddellijk de mijne. Maar aan haar gewiebel merk ik dat ze van slag blijft.

Gebaren zijn geconditioneerd, maar reacties ook. Tijdens de terugtocht trap ik bijna op een slang. Het beest schiet weg onder de ritselende bladerlaag op de grond. Ik was het liefst snel doorgelopen, maar de Brazilianen reageren enthousiast. Ze willen de slang koste wat het kost vinden. Allen speuren de grond af, en als Altair uiteindelijk de slang doodknuppelt met een stuk hout, gaat er gejuich op.

We houden opnieuw halt als Altair een aap uit een boom schiet. Het is een middelgroot, zwart exemplaar. Hij geeft een korte schreeuw als hij wordt getroffen, valt een paar meter en bungelt zichtbaar voor ons aan een tak, die hij nog net met zijn grijparmen heeft weten te omklemmen. Ik kijk naar Altair. De rustige, zachtmoedige man is een en al concentratie. Hij is als een roofvogel die in de lucht hangt terwijl hij een prooi in het vizier heeft. Dan vuurt hij opnieuw. Het duurt zes lange seconden voordat het beest met een plof op het pad valt. 'Ha, vanavond vlees,' zegt Amélia. Ze belooft Chico en mij meteen een poot.

Als een rafelig stuk zwart bont ligt de bloedende aap voor ons op het bladerdek. Ik kijk naar klauwen die eruitzien als babyhandjes. Deze Amazoneschotel zal ik aan mij voorbij laten gaan.

'Wil je echt niets?'

Amélia heeft zich net voor de tweede keer aap opgeschept en komt met haar bord naar de tafel. 'Je weet: morgen zijn er alleen creamcrackers en rijst met knakworst.'

'En vergeet de oploskoffie en onze delicatesse, de oplosfrisdrank, niet, Amélia,' zegt Altair. 'Ik heb net een nieuwe lading uit de supermarkt meegenomen.'

De avond staat in het teken van onze expeditie. Altair heeft een nieuwe zoektocht naar de mysterieuze indiaan in het andere bos gepland. En ik mag mee.

Al vijf jaar is de Funai de indiaan op het spoor. De hypothese dat het om een vader en zoon ging omdat er zowel een grote als kleine boog in de hutten was aangetroffen, is verlaten. Tot twee keer toe was er wat in Funai-terminologie 'oogcontact' heet: de expeditieleden zagen een indiaan wegvluchten. Omdat het beide keren dezelfde man was en hij steeds alleen was, gaat de Funai er nu van uit dat het om slechts één indiaan gaat.

De eerste keer was het een van Marcelo's assistenten die de indiaan op de rug keek toen deze brandhout aan het verzamelen was. Hij bleek lichtbruin gekleurd, had lang haar en droeg net als de Kanoê en Akuntsu een witte pluimstaart van envira. Toen de onbekende indiaan zijn achtervolger in de gaten kreeg, sloeg hij op de vlucht.

Het tweede oogcontact liet jaren op zich wachten. Het gebeurde toen Altair een expeditie had georganiseerd waarbij ook Munuzinho, de oude tolk van de Kanoê, mee was. Ze hadden een vers spoor gevonden en waren uitgekomen bij een schuilplaats van takken zoals indianen bouwen als ze aan het jagen zijn. De indiaan bleek daar stomtoevallig bezig te zijn en kon geen kant meer uit.

Ze hadden uren voor het hutje gezeten. Munuzinho had hem in alle denkbare indianentalen toegeroepen dat zij vrienden waren en ze hadden met veel misbaar maïs, een pan en een mes als geschenken op de grond neergelegd. Maar vanuit de hut was slechts dof gebonk gekomen. De mannen wisten wat dat betekende: de indiaan sloeg met een stok op een boomstam. Zo drukken indianen boosheid uit, zeggen ze.

De spanning was behoorlijk opgelopen toen er een speerpunt tussen de takken door was verschenen. De speer was op Altair gericht en bewoog langzaam heen en weer, totdat hij een meter uit de hut stak. Het was een ondubbelzinnige boodschap: ze waren niet gewenst en zouden beschoten worden als ze bleven. Altair had daarop besloten dat ze zich moesten terugtrekken.

Als ze dichter bij de hut zouden komen, dwongen ze de indiaan tot actie. Hij zou een van zijn belagers vermoedelijk verwonden en er was geen garantie dat ze hem daarna zouden kunnen 'vangen'; daarvoor waren ze met te weinig man. Vreedzaam contact zou daarna nog moeilijker worden, omdat de indiaan natuurlijk wraak van de Brazilianen vreesde.

Hoewel onze expeditie niet helemaal zonder gevaar is, vind ik het een opwindend vooruitzicht en fantaseer ik over een ontmoeting met de mysterieuze indiaan. Eén keer moet het raak zijn, en wie weet gebeurt dat net toevallig als ik meega.

Altair moet erom lachen. 'Wie weet breng je ons geluk.'

'We laten jou vooroplopen, dan komt hij meteen het bos uit rennen,' grapt de voormalige rubbertapper Chico. 'Die man zit al jaren in dat bos en heeft natuurlijk nooit meer een vrouw gezien.'

Ik moet denken aan Babá. 'Hij komt niet op het idee dat ik een vrouw ben. Ik ben te groot,' zeg ik.

'Tja, dan zul je toch je bloesje moeten uittrekken. Niks aan te doen.' Chico kijkt me triomfantelijk aan. Hij vindt het een vermakelijk idee. De discrete Altair grijnst van oor tot oor.

Wat neem je mee voor een expeditie? De bosloper Paulo en zijn neef Sidnei, die meegaan, rollen hun hangmatten klein op en stoppen ze in de rugzak.

'Ik heb alleen een lakenzak,' zeg ik tegen Altair.

'Dat is geen probleem. Als je maar regenkleding hebt.'

Iedere dag hangt er een dek van zware, witte en donkergrijze gekartelde wolken in de lucht. Maar het water waar we statistisch gezien recht op hebben in november, de eerste maand van het regenseizoen in dit gedeelte van de Amazone, blijft uit. Ook in Brazilië lijkt het weer van slag. Als we vertrekken, schijnt zelfs de zon. Als een vader en moeder die de kinderen op vakantie uitzwaaien, staan Amélia en Chico bij het hek van het kampement. Pedro, de tolk, heeft aangekondigd dat hij veel gaat buurten bij de Akuntsu.

Behalve koekjes, snelkookrijst, frisdrankpoeder en een jerrycan voor water hebben we ook twee ijzeren pannen, plastic borden en bekers, een gasfles, stukken plastic om een afdakje te kunnen maken en geschenken bij ons. Hoewel Marcelo in zijn verslagen soms plechtig refereerde aan 'de enige vertegenwoordiger van een volk dat geleefd heeft in het gebied waar de rivieren de Tanaru, Verde en de São Pedro ontspringen, wordt onze mystery man door iedereen als bij afspraak 'de indiaan van het gat' genoemd vanwege het gat dat hij in iedere hut maakt.

De cadeaus zijn talrijk: een mes, een tak van een maniokplant die geplant kan worden, een grote hoeveelheid maïskolven en van de Kanoê hebben we twee palmrieten draagmanden meegekregen en *taquara*, het gif waarin indianen hun pijlpunten dopen. Het gif zit in een bamboekokertje.

Hemelsbreed is het bosje van de indiaan van het gat nog geen 50 kilometer van de post Omerê verwijderd. Maar omdat we om de landerijen van de grootgrondbezitters heen rijden, zullen we 105 kilometer moeten afleggen om er te komen. Er is opvallend weinig bos. Door de ontbossing is de waterhuishouding van slag en zijn er veel poelen met kale, sprieterige resten van bomen ontstaan. Mijn medereizigers kijken niet op of om van deze treurige kerkhoven. Zij hebben zoveel ergere dingen gezien. 'Als je echt wat wilt zien, moet je in de droge tijd komen als alles in brand staat,' zegt Altair.

We komen geen enkel dorp tegen op onze route, maar wel eenmaal op een kruising van rode stofwegen enkele vervallen stenen huizen van landarbeiders. Er staat een net zo vervallen schoolbus naast met kapotte ruiten en een gat op de plaats waar een deur had moeten zitten.

Op mijn Quatro Rodas-kaart, de Braziliaanse versie van Michelin, kan ik de stofwegen die we nemen helemaal niet terugvinden. Altair lacht om zoveel naïviteit. 'Er zijn honderden kilometers weg aangelegd zonder dat er ooit een stempel of ambtenaar aan te pas is gekomen.'

Behalve grootgrondbezitters zijn het ook vaak houthandelaren en drugsbaronnen die wegen maken. En houthandelaren en drugsbazen zijn soms dezelfden. 'De houthandel wordt gebruikt om het drugsgeld te witten.'

Ik moet begrijpen dat deze grensstreek een anarchistisch niemandsland is waar de overheid verstek laat gaan, zegt hij. 'De enigen die actief zijn, zijn wij, van de Funai. En heel soms zie je een agent van de Federale Politie of iemand van het Openbaar Ministerie. De rest van de overheid kun je vergeten. Die is corrupt.'

Dwars door beschermd bos hebben de drugs- en houthandelaren een eigen route geopend naar het buurland Bolivia. Ze waren zelfs begonnen de illegale weg te asfalteren, maar hebben de werkzaamheden om onduidelijke redenen gestaakt. Misschien heeft een grootgrondbezitter geprotesteerd. Inmiddels hebben ze een andere illegale weg naar Bolivia gemaakt.

Waar een toegangsweg is, gaat de vernieling van het regenwoud dubbel zo snel. Daarom zijn milieuactivisten vaak tegen verbetering van het wegennet. Als ik Altair vraag naar zijn oordeel, is hij voorzichtig: 'Er zijn altijd twee kanten. Dit soort wegen leidt tot vernieling, maar voor de bewoners is een weg een uitkomst.' Ik realiseer me dat hij zelf natuurlijk groot is geworden in het isolement van de binnenlanden, zonder school, eerstehulppost of winkel vlakbij.

Na vier uur hobbelen komen we bij een fazenda. Ik zie slechts enkele houten keetjes, een klei-oven, een kraal met vee en een zendmast. Ik ben verbaasd. Ik had me iets beters voorgesteld bij het hoofdkantoor van een fazenda.

Altair springt de auto uit met in zijn hand een kopie van het document dat onze komst wettigt en een paar honderd meter verderop rijden we een bos in. We draaien een picada in. Deze picada is ongeveer vijf meter breed en dichtgegroeid met struiken en gras dat tot aan de bovenkant van de motorkap komt. Altair jaagt de Toyota door de groene zee, zonder zijn voet van het gaspedaal te halen. Iedere meter terreinwinst gaat gepaard met gekraak van takken, klappen en ritselen. Er is geen pad; wij banen het. Niemand zegt meer iets. In opperste concentratie sturen we allemaal mee.

We houden herhaaldelijk stil omdat er een boom dwars over het pad ligt. Met bijlen kappen Sidnei en Paulo er een stuk uit, zodat de Toyota verder kan. De laatste boom blijkt een onneembare barricade. Hij is simpelweg te dik. De mannen beproeven om de beurt hun krachten.

'Dat wordt niks,' besluit Altair uiteindelijk. 'We kunnen het wel vergeten. Hier komen we niet langs.'

Ik twijfel. Zou de expeditie afgeblazen worden? Maar ik blijk er niets van begrepen te hebben. De mannen pakken de manden, rugzakken, stukken plastic, jerrycans en gastankje. Ze gorden de holsters met kapmessen om, hangen de pannen aan de rugzak en grijpen elk een geweer. 'We zullen moeten lopen,' verontschuldigt Altair zich tegen mij.

Ik stop mijn broekspijpen in mijn sokken – sinds mijn eerste oerwoudbezoek nu een standaardprocedure tegen de insecten – en zet mijn petje op. We zullen de nacht in het bos doorbrengen om de hut van de indiaan de volgende dag te bezoeken.

Het bos waar de indiaan van het gat rondloopt, is zo klein dat alles dichtbij is. Na een halfuur reeds houdt Altair halt. 'Hier gaan we slapen.'

Als wij de hangmatten en muskiettennetten aan de bomen bevestigen, glibbert Altair met ontbloot bovenlijf de helling af naar een beekje. In de ene hand heeft hij een pan en een mes en in de andere een schildpad die hij onderweg heeft gevonden. De schildpad wordt met een houten knuppel gedood. Altair snijdt het vlees los uit het schild. 'Maar hij is nog niet dood,' zegt Sidnei, die de slachting geïnteresseerd volgt vanonder de bomen.

'Je kunt hem niet doodmaken voordat je hem vilt, want anders trekt hij zijn kop terug,' verklaart Paulo, blijkbaar ook een expert in de materie.

Een halfuur later pruttelt er een onduidelijk stuk vlees met veel bloed en gele kwabben in de pan en wisselen de mannen de culinaire bijzonderheden van deze Amazonespecialiteit uit.

'Ik ken een plek waar indianen – de oudjes dan – naartoe gaan om schildpadeieren te zoeken,' zegt Paulo. 'Maar die zijn van de zoetwaterschildpad.'

Altair knikt instemmend. 'Als je schildpadeieren eet, ben je honderd jaar lang zo geil als boter. Tot je dood krijg je 'm overeind.'

Beleefd bedank ik voor de grijze dril die ik even later op een plastic bordje krijg aangeboden.

'Nemen jullie vooral. Je weet nooit waar het goed voor is.'

De regen tikt op de plastic zeiltjes die we boven de hangmatten in de bomen hebben gehangen. Het is nog geen zeven uur en in het bos is het al stikdonker. Omdat er verder niets te doen is, klimmen we ieder met een zaklamp in onze eigen hangmat.

Altair instrueert me vanuit zijn hangmat enkele bomen verderop: 'Je muskietnet komt op de grond. Dat mag niet. Zo loop je kans dat de mieren het aan stukken scheuren.'

De regen maakt zoveel lawaai dat ieder gesprek moeizaam wordt. Af en toe hoor ik een tak vallen.

Midden in de nacht moet ik plassen. Het is aardedonker en regent niet meer. Als ik liggend in de hangmat de praktische handelingen doorneem zie ik opeens allerlei obstakels. Ik moet mijn schoenen nakijken. Er kunnen beesten in zitten. Ik moet niet op de mieren trappen, want die steken gemeen. Mogelijk zijn nu de gevreesde knipscheermieren waarover ik zo vaak heb gelezen in de veldverslagen van Marcelo en Altair al aan het banket van mijn gymschoenen begonnen. Ze zijn dol op veters en rubber, herinner ik me.

Er zou een slang op de grond kunnen liggen. Vraag: wat doet een slang als je er met een zaklamp per ongeluk op schijnt? Vlucht hij of komt hij zoals een insect juist op licht af? Ik bedenk dat ik in het donker mijn broek moet laten zakken, om te voorkomen dat ik een zwerm insecten op mij krijg. Een nachtelijke plas in het oerwoud is een operatie. Ik besluit laf af te zien van de toiletgang.

Om zeven uur 's ochtends lopen we weer in ganzenpas door het oerwoud. Altair loopt voorop met de GPS in zijn hand en de coördinaten van de hut op een papiertje in de andere. Het liefst zou hij de Akuntsu hebben meegenomen, heeft hij me verteld, maar die krijgt hij met geen mogelijkheid de Toyota meer in. En het is te ver om helemaal te lopen. Purá is wel een paar keer mee geweest, maar toen hij de indiaan een keer hoorde stampen was hij weggevlucht en sindsdien had hij niet meer mee gewild.

Het is ondanks het vroege uur reeds heet en er hangen gordijnen van steekmuggen in het bos. We klimmen, dalen, waden door beekjes en glibberen over boomstammetjes. De mannen kappen tijdens het lopen voortdurend takken weg, want er is geen echt pad.

De indiaan van het gat heeft hier ook gelopen. We komen diverse wildstrikken tegen: diepe gaten die hij heeft gecamoufleerd met takken en bladeren. En in een boomstam is een vierkant gat van ongeveer veertig bij veertig centimeter gehakt, dat onze mystery man volgens Altair heeft gemaakt om larven uit te halen. 'Die eet hij.'

We lopen in stilte. Stemmen zouden hem verjagen.

Binnen een uur staan we opeens aan de rand van een open plek. Het is een eiland van licht na het schemerige bos. Voor ons liggen omgevallen bomen en daartussen staan maïs- en maniokplanten. Dit moet de zwerfakker van de indiaan zijn. Ik hoor alleen het gezoem van insecten. Niemand beweegt.

Pas na enkele minuten zie ik zijn hut. Hij staat in de hoek van de open plek en valt nauwelijks op omdat het dak van bladen van dezelfde palmbomen is gemaakt als die eromheen staan.

Iedereen kijkt gespannen naar de hut. Daarbinnen moet hij zijn. Als hij er is. Zijn het seconden of minuten dat we er staan? De tijd lijkt eeuwig. Dan maakt Altair een beweging met zijn hoofd. We moeten achter hem aan lopen. Als eerste zet hij een stap op het veldje.

12

Alleen in het oerwoud

Altair kijkt behoedzaam in de rondte en doet nog een pas. Nu staat hij in het volle licht op het veld op een paar meter van de hut: een magere slungel met een kapmes op zijn heup en met lef, want op deze plek is hij een niet te missen doelwit. In de hut blijft het stil. De wanden zijn van grijsbemoste boomstammetjes maar die zijn nauwelijks zichtbaar, omdat het dak van palmbladen er als een theemuts overheen hangt.

Ik kan het idee dat we worden bespied niet van me afzetten. De indiaan hoeft niet in de hut te zitten; hij kan ook verderop op zijn akker staan of in het donkere, dichte oerwoud dat meteen achter de hut oprijst. Of achter ons. Wie zegt dat hij ons niet de hele tijd heeft gevolgd? Ik krijg het bij dat idee nog warmer dan ik het al had. Voorzichtig kijk ik om – onzin natuurlijk, want achter de dunne boomstammen kan de indiaan zich met geen mogelijkheid verschuilen.

Als ik hem niet zie, kan ik hem misschien horen. Net als bij dieren helpen onze zintuigen ons bij het signaleren van gevaar. Ik spits mijn oren. Het enige geluid is het gezoem van insecten, die nu met honderden tegelijk om ons heen wervelen.

Altair doet twee trage stappen in de richting van de hut en buigt vervolgens zijn bovenlichaam naar voren. Hij herhaalt de beweging een paar keer. Opeens begrijp ik wat hij doet: hij probeert via de spleten tussen de stammetjes in de hut te kijken. Met zijn hand wenkt hij dat wij dichterbij kunnen komen. Uit de hut komt nog steeds geen geluid.

Ik ben de laatste die het veldje op stapt. Bij elke pas knisperen takken en bladeren. Over de bruine bladerdeken ligt al een verraderlijk fijnmazig netwerk van groene lianen. Zou dat betekenen dat de indiaan hier al weken niet is geweest?

Altair draait zich om. 'Ik geloof niet dat hij er is,' fluistert hij. Hij kijkt opnieuw naar de hut.

Een luide schreeuw scheurt de stilte open. 'Amigo – vriend.'

Ik schrik. Het is Altair die roept.

'Als hij er toch is, is hij nu gewaarschuwd,' zegt Altair met een grijns.

Hoe was het ook alweer? Alleen de vijand komt stilletjes.

Altair loopt op de hut af en begint aan de stammetjes te sjorren. Wij volgen zijn bewegingen.

De indiaan kan ziek binnen liggen. Of dood. Niemand zou er erg in hebben.

Altair brengt rapport uit. 'De hut is leeg. Hij is volgens mij sinds ons laatste bezoek niet meer terug geweest. Hij heeft alles laten liggen.'

Sidnei en Paulo zwijgen. Ze zetten de manden met maïskolven die ze op hun rug droegen neer. Hun gezichten staan strak en somber als ook zij op de hut af stappen om te kijken. Ik stel me achter hen op.

Het gat dat Altair heeft vrijgemaakt, is de deuropening. Recht daartegenover is het gat in de grond waarover iedereen het heeft. Het is langwerpig en groter en dieper dan ik had gedacht. Het neemt zoveel plaats in dat het de indiaan in de hut, die hooguit twee bij twee meter is, in zijn bewegingsvrijheid moet belemmeren. Het gat intrigeert. Eromheen staat een constructie van bamboestokken met boven het gat drie banden van palmvezels. De enige logische functie lijkt me dat je op de banden kunt zitten, en misschien zelfs liggen, zwabberend boven het gat.

Ik zie verder een vuurplaats, een vleesrooster van takken, stukken brandhout, een stapel maïskolven, een geblakerde ijzeren pan met zoete aardappel. Aan de wand hangen gehaakte draagzakken en er ligt een pacova-blad dat de indiaan heeft gebruikt, want er ligt een grijs beschimmelde etensrest in. De grond is grijs van de as.

'Hoe weet je zo zeker dat hij niet terug is geweest?' vraag ik aan Altair.

'Als hij wel was geweest, had hij onze spullen meegenomen.' Altair wijst de cadeaus aan: een mes, dat ik niet had gezien, de pan met aardappels en de maïskolven. 'Alles ligt er nog precies zo bij als de indiaan het drie weken geleden heeft achtergelaten,' zegt hij.

Zijn ogen staan dof, en hij lijkt nog witter dan anders.

'We zijn zo warm. En toch gebeurt het steeds niet.' Hij zucht diep.

Drie weken geleden had hij deze hut bij toeval ontdekt, vertelt hij. Hij was met twee Mekens-indianen geweest. De indiaan van het gat was bij de zwerfakker. Ze hadden hem gehoord en hij hen. Hij had klappen op een boom gegeven om duidelijk te maken dat ze ongewenst waren.

Ze hadden cadeaus neergelegd. Toen ze bij het ochtendgloren terugkeerden, zagen ze dat hij de geschenken en zijn meest waardevolle bezittingen, zoals een plastic zeil en een voorraad honing, rubbermelk en vlees, had weggehaald. Dat was een tegenslag.

'Als hij veel weghaalt, betekent het dat hij verhuist,' legt Altair uit. Toch had hij de maïskolven en de pan met aardappelen achtergelaten.

Weer koos de indiaan het hazenpad, terwijl de hut er net stond. Aan de kleur van de palmbladen te zien heeft hij dit exemplaar volgens Altair pas zeven weken geleden gebouwd. Hij moet in de hitte hebben gewerkt als een paard, want de akker is groot en er staan veel maniok- en maïsplanten. Hoeveel bomen heeft hij wel niet in zijn eentje moeten omtrekken om dit veld te kunnen opschonen? Hoeveel stammetjes heeft hij gekapt en op maat gemaakt voor zijn hut? Tweehonderd? En het gat? Hoe heeft hij dat gegraven? Vermoedelijk met een stuk hout als schop, en aangezien de bodem hier hard is en er veel stenen in zitten, heeft hij dagen moeten graven.

Ik kijk opnieuw in de hut. Hij is gemaakt met de perfectie van de Kanoê. Alle stammetjes van de wanden zijn even dik en recht. Alle dwarsverbindingen zijn van touw van palmvezel, dat stevig en vele malen geknoopt is. De onbekende indiaan is een gedreven en gedisciplineerde werker.

Altair ijsbeert voor de hut. 'Wat moeten we met hem aan? Dit is een probleem. Eén ding weet ik wel: deze indiaan is een probleem,' herhaalt hij keer op keer. Paulo probeert hem op te kikkeren.

'Het kan natuurlijk zijn dat hij bij zijn veldje is geweest, maar niet in de hut. Hij weet dat wij zijn huis kennen, dus is het voor hem besmet.'

Sidnei zet de nieuwe maïskolven, het mes en het gif in het bamboekokertje binnen in de hut. De maniokplant plaatst Paulo rechtop tegen de voorkant van de hut. 'Als hij komt om de maïs van zijn akker te halen, ziet hij het tenminste.'

'Hij komt niet meer,' zegt Altair somber. 'Die maïs is bijna verdroogd. Als hij terug wilde, was hij al geweest om zijn maïs te oogsten.'

De indiaan moet gek van angst zijn, denkt hij. 'Anders laat je een akker waaraan je hard hebt gewerkt niet twee weken voor de oogst in de steek.' Hij had zo gehoopt dat hij de spullen had gepakt. 'Hij kan ze gebruiken.'

Gek van angst, maar misschien ook van eenzaamheid. Ten minste vijf jaar – zolang zoeken Marcelo en Altair al – maar gezien de ontbossing eromheen vermoedelijk al veel langer, draaft deze indiaan door het bos. Hij heeft hoogstwaarschijnlijk al die tijd nooit een woord met een andere levende ziel gesproken. Niemand helpt hem, spreekt hem moed in als hij bang is, lacht met hem, gaat voor hem jagen, verzorgt hem als hij ziek is of kookt eens eten. Hoeveel beter hebben de zes Akuntsu het dan.

Als we teruglopen, is hardop praten geen probleem meer. Altair is geagiteerd. 'Uit alles blijkt dat de indiaan geen contact wil. Moeten we hem dan niet met rust laten?' zegt hij terwijl hij links en rechts driftig takken wegslaat. De opdracht die hij uit Brasília heeft gekregen is dat hij vreedzaam contact moet leggen. Maar hoe ver mag en moet je gaan om het contact af te dwingen? Hij schetst het wrange dilemma. 'Degenen die hem nu opjagen zijn niet de veeboeren maar wij terwijl wij juist geacht worden hem te helpen. Hij wordt wanhopig van ons.' Met een klap laat Altair het mes in een tak met stekels vallen die als een slagboom over ons pad hangt. Het is alsof het kappen hem oplucht. 'Hij moet wel afgepeigerd zijn, want hij moet steeds een nieuwe hut maken,' vervolgt hij. 'En vermoedelijk is hij ook uitgehongerd. Hij heeft door al dat vluchten helemaal geen tijd meer om te jagen en te oogsten.'

Hij legt me uit dat het contact vroeger vaak werd geforceerd omdat de indianen rubbertappers aanvielen. De Funai moest op last van de regering in actie komen en de indianen werden daarna meestal verplaatst, opdat de rubbertappers rustig konden werken. Wat ook met veel Kanoê is gebeurd in de jaren veertig.

Zo is het gelukkig niet meer. Geïsoleerd levende indianen worden met rust gelaten. Toch is dat voor vele interpretaties vatbaar. Wat doe je als er levensgevaar dreigt en de indiaan toch geen contact wenst? En wat is levensgevaar? En dan is er het ego van de sertanista: het contact is zijn moment van glorie. Het is soms zelfs voor hem moeilijk te accepteren dat de indiaan mag wezen wat hij wil zijn.

Sydney Possuelo, Altairs baas, staat op het contact met de indiaan van het gat. Dat Marcelo noch Altair na alle jaren resultaat heeft geboekt, irriteert hem. Waarom wil Sydney het contact forceren, vraag ik Altair. Vanwege de publiciteit? Oftewel: is het ijdelheid of loopt de indiaan werkelijk gevaar?

Voor het bos van de indiaan geldt een toegangsverbod voor onbevoegden.[1] Maar omdat hij steeds op de vlucht slaat, dreigt de indiaan het gebied uit te lopen. Als hij niet omkeert of afslaat, moet er een nieuw toegangsverbod komen voor andere kavels. Een corrupte rechter zou het verzoek naast zich neer kunnen leggen. Dat is de reden waarom zijn baas zegt het contact te willen forceren, legt Altair uit. Sydney wil een expeditie met tien of twintig mensen, zodat de indiaan kan worden omsingeld en gevangen. 'Desnoods binden jullie hem vast en geven hem een injectie met een slaapmiddel,' heeft hij al eens geroepen.

Vinden is in dit geval geen probleem. Het bos is slechts 32 vierkante kilometer en dat betekent dat je de indiaan in maximaal drie dagen kunt terugvinden, schat Altair. 'Minstens eens in de twee dagen moet de indiaan bij een beek zijn, want hij kan niet zonder water. Dus het is een kwestie van alle beken aflopen totdat je een spoor vindt.'[2]

En dan? Altair gruwt bij het idee dat hij de indiaan zou moeten vangen. Bij een volk in het noorden van Rondônia is een indiaan in de voet geschoten om te beletten dat hij wegvluchtte. Daar moest en zou ook contact mee worden gelegd. 'Ik moet er niet aan denken dat ik zoiets moet doen.'

Hij vertelt over een expeditie van ruim een jaar geleden. Ook de Kanoê Purá was er die keer toevallig bij geweest. Ze waren op een hut gestuit en de indiaan had erin gezeten. Ze hadden geschenken neergelegd, 'Amigo, amigo' geroepen en Purá had allerlei reinigingsrituelen uitgevoerd. Zes uur lang had de hofmakerij voor de hut geduurd. Ze hadden hoop gehad dat de indiaan Purá zou herkennen als een soortgenoot en dat hij zijn achterdocht zou laten varen. Maar de indiaan had slechts gestampt en gegromd en dit keer een pijl door de rieten wand gestoken. Hij leek zeer nerveus. Op een gegeven moment probeerde hij Vincent, die erbij was en filmde, te raken. De pijl schoot rakelings langs hem. Vermoedelijk had de indiaan de camera, een log zwart ding, aangezien voor een wapen.

Daarna was Altair met Marcelo en Vincent opnieuw tot de conclusie gekomen dat het zinloos was en dat de indiaan recht had op zijn isolement. Ook als dat betekent dat hij eenzaam in het bos zou sterven. 'Contact afdwingen is erger dan het isolement.'

Het is me te makkelijk. 'Stel, hij is gestoord. Door alles wat hij heeft meegemaakt is hij gek geworden. Hij lijdt. En dan nog laat je hem lopen?'

Altair blijft bij zijn standpunt. 'We moeten hem respecteren. Hij is gelukkig op zijn manier. Hij wordt ongelukkig van ons gejaag, want nu moet hij iedere keer alles in de steek laten. Wat hebben goede bedoelingen voor zin als het effect desastreus is?'

Hij gelooft niet zoals Sydney, dat iemand uit de regio deze indiaan zou durven te vermoorden. Er is herhaaldelijk over de indiaan van het gat in de plaatselijke kranten geschreven. Iedereen ziet de auto van de Funai heen en weer rijden. 'Als iemand het nu waagt de indiaan te doden, weet hij dat hij er niet mee wegkomt.' Om dat idee te versterken doet hij altijd tegenover buitenstaanders alsof de Funai al contact met de indiaan heeft.

Als we op de bivakplaats terugkeren, pakken we onze spullen in en lopen terug naar de picada, waar de Toyota staat.

Altair vouwt op de motorkap van de auto de landkaart uit. Hij wijst mij de route aan die hij wil nemen, langs het reservaat van de Mekens-indianen, waar ook de tolken Passaká en Pedro wonen. De twee Mekens die hij vorige keer bij zich had toen hij de indiaan van het gat zocht, zeiden dat hun ouders het weleens hadden gehad over een volk dat gaten maakte bij de hutten. Veel hoop op nieuwe informatie koestert hij niet. Marcelo en hij zijn al eens met foto's van de hut-met-gat langs alle oudere indianen in de wijde omtrek gegaan. Toen herkende niemand het gat. Toch wil hij het opnieuw checken. 'Met verhalen van indianen moet je voorzichtig zijn. Dezelfde persoon kan je iedere keer iets anders vertellen. Je kunt pas conclusies trekken als je hetzelfde van tien verschillende personen hebt gehoord.'

Ik heb met Altair te doen. De ontmoeting met de Kanoê en Akuntsu was niet het einde van de zoektocht. Alleen zijn de andere twee maten, Marcelo en Vincent, afgehaakt en staat hij er nu alleen voor. Wordt hij er niet moedeloos van, vraag ik.

'Het schiet niet echt op,' grapt Altair. 'Er komen alleen maar meer in plaats van minder vragen.'

'Zoals?'

Hij vouwt de kaart dicht en kijkt me aan. 'Het bestaat niet dat niemand van de andere indianen deze indiaan ooit gezien heeft. De volken liepen elkaar voortdurend voor de voeten. Vroeger jaagden en trokken ze het hele gebied door.'

'Maar waarom komt het er dan niet uit?' Ik kan me niet voorstellen dat indianen niet willen meewerken om andere indianen te vinden. En toch is het zo.

'Het is altijd hetzelfde: angst. Iedereen is bang betrokken te raken, of het nu blanken of indianen zijn. Ze kunnen getuige zijn geweest van een bloedbad en bang zijn vermoord te worden als ze praten. Losse arbeiders zoeken elders werk als ze bang zijn, maar indianen hebben hun dorp of reservaat; ze zijn te traceren.'

Het is belangrijk een getuige of een aanwijzing te vinden, zodat kan worden vastgesteld tot welk volk de indiaan van het gat hoort. Pas dan kan worden vastgesteld of dit al dan niet van oudsher zijn woongebied is. 'Dat moeten we weten om een aanvraag te doen om van dit gebied een reservaat te maken.'

Met veel moeite lukt het de auto te keren. Door de regen is de grond zacht geworden, zodat we voortdurend slippen. Al snel lopen we vast op een modderhelling. Bijna een uur zijn we druk met sjouwen, graven, duwen en trekken. De modder spuit onder de banden vandaan.

'Het lijkt wel oorlog,' zegt de jonge Sidnei.

Als de Toyota weer recht op het spoor staat, legt Altair kettingen – de tropenvariant van sneeuwkettingen – om de banden. Die moeten ons behoeden voor nog zo'n uitputtingsslag.

Nat en moe, maar opgelucht dat het gelukt is, klimmen we weer in de auto.

'Alleen red je het niet in de jungle,' zegt Altair.

Hoe zie je dat je een thuisland van indianen binnenkomt? Als er geen bord in de berm had gestaan, was me niets opgevallen bij het binnenrijden van het reservaat van de Mekens. VERBODEN TOEGANG. RESERVAAT VAN INDIANEN, staat erop.

Ik dacht dat het thuisland van indianen bos zou zijn, maar hier zijn slechts zwartgeblakerde velden met resten van bomen die als luciferstokjes omhoogstaan. Langs de kant van de weg liggen enorme stammen met een doorsnee tot drie meter te wachten om weggesleept te worden.

Altair bekent dat hij tegen het bezoek opziet. Damião, de *cacique* (chef) van de circa zeventig Mekens die hier leven, doet veel zaken met houthandelaren. Altair had maanden eerder een invasie van houtkappers in het reservaat van de Mekens aangegeven bij de milieupolitie. Damião was woedend geweest, omdat Altair zijn handel verstierde. Omdat de Mekens bekendstaan als oorlogszuchtig, is Altair nu bang dat ze de auto aan diggelen slaan als we het reservaat binnenrijden. Voor de zekerheid heeft hij daarom Damião voor vertrek uit Vilhena even gebeld. Kan hij langskomen? Ja, had de chef gezegd. Hij wist klaarblijkelijk niet dat Marcelo weg was, want hij had eraan toegevoegd: 'Maar Marcelo wil ik hier niet hebben. Die heeft ons aangegeven bij de politie.' Damião heeft Altair duidelijk te verstaan gegeven wat hij van hem verwacht: 'Jij hebt jouw baan en terrein. Ik het mijne en daar bemoei jij je niet mee.'

De Mekens onderhouden al drie eeuwen relaties met blanken. Ze ruilden in de zeventiende eeuw goederen met sertanistas. De betrekkingen met de houthandel dateren van ruim tien jaar geleden, aldus Altair. Toen bestond het thuisland wel, maar het was nog niet afgepaald en had geen juridische status. De houthandelaren probeerden de Mekens te paaien omdat er in hun bos veel mahoniebomen stonden. In alle indianenreservaten doet dit probleem zich voor omdat vaak alleen daar nog kostbare boomsoorten te vinden zijn. De stamoudsten zijn tegen het omhakken, maar ze vrezen de cacique, die gewoonlijk de contracten sluit. Overigens laten veel houthandelaren zich niet weerhouden als het niet tot een akkoord komt; ze dringen evengoed het reservaat binnen en kappen weg wat van hun gading is.

Damião, de chef van de Mekens, haalde de houthandelaren binnen en kreeg voor zijn medewerking een Toyota. Hij reed erin rond, maar begreep niet dat je het oliepeil moet controleren en een auto onderhouden. Toen de auto twee jaar geleden vastliep, zag hij geen andere oplossing dan opnieuw hout te verkopen, aldus Altair. Nu heeft hij een Ford 1000, wederom een presentje van de houthandel.

We houden stil op een open, kale plek. We hebben misschien 10 kilometer gereden sinds het bord met VERBODEN TOEGANG. In de modder staan enkele ongeverfde houten huizen, keten eerder. Het moeten donkere hokken zijn, want ik zie geen ramen. Uit een van de keten komt een indiaanse moeder met vier kleine kinderen. Ze heeft twee aluminium pannen in haar hand, die ze in de beek verderop gaat afspoelen. De kinderen hobbelen achter haar aan en lopen om de plassen heen. Niemand draagt schoenen, maar ze zijn allemaal gekleed in bermuda's en T-shirts. Er komt ook een kip uit de keet. Dit zijn de trieste tropen – een sloppenwijk in het oerwoud.

Damião woont in een huis dat apart staat. Het is een keurig huis, lichtblauw geschilderd, met een golfplaten dak en een ruime veranda met banken, een tafel en wasgoed aan de lijn. Damião is er niet maar wordt wel verwacht, zegt een indiaanse vrouw, die volgens Altair niet zijn echtgenote is, want Damião is met een blanke vrouw getrouwd.

Omdat het begint te regenen, mogen we op de veranda blijven wachten. Altair en ik, die er het meest Europees uitzien, krijgen een stoel aangeboden. Sidnei en Paulo gaan automatisch op de vloer zitten. De regen klettert als een orkest met duizend blikken trommels. In stilte kijken we naar het grijze watergordijn dat tussen ons en de rest van de wereld hangt. Het terrein tussen de houten huizen verandert in een vijver en de auto lijkt te drijven.

In het huis klinkt ver weg een radio. Ik kijk door een open raam naar binnen. De chef van de Mekens heeft een 'blank' huis. Alle binnenwanden zijn witgeschilderd, hetgeen in deze contreien op enige welvaart duidt. Er hangen zoetige portretfoto's, zoals de middenklasse die overal ter wereld laat maken in de studio van een fotograaf.

Damião arriveert als de regen is opgehouden. Hij is begin dertig en heeft de getinte huid en het gladde zwarte haar van een indiaan, maar de kledingstijl van de veeboeren met zijn spijkershirt, dure spijkerbroek en cowboylaarzen. Ik ben vooral geïntrigeerd door het vele goud dat blinkt in zijn mond.

Hij heeft ons niet begroet – volgens de hartelijke Braziliaanse omgangsvormen een onvergeeflijke fout –, maar begint meteen te klagen over zijn auto, waarmee hij een paar dagen geleden vast kwam te

zitten in de modder. Als Altair hem vraagt of hij iets weet over indianen die een gat maken, haalt hij zijn schouders op. Ach, zijn vader had
het weleens over *tutu*-indianen. Tutu zou 'gat maken' betekenen. Maar
verder weet hij niets, zegt hij.

Altair geeft geen krimp.

Hoeveel mensen wonen er in het dorp, vraag ik, om mijn aanwezigheid als 'de buitenlandse pers' enig cachet te geven. Dat weet hij niet.

Wat is het grootste probleem waarmee de Mekens kampen in hun
reservaat?

Damião fronst zijn wenkbrauwen. Hij begrijpt de vraag niet, zegt
hij. Hij wil de vraag niet begrijpen, denk ik.[3]

Het bezoek aan de Mekens heeft veel losgemaakt, blijkt die avond als
we wederom in het kampement aan tafel zitten.

'Wat is het nut van een reservaat als de mensen in stinkende armoede verder leven en de caciques de bomen verkopen?' zegt Paulo. De
discussie gaat al snel over de vraag of de indianen niet beter af zouden zijn als de zeggenschap over hun reservaat bij de Braziliaanse staat
in plaats van bij henzelf (lees: bij een chef) zou liggen. Zouden ze dan
niet meer rust hebben? Het is een politiek incorrect standpunt in een
tijd dat het zelfbeschikkingsrecht der volken heilig is, maar de realis-
ten aan tafel zien er veel in.

'Nu dringen houthandelaren binnen mét toestemming van de cacique,' stelt Paulo vast. 'Het zijn allemaal boeven.' Ik ben verrast. Paulo
is voor zijn doen ongewoon fel. Misschien grijpt het onderwerp hem
extra aan omdat hij zelf is opgegroeid in een indianenreservaat en
heeft gezien hoe de tractoren van de houthandelaren boomstammen
door het bos sleepten.

De overheid is geen garantie dat het beter gaat, meent Altair. 'Dat zie
je aan de Funai. Een indianendorp is zo goed als de chef van de Funai-
post.' Er volgt uitleg: heb je een chef van de post die streng en ethisch
is, zoals Marcelo, dan is er rust in de gemeenschap van indianen. Het
omgekeerde is ook waar. De Mekens hadden een chronische alcoho-
list als chef van de Funai-post. Hij liep met flessen rum onder zijn arm
het reservaat binnen en was altijd dronken. 'De cacique nam hij in het
weekend mee naar de stad. Ze kwamen altijd terug met drank.' Er waren veel problemen en vechtpartijen. De Mekens begonnen zelfs hun

eigen traditionele feesten te verwaarlozen. In plaats daarvan hadden ze barbecuepartijtjes met bier waarbij ze *sertanejo*-muziek, de Braziliaanse versie van country-and-western, draaiden.

Wat er met de Mekens is gebeurd, is een les, gelooft Altair. 'Hun dorp is een sloppenwijk in het bos en er is niets te eten.'

De les? 'Als de indianen niet hun levensstandaard kunnen verbeteren door het contact, moet je hen met rust laten en hun isolement respecteren.'

Maar hoe pas je dat toe op de Akuntsu en de Kanoê, vraag ik. Natuurlijk zijn zij mét contact beter af: ze zullen niet meer doodgeschoten worden en krijgen medische verzorging. Dat is verhoging van levensstandaard. Maar wat gebeurt er daarna? Babá wil kleren, maar begrijpt niet dat hij ze moet wassen. Als hij met vieze kleren rondloopt, loopt hij kans ziek te worden. Txinamanty rookt. Dat is slecht. Ze eten allemaal koekjes – ook slecht. Straks wil Purá naar een bar in het dorp. Hij wil de blanke wereld leren kennen.

Altair knikt begrijpend. 'Je kunt het niet tegenhouden. Ze willen allerlei dingen van de blanke wereld, maar het moet langzaam gaan. Tijd is het belangrijkste. Je moet hen daarin opvoeden.'

Hij schetst het probleem dat hij zag bij andere indianenvolken. De ouderen vinden dat het leven vroeger beter was. De jongeren genieten van het nieuwe leven, met consumptiegoederen. Maar door westerlingen te kopiëren komen ze in een identiteitscrisis terecht. Ze durven er buiten het reservaat niet voor uit te komen dat ze indiaan zijn uit angst gediscrimineerd te worden. Ze lopen verloren rond. 'Je ziet dat de meisjes als ze in de stad komen vaak de prostitutie in gaan. In hun dorp kunnen ze daarna niet meer komen. Ze worden verstoten.'

Later, als de anderen naar bed zijn gegaan, en ik onder de lamp nog wat oude expeditieverslagen lees, komt Altair terug op de acculturatie van geïsoleerd levende indianen. Ook de Funai zelf kan schadelijke invloed hebben op dit aanpassingsproces, legt hij uit. Bijvoorbeeld in de vorm van functionarissen die roken of alcohol drinken.

'Maar ik heb nog nooit drank gezien in het kampement,' sputter ik.

'Het is verboden. Juist vanwege de indianen.'

Een probleem apart zijn de tolken, vertelt Altair. Zij hebben het meeste contact met de indianen. Soms gaat het mis. Zoals met Samuel, de eerste tolk van de Mekens die ze op de post hadden gehad en die mogelijk Txinamanty zwanger heeft gemaakt. Samuel wilde het kunstje van Damião nadoen en had al alle kostbare bomen in het bos van de Akuntsu en Kanoê gemarkeerd om ze te verkopen aan een houthandel. Toen Marcelo erachter kwam, werd hij bedankt voor zijn diensten en naar huis gestuurd.

De zus van Munuzinho, de tolk van de Kanoê, was ook een keer op bezoek geweest op de post. Altair had ontdekt dat ze Txinamanty en de andere Kanoê geprobeerd had te bekeren tot een Pinkstergemeente. Ook Munuzinho had het met de Kanoê verdacht vaak over God, merkte Altair. 'Indianen hebben hun eigen goden. Wij hoeven hun geen anderen op te dringen.'

Amélia lijkt blij dat we terug zijn. Ze heeft een zacht witbrood gebakken, waarop de mannen bij het ontbijt de volgende ochtend als hongerige leeuwen aanvallen.

Tolk Pedro is tijdens onze twee dagen afwezigheid op bezoek geweest bij de Akuntsu. Babá is bezorgd, vertelt hij. Hij heeft bij zijn omzwervingen in het bos een nieuwe picada ontdekt. De Akuntsu-vrouwen zijn opnieuw begonnen over het bloedbad van jaren geleden en hebben gehuild. Pedro denkt dat het komt vanwege de nieuwe picada. 'Ze zijn bang. Ze denken dat er weer een bloedbad komt.'

Een nieuwe picada impliceert dat er mensen het bos zijn binnengedrongen. Houthakkers, denkt Altair. Daarom vertrekken Chico en Paulo naar het dorp van de Akuntsu om Babá op te pikken. Het plan is dat ze met z'n drieën en eventueel Pupak poolshoogte gaan nemen bij de picada verderop in het bos.

'Babá staat vast te trappelen,' zegt Altair als Chico en Paulo met geweren over hun schouder over de boomstambrug verdwijnen.

'Hoezo. Hij is toch bang?'

'Hij is bang, maar hij houdt van vechten. Met ons voelt hij zich zeker. Hij wil altijd meteen ten oorlog trekken.'

'Net als de indiaan van het gat?'

'Nee, juist niet als de indiaan van het gat.'

Altair ontvouwt me zijn theorie. De indiaan wil hen niet doden. Bij een stropersgat waar ze geschenken hadden neergelegd, had hij de takken weggehaald alsof hij hen had willen waarschuwen, zodat ze er niet in zouden vallen. De keren dat hij een pijl heeft afgeschoten, miste hij geheel onnodig. Altair had een keer uren voor de hut gezeten en tegen hem aan gepraat zonder dat de indiaan iets deed. 'Voor mij staat als een paal boven water dat deze indiaan niet wil doden. Anders had hij het allang gedaan.'

Het is merkwaardig. We weten niets van de indiaan, maar we praten over zijn psychologisch profiel alsof hij een oude bekende is. Altair roemt zijn doorzettingsvermogen: 'Hij is een vastbesloten man, want als je kijkt naar de overmacht die tegen hem werkt, is het onbegrijpelijk dat hij erin slaagt te overleven.'

Hij heeft zich vaak afgevraagd of hij zelf de energie en moed zou hebben om als hij moederziel alleen was iedere paar maanden een nieuwe akker en hut te maken. Hij denkt van niet. Neem de akker die wij gezien hebben. Altair: 'Dat is zeker een maand werk, als het niet meer is.'

Ik beken hem dat ik bang was toen we aan de bosrand naar de hut keken. Altair kent het gevoel: 'Ik was de eerste keer ook bang. Ik was ervan overtuigd dat hij ons van achteren zou bespringen. Nu zie ik dat het grootste gevaar is dat er iets met hém gebeurt. Hij zou zelfmoord kunnen plegen. Daar ben ik bang voor als we bijvoorbeeld twee dagen zijn hut zouden belegeren.'

De indiaan van het gat is uniek. Nog niet eerder is het voorgekomen – voor zover bekend – dat één enkele overlevende van een indianenstam zich in het oerwoud staande houdt. In het zuiden van de Amazonedeelstaat Pará legde de Funai begin jaren negentig contact met twee geïsoleerd levende indianen. Die namen een jaar daarna weer de benen. Ze wilden niets meer van de westerlingen weten, maar jaren later dook een van hen op bij een fazenda. Hij was mager en ziek. De Funai werd gebeld om hulp. Er kwam een indiaanse tolk bij die een vergelijkbare taal sprak. Toen kwam uit dat de twee indianen hun vuur waren kwijtgeraakt. Ze waren bijna verhongerd omdat ze al drie maanden rauw vlees aten.

Ongeveer 350 kilometer ten noordwesten van de post Omerê bij de grens met Bolivia zwerven drie indianen, een oude vrouw en twee jongens. Ze leven vlak bij een gebied met veel arme boeren en redden zich door voedsel te stelen. De Funai heeft één keer contact met hen gehad. De tweede keer – de Funai-mensen en de tolk stonden voor de hut en zij zaten erin – riepen ze dat zij geen contact wilden. Ze pakten de cadeaus en renden voor de ogen van de Funai-mensen het bos weer in.

'Ik geef ze gelijk,' zegt Altair. 'Laten ze in het bos blijven.' Voor hem staat als een paal boven water dat isolationisme goed is. 'Goed contact bestaat namelijk niet.'

Indianen die diep in het oerwoud leven, weten dat er een vijandige stam van blanken bestaat, van horen zeggen of door hun eigen ervaring. 'Ook veel geïsoleerd levende indianenstammen hebben al iets vreselijks meegemaakt met westerlingen.' Zo is er een moerasgebied ongeveer 120 kilometer ten westen van Omerê waar vermoedelijk honderden wilde indianen leven. Het enige dat de Funai van deze indianen weet is dat ze lang zijn, want de bogen die ze een keer achterlieten waren extreem lang. Door expedities weet Altair dat er af en toe rubbertappers en palmhartkappers het gebied, dat jaren geleden een reservaat werd[4], binnendringen. Rubbertappers hebben meer dan eens op de indianen geschoten. Bij de vermoedelijk in haast achtergelaten bogen werden ook plukken haren gevonden die doen vermoeden dat er gevochten was, vermoedelijk met de palmharthakkers.

Een reservaat voor één indiaan zou een unicum zijn. Het is niet gezegd dat het er komt, tekent Altair aan. 'Sydney wil hem daar liever weghalen.'

'Waar moet hij dan naartoe?'

'Naar de Kanoê en de Akuntsu. Het idee is dat hij daar na het contact moet wonen.'

Ik probeer me voor te stellen wat het voor het machtsevenwicht zal betekenen. Een nieuwe, onafhankelijke man bij de Kanoê en Akuntsu. Babá zal blij zijn met een nieuwe vriend en Txinamanty zal geheid haar charmes op de indiaan loslaten. Hij zou én de dochter van Babá én Txinamanty zwanger kunnen maken. Met nieuw zaad worden de overlevingskansen voor de groep groter.

Uit de kartonnen doos die hij gebruikt voor de administratie haalt Altair een mapje foto's. 'Dit wilde ik je nog laten zien van de indiaan van het gat,' zegt hij terwijl hij de foto's een voor een over de tafel naar me toeschuift.

Het zijn foto's van hutten en zwerfakkers. Voor mij als leek zien alle hutten er hetzelfde uit.

'Welnee,' protesteert Altair. 'Het zijn allemaal andere hutten. En het gat is ook steeds anders. Kijk, hier is er een dat twee meter diep is.' Hij trekt een interieuropname van de hut uit de hoop. 'Het gat betekent voor hem meer dan het huis. Want er zijn plekken waar hij al wel een gat heeft gemaakt, maar zijn huis nog niet af heeft.'

Marcelo dacht dat het gat een religieuze betekenis heeft. Vincent gelooft dat hij het om strategische redenen graaft, zegt hij. Er is een geval bekend van indianen uit de Amazonedeelstaat Acre die in vroeger tijden, toen de blanken op hen jaagden, onder hun hangmatten in plaats van erin gingen liggen. De cowboys schoten op de lege hangmatten. 'Daar lijkt het een beetje op,' zegt Altair. Zelfverdediging zou ook de verklaring zijn waarom hij zijn hut wanden van paaltjes geeft. De hutten die indianen in dit gebied gewoonlijk maken hebben palmbladen tot aan de grond.

'En wat denk je zelf?' vraag ik.

'Ik denk dat het gat iets religieus is, omdat hij zoveel gaten maakt. En dat deed hij – of zijn volk – ook al toen we begonnen met zoeken. Maar op een dag zal hij het ons vertellen.'

'Of niet.'

Altair glimlacht. 'Jij bent Europeaan, en dus sceptisch. Ik ben Braziliaan, en dus een gelover. Ik denk dat hij het ons op een dag vertelt.'

13

Het front der fronten

Het is eind 2000 en ik ben mee met een dienstvlucht van de Funai. In een lawaaiig tweemotorig vliegtuigje verkennen we een van de minst ontsloten hoeken van het Amazonewoud: het stroomgebied van de Envira dicht bij de grens met Peru. Ergens in het bos beneden ons trekken indianen rond met wie nog nooit contact is gelegd. Het is de bedoeling dat we hun hutten vanuit de lucht proberen te lokaliseren. Er zal geen contact gelegd worden.

Dit is het meest afgelegen deel van het Amazonegebied. 'Tot de Andes, 400 kilometer lang, wonen hier geen westerlingen meer,' heeft Sydney Possuelo, chef van de afdeling Geïsoleerde Indianen van de Funai in Brasília, mij voor vertrek voorgehouden. Hij is de leider van deze expeditie.

Sydney is 's lands bekendste sertanista in actieve dienst. Hij is een man met meningen die uitgesproken zijn en uitdagen. Hij begrijpt niet dat ik me zo interesseer voor het handjevol schipbreukelingen in Omerê. Dat zijn in zijn ogen niet meer dan 'wat individuen onder een boom'. Elders in het oerwoud zwerven groepen van honderd of meer indianen rond. 'Volken waar we niets van weten. Dat is pas interessant.' Hij vindt eigenlijk dat ik daarover zou moeten schrijven en heeft me uitgenodigd mee te gaan.

Hoe immens het Amazonewoud is, ervaar je als je eroverheen vliegt. Je kunt nog steeds uren achtereen vliegen over dicht bos zonder ook maar een moment een teken van menselijk leven te bespeuren. Zelfs met een jeep zou je hier van z'n levensdagen niet kunnen komen. De dichtstbijzijnde weg – onverhard en nauwelijks meer dan een spoor – is meer dan 100 kilometer hiervandaan. Met een boot is het vanuit de bewoonde wereld een tocht van weken over rivieren die nauwelijks bevaren worden. Zelfs per vliegtuig is het een onderneming.

We zijn anderhalve dag geleden vertrokken uit Rio Branco[1], de provinciale hoofdstad van de deelstaat Acre, waar je nog de krekels boven de avondspits uit hoort. 300 kilometer westelijker zijn we geland op een open veldje bij een verlaten rubberconcessie bij de Tarauacá-rivier, de Fazenda California. Niet ver daarvandaan hebben we de nacht doorgebracht in het houten huisje van een landarbeidersgezin, de enige westerlingen in de wijde omgeving. Vanochtend vroeg zijn we daarvandaan opgestegen nadat de piloot de tank had bijgevuld. We hebben 600 liter extra kerosine bij ons en de vaten staan vastgebonden achter de stoelen in het krappe toestel.

Het gebied is zo afgelegen dat wie hier wil vliegen zelf extra brandstof moet meeslepen. Dat let nauw; met een liniaal zijn de afstanden op de landkaart gemeten. Hoeveel kilometers gaan we maken? Met hoeveel gewicht vliegen we? Hoeveel vaten passen er in het vliegtuigje? Daarna volgt de stempeltour: omdat dit deel van het oerwoud een van de belangrijkste doorvoerroutes is voor drugs, controleert de federale politie de verkoop van vliegtuigbrandstof. Alleen met schriftelijke toestemming mag extra brandstof worden verkocht en voor overheidsinstellingen als de Funai maakt de politie geen uitzondering.

'Wij zijn het front der fronten. Als je één ding vergeet of niet goed rekent, kun je verloren zijn. Niemand gaat zo diep het oerwoud in,' aldus Sydney. 'Daarom zijn er hier ook onbekende indianen.'

In het bos onder ons lopen honderden onbekende indianen rond. Het aantal hutten, de omvang ervan, de akkers en de voedselresten die gevonden zijn doen vermoeden dat hier de grootste groep geïsoleerde nomaden van Brazilië leeft, en vermoedelijk ook de grootste ter wereld.[2]

Op diverse plekken zijn nederzettingen gevonden, en omdat de constructie van de hutten varieert, vermoedt Sydney dat het om drie of vier verschillende volken gaat. Een heel enkele keer heeft een rubbertapper indianen gezien; er zijn er met kort, maar ook met lang haar, hetgeen de these van diverse stammen bevestigt.

De groepen zwerven langs de rivieren. In de winter leven ze stroomopwaarts in Peru; in de zomer als het water laag staat, komen ze naar Brazilië.[3] 'Een primitieve indiaan weet van geen grens,' zegt Sydney.

Voor ons vertrek kreeg hij een bericht uit de Peruaanse hoofdstad. De Nationale Ombudsman in Peru heeft hem gevraagd of hij kan helpen. Geïsoleerde indianen hebben op Peruaans grondgebied een expeditie aangevallen en een kind gedood.[4] De Peruanen weten niet wat ze met de indianen aan moeten. 'Regionaal overleg over geïsoleerde indianen, dat wordt mijn volgende project,' zegt de energieke Sydney.

De regentijd is begonnen en dat betekent dat ons vliegtuigje als een cocktailshaker heen en weer schudt. We vliegen voortdurend wolken in die ons minutenlang alle zicht benemen. Lager vliegen kan niet, want dan gaan we te snel om het terrein goed te kunnen inspecteren. Het zoeken komt mij voor als een onmogelijke klus: overal zijn identieke grijsgroene propjes van boomkronen, zo ver als je kunt kijken. Een contactlens opsporen in een zandbak lijkt simpeler.

Soms zie je een geel toefje van een bloeiende *ipê*-boom en een keer zweeft er een vlucht blauw-rode papegaaien onder het vliegtuig door. Overal is water. Als roodbruine serpentines kronkelen rivieren en beken over het propjestapijt.

Vanaf deze hoogte lijken de rivieren stil te staan. Het water stroomt hier traag, want er is nauwelijks verval. Op rivieren kun je niet koersen, heeft de piloot me voor vertrek verteld: mede onder invloed van de overstromingen in de winter verandert hun loop voortdurend.

De twee helse motoren maken de kleine cabine tot een bakoven en kerosinedamp prikt in mijn ogen. Hoeveel brandstof is er nog? wil Sydney weten. Hij zit naast de piloot met een landkaart en een GPS op schoot. Achter hem zitten twee andere Funai-mensen, elk met de neus op het raam geplakt. Op hun schoot liggen verrekijkers. Soms is er even opwinding. Een kaal lichtgroen vlekje? Dat zou de jonge aanplant van een kostgrondje kunnen zijn. En als het iets donkerder groen is, is het misschien een akker die overwoekerd is. Lichtbruine vlekjes kunnen duiden op ontbossing omdat de indianen daar een erf of zwerfakker willen maken.

De piloot steekt een vinger op: nog een uur hebben we dus. Plus de terugvlucht naar de Fazenda California, die dezer dagen als onze uitvalsbasis zal functioneren. Sydney knikt en gebaart ons dat we uit het linkerraam moeten kijken. Het is zo'n lawaai dat een gesprek onmogelijk is. Beneden ons is een klein kaal, weggesleten plekje in het groene bouclétapijt: is het een ontbost gedeelte? De piloot maakt een extra rondje en wij drukken onze neuzen en verrekijkers tegen de ruiten. Nee, schudt Sydneys assistent.

Maar om vijf voor één is het opeens raak: beneden ons ligt een klein veldje en daarop staat een hut. Vanuit de lucht oogt hij als een dikke speldenknop, maar twee deuropeningen zijn duidelijk zichtbaar. Er liggen drie kostveldjes naast. Om halftwee vinden we een indianendorp, bestaand uit een grote hut met vijf kleinere exemplaren eromheen. De indianen hebben een groot stuk bos weggehaald, zeker 100 vierkante meter, mogelijk om er een nieuwe akker van te maken. Tientallen meters verderop zijn de oude akkers zichtbaar, omsloten door bos. En weer een stukje verder treffen we drie mooie, ronde hutten. Ze zijn lichtbeige; dat betekent dat ze pas gemaakt zijn.

De opwinding in de cabine is groot. De duimen gaan omhoog.

'Filmen!' roept Sydney. 'Zet die camera aan. We moeten het laten zien. Anders geloven ze ons straks niet.'

Ik zou het liefst lager willen om nog beter te kijken. Maar Sydney vreest dat het vliegtuig de indianen angst aanjaagt. Hoe ik me ook inspan, ik zie geen moment een indiaan.

Dat zegt niets, zal hij me later uitleggen. 'De indianen kunnen aan het jagen zijn, of aan het wassen, of ze zijn bang van het geluid van het vliegtuig en zijn naar binnen gevlucht.'

Voor de indianen zijn vliegtuigen grote zilveren vogels. Sydney vertelt hoe de gebroeders Villas-Bôas, de bekendste sertanistas van Brazilië, en zijn helden, in 1964 voorafgaand aan een contact niet alleen geschenken, maar ook strooibiljetten met hun foto vanuit een vliegtuigje naar beneden hadden laten gooien. Eerdere pogingen in de jaren vijftig om contact met deze indianen te leggen waren mislukt. Ze hoopten dat de indianen als ze hen vanuit het bos bespiedden hen zouden associëren met de geschenken en dan hun vijandelijkheden zouden staken. Dit gebeurde ook inderdaad. Maar een van de indianen vertelde Sydney later dat ze aanvankelijk dachten dat de strooibiljetten poep waren van de grote vogel.[5]

Op de terugweg naar de Fazenda California maken we een tussenlanding in Espiridião, een dorp in een bocht van de Tarauacá. Het dorp loopt uit als we laag over de bomen suizen en schokkerig landen op een modderige strook.

Índios bravos, wilde indianen, zijn hier een onzichtbare boze buurman. Er doen verhalen de ronde over gestolen pannen, en honden,
koeien en geiten die doodgeschoten werden met pijlen. Er is een door
alle bewoners gedeelde angst: dat er op een dag een overmacht aan
naakte indianen met pijlen en knuppels uit het bos stapt en de aanval inzet. Veel dorpsbewoners zijn afstammelingen van migranten uit
Noordoost-Brazilië die hier tijdens de rubberhausse zijn gekomen. Ze
woonden en werkten in rubberconcessies maar vluchtten naar Espiridião uit angst voor índios bravos.

Werk is hier niet. De rubberprijs is zo scherp gedaald dat tappen
niet meer genoeg oplevert en de meeste bewoners verbouwen daarom
wat maniok en rijst. Ze zijn op zichzelf aangewezen. Jordão, het enige
dorp van betekenis in het gebied, is als het water hoog staat acht dagen
stroomafwaarts varen. Als het water laag staat, kan de tocht weken duren.

Ik wandel door het dorp en praat links en rechts met bewoners.
Maria Lindalva Alves de Araújo, een moeder van elf kinderen, woont
zoals iedereen hier in een houten huis op palen, en haar belangrijkste bezit is een gasfornuis. Ze woonde vroeger in een rubberconcessie
twee dagen varen verderop, vertelt ze. Op een avond had ze om elf uur
buiten lawaai gehoord. Het klonk als rammelen. Dat zijn de katten die
bij het rek met aluminium pannen op de patio zitten, dacht ze. De volgende dag vond ze achter het huis een pijl, een boog en voetsporen van
drie personen. Een week later was het gezin verhuisd. 'We waren bang,'
verontschuldigt ze zich. 'Bij de rivier hadden de indianen rubbertappers gedood.'

Voor de zoon van Lucilia de Souza Portela, eigenaresse van een andere rubberconcessie die een paar deuren verderop in Espiridião woont,
liep de ontmoeting met de onbekende indianen minder goed af. Hij
ging met zijn twee kinderen uit vissen in een kreek vlakbij. Ze zagen
voetsporen. 'Hé, er is nog iemand geweest,' zei hij tegen de kinderen. Er
klonken stemmen en daarop stapten twee naakte indianen met pijl-en-
boog tussen de bomen vandaan. De indianen probeerden een van de
kinderen te pakken, maar die renden gillend weg. 'Loop, kinderen!' had
hij nog geroepen. De kinderen zagen hoe een pijl hun vader raakte en
hij werd beetgegrepen. Hun manke vader was een makkelijker slachtoffer. 'Ze zijn papa aan het doodmaken,' vertelden ze toen ze overstuur
thuis aankwamen.

Toen gealarmeerde collega's met wapens in de aanslag gingen kijken, vonden ze een toegetakeld levenloos lichaam. De indianen hadden zijn oren afgesneden, vertelt Lucilia. Op de plek waar zijn ogen hadden moeten zitten, waren slechts donkere gaten. Met een scherp voorwerp waren er gaten in zijn wangen geprikt en zijn vingers waren afgesneden. Toen er twee weken na de moord naakte indianen op het terrein van de rubberconcessie werden gesignaleerd, durfde geen enkele rubbertapper meer het bos in. De bewoners meden ook de rivier, waar ze voor die tijd iedere avond een bad namen. Ze verschansten zich in drie huizen op het terrein en vroegen de politie via de radio om hulp. Lucilia had geen vierentwintig uur meer willen blijven.

Zeker tot de jaren tachtig zouden rubbertappers de dood van een collega hebben gewroken, vertelt de sertanista José Carlos Meirelles, die verantwoordelijk is voor geïsoleerde indianen in Acre en mee is op de expeditie. De *correrias*, zoals de gewelddadige achtervolgingen van indianen werden genoemd, waren een sport. Kwamen de rubbertappers een indianendorp tegen, dan ging het in vlammen op, ongeacht of de daders daar woonden. Indianen in zo'n dorp werden verjaagd, verkracht of gedood.

Maar sinds de Funai in 1988 een post voor geïsoleerde indianen in het oerwoud heeft geopend, heeft wraak een prijs. Nu de kans op rechtsvervolging is toegenomen, zijn vergeldingsacties schaars. Toch is een paar maanden voor onze komst het lijk van een vermoorde indiaan gevonden. Zijn testikels waren afgesneden en er was een poging gedaan het lichaam te begraven. Vijftien blanken uit Jordão gingen jagen en bomen kappen in het oerwoud. Onderweg waren ze drie indianen tegengekomen die net bezig waren een vuur te maken. De aanvoerder van de groep, een gemeenteraadslid en tevens een broer van de burgemeester, zou een van hen met een mes hebben doodgestoken. Twee van zijn maten zouden de twee anderen voor hun rekening hebben genomen. Maar de Funai vond slechts één lichaam. 'Dat zegt niets. Er is zoveel wat we niet weten en nooit zullen weten,' meent Meirelles. Het gebied bestaat uit 10 miljoen hectare – iets groter dan Portugal – aaneengesloten bos dat doorloopt in Peru en is vrijwel alleen via de rivieren toegankelijk. Meirelles: 'Berichten bereiken de buitenwereld eenvoudigweg niet.'

Daarom spreekt hij over 'een stille oorlog'. De oorlog is een bloedige territoriumstrijd die al bijna honderd jaar duurt, vanaf het moment dat de eerste rubbertappers verschenen. 'Het is moeilijk te zeggen wie er is begonnen.' Maar Meirelles, zoals hij door iedereen kortweg wordt genoemd, begrijpt de Brazilianen in het dorp. 'De angst maakt hen wraakzuchtig.'

Zelf woont de sertanista sinds 1987 met zijn echtgenote, kleinkinderen en een half dozijn medewerkers op een uitkijkpost in het oerwoud op negen dagen varen van de bewoonde wereld. De post is bedoeld als buffer tussen de geïsoleerde indianen enerzijds en de Brazilianen en geaccultureerde indianen anderzijds.[6]

Want ook de verwesterde indianen hebben last van de 'wilden', zoals ze hen noemen. De onbekende indianen stelen geregeld spullen en hebben al eens hutten in brand gestoken. In de territoriumstrijd tussen indianen vallen vooral onder de verwesterde indianen doden. Dat zet veel kwaad bloed. De verwesterde indianen zouden graag wraak nemen.

Het enige dat de Funai kan doen is op hen inpraten, hen ervan proberen te overtuigen dat de geïsoleerde indianen hun broeders zijn die zich van geen grens bewust zijn. Maar het zijn moeizame gesprekken, geeft Meirelles toe. 'Ze begrijpen niet dat ze geen vijanden zijn.' Hoewel ze uit eigen ervaring weten dat het contact veel ellende brengt, begrijpen de indianen evenmin dat de Funai geen contact legt met de geïsoleerden om de rust terug te brengen. Ze wijten het aan laksheid en incompetentie. Als de Funai het niet doet, willen ze het zelf doen.[7]

Een extra complicerende factor in het kluwen van angst, dood en wraak is de drugshandel waarvoor het bos als doorvoerroute wordt gebruikt. In 1998 viel een groep geïsoleerde indianen een rubberconcessie in het grensgebied aan. Maar Meirelles en Sydney vermoeden dat het geen traditionele indianen waren, maar verwesterde indianen uit Peru die ingehuurd waren door de drugsmaffia om te doen alsof zij índios bravos waren. Ze moesten de rubbertappers angst aanjagen zodat ze het gebied zouden verlaten. Iets soortgelijks zou zijn gebeurd in het reservaat van de geaccultureerde Ashaninka-indianen, waar onbekende indianen hutten in brand staken.[8] De Ashaninka delen met hun aartsvijanden, een geïsoleerde indianenstam die door de antropologen Amahuaka wordt genoemd, hetzelfde reservaat.[9]

Ook al is er geen contact met de geïsoleerde indianen, toch is het

mogelijk een reservaat voor hen in te stellen zoals in Rondônia is gebeurd voor de indianen met de lange bogen en hier in Acre ook. Met
expedities op de grond stelt de Funai in zo'n geval vast wat de grenzen
van het jachtgebied van de indianen is. Een van de methodes is een
denkbeeldige grote cirkel te trekken rond de plek waar indianen gesignaleerd zijn en vandaar richting centrum te lopen. Wanneer je op sporen stuit, ben je in het jachtgebied van de indianen aangeland.

Gezien de omvang en het moeilijk begaanbare terrein is het on-
doenlijk om een hek om een reservaat heen te zetten. In plaats daarvan wordt meestal in het bos met behulp van de G P S een denkbeeldige grenslijn vastgesteld en daar wordt een meters brede picada gehakt.
In deze 'gang' komt om de 100 meter een betonblok te staan met een
opschrift met de naam van het reservaat.

In 1998 leidde Meirelles zo'n demarcatie-expeditie voor een reservaat van geïsoleerde indianen die meer dan een maand zou duren.
De indianen hadden de expeditie van meer dan twintig man gevolgd
vanaf de dag dat ze uit het kampement waren vertrokken. Dat zag hij
aan sporen. Op dag 33 sloeg hij alarm. Ze waren nog slechts 3 kilometer van de grens met Peru verwijderd, toen hij van zijn achtergebleven
medewerkers via de kortegolfradio vernam dat de indianen de Funai-
uitkijkpost in brand hadden gestoken. Meirelles twijfelde er niet aan
dat dit een dreigement was: de indianen wilden de groep die hun gebied was binnengedrongen en met rare beesten die lawaai maakten
(motorzagen) bomen omverhaalden, afschrikken en hadden daartoe
hun 'dorp' vernietigd.

Hun trektocht, het lawaai, de bomen die achter elkaar omvielen: het
moest voor de indianen zijn alsof de hel op aarde was losgebarsten,
stelde Meirelles zich voor. De vraag was wat hun volgende actie zou
zijn. De nabijheid van de onbekende indianen liet zich in alles voelen. 's Nachts hoorde hij hen met elkaar communiceren door middel
van fluiten en andere geluiden. Eerder die dag had hij zelfs een naakte
indiaan gezien die verderop de picada was overgestoken. Het lag het
meest voor de hand dat ze nu hun pijlen op de boosdoeners zelf zouden richten. Ze konden hen omsingelen en doden, tenzij ze dachten
dat de vreemde mannen de boze geesten zelf waren; dan was aanvallen
natuurlijk riskant. Sydney besloot dat Meirelles en zijn mannen onmiddellijk geëvacueerd moesten worden. De groep werd weggehaald

door een luchtmachthelikopter, nadat er eerst bomen waren geveld om het toestel te laten landen.

Het duurde nog een jaar voordat Meirelles oog in oog met geïsoleerde indianen stond. Dat gebeurde in oktober 1999. Het liep tegen zessen 's avonds en het schemerde al toen hij een horde naakte indianen zag aankomen. Ze stapten door de droge rivierbedding, de mannen met pijl-en-boog voorop. Het was een enorme groep van ongeveer tweehonderd indianen, inclusief vrouwen en kinderen – een volk dat op de loop was. Tijd om na te denken was er niet. Meirelles alarmeerde zijn vrouw, kleinkinderen en medewerkers, griste geweren en een radio mee. Ze sprongen in de kano's die voor het huis lagen en voeren zo hard als ze konden weg. 'Om het vege lijf te redden.' Hij had nog wel omgekeken. De mannen hadden naar hem gezwaaid en gewenkt.

Tweestrijd en melancholie overvielen hem en hij had zich moeten beheersen om niet terug te varen. Het was geen overval geweest. Geen van de indianen had een pijl afgeschoten. 'Ik had het gevoel dat ze contact wilden.' Een aantal indianen had hen op de oever nog zeker 2 kilometer gevolgd.

Twee dagen later keerde Meirelles terug naar de post. Niets was vernield. Uit de moestuin hadden de indianen maniok en bananen gehaald. En verder hadden ze slechts messen, touw en pannen meegenomen; de jonge hondjes, kippen en eenden hadden ze gedood. 'Ik denk dat ze de veren wilden hebben voor hun pijlen.' Ze hadden een pijl vergeten. Meirelles herkende die onmiddellijk als een pijl van de nomaden die hem bijna twintig jaar geleden in dit gebied hadden aangevallen en die door de andere volken Masko worden genoemd. Hoe primitief deze indianen zijn, bleek uit het feit dat ze suiker, zout, maar ook kleren, munitie en ander gereedschap hadden laten liggen. Indianen die contact met blanken hebben gehad, hebben deze artikelen immers hoog op hun verlanglijst staan.

Het bezoek riep veel vragen op. Wat wilden de indianen? Waarom hadden ze niet geschoten? Ze waren overduidelijk in de meerderheid en het weinige dat hij van deze indianen wist was dat ze strijdlustig waren. En wat hadden ze hier te zoeken? Gewoonlijk bevond de groep zich in deze tijd aan de bovenloop van de Envira, de Juruá, de Purús of de Madeira, in of vlak bij Peru.

Meirelles had maar twee verklaringen kunnen bedenken: óf de indianen hadden bedacht dat het moment voor contact daar was, óf ze waren verdreven uit hun jachtgebied. Van oude indianen van reeds gecontacteerde stammen wist hij dat deze indianen bij het minste teken van aanwezigheid van blanken op de loop gingen. Van contacten in Peru had hij gehoord dat de regering in het oerwoud wegen wilde aanleggen; misschien waren er landmeters en houthakkers verschenen en waren ze daarvoor gevlucht.

Er was een curieus detail: de indianen hadden een aardewerk potje achtergelaten. Later had hij ook in verlaten dorpen aardewerk gezien.

'Ik vind dat eigenlijk raar, want nomaden maken geen aardewerk,' zegt hij tegen Sydney als we in een bar in Espiridião zitten en hij mij het relaas van de overval heeft gedaan.

'Hoezo raar? Da's helemaal niet raar,' sputtert Sydney. 'Ze zijn op de vlucht. Misschien zijn ze nomaden uit noodzaak.'

'Maar ze zouden het aardewerk ook kunnen hebben geruild met een ander volk,' oppert Meirelles.

Sydney blijft bij zijn standpunt: de potten zouden best door de indianen zelf gemaakt kunnen zijn in een andere tijd. 'Als je almaar op de vlucht bent, veranderen je gewoontes. Dat zegt niets.' Neem de Tupí, zegt hij. 'Zij aten veel maïs. Maar omdat ze almaar op de loop waren, konden ze het rijpen van de kolven niet meer afwachten om het zaad te oogsten.'

Meirelles knikt.

'En als de groep klein wordt, zie je ook dat rituelen verdwijnen. Arbeid wordt normaal verdeeld naar sekse en leeftijd. Maar als er geen mannen meer zijn, beginnen de vrouwen het werk te doen.'

Ik moet onmiddellijk aan de Kanoê denken, met Txinamanty als pajé en leider en de vrouwen die op jacht gaan.

Het beeld van een stoet indianen die aan komen lopen en wenken laat me niet meer los. Het is een paradoxale situatie, bijna omgekeerd aan die van de indiaan van het gat. Als zij hunkeren naar contact, moet en mag je hun dat dan ontzeggen? Ik leg het de twee sertanistas aan tafel voor.

'Ze weten niet wat voor risico's ze lopen door het contact. Wij wel,' zegt Meirelles. 'Als ze opnieuw het bos uit komen, zou ik hun willen zeggen: ga terug. Je hebt hier niets te zoeken.' Maar geen indiaan gelooft het, tekent hij aan. 'Dat is het probleem.'

Sydney is nog stelliger: 'Noem mij één volk dat beter is geworden van het contact. Geen één. Als je indianen ziet op het moment van het eerste contact, zijn ze sterk en trots. Zij overleven beter in het bos dan wij. Wij hebben weliswaar angstaanjagende wapens, maar zij denken dat wij een klein groepje zijn, zoals zij. Als je twee jaar later terugkomt, zijn ze lamgeslagen en is hun zelfrespect verdwenen. Inmiddels weten ze dan namelijk met hoe ongelooflijk veel wij zijn, wat voor vreemde en machtige hulpmiddelen we hebben en dat ze geen enkele kans hebben ons te verslaan. Van die zelfbewuste indianen is niets meer over. Hun levenslust ebt weg en er zijn zelfs indianen die zelfmoord plegen.'

Meirelles knikt instemmend.

Strijdlustig voegt Sydney eraan toe: 'Als ik indiaan was, zou ik me liever doodvechten dan contact krijgen.'

'Dat zeg je met de kennis van nu,' zeg ik.

'Ja, zij weten niet wat hun boven het hoofd hangt. Daarom beschermen wij hen daartegen.'

'Als je hun nog tien of twintig jaar zonder contact kunt geven, is het al de moeite waard,' zegt Meirelles.

Het dorp is geen plek om lange gesprekken over indianen te voeren. Sydney en Meirelles zijn bang dat we afgeluisterd worden.

'Als de dorpsbewoners erachter komen dat we van de Funai zijn, krijgen we problemen,' zegt Sydney.

Sydney en Meirelles koesteren weinig sympathie voor de dorpsbewoners – ze vinden hen kortzichtig en bot als het om indianen gaat – en dat is wederzijds. De Funai is in de ogen van de bewoners medeverantwoordelijk voor het feit dat zij geen werk hebben. Diverse rubberconcessies zijn namelijk opgeheven, omdat ze zich binnen de grenzen van het reservaat bevonden.

'Waarom legt de Funai geen contact met die indianen? Daar zijn die mensen van de Funai toch voor?' zegt een van de bewoners die ik interview. Hij tekent erbij aan dat hij niets tegen indianen heeft. Drie van de gemeenteraadsleden zijn indiaan en met hen kan hij het goed vinden. 'Maar die wilde indianen hebben geen cultuur. Ze lopen naakt rond en ze stelen.'

Het zo door mijn begeleiders gewenste vertrek laat op zich wachten: een tropische regenbui heeft het dorp overvallen. Hoewel het vliegtuig is uitgegraven en startklaar staat, blijkt opstijgen onmogelijk. De piste is een oranje glijbaan waarin je bij iedere stap tot je enkels wegzakt in de blubber. De motoren brullen en oranje modderklodders vliegen alle kanten op. Hoe de piloot het probeert, we kunnen niet genoeg snelheid maken. Het toestel glibbert keer op keer zijwaarts weg. Het zijn bange minuten in de cabine.

'We blijven hier in geen geval overnachten. Dat is te gevaarlijk,' zegt Sydney als we na een derde poging vlak voor de bosrand tot stilstand zijn gekomen. Ik begrijp dat hij een aanslag op zijn leven en dat van Meirelles vreest.

De piloot broedt op een oplossing. Met wat geluk krijgt hij het toestelletje zonder passagiers wel de lucht in, zegt hij. Daarna landt hij hetzij in de hoofdstraat, hetzij op het voetbalveldje bij de rivier, en daar kunnen we proberen met z'n allen op te stijgen. Sydney kiest voor het voetbalveldje. 'Er zijn wel veel gaten, maar het is gras,' zegt de piloot. Het klinkt vooral alsof hij zichzelf moed wil inspreken.

Als we twintig minuten later in de lucht hangen en beneden ons het dorp achter de wolken zien verdwijnen, stoot Meirelles me aan. 'Vliegen met mooi weer is helemaal niet leuk,' roept hij, en hij geeft me een vette knipoog.

Op onze uitvalsbasis in de Fazenda California, het huisje van het landarbeidersgezin op het terrein, krijgen we de volgende dag bezoek van Kulina-indianen, een volk dat zowel in Brazilië als in Peru leeft en al een eeuw contact heeft met blanken.[10] Ze trekken hun kano's van uitgeholde boomstammen op de wal. Ze komen omdat ze geld van de Funai te goed hebben. Zij hebben het grasveld waarop het vliegtuigje is geland voor ons gemaaid.

'Ze komen wel vaker buurten,' zegt Thelma, de landarbeidster in wier huisje we verblijven. We kijken hoe de indianen de helling naar het huis op klauteren. Meestal willen ze met haar bananen en jachtvlees ruilen tegen zout, vertelt Thelma.

De Kulina hebben een donkere huidskleur en zijn stevig gebouwd. Hun blote voeten zijn plat en breed als zwemvliezen en verraden dat ze nooit schoenen dragen. De vrouwen gaan gekleed in gebloemde dunne jurken; de mannen dragen T-shirts en bermuda's. Ze lijken door de strepen en stippen van urucum op hun gelaat op jaguars.

Er is een oudere man in de groep. Een afgedragen colbertje spant om zijn bolle buik en de veiligheidsspeld die de twee voorpanden bij elkaar moet houden staat op knappen. Ook het petje, van het soort dat politici gratis uitdelen tijdens hun campagne, heeft zijn beste tijd gehad.

Gewillig schuift hij op als ik naast hem wil komen zitten op de houten bank op het erf. Cazuza noemt hij zichzelf. De naam, naar een bekende jong gestorven Braziliaanse rockzanger, was een idee van zijn zoon. Als ik hem vraag hoe hij echt heet, glimlacht hij.

'Cazuza,' herhaalt hij.

Hij wil weten hoe ver de índios bravos weg zijn. Hebben wij hun hut gezien?

Een maand geleden hadden de bravos pannen en potten gestolen uit hun dorp, maar ze hadden het pas later gemerkt. Hij is bang voor hen, verklapt hij, 'want ze zijn dapper en ze schieten. De punt van de pijl maakt je dood.'

'Maar u bent toch een broer?' vraag ik.

'Ze schieten omdat ik kleren aanheb en ik mijn haar heb gekamd.' Hij kijkt me vanonder de klep van zijn petje sip aan.

Zijn vader en moeder waren índios bravos geweest. Toen hij een tiener was, waren ze verhuisd naar de Fazenda California, toen een rubberconcessie in bedrijf. Daar had het gezin gewerkt. En vervolgens waren ze manso, mak, geworden.

'Hoe wordt een índio bravo een índio manso?'

'De blanke geeft hem suiker en zout. Dat deden de mensen op de fazenda.'

Zijn vader wilde ook een geweer hebben. 'Toen heeft hij mijn broer aan de blanken cadeau gedaan.' De broer huwde later een blanke vrouw en woont nu in de stad.

Meirelles heeft een geldkistje bij zich en roept de indianen een voor een bij zich. Voor de ontvangst van het geld moet getekend worden. Plechtig steken de indianen hun duim in de inktpot, die Meirelles ook bij zich heeft, en drukken hun vinger in het vakje dat hij aanwijst op het papier.

We zwijgen en kijken naar Sydney, die heftig gesticulerend nadoet hoe een vermetele indiaan een jaguar bij zijn kop greep. De jonge indianen hangen aan zijn lippen bij dit spannende, ter plekke verzonnen verhaal bedoeld om de goegemeente te amuseren.

Hij had graag een índio bravo willen zijn, zegt Cazuza. 'Dan zou ik veel jagen en hadden we feesten. Mijn ouders vertelden altijd over jagen en feesten.'

Meirelles zal de volgende dag met twee vaten dieselolie voor in de kano terugvaren naar de uitkijkpost waar hij woont. De avond voor zijn vertrek demonstreert Sydney hem het gebruik van een nieuwe satelliettelefoon. Radiocontact is daarmee vergeleken iets uit het stenen tijdperk. Meirelles sleept nu een kastje mee het bos in en moet draden tussen de bomen spannen als hij radiocontact wil krijgen, maar de volgende keer kan hij bij onverwacht indianenbezoek Brasília bellen, als het moet vanuit de kano.

'Als je dan maar niet een uur in gesprek bent,' grapt Meirelles tegen Sydney.

Thelma kijkt het aan. Vanaf morgen zijn zij, haar man en vijf kinderen weer alleen in hun houten huisje in het oerwoud met hun twee koeien, kippen en de kwakende padden. Het eerstvolgende dorp is acht dagen varen. Als de indianen komen zijn ze overgeleverd aan het lot en aan zichzelf. Die dag nadert ras, want op twee uur lopen van hun huis zijn vuurresten, afgebroken takjes en een schuilplaats gevonden. Thelma is bang, want weten de indianen veel dat zij vreedzaam zijn en hen willen helpen? 'Blanken zijn voor hen blanken.'

Als het zover is, zullen ze moeten rennen, houdt ze zich voor. Het zelfgebouwde huis, de put, de akker, de beesten – dit leven waar ze zo van houden: ze zullen het moeten achterlaten.

'Alles gaat voorbij,' zegt ze. 'Maar zo is het leven, hè?' Het klinkt nauwelijks als een vraag.

Sydney Possuelo en ik gaan met het vliegtuigje door naar Tabatinga, een uit de kluiten gewassen dorp met golfplaten daken in het westen van de Amazone, waar Brazilië, Colombia en Peru elkaar raken. Vanuit dit drielandenpunt zullen we in zuidwestelijke richting verder per boot reizen naar de Vale do Javarí (Vallei van de Javarí-rivier). Vier jaar geleden slaagde Sydney erin hier contact te leggen met de gevreesde Korubo-indianen, de knuppelaars over wie ik in het kampement in Omerê al heb gehoord.

De Korubo hadden in de jaren daarvoor tientallen blanken doodgeknuppeld. Ter vergelding hadden de blanken minstens zoveel indianen gedood. De expeditie was noodzakelijk om meer bloedvergieten te voorkomen. Herhaaldelijk was vergeefs geprobeerd contact te leggen; Sydney lukte het bij zijn vierde poging. Het was een gigantische operatie geweest, met speedboten, een cameraploeg en zendmasten. Omdat de lokatie voor radioverkeer een dood punt was in het oerwoud, moesten er drie zendmasten worden opgericht.

Voor Sydney was het de zevende keer dat hij contact legde met een geïsoleerd volk. 'Het is iedere keer beladen, emotioneel en spannend,' zegt hij. Bang is hij nooit. 'Daar heb je geen tijd voor. Je bent als een veldheer bezig met een strategische operatie.' Het heeft ook wel wat van oorlog, zegt hij. Voor de indianen ben jij immers de vijand. 'Je bent een en al adrenaline op zo'n moment, omdat als je iets vergeet of niet waarneemt de ontmoeting een slachtpartij kan worden.' Hij let in de eerste plaats op waar de indianen vandaan komen en welke hoek hun pijlen kunnen maken. En natuurlijk heeft hij de radio aldoor in het oog om zo nodig onmiddellijk hulp in te roepen. Altijd heeft hij een wapen bij zich om indianen van een aanval te weerhouden. 'Dat is het eerste waarnaar ze kijken. Of je een wapen hebt.' Bij de meeste expedities gaan geaccultureerde indianen mee als gids. Zij zijn het bangst van allemaal, zegt hij. 'Want zij weten nog beter dan wij waartoe indianen in staat zijn.'

Bij Funai geldt Sydney als degene die geïsoleerde indianen het best begrijpt. Hij is in ieder geval van de sertanistas in actieve dienst degene met de meeste ervaring. Hij loopt tegen de zestig, overleefde zesendertig malaria-aanvallen en een ernstig auto-ongeluk, en leefde meer dan een jaar bij indianen zonder een blanke te zien. Verhalen komen bij hem als water uit de kraan.

In de jaren tachtig werd hij te hulp geroepen bij de aanleg van de Transamazonica in Pará. De bouwers en gebruikers van de weg werden keer op keer beschoten door de Arara die in het gebied leefden. Negen jaar lang was tevergeefs geprobeerd met hen contact te leggen. Sydney werkte eerst met harde hand kolonisten en andere gelukzoekers het jachtgebied van de indianen uit. Vervolgens bouwde hij een hut aan de rand van hun territorium, legde daar cadeaus neer en ging in een andere hut, kilometers buiten het gebied, zitten wachten. Het duurde vijf maanden. Op een dag omsingelden de indianen hem en zijn mannen in stilte. Hij wist dat ze er waren, ook al zag en hoorde hij hen niet. 'Ik rook hen.' Ze hadden zich namelijk beschilderd met urucum, dat behalve kleur ook een geur heeft. Hij sloeg onmiddellijk alarm en kon nog net duiken toen de pijlen op hem af zoefden.

Hij besloot daarna dat er meer mannen en meer wapens moesten komen. 'Zo maakte ik hun duidelijk dat wij sterker waren dan zij.' Maar hij legde ook meer cadeautjes neer. 'Wij waren sterker, maar we wilden vrienden zijn.' Na het contact bleek dat het slechts 73 indianen waren geweest, onder wie vrouwen en kinderen, die een decennium lang hun gebied heroïsch verdedigd hadden tegen de overmacht aan mensen en machines.

Toch maakt ook Sydney inschattingsfouten. Besmetting met ziektes is een groot probleem bij eerste contacten. Sydney had zich vast voorgenomen dat er bij een contact onder zijn leiding geen enkele indiaan zou sterven. Bij de Arara had hij daarom een verpleegster, een helikopter en alle denkbare medicamenten bij zich gehad. Maar de indianen die ziek werden, vluchtten het bos in in plaats van hun hulp te vragen. Dat had hij van tevoren niet bedacht. Van de 73 indianen stierven er zeven.

Sydney is een energieke, maar ook ongeduldige man, die snel uit zijn slof schiet. Met zijn zwarte baard, boze frons en galmende stem heeft hij iets van een Italiaanse pizzabakker. Net als Marcelo had hij toen hij in São Paulo van school kwam geen speciale belangstelling voor indianen maar hield hij vooral van kamperen en jagen. Zijn carrière begon toen hij als achttienjarige mee mocht 'om de koffers te dragen' op expeditie met de broers Villas-Bôas, zijn helden.

Hij is net als Meirelles een sertanista van de oude school, opgeleid om contact te leggen met indianen omdat ze bij de economische expansie in de weg zaten. Herhaaldelijk maakte hij een deportatie mee. Omdat hij van dichtbij steeds het drama zag dat zich na contact met de blanke wereld voltrok, werd hij de meest fanatieke verdediger van isolement in Brazilië. Hij herhaalde het overal waar hij kwam: 'De indiaan is het best beschermd als hij in het oerwoud blijft.'

In 1987 richtte hij met dat idee de afdeling voor Geïsoleerde Indianen op. Hij kan het niet vaak genoeg zeggen: integratie betekende de afgelopen vijfhonderd jaar niets anders dan dat de indianen hun taal, tradities, autonomie en territorium kwijtraakten zonder dat ze er iets voor in de plaats kregen. 'Ze komen in de blanke maatschappij binnen op de onderste ladder en daar blijven ze.' Niet alle collega-sertanistas kreeg hij mee. Dat kan hij wel begrijpen. 'De glorie van de sertanista was altijd contact leggen, vrede stichten. Dat is een tastbare vrucht van zijn arbeid. Geen contact mogen leggen vinden sommigen heel moeilijk. Het is een aanslag op hun ego.'

De afdeling is met twee antropologen en twee assistenten klein en marginaal. Het geld voor de drie dozijn veldmedewerkers die de fronten bemannen komt uit het buitenland. 'De staat doet niets meer,' zegt de chef, die allang met pensioen had gekund, maar veel liever met revolver en mes op expeditie gaat.

Ons vliegtuigje is een geschenk van de Spaanse regering. De Europese Unie betaalde een grote kajuitboot met aan boord een minilaboratorium voor malariatests die in de Vale do Javarí rondvaart. Maar een bijdrage wil niet zeggen dat donoren begrijpen wat er speelt. Europeanen vindt Sydney naïef, inclusief in hun verheerlijking van indianen. 'Ze doen alsof de indiaan god is. Maar indianen doen net als wij foute dingen. Zij verkopen net zo goed hout.'

Als hij een expeditie organiseert om houthandelaren en vissers uit de Vale do Javarí te knikkeren, vragen de donoren in Europa of hij niet eerst met de invasoren moet praten. 'Als je hier praat, vallen er doden onder de indianen. Praten is namelijk tijd verdoen, de boel rekken. Ze moeten weg,' antwoordt hij in zo'n geval.

Zijn 'projecten' komen altijd op hetzelfde neer: een gebied afbakenen en voorkomen dat er blanken binnenkomen. Als hij een projectaanvraag doet, gebruikt hij veelvuldig woorden als 'zelfvoorzienend', 'ontwikkeling' en 'biodiversiteit'. Die termen willen ze in Europa namelijk graag horen. 'En altijd vragen ze: maar wat krijgen we ervoor terug? "Dat de indianen nog leven en het bos recht overeind staat," antwoord ik dan.'

Het is nauwelijks voorstelbaar, maar ook in dichter bevolkte gebieden dan het Amazonebekken duiken af en toe inheemse nomaden op die zich verborgen hebben weten te houden. Zo speurt Sydneys departement op verzoek van het staatselektriciteitsbedrijf Furnas 90 kilometer buiten de hoofdstad Brasília naar een handjevol geïsoleerde indianen.[11] Furnas heeft op de hoogvlakte een waterkrachtcentrale gebouwd en een deel van het woongebied van de indianen wordt onder water gezet. Men weet dat er ergens indianen rondzwerven en Sydney moet hen vinden om hen van de verdrinkingsdood te redden.

Jaren geleden las hij in de krant over een naakte man die door dorpsbewoners op een hoogvlakte bij Brasília gevangen was genomen nadat hij met een pijl-en-boog een varken had neergeschoten. Hij was meteen met een medewerker in de auto gesprongen en was naar het gehucht toe gereden. De dorpsbewoners die niet wisten of de naakte man een gek of een indiaan was, hadden hem een oude broek, een hangmat en eten gegeven.

Een kleine week bivakkeerde de onbekende indiaan – wat dat was het – in Sydneys flat in Brasília. Sydney deed hem voor hoe de wc en de kraan werkten. Maar de angstige, ontheemde indiaan, die hij op ongeveer veertig schatte, poepte iedere dag op het parket. Opdat zijn gastheer niets merkte schoof hij zijn uitwerpselen onder het bed of gooide hij ze uit het raam, waarbij het meeste aan de luxaflex bleef plakken. Hij at met zijn handen en het vlees dat hij niet opat, propte hij in zijn broek of verstopte hij onder zijn matras. Sydney kwam er pas achter toen er een penetrante stank uit de slaapkamer kwam.

Sydney, die moest werken, probeerde 's middags met de man het veld in te gaan. Zijn gast was steeds zichtbaar blij als hij buiten was. Dan ging hij meteen tussen de bosjes zitten om te poepen.

Ondertussen was het in de flat een komen en gaan van linguïsten, antropologen en tolken. De grote vraag was namelijk: wie was deze man? Tot welk volk behoorde hij? In het gebied waar hij was aangetroffen leefden al lang geen geïsoleerde indianen meer.

Iedere hypothese werd getest door er een indiaan van het betreffende volk naast te zetten die kon tolken. Sydney zelf geloofde op grond van 's mans uiterlijk dat hij mogelijk tot de Awa-Guajá behoorde, een groep in Noordoost-Brazilië waarmee hij destijds zelf het eerste contact had gelegd.[12] Het was een these die anderen onmiddellijk verworpen: hoe had de indiaan meer dan 1000 kilometer deels door bebouwd gebied kunnen overbruggen?

Toch kwam er een Awa-Guajá-tolk. Het was een invaller, omdat de vaste Funai-tolk met vakantie was. Toen de jongen binnenkwam, fluisterde hij tegen Sydney: 'Deze man komt me bekend voor.'

De twee mannen zaten tegenover elkaar op de grond en bleken inderdaad met elkaar te kunnen spreken. Sydney volgde de scène in spanning.

De tolk was nerveus. 'Ik kan het niet geloven,' zei hij na een tijdje tegen Sydney. 'Ik kan het niet geloven: dit is mijn vader.'

Alsof er een materieel bewijs moest worden geleverd, trok de oudere indiaan zijn shirt uit. Op zijn rug had hij het litteken van een schot dat hij had opgelopen toen hun groep met geweld uit hun hutten was verdreven. Bij de vlucht was de zoon, die toen zeven was, blijven hangen in het prikkeldraad. Het kind was door de blanken meegenomen en opgevoed. De moeder en zuster hadden de schietpartij ook overleefd, maar stierven een maand later, vermoedelijk aan een darminfectie. De overlevenden waren in zuidelijke richting gevlucht, waar ze in een gebergte terecht waren gekomen. Na twee jaar rondzwerven was alleen de vader nog over. Hij had zichzelf in leven gehouden met vlees van dieren die hij schoot, inclusief honden en paarden, en was steeds verder getrokken. Hij had inderdaad meer dan 1000 kilometer afgelegd, naar later bleek in een vrijwel rechte lijn lopend.

Pas toen Sydney de kamer uit ging, omhelsden de twee mannen elkaar. Ze begonnen te zingen en hielden daar pas mee op toen het nacht werd. Later vertelde de vader dat hij zijn zoon onmiddellijk had herkend toen deze binnenkwam, maar dat had hij niet durven zeggen uit angst voor de reacties.

De Vale do Javarí is alleen per boot te bereiken. In een speedboot varen we een halve dag over de Ituí, een brede, rustige rivier met de kleur van mokka. Er zijn witte rivierstrandjes, maar ook steile oevers met gras als rafels aan de bovenkant, afgekalfd in de laatste regentijd toen het water acht meter hoger stond. Hard kunnen we niet, want achterin liggen stapels dozen: koffie, uien, kookolie, gedroogd vlees, 50 broden, 25 pakken chocolademelk, sloffen sigaretten en nog veel meer. Die zijn bedoeld voor een expeditie die Sydney na mijn vertrek zal ondernemen. Hij wil het jachtgebied van de geïsoleerde indianen in de vallei vaststellen om hen beter te kunnen beschermen.

Het stroomgebied van de Javarí, die uiteindelijk in de Amazone stroomt, is met 80 000 vierkante kilometer een gigantisch stuk ongerept oerwoud. Het is twee keer zo groot als Nederland. In dit oerwoud leven meer dan tweeduizend indianen die nauwelijks weet hebben van de blanke wereld en honderden totaal geïsoleerde indianen die alle contact schuwen.[13] Onderling voeren de indianen strijd en er vallen soms doden. Sydneys angst is dat de gecontacteerde groepen het jachtgebied van de geïsoleerden binnentrekken en daar bomen hakken om te verkopen. Er is namelijk geen scheidslijn in het bos.

Meer dan drie eeuwen was dit deel van de Amazone op de kaart een witte plek, want de indianen waren fel en wilden van geen bezoekers weten.[14] Maar de afgelopen eeuw was er geen houden meer aan: rubbertappers, houthandelaren en recenter ook drugssmokkelaars en vissers drongen hun gebied binnen. Er vielen vele doden, aan beide kanten. Onder druk van Petrobras, het staatsoliebedrijf, dat in het gebied naar gas wilde boren, legde de Funai in de jaren zeventig contact met enkele van de indianenvolken. Andere volken zochten daarna zelf contact.

Toen de Vale do Javarí in 1994 uitgeroepen werd tot indianenreservaat, bepaalde Sydney dat alle blanken het gebied uit moesten. Honderden houthandelaren en vissers werden verjaagd. Zelfs kleine boeren moesten gaan. Sydney, explosief en koppig, hield voet bij stuk, ondanks protesten van de plaatselijke politiek. Dreigementen voeden zijn strijdlust, geeft hij toe. 'Ik ben vóór de indianen en tégen de rest. Het kan me verder niet schelen wat mensen vinden en of ze tegen zijn. Ik leef om iets te doen en wie meedoet, doet mee.'

Af en toe lijkt het of er naast de boot iemand meezwemt. 'Een rivierdolfijn,' zegt Sydney als de roze rug weer boven de waterspiegel uit komt. Kaaimannen zijn er ook, maar die vertonen zich niet. 'Een paar jaar geleden is er een boot gezonken. Van de elf doden konden er maar twee worden opgedregd, omdat kaaimannen de andere lijken hadden opgegeten.'

Onder de waterspiegel schuilen vele gevaren. Kort nadat Sydney met de Korubo contact had gelegd, nam een van de vrouwen met haar dochtertje een bad in de rivier, toen er een enorme anaconda naast haar opdook. De slang slingerde zich om het kind en sleurde het mee onder water. Het dochtertje werd nooit meer teruggezien. De Korubo bouwden een hut op de oever en huilden en jammerden daar zeven dagen achtereen dag en nacht, vertelt Sydney.

De Funai-uitkijkpost voor de Vale do Javarí is een groot houten huis op poten met een drijvend kantoor in de rivier ervoor. Het ligt strategisch op een tweesprong van rivieren. De Funai controleert met hulp van de indianen zelf de in- en uitkomende kano's. Wordt er geen jachtvlees gesmokkeld? Drugs? Wapens? Westerse bezoekers worden ook geweerd. Iedere twee maanden patrouilleert er een andere stam.

Dat de Funai in dit gebied eveneens vele vijanden heeft, blijkt uit de rij zandzakken met een loopgraaf die het kampement moet beschermen tegen aanvallen vanaf het water. 's Nachts zijn er zoeklichten en het bevel is schieten nadat onwelkom bezoek per megafoon is gewaarschuwd. Dit is een nieuwe voorzorgsmaatregel sinds een klein jaar geleden driehonderd ontevreden vissers met molotovcocktails naar de Funai-post kwamen.

In de post hangen indianen rond, jongens en mannen van het Matis-volk die Sydney als gids zullen vergezellen op zijn expeditie. Ze dragen allen T-shirts, bermuda's en plastic teenslippers. Ook de Matis schilderen zichzelf op als jaguars.[15] Alleen doen bij hen, in tegenstelling tot de Kulina, alleen de volwassen mannen dat. Het resultaat is van een ontroerende schoonheid: tien dunne zwarte strepen lopen over hun wang tot onder het oor. Deze 'snorharen' worden aangevuld met gezichtssieraden van stukjes hout, naalden die in de onderlip en rond de mond in gaatjes worden gestoken. Een stokje als een witte slagtand steekt door de neus. Het pronkstuk zit in hun oor: het parelmoerachtige ronde dekseltje.[16]

Het eerste contact van de Matis met Brazilianen dateert van pas twintig jaar geleden en was voor de indianen traumatisch. De stam was al flink uitgedund door oorlogen met andere volken in het gebied en telde slechts 176 indianen. De helft overleed aan longontsteking die de Funai-expeditie die het contact legde bleek te hebben meegebracht. Kinderen werden in de jaren daarna nauwelijks meer geboren en rituelen voerden de indianen amper nog uit.

Ze leefden in vier clans toen het reservaat gecreëerd werd. Op verzoek van de Funai gingen ze in één dorp wonen, zodat de hulpverlening makkelijker werd. Inmiddels tellen de Matis 239 mensen en voeren ze weer rituelen uit.

In het kampement lijken ze volstrekt op hun gemak. Tijdens mijn verblijf gaan de jonge Matis één keer uit jagen. Maar overdag spelen ze het liefst met de kortegolfradio. 's Avonds kijken ze ademloos naar de *telenovelas*, de tv-soaps, op de enige televisie die het kampement rijk is. Wat ze erbij denken, kan ik alleen maar raden. Portugees spreken ze nauwelijks; een auto hebben ze nog nooit gezien, laat staan een stad en huizen met alles erop en eraan. Wat is acculturatie? De volwassen Matis gaan het liefst op de grond zitten; de jongens verkiezen de houten banken.

De omstandigheden lijken in de Vale do Javarí ideaal om indianen geleidelijk te laten wennen aan de blanke samenleving met behoud van hun eigen gewoontes. Er is isolement, er is een groot reservaat dat rijk aan vis en vlees is, er zijn andere indianenvolken met wie contact wordt onderhouden, en moderne hulpverlening is binnen bereik. Toch geven de indianen makkelijk hun eigen gewoontes op. Ze jagen liever met geweren dan met hun traditionele blaaspijp en giftige pijlen. Steeds minder Matis dragen lichaamssieraden en jongeren zijn nauwelijks geïnteresseerd in de eigen mythen. Ze willen vooral Portugees leren.

Kiko, een veldmedewerker die een beetje Matis spreekt, probeert om de valkuilen van de interetnische vriendschap heen te laveren. 'Als westerling ben jij hun band met de andere wereld en zij willen dan ook dat jij alles voor hen oplost. Ze buiten je uit.'

Ze zijn na twintig jaar nog lang niet klaar voor de westerse wereld, zegt Reili, de regionale chef van de Funai. 'Ze hebben geen idee van wat goed en wat slecht voor hen is.' Hij vindt het lastig om indianen voor te bereiden op meer contact omdat hij zo weinig van hun denkwereld weet. Er zijn ook praktische problemen, zoals dat de Matis zich voortdurend verplaatsen en als volk nog steeds geen eenheid vormen.

Hoe lang de Matis nog nodig hebben voordat zij opgewassen zijn tegen de omgang met de westerse wereld? Reili durft er niets over te zeggen. 'Er zijn volken die na honderd jaar nog niet klaar zijn.'

Dat onderschrijft Sydney. 'Het is bij alle indianen hetzelfde. Ze weten niet wie hun vijanden zijn en wie hun vrienden. En tegen de tijd dat ze dat wel weten, zijn ze halve blanken.' Hij zou het liefst grote videoschermen neerzetten bij de ingang van het reservaat waarmee de indianen kunnen communiceren met indianenvolken elders in Brazilië, en ook met blanken. 'Dan komt de buitenwereld naar hen toe in plaats van dat zij daar naartoe gaan en verzuipen.' De anderen doen het plan schouderophalend af als 'typisch Sydney'. Ik begrijp eruit dat ze hem een onverbeterlijke idealist vinden, met sporen van grootheidswaanzin.

De Korubo, voor wie ik eigenlijk gekomen ben, laten zich bij het kampement niet zien. Dus er zit niets anders op dan hen zelf te zoeken in het bos. Met een ijzeren bootje tjoeken we op een ochtend door een netwerk van rivieren en kreken: een verpleger, een soldaat met geweer (om ons te beschermen), een Matis (om te tolken) en ik. De Matis stonden decennia geleden op voet van oorlog met de Korubo, maar zijn de enige van de volken die de Korubo enigszins kunnen verstaan.[17] Ze waren ook aanwezig bij het contact dat Sydney in 1996 legde.

Sydney had al besloten dat zijn vierde expeditie afgelopen was na tien vruchteloze dagen, toen de Korubo opeens tussen de bomen vandaan stapten. De indianen waren naakt. Ze hadden kort, recht afgeknipt haar en een stevig postuur. Hun gezicht en borst hadden ze met urucum geverfd. Ze waren trots, zelfverzekerd en nieuwsgierig. Wijdbeens, alsof ze hen bang wilden maken, liepen ze op de expeditieleden af.

In hun hand hadden ze een geurend kruid, waarmee ze de vreemdelingen onder hun shirts over de huid streken. Sydney wist waarop ze uit waren: het kruid moest hen temmen. De indianen waren ervan overtuigd – zoals overigens bijna alle indianen op het moment van het contact – dat zij de blanken hadden ingetoomd en niet andersom.

De Korubo hadden meteen doorgehad dat Sydney de baas was en hadden hem een van de dochters ten huwelijk aangeboden – een diplomatieke geste die hij had geweigerd. De groep telde negentien indianen, onder wie drie kinderen. Het was halfacht 's ochtends toen ze tevoorschijn kwamen, en ze waren de hele dag gebleven. Toen ze vertrokken namen ze pannen, lepels, messen, T-shirts en hangmatten mee.

De groep bleek een clan te zijn die zich vijf jaar eerder van de grote groep Korubo had afgescheiden na een ruzie tussen krijgers over een vrouw. De grote groep telde naar schatting 150 leden en zwierf 100 kilometer dieper in het oerwoud rond.

Ons zoeken naar de Korubo-clan blijkt vooral vinden te zijn. De soldaat stuurt het bootje zonder aarzelen naar een kreek waarvan op de oever een boomstamkano ligt. Een indiaan die ons bootje klaarblijkelijk heeft horen aankomen, wacht ons op. Het is een jongen met kortgeknipt glanzend zwart haar. Zelfs voor een indiaan is hij klein; ik schat hem op een meter veertig lang. Onze tolk is een kop groter. De Korubo is geheel naakt, op twee gevlochten armbandjes na die halverwege zijn bovenarm zijn vastgebonden. Zijn geslachtsorgaan heeft hij vastgebonden aan een dun touw, dat op zijn heupen hangt. Zijn armen zijn gespierd als die van een volwassen man, maar zijn gezicht is dat van een puber. Hij straalt als we uitstappen en gaat ons huppelend als een kind voor door het bos.

Daar treffen we onder een afdak van gevlochten palmblad een jonge tienermoeder met een peuter. De moeder oogt stoerder en ook mannelijker dan haar man. Ze heeft een rond gezicht met recht afgesneden haar als een gladde helm op haar schedel en kijkt ons onderzoekend aan. Ze is geheel naakt, maar haar dochter, een peuter die geen kik geeft, draagt verscheidene strengen roodgekleurde pitten.

De verpleger legt mij de familiesituatie uit. Dit is een afscheiding van een afscheiding. De clan die Sydney vier jaar geleden ontmoette, wordt geleid door een zeer opvliegerige vrouw voor wie iedereen bang is. Dit is haar dochter, die ruzie heeft gehad met haar moeder. Nadat haar moeder haar met een mes te lijf was gegaan, is de dochter met haar nieuwe vriend vertrokken. 'Alle waakzaamheid is weinig,' heeft Sydney bij ons vertrek gezegd toen ik hem vroeg naar het waarom van de soldaat die met ons mee moest in de boot. De verpleger beaamt het. 'Ik ben altijd op mijn hoede bij de Korubo. Als ze onderling ruzie hebben of de stemming is gespannen, kun je beter wegblijven.'

Theum en Maya Chirabo, zoals de tieners heten, hebben een akker verderop. De familie die zij in de steek hebben gelaten houden er vijf verschillende dorpen op na, die een flink stuk uit elkaar liggen. Het Korubo-huishouden is misschien daarom een stuk bescheidener dan dat van de andere semi-nomaden die ik ken, de Akuntsu. Natuurlijk zijn er de door de Funai geschonken pannen, aangevuld met bijl en mes. Verder signaleer ik slechts hangmatten – de peuter heeft een eigen miniatuuruitvoering –, een draagmand en een van palmblad gevlochten waaier waarmee het vuur wordt aangewakkerd. Voor het dagelijks levensonderhoud zijn daar nog de beruchte knuppel en een blaaspijp met pijlenkoker. Meer bezit is er niet.

De militair lijkt kind aan huis bij het Koruba-paar en demonstreert mij hoe de pijlen, dun als satéstokjes, door de minstens drie meter lange bamboe blaaspijp de boom in geblazen worden. Op de eerste vijf centimeter zit gif. Precies waar het gif ophoudt wordt de pijl dunner, zodat hij afbreekt als het aangeschoten dier zich beweegt, maar de punt toch in zijn huid blijft zitten. 'Na tien minuten valt de aap van-zelf dood uit de boom,' weet de militair. Maar je kunt hem gewoon eten. Na het koken werkt het gif niet meer.[18] De pijlen kunnen tot dertig meter ver worden geblazen en zelfs een klein vogeltje als de kolibrie kunnen de Korubo raken, aldus de soldaat.

De knuppels van het soort waarmee de Korubo Sobral maar ook een werknemer van Petrobras en diverse dorpsbewoners de hersens hebben ingeslagen, liggen achteloos op de grond. Ze zijn dik als een pols, langer dan de Korubo zelf en wegen ongeveer 5 kilo.

Tussen de bomen scharrelt een hond die uit het dichtstbijzijnde dorp van blanken is gestolen, weet de verpleger. Van de Funai kregen de indianen kippen. In de kookpot suddert een stuk aap en er hangen nog een zwartgeblakerd apenhandje en apenpoot aan een koord voor latere consumptie. De Akuntsu mochten willen dat ze zoveel vlees hadden.

'De Korubo eten goed,' beaamt de verpleger.

De jongen is onrustig. Nu er een geweer binnen handbereik is, wil hij graag jagen. Samen met de militair vertrekt hij. Dag geweer! Maar alles lijkt onder controle. De Matis praat met Maya Chirabo, die al-door bezig is. Ze stampt een boomwortel, hakt hout met een bijl en kookt water. Hun taal klinkt als een toonladder met veel klinkers. De indianen lachen veel. Ons keuren ze geen blik waardig; we blijven pu-bliek op afstand. Maya Chirabo biedt bijvoorbeeld de Matis wel, maar ons geen eten aan.

De Matis spreekt slechts een mondjevol Portugees, maar met geza-menlijke inspanning komen we nog tot drie vragen voor onze gast-vrouw.

Is het leven nu beter? De Matis: 'Ze zegt dat er hiervoor veel blanken in het bos waren. Nu is er meer wild om te jagen.'

Wat zouden ze willen hebben van de blanken? Het wensenpakket bevestigt dat de Korubo ook vier jaar na het contact een stuk primitie-ver zijn dan de Akuntsu. Bananen en maniok zijn gewenst. En na lang aandringen komt er ook 'pannen' uit.

Wat vindt ze van de blanken? De tolk: 'Ze zegt dat ze niet kan zien of een blanke goed of slecht is.' Het antwoord treft me omdat de Brazili-aanse regiochef hetzelfde zei over de Matis. Misschien vindt de tolk dit zelf zo.

Ik kan me de verwarring van de Korubo indenken. In de wereld van geïsoleerde indianen zijn volken waarmee je in oorlog bent de slechten; de bevriende stammen zijn de goeden. En aangezien iedere indiaan uiterlijke kenmerken van zijn stam heeft, zie je onmiddellijk of hij slecht of goed is. Maar er zijn Brazilianen met wie ze in oorlog zijn en andere die spullen brengen. Zij zijn allen westers en dragen allen kleren. Dat is hoogst verwarrend.

Theum en de soldaat komen terug met een dode vogel en drie apen, waaronder de zwarte soort waarover in Omerê altijd verlekkerd wordt gesproken. De rolverdeling in het bos is duidelijk: Theum kraakt de poten van een aap en Maya Chirabo doet daarna de rest: schroeien, villen en koken. De darmen worden zorgvuldig ingepakt in een blad en de apentandjes worden door de Matis in weer een ander blad gerold om er een ketting van te maken. Theum brengt ons, knabbelend en sabbelend aan de apenbouten, terug naar de boot. We houden een keer halt. De Korubo ziet de sporen van een tapir in het dikke bladertapijt en wil er met de soldaat achteraan. De militair houdt het evenwel voor gezien. De verpleger en ik kijken elkaar aan. Een 'nee' kan slecht vallen. Maar Theum grijnst en loopt verder.

Als we terugkomen is Sydney bezig met fase 23 van de alomvattende voorbereidingen van de expeditie die hij na mijn vertrek zal maken. In het drijvende kantoor waarin ook de apotheek is, zoekt hij geneesmiddelen bij elkaar.

'Als je iets vergeet, kan dat je dood betekenen,' zegt hij. Wat dat betreft is er sinds Rondon niets veranderd.

Penicilline wenst hij. 'Heb je alleen spul om in de spieren te spuiten? Geen serum?' vraag hij de verpleger. 'En doe ook maar laxeermiddel. De jongens poepen soms zo slecht.'

En malariatabletten. 'Maar als er veel malaria is, roep ik jullie op via de radio om met een verstuiver de boot te komen ontsmetten.' De verpleger knikt.

'Je zou moeten meekomen,' zegt Sydney tegen mij. 'Weet je wat het fijnste is? Dat je tijdens zo'n expeditie de hele klotewereld kunt vergeten. Het probleem is alleen dat hij er nog is als je terugkomt.' Het klinkt zo oprecht dat ik me plotseling realiseer dat hij door meer wordt gedreven dan idealisme. Het oerwoud is voor hem een levensbehoefte geworden.

Ik vertel hem over het bezoek aan de Korubo.

Ik weet dat Sydney taalkundigen en antropologen weert uit het reservaat. Hij kan niet instaan voor hun leven als ze een tijd met de Korubo willen doorbrengen, zegt hij. De kans is daardoor groot dat we nooit veel zullen weten over de Korubo. De moeder van Maya Chirabo heeft namelijk aangekondigd dat zij op afzienbare termijn weer aansluiting zal zoeken bij de grote groep om huwelijkskandidaten te vinden voor de jonge leden van haar clan. Dan verdwijnen ook de bekende Korubo weer in het grote bos.

'Ik zou graag willen weten wat er in hun hoofd omgaat,' zeg ik.

'Vergeet het maar,' zegt Sydney.

'Maar straks is het te laat.'

'Hoezo?' Zijn donkere wenkbrauwen trekken samen tot een dreigende frons. 'Hoe minder we van hen weten, des te beter het is. We hoeven hen niet te begrijpen, als we hen maar respecteren.'

14

Boze geesten en spoken

Er is sinds mijn vorige bezoek alweer een ander, onbekend luchtvaart-
maatschappijtje dat op Vilhena vliegt als ik in 2003 opnieuw naar
Rondônia ga. Trots meldt de piloot in zijn praatje tot de passagiers de
aanschaf van enkele gloednieuwe vliegtuigen die 'op zeer korte termijn' uitsluitend Amazone-routes zullen vliegen.

Als je ergens merkt hoe snel Brazilië verandert, is het wel in het achterland. Bos wordt weiland, weiland wordt akker, zandweg wordt asfalt en voor je het weet staat er een graansilo. Het ritme ligt hoog en
tractoren en bulldozers worden in stapels per boot en vrachtwagen
aangevoerd.

In het vliegtuig lees ik het blad *Producent op het Platteland* met de
ronkende ondertitel *De kracht van agrobusiness*, een in Rio de Janeiro
en São Paulo onbekend tijdschrift dat ik bij het overstappen in Cuiabá
aantref in de kiosk op het vliegveld. Het omslagverhaal over indianen
interesseert me. De indianen zijn de armoede en de loze beloftes van
de Funai moe en willen soja telen voor de export, aldus de tekst. Het
gaat in de rapportage natuurlijk over verwesterde indianen met eigen reservaten. Deze indianen klagen over de wet die mechanische en
grootschalige landbouw in reservaten verbiedt omdat de thuislanden
immers bedoeld zijn om de traditionele levensstijl te handhaven. 'Alleen vissen en jagen volstaat niet. Ons volk is gegroeid,' aldus een van
de opstandige indianen.

De indianen willen overstappen op soja, in Brazilië reeds het groene
goud genoemd omdat de export van soja voor recordomzetten zorgt
en nieuwe markten in Afrika en Azië in het verschiet liggen. De Parecis-indianen – die begin vorige eeuw zoveel telegrafisten hadden ge-

leverd aan Rondon – hebben connecties aangeknoopt met Braziliës grootste sojaproducent, aldus *Producent op het Platteland*. De indianen die in de buurt van Cuiabá een reservaat hebben, zouden voor hem soja telen en de megaboer zou de oogst opkopen. Maar de staatsbank weigerde de indianen een lening voor de aanplant. Daarop gijzelden de indianen functionarissen van de Funai en blokkeerden ze een nabijgelegen doorgangsroute. Toen kregen ze alsnog hun zin. De vrouwelijke cacique van de Parecis-indianen zegt in het blad: 'Wij zijn geen museumstuk. We mogen geen soja planten omdat we geen soja eten, maar ik heb gezegd dat we kleding en schoenen dragen en dat we onze auto's moeten onderhouden. Voor dat soort zaken krijgen we nu eenmaal geen geld van de Funai.'

Het Openbaar Ministerie zit vreselijk met de kwestie in de maag, aldus de *Producent op het Platteland*. Omdat indianen voor de wet immers niet aansprakelijk kunnen worden gesteld, kan niemand vervolgd worden. Niet voor het planten van de soja en evenmin voor het gijzelen van overheidsfunctionarissen. Maar tegelijkertijd is men van mening dat de indianen zo verblankt zijn dat het maar de vraag is of ze met recht een beroep doen op de voordelen die de wet hun gunt. Justitie besloot een waarschuwing af te geven.

Ik vermoed dat het blad gesponsord wordt door agro-ondernemingen en het artikel andere indianen met vruchtbaar land op een idee moet brengen. De honger naar akkers, bij voorkeur plat om draglines te kunnen gebruiken en met genoeg regen voor de sojateelt, is niet te stuiten. En net als de veeboeren en mijnbouwondernemingen zijn ook de graanproducenten geïrriteerd over het feit dat indianen grote lappen grond – en soms ook vruchtbare grond – bezitten in de vorm van reservaten. In het parlement wordt permanent gesteggeld over de omvang van reservaten. Hoewel de linkse regering die in 2002 is aangetreden tijdens haar verkiezingscampagne had aangekondigd dat men na meer dan vijfhonderd jaar onderdrukking de indianen recht zou doen, lijkt het tegendeel waar.

Vanuit het vliegtuig zie ik hoe de soja oprukt met nog meer eindeloze rode velden en wegen als naadjes ertussenin. En ik ben benieuwd hoe Rondônia en het gebied rond het reservaat van de Kanoê en Akuntsu erbij staan.

Vilhena blijkt in niets meer het dorp dat ik zeven jaar eerder voor het eerst bezocht. Op de BR364 staat een asfaltwals te stomen, want de weg wordt vierbaans. In de berm adverteert een makelaar met 'de eerste hoogbouw' van Vilhena, een appartementenblok van vijftien verdiepingen. Tijdens een korte verkenningstocht signaleer ik een middenberm met palmen in de hoofdstraat, diverse winkelcentra, een privé-universiteit, een boekhandel met Cees Nooteboom in Portugese vertaling, een Cubaanse ijssalon, massagestudio's, diverse plastisch chirurgen, en zelfs Herbalife, een in Rio de Janeiro populaire afslankmethode, heeft een vestiging in Vilhena geopend.

Hotel Santa Rosa is het vertrouwde roze gebouw aan het nog steeds lege grasveld bij het busstation. Ik zie geen enkel bekend gezicht. Ook dona Ursula is er niet. Ik steek mijn licht op bij de receptie. 'Ze is vaak in haar flat in het centrum,' zegt de receptioniste, een vrouw die even kolossaal als beminnelijk is en die mijn naam dit keer in een computer invoert.

Op haar achtenzestigste blijkt dona Ursula nieuwe markten te hebben aangeboord. Ze heeft een appartementengebouw met drie verdiepingen laten neerzetten in de hoofdstraat en exploiteert op de begane grond een franchise van Boticario, een Braziliaans cosmeticamerk. Nu houdt dochter Alice, een gescheiden vrouw van begin veertig, toezicht op de twee hotels. Ik herinner me Alice als een jonge uitvoering van haar moeder, maar zonder dona Ursula's warme hartelijkheid.

'Alice heeft veel problemen,' zegt de receptioniste terwijl ze me de sleutel overhandigt. 'Met de landlozen. Ze moet hen steeds van haar land af jagen.' Ze trekt een meewarig gezicht, als zou Alicia zwaar ziek op bed liggen en recht hebben op ieders meeleven.

Ik bedenk dat Marcelo dit vermoedelijk heuglijk nieuws zou vinden. Volgens hem was Alicia zo mogelijk nog verdachter dan haar met grootgrondbezitters bevriende moeder. Alicia zou namelijk *vrijen* met een grootgrondbezitter.

's Avonds eet ik in mijn eentje in een door de receptioniste aanbevolen restaurant aan de overzijde van het grasveld. De zaak is van een Koreaan. Volgens de receptioniste migreren er de laatste tijd veel Aziaten uit Zuid-Brazilië naar Vilhena. Het is de laatste golf volksverhuizers. En buitenlanders zie je ook steeds meer, heeft ze me toevertrouwd. 'In de hoofdstraat loopt weleens een Arabier. Ze hebben hun vrouwen in sluiers bij zich.' Volgens de receptioniste kopen ze illegaal diamanten op die in het reservaat van de Cinta Larga-indianen ten oosten van de BR364 worden gevonden. De *Folha do Sul* en *Diario de Amazonia* schrijven bijna dagelijks over ruzies tussen diamantzoekers en de indianen waarbij ook doden vallen.

Het restaurant is groot als een loods en nieuw zoals veel in Vilhena. De gesprekken worden overstemd door niet één, maar twee kolossale televisies: de vooruitgang heeft definitief Vilhena bereikt. Obers, punkers in rode overhemden, hangen tegen de achterwand van het restaurant en staren naar de televisie. Roepen heeft geen zin in deze orkaan van geluid en wenken evenmin. Dus wacht ik geduldig tot een van hen mijn kant uit blikt. Ook de sushi blijkt tot Vilhena doorgedrongen, maar met het oog op de tocht in de klotsende Toyota naar de post Omerê de volgende dag besluit ik tot een risicoloze runderlap.

In het kampement is alleen Amélia gebleven, weet ik. Alle anderen zijn overgeplaatst of opgestapt. Altair is een maand na mijn vorige bezoek ontslagen. Zijn vertrek was geëist door senator Amir Lando uit Rondônia. Lando heeft een fazenda in de buurt van Omerê en was land kwijtgeraakt aan het reservaat. De parlementariër dreigde bovendien te worden vervolgd wegens illegale ontbossing. Altair had hem aangegeven toen er tweehonderd beschermde bomen op 's mans terrein werden gekapt. Hoewel de grootgrondbezitter een politicus uit een kleine, onbelangrijke deelstaat is, heeft hij als secretaris van de begrotingscommissie van het parlement onevenredig veel macht. Volgens Sydney Possuelo had hij Altairs ontslag geëist als voorwaarde voor de financiering van een project van de Funai. De president van de Funai – volgens Sydney een slappeling – was akkoord gegaan.

Altair was juist twee weken eerder officieel benoemd als opvolger van Marcelo. Zijn ontslag was hard aangekomen en had zelfs de kranten in Rio de Janeiro en São Paulo gehaald. Sydney, temperamentvol als altijd, had in grote woede zijn contacten gebeld. 'Nog nooit eerder heeft een president van de Funai toegegeven aan politieke druk. Hoe vaak is er wel niet gevraagd om het ontslag van Marcelo. Een president van de Funai steunt de mannen in het veld. Want zij zijn degenen die pas echt onder druk staan,' aldus Sydney, die in alle kranten geciteerd werd. Volgens hem was de affaire het bewijs dat Altair zijn werk te goed deed. 'Hij zat Lando in de weg.'

Voor Omerê waren na het plotselinge vertrek van Altair moeilijke tijden aangebroken. Altairs opvolger bleek een ramp. Toen hij vertrok rookten de indianen sigaretten, lag er een manshoge vuilnishoop in het kampement en was iedereen – op Amélia na – uit frustratie vertrokken. Daarna had Sydney Moacir Cordeiro de Melo benoemd, een voormalige Funai-medewerker die een paar jaar bij een daklozenproject in de Verenigde Staten had gewerkt en net was teruggekeerd naar Brazilië. Moacir was van Marcelo's leeftijd en was net als Marcelo enige tijd chef van een Funai-post in een reservaat geweest. Hij wilde met indianen werken. 'Maar niet in dat circus van nepindianen,' had hij tegen een Funai-collega gezegd. Die had meteen begrepen dat hij op geaccultureerde indianen doelde. 'Bel Possuelo,' had de collega geadviseerd. 'Die werkt met echte indianen.'

Mijn begeleiders veranderen, maar de auto houdt vol. Moacir haalt me af in de bekende witte Toyota. Met ons gaan twee jonge Funai-medewerkers mee die in het kampement werken, Euzébio en Adriano. We maken onze bijna rituele gang naar de supermarkt en het tankstation om het kampement van nieuwe voorraden te kunnen voorzien en vervolgens zetten we koers richting Omerê.

Meteen buiten Vilhena beginnen de sojavelden. Links en rechts van de BR liggen kale akkers met voren waarin de lichtgroene toppen van de sojaplanten al zichtbaar zijn. De dorpen onderweg zijn groter en drukker; de weg heeft minder gaten; er zijn meer tankstations en veel meer koeien. En mijn vermoeden blijkt waar te zijn: ook de veeboeren bij Corumbiara hebben op vlakke stukken soja ingezaaid. Het eerste sojaveld ligt hemelsbreed 2 kilometer van een van de dorpen van de Akuntsu.

Amélia komt aanlopen als de auto voor het hek van het kampement stilhoudt. 'Ik wist dat je kwam,' zegt ze tegen mij als ik uit de auto klim. 'Van de radio.'

'De radio?'

'Ja, we hebben toch elke avond contact. Ben je dat vergeten? Gisteravond vertelde Moacir dat hij met een Nederlandse journaliste zou komen. Ik wist meteen dat jij het was.' Amélia is grijzer geworden. Ik sla haar gade terwijl ze met Moacir doorneemt welke spullen wel en niet gekocht zijn. Ze maakt een afgematte indruk.

Een magere, lichtgetinte mulat met Jimi Hendrix-haar en een wijd opengeknoopte bloes nadert.

'Dit is José,' zegt Amélia. 'Hij is de vader van twee van mijn kinderen.' Amélia klinkt trots. José kijkt afwezig. Hij drukt vlug mijn hand, wisselt enkele woorden met Moacir en even later zie ik hem met dozen sjouwen.

'Het is het einde van het jaar. Dan is er geen geld meer voor boodschappen, voor niks meer. Het is ieder jaar hetzelfde liedje,' zegt Amélia als we met de bagage en flessen mineraalwater naar de keuken lopen. 'Het wordt veel spaghetti en rijst eten.'

Ook Purá blijkt in het kampement. Hij komt ons tegemoet in een geruite bermuda, een T-shirt en een rood petje van een carrosseriebedrijf in Corumbiara. Een nieuw element in zijn garderobe is het geweven heuptasje met rits en riem dat Ecuadoraanse indianen aan toeristen verkopen. Hij heeft het schuin over zijn borst vastgegespt. Hij heeft het gekregen van een Spaanse journalist, vertelt Amélia mij later.

Purá is in drie jaar een oude man geworden. Hij is geler dan ik me hem herinner en zijn ogen zijn kleiner en staan moe.

Hij lacht verlegen en steekt zijn hand naar mij uit.

'Volgens mij herkent hij je,' zegt Amélia. 'Wanneer was je hier voor het laatst?'

'*Tudo bem* – alles goed?' vraag ik.

'*Tuto bei*,' antwoordt hij, en hij glimlacht. Het is voor het eerst dat ik hem een Portugees zinnetje hoor zeggen.

Nog steeds omklemt Purá mijn hand. Nu ik zo dicht bij hem sta, zie ik dat hij baardgroei heeft. Op zijn kin staat een haag van minimale stekeltjes en ook boven zijn bovenlip is het verdacht grijs. Pas na een hele poos laat Purá mijn hand los. De frase is van de blanken, maar de handdruk is zoals ik die indianen elkaar heb zien geven.

'Hij is tegenwoordig altijd hier,' zegt Amélia als Purá zich bij de mannen en de auto heeft gevoegd.

'Altijd? Ook om te slapen?'

'Ja, ook dat. Hij gaat alleen nog naar hun eigen dorp om te kijken hoe het met zijn zwijntje gaat. Ai, *menina*, meid, er is hier zoveel gebeurd. Ik moet het je allemaal vertellen.' Amélia legt haar wijsvinger op haar lippen en gebaart naar de anderen die eraan komen. Purá loopt met hen mee, maar hij is de enige die niets draagt. Euzébio en Adriano zetten dozen en zakken op tafel, en kloppen hun hangmatten in de slaaphut uit.

Purá neemt plaats op de bank bij de tafel en schuift door naar de verste hoek, van waaruit hij zowel de slaaphut als het hek en de boombrug naar de Akuntsu in de gaten kan houden. Amélia betrekt haar stelling bij de ijzeren kookplaat, schuift een nieuw blok hout in het gat eronder en schenkt heet water in de koffiefilter.

Amélia heeft veel verhalen. Heb ik gehoord wat er met de indianen is gebeurd? Txinamanty heeft een halfjaar na mijn vertrek een tweede zoon gebaard. Hij heet Kani en de vader is opnieuw een mysterie. Amélia houdt het op Babá. Omdat Txinamanty haar handen vol had gehad aan het nieuwe kind, had Amélia veel voor Operá gezorgd. Hij was altijd in het kampement. 'Het was een leuk kind geworden. Heel actief, en hij liep prima.' Maar Operá is gestorven. Net als Tutuá, de moeder van Purá en Txinamanty.

Ik ben geschokt. Operá, die vergroeid leek met Txinamanty? En Tutuá, die alleen in het vijandige bos drie kinderen had grootgebracht? Tutuá, die nooit boos was en haar zoon op handen droeg? Nu begrijp ik waarom Purá's gezicht zo weggetrokken is. Wat een klap moet dit zijn geweest voor de Kanoê.

Het drama had zich binnen achtenveertig uur voltrokken. Purá was op een avond het kampement binnengerend met het verzoek of Amélia kon komen kijken naar Tutuá en Operá. Ze hadden hoge koorts en diarree. Twee dagen later waren ze allebei dood. Operá overleed in het Kanoê-dorp en Tutuá stierf kort voordat ze aankwam in het ziekenhuis in Vilhena. Amélia kon nauwelijks iets voor hen doen omdat ze sinds de laatste reorganisatie van het overheidsapparaat als Funai-medewerkster slechts aspirine en serum mocht toedienen, ook al is ze gediplomeerd verpleegster. Via de radio konden ze pas na een dag hulp vragen, omdat toevallig net het basisstation Vilhena wegens een reparatie uit de lucht was. Veel te laat was er een ambulance gekomen, maar vanwege de regentijd bleek een van de bruggen weggeslagen. De ambulance moest omrijden en kwam tot overmaat van ramp ook nog op 20 kilometer van het kampement vast te zitten in de modder. In een kruiwagen had Amélia met de jonge Sidnei, die ik me herinner van mijn vorige bezoek, toen de doodzieke Tutuá 's nachts door de weilanden gesleept. Txinamanty liep erachteraan met Kani in een buidelzak op haar rug.

Waaraan Tutuá en haar kleinzoon zijn gestorven, zal altijd een geheim blijven. In het ziekenhuis had een onverkwikkelijk bureaucratisch messengevecht plaats. De Funasa, de overheidsinstelling die sinds de reorganisatie van de gezondsheidszorg voor indianen exclusief verantwoordelijk is voor de gezondheidszorg voor indianen, wilde geen autopsie laten verrichten als er geen ondertekend document van de familie was. Txinamanty zou nooit akkoord gaan, als de Kanoê al kon begrijpen waarom het ging. De indianen geloven immers in reïncarnatie. Sydney Possuelo besloot dat er wel autopsie moest worden verricht, maar dat moest in Brasília gebeuren. Hij wantrouwde de artsen in Vilhena; onder mensen met vrije beroepen bevinden zich vaak grootgrondbezitters. Toen de monsters in Brasília aankwamen, bleek het weefsel in te slechte staat om de doodsoorzaak te kunnen vaststellen. De begrafenisonderneming in Vilhena had namelijk vergeten het lijk van Tutuá in de koeling te leggen.

Malaria leek een mogelijkheid, maar Amélia houdt het op een ernstige voedselvergiftiging. De Kanoê hadden de dagen tevoren paca gegeten, die Purá had geschoten. Volgens Amélia was het vlees bedorven. 'In het Kanoê-dorp stonk het een uur in de wind.' Bovendien had zowel Tutuá als Operá buikpijn gehad.

Moacir is, zoals veel progressieve vijftigers in Zuid-Amerika die opgroeiden met Cuba als voorbeeld, aanhanger van de complottheorie. Hij sluit niet uit dat de indianen vergiftigd zijn door de grootgrondbezitters. 'Dit is Brazilië,' zegt hij. 'Ik heb genoeg gezien om te weten dat hier alles mogelijk is.' Want was het niet toevallig dat Antenor Duarte, de grootgrondbezitter die zich het meest verzet tegen het reservaat, zich een week voor het overlijden van de indianen in gezelschap van een aantal knechten in het kampement had vertoond? En uitgerekend op de dag dat de indianen ziek werden, waren Antenors knechten bezig geweest aan een afrastering niet ver van het dorp van de Kanoê. Wie zegt dat de knechten de Kanoê niet vergiftigd snoep of iets anders hebben toegestopt in opdracht van hun baas? Omdat de Kanoê anders dan de Akuntsu nieuwsgierig zijn naar blanken, had Moacir met-een voorgesteld hoe het kon zijn gegaan: ze waren in 'gesprek' geraakt met de blanken, die hun vervolgens snoepjes hadden aangeboden.

Maar wat heeft de grootgrondbezitter er voor belang bij om indianen te vermoorden? 'Antenor is zijn grond al kwijt, want het reservaat is reeds een feit. Bovendien is de pakkans te groot,' zeg ik.

'Purá heeft het over een boom en vergif gehad,' houdt Moacir vol. Hij merkt mijn scepsis op. 'Je moet de woede van Antenor niet onderschatten. Vergeldingsdrang kent slechts één logica: die van de haat.'

Meningen bestaan niet, alleen ervaringen, denk ik. Ik ben opgegroeid in het egalitaristische Nederland. Misschien zou ik net zo wantrouwend zijn jegens de gevestigde orde als Moacir, Marcelo en Sydney als ik opgegroeid was in Brazilië en jaren op het platteland had gewerkt.

De lichamen van Tutuá en Operá zijn begraven in de hut van Txinamanty en Purá. In het graf van Tutuá zijn twee zwijntjes, die ze als huisdieren hield, meebegraven. Purá doodde hen nadat zijn moeder was overleden. Het doet me denken aan de Andes-indianen, die de doden hun bezittingen meegaven omdat ze die nodig konden hebben in het volgende leven. In het geval van belangrijke mensen doodden en begroeven ze ook vrouwen en bedienden. Maar het springaapje waarmee Tutuá altijd rondliep, is niet in het graf verdwenen, aldus Amélia. 'Dat heeft niemand meer gezien.'

Sinds de dood van hun familie zijn Txinamanty en Purá gedeprimeerd. Ze verwaarlozen de akkers en hun hutten. 'Alle fut is eruit,' zegt Amélia. De eerste maanden na het drama praatte Txinamanty veel over zelfmoord. Haar broer en zij zouden een giftig kruid innemen. Steeds minder vaak waren de twee Kanoê in hun eigen dorp te vinden. Er hing de schaduw van boze geesten, zeiden ze. Ze aten en sliepen in het kampement. Niemand had het lef hen weg te sturen, want stel dat ze zelfmoord zouden plegen. Het verhaal van de collectieve zelfmoord in het verleden – toen de vrouwen besloten gif te drinken na het vertrek van de mannen – echode na.

Moacir had bedacht dat een verhuizing dichter bij het kampement een tussenoplossing zou kunnen zijn. De indianen hadden ingestemd. Dagen hadden ze rondgezworven om een plek uit te kiezen.

Ze zouden zich op ongeveer 300 meter van het kampement vestigen, in het bos waar ook de Akuntsu wonen. Txinamanty was dagen in de weer geweest om de slechte geesten die er rondhingen weg te blazen. Maar daar was het bij gebleven. Waarom? 'Omerê slecht, zeggen ze de hele tijd,' zegt Amélia. 'Misschien zijn de slechte geesten teruggekeerd.'

Het verhaal over de dood die plotseling heeft toegeslagen, houdt me bezig. Hoe zouden de Kanoê de dood van hun dierbaren hebben beleefd? Als wraak van de Akuntsu? Als wraak van blanken? Als het wraak was, had de boze geest dan ook Txinamanty en Purá kunnen uitzoeken? In onze wereld geldt de dood van een eigen kind als een van de meest traumatische gebeurtenissen in het leven. Zou dat voor Txinamanty ook zo zijn? Of spelen moedergevoelens niet zo, omdat zij meer dan wij tot een collectief behoort? Ik moet denken aan het verhaal dat een blanke piloot van de Funai me vertelde. Hij was opgegroeid in het oerwoud omdat zijn vader een rubberconcessie had. Als puber bracht hij een van de vakanties door in het dorp van de Kayapó-indianen, de indianen van Sting, die bekendstonden als fier en krijgslustig. De zoon van de Kayapó-chef protesteerde luid tegen de aanwezigheid van de blanke jongen in het dorp. Daarop pakte zijn vader een zweep en sloeg hem ten overstaan van iedereen ter plekke dood.

In de natuur is de dood normaal, zei Paulo, de bosloper, toen we drie jaar geleden aan tafel spraken over de moord op Wajmoró, de nicht van Txinamanty en Purá. In de dagen na het overlijden van haar moeder en kind heeft ze Txinamanty slechts eenmaal zien huilen, zegt Amélia. Dat was toen haar moeder stierf. Het was geluidloos wenen geweest. 'Om haar kind heeft ze nooit een traan gelaten.'

Het leven in het kampement is anders dan de vorige keer. De Kanoê zijn er bijna altijd. De stroom anekdotes en commentaren van Amélia droogt daardoor op. Als Purá of Txinamanty in de buurt zitten geeft ze op sommige van mijn vragen maar half antwoord. 'Ze verstaan meer dan je denkt.' Er is alleen tijd voor verhalen als Purá naar zijn zwijntje gaat kijken of Txinamanty op jacht gaat of kleren gaat wassen.

Txinamanty sjouwt de hele dag heen en weer met Kani, die in een smerige brede band van gevlochten palmvezel schuin over haar borst hangt. Ze heeft haar eigen dagritme. Ze baadt hem en zichzelf in de beek bij het kampement, stapt door de moestuin, tapt bekertjes koffie (met suiker!) en schuift met een bord aan als het etenstijd is. Haar bundel pijlen staat binnen in de slaaphut in plaats van buiten tegen de wand van de keuken zoals toen ze nog gewoon op bezoek kwam. Daar liggen haar kleren op een plank, verfrommeld en met veel vlekken, ook als ze net gewassen zijn. Net als Purá slaapt Txinamanty in een van de extra hangmatten in de hut, katoenen exemplaren uit de consumptiemaatschappij.

Txinamanty was een temperamentvolle vrouw en zo nu en dan een bekoorlijke verleidster. Momenteel is daar echter weinig van te merken. Ze is bleek en stil. Ik zie haar nauwelijks meer lachen. Ze is magerder dan ze al was, waardoor ze nog mannelijker lijkt. Met Kani lijkt ze net zo vergroeid als met Operá. Bijna alles wat ze doet, onderneemt ze met de peuter tegen zich aan geplakt. Maar Kani, altijd bloot op een paar kralenkettingen na, is een heel ander kind dan Operá. Hij is kort, stevig en explosief, en in het geheel niet meegaand. Als hij aandacht van vreemden krijgt, draait hij zijn gezicht onmiddellijk weg. Wanneer hem iets niet bevalt, begint hij wild alle kanten uit te schoppen. Uiterlijk lijkt hij zoveel op Pupak dat ik me niet anders kan voorstellen dan dat hij de vader is.

De interactie tussen moeder en zoon intrigeert. Tijdens het eten stopt Txinamanty haar zoon in de buidel af en toe iets in zijn mond. Het kind graait zelf ook op haar bord. Als zijn moeder een bot afkluift, rukt hij het uit haar mond. Kani besmeurt zijn moeder met pap, rukt haar petje af, slaat met de lepel in de rijst, spuugt en bijt in haar arm. Txinamanty vertrekt geen spier. Geen moment is er een afwijzende blik of corrigerend woord. Eenmaal komt Txinamanty met Kani terug van de beek. Ze heeft hem gebaad. Als ze hem neerzet op de grond, laat de net gewassen peuter zich vallen en rolt door het stof. Met lege ogen bekijkt ze hem. Als hij uitgeraasd is, geeft ze het stofmannetje een hand, trekt hem overeind, zet hem weer in de draagband en gaat verder met haar bezigheden. Is het respect of onverschilligheid?

Als Txinamanty en Kani gewoon stilzitten aan de keukentafel, geeft ze hem vaak de borst. Het is geen Zwitserleven-plaatje met intense blikken en liefdevolle gebaren. De zogende Txinamanty is afwezig. Terwijl Kani drinkt, speelt ze met spullen die voor haar op tafel liggen of kijkt naar iets anders. Op een dag zie ik haar zogen terwijl ze een krekel ontleedt. Ze trekt zijn poten uit, bekijkt de vleugels en opent met haar nagels zijn lijfje – alles met de klinische, aandachtige blik als een horlogemaker die een uurwerk repareert.

De moeder-zoon-relatie is er een zonder tekst. Txinamanty zegt nooit iets tegen haar zoon. Kani, die tweeënhalf is en zou moeten brabbelen, hoor ik weleens geluiden maken, maar het lijkt niet alsof er ooit een woord uit zijn mond komt.

Amélia, die zelf vijf kinderen heeft, ziet het fronsend aan. 'Wat zij doet, is geen opvoeden. Ze geeft hem nooit een standje of een tik.' Ze is er nog niet uit of Txinamanty als moeder faalt of dat dit 'hun manier van grootbrengen' is. Ze is geneigd tot het eerste. Na de geboorte van Kani had Txinamanty Operá vaak bij Amélia achtergelaten. Ze kon tenslotte maar met één kind tegelijk in haar buidel rondsjouwen. Toen Operá er een gewoonte van begon te maken om te plassen in de hut van het varkentje van Purá, had Txinamanty aan Amélia gevraagd of zij hem dat kon verbieden. Amélia ervoer het als erkenning van Txinamanty: alsof ze daarmee toegaf dat zij niet kon opvoeden.

Operá oogde misschien lijdzaam, maar hij was volgens Amélia ook een rouwdouw. Als hij een mes vond, ging hij op zoek naar dieren om te doden. Verder beet hij letterlijk van zich af: zijn moeder was vaak bont en blauw.

Het waarom van Txinamanty's meegaandheid blijft Amélia bezighouden. Purá is anders. Hij praat wél met zijn neefje, zegt ze. Ze heeft weleens gezien dat hij ingreep toen Kani de boel kort en klein sloeg. 'Hij praatte, heel rustig, en stuurde hem toen weg.' Kani had gehoorzaamd.

In haar eindconclusie over Txinamanty als moeder is Amélia voor haar doen opmerkelijk mild. 'Misschien is er toch niet zoveel verschil tussen hoe zij opvoedt en hoe wij zijn opgevoed. Onze ouders hadden ook nooit aandacht voor ons. Ze lieten je aan je lot over.'

Purá is 'een goeie jongen' volgens Amélia. Hij hangt nog vaker dan zijn zus rond in het kampement. Hij zit meestal in zijn vaste hoek aan de eettafel, stilletjes alsof hij gevangen is in een cirkel van verdriet. Hij volgt alles wat er om hem heen gebeurt, maar zal nooit een vinger uitsteken, waardoor Amélia hem als 'lui' kwalificeert. En dat ondanks zijn vlijtigheid als het op naaien aankomt. Vooral Purá's imitatie van de machinale zigzagsteek in de door hem gedragen broeken heeft grote indruk op Amélia gemaakt.

Er zijn veel momenten waarop Purá voor zich uit staart. Geen moment trommelt hij met zijn vingers, peutert hij achter zijn oren, krabt hij aan een pukkeltje, bijt hij op een nagel – allemaal dingen die werkeloze handen van (westerse) anderen na een tijdje vanzelf gaan doen. Als een paal van bamboe blijft hij onbeweeglijk rechtop zitten aan tafel. Zo kunnen er uren voorbijgaan.

Soms rookt Purá een zelf met vloeipapier gerolde sigaret. Zijn bewegingen zijn traag en weloverwogen. Hij is zich zeer bewust van zijn uiterlijk. Het eerste dat hij doet als hij 's ochtends uit de hangmat stapt, is zijn petje opzetten, alsof hij zich zonder minder mens voelt. Daarna rolt hij de hangmat op, loopt naar de spiegel in de keuken en haalt een kam tevoorschijn. Hij zet zijn petje af, kamt zijn haren en zet het petje weer snel op.

Als je iets tegen Purá zegt, trekt er een glimlach over zijn gezicht. Hij is zichtbaar gesteld op contact. Hij zuigt jouw Portugese woorden op en herhaalt ze, alsof hij zich verbaast over de klanken. Uit zijn mond lijken ze als een toverbal die van kleur verschiet. Hij probeert ieder woord uit. '*Baheeru, baheero? baheero!*' Hij blijkt *banheiro*, 'wc' te bedoelen. Verrassend vaak komt Purá uit zichzelf met een Portugees woord voor de draad. Hij heeft het over *chou quente* (*sol quente*, 'hete zon'), *chuco* (*suco*, 'sap') en *trubão* (*trovão*, 'bliksem'). Het linguïstische huzarenstuk is de constructie *qué qué poi* (*o que é que foi* oftewel: 'wat is er gebeurd?').

Behalve de multomap met een fonetische woordenlijst voor het Kanoê is er nu ook een lijstje met Akuntsu-woorden. Dit tweede lijstje kwam na veel proberen tot stand, want de taal van de Akuntsu blijft een mysterie. In de woordenlijst figureren lichaamsdelen prominent. Lichamelijke klachten zijn namelijk het belangrijkste gespreksonderwerp. Dieren zijn een goede tweede. Eén activiteit heeft de lijst gehaald: slapen. En aangezien mannen en vrouwen andere woorden gebruiken, is er slapen voor vrouwen (*moconhé*) en slapen voor mannen (*papotuga*). Voor de rest gebruiken de Funai-mensen Kanoê-woorden om met de Akuntsu te praten, en dat gaat ook.

Met behulp van de woordenlijsten en gebaren kun je zelfs vragen stellen die een journalist interesseren. Vooral met *morerê*, 'goed', het woord dat ik me nog herinner van het vorige bezoek aan de Kanoê, kom je een eind. Adriano, het talenwonder in het kampement, biedt zich aan als tolk en Purá is het slachtoffer.

Vraag aan Purá: 'Alleen zijn morerê, goed?'

Purá schudt van nee.

Vraag: 'Is met Txinamanty zijn morerê, goed?'

Purá schudt wederom van nee.

Vraag: 'Met andere mensen zijn morerê, goed?' Omdat de woordenlijst ons hier in de steek laat wijst Adriano op personen en gebaart met een wenkende hand dat er nog vele bezoekers zullen komen.

Purá knikt erg enthousiast van ja en moet bovendien lachen.

Het interview is afgelopen. Wij moeten ook lachen, wat toch de allermakkelijkste manier van communiceren blijft.

Dat Purá het met Txinamanty niet fijn heeft, is een bevestiging van wat wij allemaal al vermoedden. Als Txinamanty in het Kanoê-dorp is, gaat haar broer niet, en andersom. Ze praten wel met elkaar, bijvoorbeeld als we eten en ze bij ons aan tafel zitten. Vooral zij heeft dan veel te melden. Hij reageert met kleine tussenzinnetjes. Ik stel me voor dat ze hem de mantel uitveegt. Zelden kijken ze echter naar elkaar, ook niet als ze het woord tot elkaar richten. Maar misschien zegt dat niets, want dat doen de Akuntsu ook niet. Iemand aankijken terwijl je met hem praat geldt in sommige culturen tenslotte als onbeleefd.

Amélia heeft me verteld dat Purá een keer heeft gehuild. Ze hadden met z'n tweeën bij de rivier gezeten en Purá had verteld dat hij niet kon trouwen omdat zijn zus en moeder hem nodig hadden. Volgens Amélia heeft Purá een zwak voor Babá's dochter. Hij heeft zelfs weleens, alsof hij stage liep als schoonzoon, voor Babá in de zwerfakker van de Akuntsu gewerkt. Dat Babá en Pupak maar zo'n kleine zwerfakker hadden vond hij belachelijk, had hij al eens aan de Funai-mensen laten doorschemeren. Purá was ongetwijfeld bevestigd in zijn idee dat de Akuntsu een lui volk waren.

Op een avond worden er aan tafel in het kampement grappen gemaakt over de Kanoê en hun depressieve inslag. 'Het zijn *unos suicidas*, een stelletje zelfmoordenaars,' stelt Euzébio. Hij vindt het aanstellerij. 'En al dat gedoe over gif en zich vergiftigen – ze kunnen beter aan de oorlog in Irak meedoen als ze snel dood willen.'

'Die is al maanden geleden afgelopen,' zegt Moacir.

Euzébio, een plichtsgetrouwe dertiger met een paar druppels indianenbloed die eerder gestationeerd was in het kampement van de Javarí-vallei dat ik met Sydney bezocht, schrikt. Het nieuws was hem geheel ontgaan. Je wordt vanzelf een bosmens. Euzébio bekent dat hij thuis nooit meer tv kijkt. Sinds hij het bosleven vol zelfredzaamheid gewend is, kan hij niet meer thuis op de bank stilzitten. 'In het oerwoud heb je altijd wat te doen.'

'Purá heeft heimwee naar het verleden,' zegt Adriano. De Kanoê heeft hem verteld over feesten die de indianen vierden toen hij jong was en hoe hij uitgedost met veren op zijn hoofd en om zijn benen en armen daarnaartoe ging en trommelde. Adriano, een jonge ex-dienstplichtige met hart voor het oerwoud, noemt Purá zijn vriend. 'Purá begrijpt ons beter dan wij hem,' is Adriano's ervaring.

Hij kreeg van Purá een keer een gebruikte pijl-en-boog cadeau. Later had de linguïst hem uitgelegd dat als een indiaan je iets geeft wat hij zelf heeft gebruikt, hij daarmee zegt dat hij je aardig vindt. Toen hij een keer na maanden afwezigheid terugkwam in het kampement, merkte hij ook hoezeer Purá op hem gesteld was. 'Hij pakte me vast en zei meteen mijn naam.'

Adriano heeft al eens vijfenveertig dagen alleen in het kampement gezeten. Hij bekent dat hij in zulke periodes bang is dat Txinamanty op een avond voor zijn hangmat zal staan en seks wil. Het lijkt hem een pijnlijke situatie. Wat doe je dan? Maar hoewel ze hem altijd vriendelijk toelacht, is hem zo'n nachtelijke escapade tot nog toe bespaard gebleven.

In de eenzame periodes zijn Purá en hij vaak samen uit jagen geweest. Purá liet hem zien hoe je fakkels maakt. Welke vruchten je kunt eten. En dat je als je dorst hebt een waterliaan moet zoeken. Als je die openbreekt, komt er water uit.

Ze wisselen altijd woorden uit. Hoe heet dit beest in jouw taal? Hoe noem je dit lichaamsdeel?

'Je praat te veel,' had Purá op een dag tegen Adriano gezegd.

'Zelf zegt hij bijna niets,' zegt Adriano. 'Tijdens de jacht mag je niet praten, want dan jaag je beesten weg. Misschien komt het daardoor.'

Op een stille middag gaan Adriano en ik capibara's kijken bij de plassen aan het eind van het weiland. In Alta Floresta, het Amazone-stadje waar zijn moeder woont, zijn ook indianen, vertrouwt hij me toe. Maar voor hem zijn dat geen echte indianen: 'Ze dragen kleren, spreken Portugees, zijn hun eigen taal en cultuur vergeten en ze werken op het land.' De regering heeft mede schuld aan deze verloedering, vindt hij. Men heeft de indianen gemakzuchtig gemaakt. 'Ze doen alles voor de indianen en de Funai geeft hun ook nog eten.'

Hij houdt van de Kanoê en de Akuntsu. Het komt door hun manier van in het leven staan, die zo anders is dan de zijne. Hij is zich bewust van de irritaties bij zijn collega's over de indianen, maar kiest zonder een aarzeling hun kant.

Maar wat vindt hij er dan van dat de Kanoê en Akuntsu alles willen hebben, vraag ik. Dat is de bron van de meeste irritatie.

Adriano ontkent met heftig hoofdschudden. Hij vindt het logisch dat ze alles willen hebben. 'Voor hen is alles nieuw. Ze zijn als kinderen; die willen toch ook alles zien en weten?'

We zigzaggen om de koeienvlaaien heen. Honderden Nelores kijken ons nieuwsgierig aan. Als we naderen, draaien ze zich tegelijk om en draven de andere kant op, elkaar trappend en wegduwend. De zompige grond trilt na. Adriano heeft nauwelijks belangstelling voor de koeien.

'Weet je wat Purá doet als hij iets wil hebben?' Adriano gaat voor me staan, steekt zijn hand uit en draait zijn geopende handpalm naar boven. 'Zo.' Hij moet erom lachen.

Er zijn geen capibara's als we bij de plas aankomen. Daarom lopen we nog een rondje in een stuk bos even verderop waar Purá en hij graag komen. Adriano heeft zijn militaire dienst doorgebracht bij de oerwoudbrigade, waar hij in het bos leerde overleven met drie lucifers, een waterzuiveringstablet en een envelopje met zout. Hij voelt zich zichtbaar thuis tussen de bomen. Met zekere passen loopt hij voor me uit en slaat op voor mij verrassende momenten links en rechts af. Ik zie alleen maar hopen bladeren, takken en stammen; hij ziet een netwerk van paden. 'Ik heb geleerd van Purá waarop je moet letten.'

Er is meer aan de hand in het kampement dan dat de Kanoê taalvaardiger zijn geworden. De verhouding met de indianen staat onder grote druk. En het voorgenomen proces van geleidelijke aanpassing aan de blanke maatschappij zit op een dood spoor. Meer weten leidt ondanks een heleboel goede wil niet automatisch tot beter begrijpen. Bij Amélia, de veteraan in het gezelschap, raakt het geduld op. De opgehouden hand van Purá die wat wil hebben en die Adriano vertedert, irriteert haar. 'Dat zie ik nu al zes jaar. Waar moet het naartoe met dit volk?' verzucht ze op een dag als we even alleen zijn. De dagelijkse aanwezigheid van de Kanoê vergroot de druk. Amélia somt de voorbeelden op: Txinamanty drinkt de koffie op en wil dat Amélia nieuwe koffie zet. Txinamanty wil eten als dat er niet is. Txinamanty wil het enige blik poedermelk dat op de keukenplank staat. Gevolg: er is geen melk meer voor de anderen. Txinamanty klaagt dat de Akuntsu zoveel uit de moestuin hebben gehaald dat er voor haar niks meer is. Txinamanty wil dat het aggregaat iedere avond aangaat, zodat er elektrisch licht is, terwijl het aggregaat om te bezuinigen alleen nog maar wordt gebruikt om water naar het waterreservoir te pompen.

'Als ze haar zin niet krijgt, begint ze tegen me aan te duwen,' vertelt Amélia. 'Alleen God weet hoeveel ik lijd. Ik krijg van haar overal de schuld van. Zelfs als ze buikpijn heeft als ze te veel heeft gegeten.'

Ook de betrekkingen tussen de Akuntsu en de Kanoê zijn aan slijtage onderhevig. Op een middag duikt Txinamanty op uit het bos aan de overzijde van de beek. Ze zet haar bundel pijlen onmiddellijk in de slaaphut en tapt een glas water uit de waterfilter. Kani hangt in de buidel en kijkt naar ons. Txinamanty begint tegen Amélia te praten in het Kanoê. Ze lijkt stemmen na te doen in een verhitte dialoog. Amélia, die haar aanvankelijk negeerde, luistert aandachtig.

Als Txinamanty is uitgepraat, lopen er tranen over haar wangen. Kani knijpt zijn ogen dicht, alsof hij er allemaal niets mee te maken wil hebben. Amélia is niet onder de indruk. 'Ze is bij de Akuntsu geweest en zegt dat de Akuntsu hier zullen komen omdat ze papaja's willen. De Akuntsu hebben ook gezegd dat zij een slechte vrouw is en dat ze haar haar moet afknippen.'

Op de haar zo eigen 'kop op'-toon spreekt Amélia nu Txinamanty toe. 'Txinamanty rustig blijven. Als problemen. Daar niet naartoe gaan. Kanoê hier. Akuntsu daar.' Het gesprek wordt gevoerd in een staccato Portugees, met af en toe een woord Kanoê.

'Vaak creëert zij de problemen. Ze lokt de Akuntsu uit,' zegt Amélia als Txinamanty afdruipt.

Twee weken eerder had Txinamanty ook gehuild. Dat was nadat Amélia haar had gezegd dat het zo niet langer kon, dat ze moest ophouden almaar dingen te vragen en ruzie met haar te zoeken. Daarna was Txinamanty bijgedraaid en had ze vriendelijk gedaan. Amélia is er evenwel niet gerust op. 'Ik ben bang dat ze gek wordt.'

Dat denkt ze vaker sinds de dood van Tutuá en Operá. In Vilhena had Txinamanty Kani van het balkon van haar huis naar beneden willen gooien. Amélia had op de hectische dag van de lijkschouwing van Tutuá moeder en zoon in haar eigen huis geparkeerd omdat ze niet met de Kanoê wilde rondzeulen in het ziekenhuis.

Haar kinderen, die op de exotische bezoekers moesten passen, belden na een uur in paniek op. 'Die vrouw wil haar baby naar beneden gooien.' Haar oudste zoon had Kani uit Txinamanty's armen weten te trekken. Toen Amélia arriveerde, leek Txinamanty in trance. Ze zat als een zielig hoopje voor de tv, waarop tekenfilms te zien waren. Af en toe sprong ze op, zong, danste in het rond en stampvoette, om dan weer neer te storten. Ze weigerde te drinken, te eten en te slapen. Als Amélia een stap deed, klemde ze zich aan haar vast. 'Ze liet me zelfs niet naar de wc gaan,' zegt Amélia. 'Als ik in slaap viel, maakte ze me wakker. Dat ging twee dagen en nachten zo door.' Ze had de indruk dat Txinamanty de baby niet meer wilde en zelf ook dood wilde. Ze zucht en schudt haar hoofd. 'Bij het minste of geringste willen de Kanoê uit het leven stappen.'

Babá heeft een rol touw aan Moacir gevraagd. Touw en nieuwe rubberen teenslippers liggen klaar voor de Akuntsu. De eenvoudige ruilhandel die Marcelo had bedacht om de indianen de relatie tussen bezit en werken duidelijk te maken is evenwel een flop. De Akuntsu maken niets wat geruild kan worden en iedere poging van de Funai hen daartoe aan te zetten strandt. Ondertussen staan ze erop alles te krijgen wat de Kanoê van de Funai ontvangen in ruil voor spullen. Marcelo's plan om de indianen te laten leven van de patenten van door hen aangewezen geneeskrachtige kruiden en wortels lijkt achteraf een romantische dagdroom. De indianen gebruiken nauwelijks nog geneeskrachtige kruiden, laat staan dat ze ertoe te bewegen zijn een uitputtende verzameling aan te leggen. Allen zweren bij pillen en zalfjes uit de medicijnkast van Amélia. In het eerste jaar waren ze tevreden met pleisters; nu willen ze het allerliefst meteen een injectie.

Om ruzie tussen de Kanoê en de Akuntsu over voedsel te voor-komen, is de moestuin van het kampement flink uitgebreid. Amélia heeft daar ook geneeskrachtige kruiden geplant. Het zijn de kruiden van de blanken, maar het idee is dat de indianen zo weer terug worden gebracht tot een herwaardering van hun eigen oerwoudapotheek.

De ruilhandel is verworden tot onderhandelingen met regels. Hoe-wel het verband tussen werk en bezit de indianen niet duidelijk te ma-ken viel, moeten ze ten minste begrijpen dat vragen niet automatisch krijgen betekent. En dat er zoiets als schaarste bestaat: op is op. Nieu-we teenslippers komen er bijvoorbeeld pas als de oude kapot zijn. De tabakconsumptie is beperkt tot een pakje per groep per maand. Zelf telen de indianen nog steeds tabak om te snuiven. Maar Babá staat op tabak uit de stad. Toen een Japanse journalist op het erfje van de Akuntsu een sigaret had opgestoken, had Babá hem onmiddellijk om een sigaret gevraagd. Sigaretten zijn nu het summum.

Babá is een gewiekste manipulator. Als de dienstdoende Funai-me-dewerker niet over de brug komt met de door hem gevraagde artike-len, dreigt hij dat de Akuntsu de benen nemen. Of hij verbiedt alle be-zoek. Pupak, die hij gebruikt alsof hij zijn schoonzoon is, stuurt hij vaak als boodschapper van het nieuws.

Niet alleen de moestuin wordt leeggehaald, de indianen doorzoe-ken ook het afval. De Akuntsu pikken er stiekem alles uit wat hun in-teressant lijkt. Plastic zakken en lege blikken zijn bijzonder in trek. De blikken zijn een probleem. Want hoe leg je een indiaan uit dat het water dat erin blijft staan na de regen een broedplaats kan worden van insecten die de knokkelkoorts overbrengen? Voor hem is de knok-kelkoorts immers een boze geest. Uit nood zijn de Funai-mensen nu overgegaan tot vuilverbranding.

De indianen instrueren in correct gebruik en onderhoud van be-zit blijft een moeilijk proces. Pupak en Babá dragen af en toe T-shirts, maar wassen die nooit. De messen die ze krijgen, laten ze buiten lig-gen, waardoor ze direct gaan roesten. 'Dan willen ze weer nieuwe mes-sen,' verzucht Amélia. Hoe leg je ze uit dat het mes vanzelf onbruik-baar wordt als het stil buiten ligt? Dat vocht roest veroorzaakt?

Adriano vertelt dat Purá een horloge had gekregen van een bezoeker. Wat hij met een horloge aan moest wist hij niet, maar hij had zijn aanwinst verstopt in het bos, zodat zijn zus er niets van zou merken. Op een dag had hij heel trots het roestende horloge aan Adriano laten zien.

Babá heeft laten weten dat hij ons kan ontvangen en nog twee dagen blijft in het Akuntsu-dorp dat zich het dichtst bij het kampement bevindt. Amélia grijnst. 'Hij is heel slim. Het is een ultimatum, want hij wil het touw hebben.'

Er gaat iets weldadigs uit van het oerwoud zolang je je er niet hoeft voort te bewegen. Als een groene muur omsluit het bos het erf van de Akuntsu. Daarachter klinkt een polyfoon concert van vogelgeluiden. Kwetteren, tsjilpen, slepende trillers en tussendoor een solo van een driftig perronfluitje. Er is ook een vogel die jankt als een auto die met gierende remmen door de bocht gaat. Maar hier zal nooit een auto rijden. Het is hier zoals het was en vermoedelijk altijd zal blijven. Deze patio is een wereld zonder tijd. De zon schijnt, het regent, het wordt nacht, het wordt dag. De regentijd begint en eindigt. Het is een oneindige cyclus, terwijl ver weg continenten zijn ontdekt en veroverd, steden zijn gebouwd, oorlogen zijn uitgevochten, presidenten zijn gekozen en ten val gebracht en elektriciteit, telefoon, auto's en internet zijn uitgevonden. In dit eilandje van groen is de belangrijkste gebeurtenis van de afgelopen eeuwen de komst van westerlingen met hun tractoren geweest.

Babá, met T-shirt en petje, heeft zich laten neerzakken op zijn bankje. Zijn ogen, nauwelijks meer dan streepjes, hebben nog steeds de ondeugende schittering die ik me herinnerde van de vorige keren. Zijn gezicht glimt van het zweet. Ik vind hem oud geworden. Hij is grijs. En de rimpels op zijn voorhoofd zijn lang en diep als voren in een net geploegde akker.

'Babá wilde dat ik honing voor hem uit de boom haal,' zegt Amélia, die naast me op de liggende boomstam aanschuift.

'Maar dat kan hij toch zelf doen?' vraag ik.

'Hij beschouwt mij als een loopjongen, net als zijn eigen vrouwen. En hij is ontevreden, omdat we geen tabak bij ons hebben.'

'Maar we hadden toch touw en maïs?'

'Hij wil iedere keer een pakje tabak.'

Babá is net als tijdens mijn vorige bezoeken ook nu weer het centrum van belangstelling. De vier mannen van het Funai-kampement die met ons zijn meegelopen naar de Akuntsu, zitten om hem heen. Als Babá ontevreden is, zoals Amélia denkt, laat hij het niet merken. Hij commandeert, lacht, sist, hinnikt, klapt in zijn handen en knijpt in die van anderen. De gele plastic oorbel die hij aan één kant draagt, schudt met ieder lachsalvo mee. Zijn vrouwen en dochter, bloot maar wel behangen met kettingen, staan achter ons met een groene papegaai op een stok. Ze kijken en smoezelen met elkaar, en kijken weer en smoezelen.

'*Moemata grom ptita roco tjoejoe*,' zegt Babá. En hij lacht opnieuw. Wij weten niet waar het over gaat, maar lachen ook maar. Tenslotte zijn we hier om de goede betrekkingen in stand te houden.

Zonder tolk blijkt de conversatie erg beperkt. Adriano, ons talenwonder, wijst naar zijn oog en dan op het bos en laat enkele woorden Kanoê volgen. Heeft Babá vreemden in het bos gezien? vraagt hij. Nee, Babá heeft geen indringers in het bos gezien, lijkt het antwoord te zijn.

Pupak staat op enige afstand en slaat het tafereel gade. De combinatie van zijn rode petje van de middenstand uit Corumbiara en het eeuwenoude slabbetje van palmriet voor zijn geslacht en de lange witblonde pluimstaart op zijn rug blijft wonderlijk.

Ururu, de oude vrouw van de Akuntsu, die volgens de leeftijdentabel van Marcelo nu drieëntachtig is, heeft Amélia opzijgetrokken en wijst op haar gezwollen knieën. Ze begint een lang verhaal met veel tsjilpgeluiden dat er volgens Amélia op neerkomt dat ze pijn heeft. Ze is nog kleiner en brozer dan de vorige keer en haar benen staan als een hoepel.

Als Adriano opstaat om zich met Pupak te onderhouden, richt Babá zich op mij. Hij kijkt langdurig en aandachtig naar mijn bovenarmen. Of liever gezegd: naar de plek waar hij ze vermoedt onder het slobberende mannenoverhemd dat ik draag. Zou dit een lichaamsdeel zijn dat hem bevalt? Babá wenkt me naderbij. Als ik opschuif op de boomstam en me vooroverbuig, schiet zijn rechterhand snel naar voren. Ik voel een hand die in een van mijn borsten knijpt. Hij grijnst me toe en knijpt nog eens.

Ik weet niet wat de oerwoudetiquette voorschrijft in een dergelijke situatie, maar besluit hem vriendelijk toe te knikken en steek een duim in de lucht. Babá schatert het uit. Hij communiceert zijn bevindingen in de tokkeltaal aan zijn twee echtgenotes, die me van top tot teen bekijken en nu ook moeten lachen. Opeens realiseer ik me: net als bij mijn eerste bezoek ben ik nog steeds een kermisattractie. Een mens die groter is dan de mannen en een vrouw blijkt. Het is meteen ook duidelijk dat geen van hen mij heeft herkend van de eerdere bezoeken.

Txinamanty duikt op tussen de maïsplanten. De opmerking van Altair schiet me te binnen: 'De Kanoê willen overal bij zijn.' Niet eerder zag ik Txinamanty met zo veel kleren aan; ze draagt een wijde, slobberende lange broek, een T-shirt en een petje. Een zelfgedraaide sigaret bungelt in haar mondhoek, Kani hangt in de buidel op haar heup en in haar hand heeft ze een grote machete.

Te midden van het groepje zittende, halfnaakte Akuntsu straalt Txinamanty macht uit. Alsof ze beter wil lijken dan zij. Zou dat ook de bedoeling zijn: kleding om zich te onderscheiden van de anderen en een mooi mes als statussymbool? Worden onze patronen zo gemakkelijk overgenomen? Txinamanty begroet als eerste Babá en Pupak. Langdurig wordt daarbij de hand vastgehouden. Er worden over en weer enkele teksten uitgewisseld. Aan Kani, vermoedelijk toch de zoon van een van de twee, wordt geen enkele aandacht besteed.

Babá's vrouwen en dochter worden door Txinamanty geheel genegeerd. Alleen het oudje krijgt nog een uitgebreide begroeting. Ik vermoed dat het oerwouddiplomatie is: Txinamanty groet vermoedelijk alleen de Akuntsu die ertoe doen. Altair was er namelijk van overtuigd dat de oude Akuntsu-vrouw veel macht had.

Pupak verdwijnt na enige tijd in zijn hut. Hij zit in de ragfijne, door de Akuntsu zelf gevlochten hangmat als ik naar binnen kruip. Zijn knokige benen heeft hij in de as van zijn vuurtje gepoot en de pluimige envira-staart ligt als een kussentje onder zijn billen. Pas nu zie ik op de binnenkant van zijn arm het litteken van hagel waar Marcelo het jaren geleden over had.

Nu ik binnen ben, realiseer ik me ogenblikkelijk mijn vergissing. Ik ben alleen. Wat moet ik in deze hut als van een gesprek tussen Pupak en mij geen sprake kan zijn? Maar kan ik onmiddellijk vertrekken, of zou ook Pupak dat onaardig vinden? Pupak zit in de hangmat en snuift diep door zijn neus, alsof hij verkouden dreigt te worden. Hij vermijdt het mij aan te kijken. Hij is een indiaan en houdt er natuurlijk een andere beleefdheidscode op na dan ik, bedenk ik. Maar aangezien ik product van mijn opvoeding ben, besluit ik het bezoek toch nog even vol te houden.

Pupaks eenmanshut is een troep. Her en der liggen afgekloven vruchten en plastic zakken op de grond. Net als Babá beschikt ook Pupak over een plastic jerrycan en een aluminium pan, wat me verbaast. Zou Pupak, als man, ook koken? Het past niet in de rolverdeling die ik tot nog toe bij indianen heb gezien. Pupak zit zwijgend in zijn hangmat en ik op de grond. Ik kijk om me heen en lach vriendelijk naar hem. Hij kijkt om zich heen en lacht naar mij. En we herhalen deze pantomime een paar keer.

Zijn bewegingen zijn schichtig en hoekig, zoals altijd. Af en toe houdt hij zijn hoofd schuin, als een smekend kind.

Ik zin op gebaren bij gebrek aan een gemeenschappelijke woordenschat, maar kan niets bedenken wat niet voor meerdere uitleg vatbaar is. Eetgebaar? Dan denkt hij misschien dat ik eten wil. Slaapgebaar? Dat zou een uitnodiging tot seks kunnen lijken.

In de deuropening van de hut gonzen wespen. Babá's lach klinkt in de verte. Dan schiet Pupak iets te binnen. Hij grijpt naar de bananen die naast hem op de grond liggen en biedt mij er een aan. Dilemma: weiger ik zijn geschenk en dus zijn gastvrijheid of stoot ik hem voedsel uit de mond? Omdat hij nog drie halfgroene bananen heeft, besluit ik het geschenk aan te nemen. Ik leg de banaan naast me neer.

Hij wenkt, legt zijn twee handen in gelijke richting op elkaar, de palm van de ene op de rug van de andere en kijkt me vragend aan. Twee handen op elkaar? Heeft hij het over seks? Zou wat in de blanke *machista*-cultuur in de eenentwintigste eeuw twee vingers zijn, bij indianen uit het stenen tijdperk een bijna identiek gebaar zijn? Zou het zo simpel zijn?

Ik gebaar dat ik een foto wil maken. Maar niets wijst erop dat Pupak begrijpt wat ik van plan ben. Hij kijkt tenminste niet op als ik de camera tevoorschijn haal. Als ik naar hem zwaai ten afscheid en richting de hutopening kruip, houdt hij zijn hoofd weer vragend schuin.

Buiten begint het te rommelen. Er hangt regen in de lucht. Babá maait met zijn armen en zuigt vervolgens lucht door het kokertje dat hij met zijn handen maakt. Hij slaat de opgezogen geesten weg. Euzébio zit op zijn hurken voor hem.

'Babá geneest Euzébio's duim,' zegt Adriano. Euzébio, die het pijnlijke lichaamsdeel vooruitgestoken heeft, kijkt ernstig. Het zou me niets verbazen als hij gelooft dat Babá wonderen kan verrichten.

Op de terugweg van de Akuntsu naar het kampement doe ik Amélia de pantomime van indiaan en blanke vrouw uit de doeken.

'Pupak probeert het bij alle vrouwen,' zegt ze. Ook de banaan komt ter sprake. 'Vroeger gaven de Akuntsu altijd maniok en bananen als we kwamen, maar tegenwoordig niet meer. Hun akker is erg klein geworden,' zegt ze. 'Het eerste dat ze doen als ze het kampement bezoeken is een rondje door de onze maken. Ananas, maïs, banaan – alles nemen ze mee.'

De regen blijft uit. Maar als we een paar uur later in het kampement zijn, barst het onweer van irritatie los. José, die verantwoordelijk is voor de akker, doet zijn beklag bij Moacir. Waarom mag hij niet de maïs planten die hij zelf eet? Waarom moet hij die harde maïssoort verbouwen die de indianen eten?

Moacir legt uit: als José zachte maïs gaat poten, willen de indianen straks alleen nog maar die gekruiste soort. Zo is het met alles gegaan.

José is verontwaardigd. 'Maar ik plant die maïs voor mezelf! Je kunt mij toch niet verplichten hun maïs te eten? Laat ze hun eigen maïs planten.'

'Ze planten bijna niets meer,' valt Amélia haar vriend bij.

'Ze willen niet meer werken,' zegt José. 'Als je het kunt pakken, waarom zou je je dan uitsloven? Jagen doen ze ook niet meer. Daar zijn ze te lui voor.'

De rest van de tafel is stil. Eigenlijk begrijpt iedereen de klacht. Die is niet onwaar.

Amélia vat door de stilte moed. 'Als ze de moestuin gehad hebben, gaan ze zitten en maken ze een handgebaar.' Ze wappert met haar rechterhand voor haar mond. 'En dan verwachten ze dat jij komt opdraven met eten.'

'Zo zijn ze nou eenmaal,' zegt Adriano verzoenend. 'Ze zijn zelf toch ook gul.'

'Als die indianen eens wisten wat hier allemaal volgens de wet van hen is, zijn ze helemaal niet meer te houden,' dendert Amélia voort. Het is een verwijzing naar het reservaat met alle wettelijke rechten die eruit voortvloeien. 'En ik geef je op een briefje: als ze weten wat allemaal van hen is, houdt niemand het hier meer met hen vol.'

'Ze zijn slim,' zegt José.

'Het zijn onschuldige wezens,' riposteert Adriano.

'Ach, hou toch op. Ik zal je zeggen: het zit me tot hier.' José zet een hoge borst op en legt zijn wijsvinger onder zijn neus. 'Ze eten meer dan wij. Je draait je om en de pan is leeg.'

Moacir probeert te sussen. 'We zijn hier voor de indianen. Het belangrijkste is dat zíj geen honger lijden.'

'Indianen eten altijd veel als er eten is. Want ze weten niet wanneer ze weer opnieuw te eten hebben,' zegt Adriano. Zijn gezicht staat op onweer als hij opstaat en in de slaaphut in zijn hangmat gaat liggen.

15

Crisis

'Heb je dit gezien?' vraagt Moacir terwijl hij papieren uit een plastic opbergdoos trekt. We zitten aan tafel in de keuken met verslagen en kaarten voor ons. Morgen zullen we vertrekken naar het bos van de indiaan van het gat, want er is weer een nieuwe hut met zwerfakker ontdekt. Voor mij is het de tweede expeditie. De Funai-mannen hebben er door de jaren heen al meer dan dertig pogingen om contact te leggen op zitten. Moacir houdt een geelbruinige foto omhoog. Er staat een warrig gordijn van gele stengels op. Door een spleet in het gordijn zijn een oog, neus, mond en snor van een man zichtbaar.

Moacir kijkt gespannen toe. 'En, wat vind je?'

'De indiaan van het gat?'

Moacir knikt.

Ik kan nauwelijks geloven dat ik een afbeelding van hem zie. Het is vreemd na alle puzzels en spoorzoeken voor het eerst een gezicht te zien. Hij bestaat en dit is hem dus. Ik kijk opnieuw naar de foto. Het oog kijkt recht in de lens, alsof de indiaan poseert.

'Herinner je je dat Vincent een video heeft gemaakt toen Altair en hij jaren geleden zes uur voor de hut zaten? Dit is een sterk uitvergrote foto die van de tape is genomen,' zegt Moacir.

Hij schuift me nog twee foto's toe. De afbeeldingen zijn korrelig door het extreme uitvergroten, maar duidelijk genoeg om te zien dat de indiaan uiterlijk veel op de Kanoê lijkt. Hij heeft dezelfde gelige huidskleur en net als zij een langgerekt gezicht en een rechte, verhoudingsgewijs grote neus. Maar hij heeft een snor, terwijl de Akuntsu en Kanoê geen baardgroei hebben – de stekeltjes van Purá niet meegerekend. Hij heeft evenmin de Aziatische ogen van de andere indianen.

Daardoor oogt hij eerder als een Mexicaan of een Arabier. Je vindt vaak iets anders dan je zoekt: ik had me onwillekeurig een exotischer en ook woester gezicht voorgesteld, donker met fonkelende ogen. Maar het gezicht dat ik op de foto's zie, zou je ook bij de benzinepomp in Vilhena kunnen tegenkomen. Enigszins ontluisterd zit ik aan de keukentafel in het kampement en kijk opnieuw naar de beeltenissen.

Zonder gezicht was de indiaan van het gat een abstractie. Hij was een hypothese die we toetsten aan almaar nieuwe gegevens, bijeengeharkt na voettochten in het bos. We wisten hoe groot zijn voet was, wat hij at, hoe hij jaagde; we hebben zijn gedrag geanalyseerd en zijn psyche geprobeerd te doorgronden. Maar pas nu wordt hij gewoon en mens. Hij krijgt een identiteit, al weet niemand welke.

Opeens realiseer ik me dat er iets raars aan de hand is. De indiaan kijkt in de lens, omdat hij denkt dat de camera die op de hut gericht is een wapen is. Hij moet alert zijn op iedere beweging van het zwarte gevaarte. Terwijl hij wordt gefilmd, staat hij klaar met een speer en een gespannen boog omdat hij elk moment een inval verwacht van zijn belagers, die al uren voor zijn hut zitten.

Toch is er niets van angst noch van woede in zijn ogen te lezen, terwijl dat toch gevoelens zijn die alle mensen ongeacht hun cultuur delen en met dezelfde gezichtsuitdrukking tonen. De indiaan lijkt gelaten en bovenal moe. Op de ene foto is zijn blik onderzoekend, op de andere eerder triest. Wij hebben als vanzelf aangenomen dat de indiaan bang is. Hij zou vluchten, omdat hij bang en getraumatiseerd is. We hebben een verhaal om hem heen gesponnen waarin hij de laatste overlevende is van een familie die is uitgemoord. Maar misschien is hij zelf weggelopen of uitgestoten. Misschien is hij helemaal niet bang, maar wil hij alle, maar dan ook alle contact mijden omdat hij een kluizenaar is. Of omdat hij weet dat het hem niets goeds zal brengen.

De foto had hij onmiddellijk naar de plaatselijke kranten gestuurd toen hij hem kreeg, vertelt Moacir. Bewoners van de fazendas in het gebied moeten immers denken dat de Funai al contact heeft met de indiaan. De grootgrondbezitters hadden toen ze de foto zagen natuurlijk direct geroepen dat deze man geen indiaan kon zijn, omdat hij een snor had. Volgens hen was nu definitief bewezen dat de gatengraver in het bos een gevluchte gevangene, een ontspoorde goudzoeker of een kluizenaar was.

Moacir had daarop ingezonden brieven naar de kranten gezonden om deze lezing te ontkrachten. Nu geldt er nog steeds een toegangsverbod voor het bos van de indiaan, opdat de Funai in alle rust contact met hem kan leggen. Maar als de fazendeiros een rechter weten te overtuigen van hun gelijk, kan het toegangsverbod worden opgeheven en is de indiaan vogelvrij.

'Maar hoe zit het dan met die snor?'

'Er zijn zoveel soorten indianen. Het zegt helemaal niets. Sommige volken hebben zich in de loop der eeuwen met blanken vermengd. De Kayapó-indianen bijvoorbeeld roofden blanke kinderen en voedden hen op alsof het hun eigen nakomelingen waren. Meestal bleven ze bij de indianen wonen.' Zelf heeft Moacir in het Xingu-park in het oosten van de Amazone gewerkt, waar meer dan tien indianenvolken wonen. De Kaiaba-indianen daar hadden een pajé die niet alleen een snor maar ook een baard en krullend haar had.

'Niemand vond dat raar of stelde zijn indiaansheid ter discussie. Want een snor maakt iemand nog niet tot een blanke.' Moacir tikt driftig met zijn wijsvinger op het tafelblad om zijn woorden extra kracht bij te zetten. 'We volgen deze man al jaren. Hij is een indiaan, in alles.'

Nog een lakmoesproef: Txinamanty en Purá hebben gezegd dat hij een indiaan is, aldus Moacir. Dat concludeerden ze nadat ze waren mee geweest op expeditie en zijn sporen, wildstrikken en hut hadden gezien.

'Als een indiaan een banaan eet, zeggen grootgrondbezitters ook dat hij geen indiaan is, omdat indianen zogenaamd geen bananen zouden eten.' Adriano mengt zich in het gesprek.

'Als een indiaan een banaan krijgt, eet of plant hij die,' zegt Moacir. 'Als we nu bij de hut een T-shirt zouden neerleggen, heb je kans dat de indiaan van het gat de volgende keer een T-shirt draagt. Zo gaat dat. Maakt dat hem minder wild? Natuurlijk niet.'

De foto's moeten opzij. Op de tafel komen dozen te staan die Amélia en Adriano met levensmiddelen vullen. Adriano en Euzébio zullen na onze tocht achterblijven in het bos van de indiaan. Hun opdracht is in de paar weken die resten tot de regentijd als het terrein ontoegankelijk wordt nog zo veel mogelijk expedities te ondernemen.

'We willen nu contact leggen,' zegt Moacir. Hij snuift diep en recht zijn borst. Hij lijkt er niet aan te twijfelen dat het gaat lukken.

Eind 2002 – een jaar voor mijn bezoek – zag het ernaar uit dat de indiaan van het gat gestorven was. Hoewel het bos waarin hij rondloopt klein is, was hij opeens spoorloos verdwenen. Alle stropersgaten die werden gevonden bij expedities waren overwoekerd. Adriano trof op een gegeven ogenblik twee nieuwe hutten maar die bleken maanden eerder in de steek te zijn gelaten. Nooit vonden de Funai-medewerkers meer afgebroken takjes, voetafdrukken, sneden in boomstammen of geplunderde bijennesten. En ook als ze de kreken naliepen – de methode die Altair voor onfeilbaar had gehouden – vonden ze niets meer.

Moacir en zijn jongens hielden rekening met diverse mogelijkheden. De indiaan kon dood zijn, omdat hij door een jaguar was aangevallen of vermoord was door een blanke. Hij kon ook onvindbaar zijn omdat hij bijvoorbeeld in een diep gat was gevallen. Of hij kon zelfmoord hebben gepleegd. Hij kon gif hebben ingenomen en in een gat zijn gaan liggen om te sterven.

Het was moeilijk voorstelbaar dat hij nog leefde, omdat er al meer dan een jaar geen verse sporen meer waren gevonden. Het idee dat hij dood was zonder dat zijn lijk was gevonden, bleek echter net zo onvoorstelbaar. Hij zou naar een ander gebied kunnen zijn getrokken. Of misschien legde hij zich erop toe zijn sporen uit te wissen, opperde Adriano. De indiaan maakte zich onzichtbaar om zijn achtervolgers definitief van zich af te schudden, was zijn theorie.

Echter twee maanden voor mijn bezoek hadden Adriano en een andere bosloper tot grote opluchting van iedereen de indiaan teruggevonden. Hij bleek een andere kant op te zijn gelopen dan ze hadden aangenomen.

Op dat moment was Adriano op expeditie met Sidnei, de neef van de woudverkenner Paulo. De eerste aanwijzing die ze vonden was een net gegraven gat. Toen ze de omgeving verder verkenden, ontdekten ze een zwerfakker met maïs, maniok en veel papajabomen. Voor ze er erg in hadden stonden ze opeens voor een nieuwe, onbekende hut.

Terwijl ze dubden over hoe ze die zouden naderen, klonk er binnen gekreun. Ze schrokken, maar onmiddellijk daarna sloeg de twijfel toe. Was het geen inbeelding? Ze waren tenslotte doodnerveus en meenden voortdurend dingen te horen. Maar toen ze een afgehakte kop van een bosvarken zagen en tussen de palmrieten takken door in de hut een vuurtje zagen branden, wisten ze het zeker: de indiaan leefde en hij zat in de hut.

Adriano had meteen fantasieën over hoe zij, de twee jongste bedienden uit het kampement, na jaren het eerste echte contact met de indiaan zouden leggen. In stilte overlegden ze wat ze zouden doen als de indiaan de hut uit zou stappen op hun roepen: zouden ze eerst een hand geven of eerst een foto maken? Of moesten ze meteen het mes dat ze bij zich hadden bij wijze van geschenk aanbieden? Eerst de foto – immers het bewijs van het contact – en daarna het mes, besloten ze.

Om hun kans op succes te vergroten trokken ze hun kleren uit voordat ze op de hut toeliepen: als ze naakt waren, zag de indiaan meteen dat ze ongewapend waren.

Adriano ging voorop. Hij riep wat Kanoê woorden. '*Oehoe morerê, puraku morerê* – Goed mes, goede *mutum*.' De mutum, een soort fazant, hadden ze weliswaar niet bij zich, maar dat zou de indiaan toch zo snel niet zien.

Het bleef stil in de hut. Adriano en Sidnei stonden vlak voor de palmblad wand net als Altair, Vincent en Marcelo tijdens hun zes uur durende hofmakerij jaren daarvoor. Ze besloten veel te lachen en floten liedjes om duidelijk te maken dat ze niets kwaads in de zin hadden. Adriano herinnerde zich dat Altair en Marcelo dat ook deden.

Opeens kwam er een reactie. Het waren onbestemde klanken. Toen hoorden ze ritselen. Het zweet gutste over Adriano's rug en zijn benen beefden als een palmblad. Maakte de indiaan een pijl klaar? Dat was ook wat Sidnei dacht en vreesde. Ze gooiden het mes en de slijpsteen, het andere relatiegeschenk, snel neer en renden weg.

Vanuit het veldje op veilige afstand van de hut prezen ze opnieuw in het Kanoê hun cadeaus luidkeels aan en riepen een paar keer: '*Amigo* – vriend.' Maar er kwam geen reactie meer.

Ze keerden de volgende dagen nog twee keer terug naar de hut en legden meer geschenken neer, maar 'de jongen' zoals Adriano de indiaan van het gat noemt, was verdwenen. De laatste keer zagen ze dat hij zijn pannen en een stuk dekzeil had meegenomen. Van hun cadeaus had hij slechts het voedsel en het mes meegepakt.

In de weken die volgden, gingen ze nog acht keer kijken. Omdat ze er niet meer zeker van waren dat hij de hut zou bezoeken, legden ze op diverse plekken cadeaus neer. Sommige geschenken, zoals messen, een bijl, een slijpsteen, een hangmat, bananen en vis, pakte de indiaan weg. Maar een aluminium pan vernielde hij met een mes.

De hut bleef al die tijd onberoerd, alhoewel aan de voetafdrukken te zien was dat de indiaan de zwerfakker eromheen wel bezocht.

Adriano vertelt de avond voor ons vertrek op mijn verzoek nogmaals over de expeditie.

Het beeld van de twee jongens die zich voorbereiden op een historische daad en naakt met slijpsteen en mes door de akker lopen, om vervolgens bij het eerste verdachte geluid terug te stuiven, is vermakelijk, zeg ik. Maar het was ook strategie, legt Adriano uit. 'We zijn expres weggerend bij zijn hut. We wilden de jongen laten zien dat hij niet bang hoeft te zijn voor ons, maar dat wij bang zijn voor hem.'

Sinds hij de mysterieuze indiaan op enkele meters is genaderd, denkt hij aan bijna niets anders meer dan een eerste contact, bekent hij. Iedere keer als hij weer op expeditie vertrekt, hoopt hij dat het gaat gebeuren.

'Kan de indiaan het praten verleerd zijn? Kan zoiets volgens jou?' vraagt hij bezorgd.

'Waarom denk je dat?' vraag ik.

'Hij loeide alleen maar als we wat riepen, zoals een doofstomme of een achterlijk kind.'

Ik kan me goed voorstellen dat Adriano gelijk heeft en dat de indiaan niet meer kan praten. Jaren eerder had ik een interview gehad met een man die vijfentwintig jaar gevangen had gezeten in een kelder in Paraguay. Zijn enige contact met de buitenwereld bestond eruit dat er tweemaal per dag een luik openging waardoor hem zijn eten werd aangereikt. Een jaar nadat hij was vrijgekomen, sprak ik hem. Hij was vroeger een eloquente redenaar geweest, maar kwam nu moeilijk uit zijn woorden. Hij vertelde dat hij opnieuw had moeten leren praten omdat hij bijna alle woorden vergeten was.

'Dan zou hij een Kanoê kunnen zijn,' zegt Adriano als ik hem het verhaal vertel. 'Alleen begrijpt hij het Kanoê niet meer.'

'Waarom denk je dat de indiaan van het gat een Kanoê is?'

'Purá heeft me in het bos gaten laten zien die hij vroeger gemaakt heeft. Die lijken precies op de gaten van de indiaan van het gat. Net zo diep en zo lang.'

Door de spleten van de houten vloer komt licht. Moacir draait zich om in het houten bed naast me. In de andere kamer, waar Euzébio en Adriano hangmatten boven het kookstel gehangen hebben, hoor ik Euzébio zwaar ronken. Ik bedenk dat op minder dan 10 kilometer van mijn houten bed met stromatras de indiaan slaapt, vermoedelijk in een hangmat bij of boven zijn gat. Als ik moet kiezen tussen een hangmat en een stromatras, ga ik voor de hangmat. Bij iedere beweging ritselt mijn stromatras als een palmboom in de wind, maar het is hard als steen.

De post Tanaru heet deze houten keet op het hoofdkantoor van de Funai in Brasília, naar een rivier die hier stroomt. 'Welcome in Tanaru Palace Hotel,' had Moacir met een joyeus gebaar gezegd toen we na onze tocht door de groene heuvels stilhielden voor de rij huisjes op poten. Ik had het houten toegangshek, de veekraal en de keetjes onmiddellijk herkend: dit was dezelfde fazenda waar Altair drie jaar geleden was gestopt om het afschrift van een dwangbevel af te leveren. Deze grootgrondbezitter had eieren voor zijn geld gekozen, aldus Moacir. Diverse malen had hij geprobeerd een kapvergunning te krijgen voor het bos op zijn terrein, maar die werd natuurlijk geweigerd omdat de indiaan in hetzelfde bos rondloopt.

Kortgeleden was hij van strategie veranderd en had hij de Funai plots hulp aangeboden. '*If you can't beat them, join them,*' zegt Moacir. 'Hij hoopt dat we zo sneller contact leggen en dat we de indiaan verhuizen naar het reservaat van de Kanoê en Akuntsu. Dan kan hij alsnog die bomen kappen.' Dat had hij van de fazendeiro zelf gehoord toen ze allebei ontboden waren bij de rechtbank voor een hoorzitting over het toegangsverbod.

Via via vernam Moacir dat de fazendeiro nog een belang had: hij vreest een bezetting van landlozen. Zolang de Funai actief is op zijn terrein, durven de landlozen geen bezetting te wagen.

De keet waarin we slapen heeft de Funai van hem in bruikleen gekregen. Nu hoeven we niet meer in het bos te overnachten. Vanwege de wilde beesten en de wateroverlast staat het huisje op poten, zoals alle in dit gebied. Als de regentijd straks begint en er iedere middag buien op het golfplaten dak roffelen, zwellen rivieren en beken. Na een paar weken is het water zo ver gestegen dat de bruggen onder water staan of zijn weggespoeld en alle land in een zompig moeras is veranderd. Met de regentijd begint ook de grote eenzaamheid, heeft de echtgenote van de knecht van de fazendeiro die in het huisje hiernaast woont verteld. Vier maanden lang zal het gebied praktisch afgesloten zijn van de buitenwereld, totdat de bruggen weer boven water komen.

Moacir, Adriano en ik zullen de laatste hut van de indiaan bezoeken om te kijken of hij nog cadeaus heeft opgehaald. Het is dezelfde hut die Adriano samen met Sidnei had gevonden. De ochtend na onze aankomst in Tanaru staan er onder een boom gezadelde paarden voor ons klaar. Ook dat behoort tot het dienstenpakket van de grootgrondbezitter. Als we het eerste gedeelte van de tocht door het bos te paard afleggen, kunnen we in een dag heen en terug.

Ik duw muggenspul, water, een kladblok, mijn fototoestel en nog meer water in een buideltasje dat ik om mijn middel bevestig, zodat ik er geen last van heb bij het klauteren. Van Amélia heb ik een sjaal meegekregen om mijn hoofd te bedekken.

Als we te paard zitten, moet ik lachen. De tijd van Marcelo met zijn teenslippers lijkt voorgoed voorbij. We lijken wel een poster voor een western. De mannen dragen cowboyhoeden, kaki shirts en camouflagebroeken met laarzen, en het houten handvat van het geweer dat Adriano losjes in zijn linkerhand draagt, glimt in de zon. 'Sydney Possuelo wil dat we een uniform dragen,' verontschuldigt Moacir zich. 'Zodat de indiaan ons kan onderscheiden van andere blanken die eventueel het bos binnendringen.'

Euzébio, de enige die iedere dag uit vrije wil in uniform loopt, verbijt zijn teleurstelling. Hij had meegewild, maar Moacir heeft bepaald dat hij op de spullen moet passen en de dozen moet uitpakken.

Bij de plek in het bos waar we de paarden aan de boom binden, hebben Adriano en Sidnei een tafel van bamboestokken gebouwd. 'Je moet hem hoog genoeg maken, zodat de beesten er niet bij kunnen komen,' doceert Adriano. De tafel is strategisch bij een beek geplaatst in de hoop dat de indiaan hierlangs komt en de erop achtergelaten geschenken vindt, zoals voedsel. Aan een draad die tussen de bomen is gespannen, bungelen andere cadeaus – messen vooral. 'Hij is hier niet geweest,' zegt Adriano nadat hij een rondje heeft gelopen.

Adriano gaat voorop bij onze voettocht. Hij lijkt een dirigent met zijn machete, die van links naar rechts zwiept om een pad te banen.

Het terrein glooit, maar is relatief makkelijk begaanbaar. Er zijn geen glibberige hellingen en veel minder beken dan ik me herinner van de vorige tocht. Sommige boomstammen zijn zo verrot dat ze tot poeder uiteenvallen als je ze met je schoen beroert.

Het suizen van het kapmes van Adriano, het ritselen van struiken en takken waar we langs lopen en af en toe een kirrende vogel zijn de enige geluiden in dit stille bos. De hoofddoek van Amélia blijft voortdurend hangen in de stekelige takken. Mijn handen zitten al snel onder het bloed, want we dringen letterlijk het groen binnen en overal zijn stekels en naalden die onbeschermde stukjes huid open halen.

Moacir loopt voor me. Op zijn keurig gestreken tropenhemd verschijnen natte vlekjes, die na twintig minuten een groot eiland van vocht zijn. Een zware tas, waarin ik de filmcamera van de Funai en vele tubes crème heb zien verdwijnen, schuift heen en weer op zijn rug als hij over boomstammen klimt. Hij puft, wist regelmatig het zweet van zijn voorhoofd en maakt zich zorgen of het gekriebel in zijn nek misschien van een beestje is. Moacir is zichtbaar geen ervaren oerwoudganger, zoals Marcelo of Altair.

Voor Moacir en mij is vooruitkomen de uitdaging. De speelse Adriano vindt het een sport om zonder GPS de weg naar de hut terug te vinden. Af en toe houdt hij halt, kijkt aandachtig naar alle kanten en kiest richting. Soms moeten we een eindje terug, maar voor Moacir en mij ziet alles er hetzelfde uit en zouden we net zo goed een rondje kunnen lopen.

Als we na een daling in een lichter stuk bos belanden, houdt Adriano opeens halt. Hij legt zijn twee wijsvingers gekruist op elkaar: dat is het signaal voor stilte. Hij bukt zich om onder de laaghangende takken door te kunnen kijken en wenkt.

De indiaan? Nu al? Zouden we zoveel geluk hebben? Maar ik blijk er niets van begrepen te hebben.

'Wilde zwijnen,' fluistert Moacir in mijn oor. Iets verderop houdt de begroeiing op en is de aarde niet meer rood, maar grijs. Midden in het bos ligt een zoutpan, een vlakte waarin alles inclusief de omgevallen bomen bedekt is door grijze aarde. Aan de rand staat een kudde van tientallen zwarte zwijnen met stekels. Adriano, trouw aan zijn reflexen, staat klaar met het geweer om te vuren. De kudde beweegt snuffelend onze kant op. Maar opeens draaien alle zwijnen tegelijk om en draven weg. De aarde dreunt onder het geweld van honderden hoeven.

Als ik de aap die Altair jaren geleden heeft geschoten waar ik bij was en de slang die hij doodknuppelde en de schildpad die in de pan verdween niet meetel, is dit de eerste keer dat ik een wild beest van enige omvang in deze bossen zie.

'*Queixada*, witlip-pekari's,' zegt Adriano. Hij is opgewonden. 'Het waren er misschien wel vijftig. Maar ze hebben ons geroken.'

Moacir kijkt bedenkelijk. 'Vijftig? Die indiaan heeft het goed hier. Zoveel wild is er bij de Kanoê en de Akuntsu niet. Hij zal het nog moeilijk krijgen als hij straks moet verhuizen.'

'Zijn ze gevaarlijk?' vraag ik.

Adriano kijkt me aan. Er twinkelt spot in zijn ogen. 'Was je bang?'

Ik schud mijn hoofd. 'Voor varkens?'

'Jij hebt ongelijk. Als je die tanden ziet. Ze perforeren je. Als je een grote kudde tegenkomt die nijdig is, kun je beter de boom in klimmen.'

We kruisen picadas van houthakkers. 'Er is geen plek in het bos waar houthakkers niet zijn geweest,' zegt Moacir somber.

Hoe dichter we in de buurt van de hut van de indiaan komen, des te meer sporen we zien. Adriano wijst op gaten die in boomstammen zijn gehakt om larven of honing te oogsten en enorm diepe gaten in de grond die als wildstrik fungeren. Er zijn diverse bomen met korte evenwijdige sneden in de boombast. Marcelo dichtte die een mythische betekenis toe maar Adriano gelooft – vermoedelijk op gezag van Purá – dat de indiaan ze heeft gemaakt om de weg te markeren.

De ontdekking die mij het meest opwindt, is een hielafdruk. In de rode, vochtige aarde is de hoefijzervormige lijn zeer duidelijk. Dus hier waar ik sta, heeft hij weken of misschien dagen geleden gelopen op zijn blote voeten. Als een toerist fotografeer ik dit meest menselijke spoor van de mysterieuze indiaan.

Bij een beek staat een reusachtige boom uit de bast waarvan de indiaan rondom een reep van vijf centimeter heeft gesneden. 'Kijk,' zegt Adriano terwijl hij zijn vinger door de ring trekt. 'Over een paar jaar sterft deze boom. Zo weten we dat hij hier in de toekomst een akker wil maken. Heel slim van hem, want even verderop loopt een beek.'

De huidige akker van de indiaan ligt op een steenworp afstand van de boom. We hebben ruim twee uur gelopen, zie ik op mijn horloge. Zijn maïsplanten, die tot ver boven ons hoofd reiken, vormen een veilige muur waarachter we op fluistertoon overleggen. 'De hut staat midden in de akker,' waarschuwt Adriano.

Moacir is nerveus. Hij haalt de videocamera tevoorschijn uit de tas en begint op knoppen te drukken. De Funai wil dat alle eerste contact waar mogelijk wordt vastgelegd op film. Als ik een pas richting de akker doe, schrikt hij. 'Nee, nee, blijf achter me.'

Ik begrijp zijn nervositeit. Ook ik voel mijn hart bonken in de keel en mijn huid staat gespannen als een trommelvel.

Adriano haalt diep adem en wenkt. Het ritselen is oorverdovend als we ons achter hem aan een weg banen tussen de droge maïsplanten. Gezien het scherpe gehoor dat de indiaan vermoedelijk heeft, moet dit hem wel als tromgeroffel in de oren klinken. Een sliert papegaaien die hoog in de kroon van een boom zat, fladdert krijsend weg. Ook dat nog. Net als ganzen maken ze veel lawaai als er iemand nadert. Daarom houden indianen papegaaien, heeft Adriano me verteld.

Tot mijn ongenoegen treuzelt Moacir. Tussen hem en Adriano heeft hij een gat van zeker drie meter laten vallen, hetgeen mijn waarneming ernstig hindert. Adriano is verdwenen tussen de maïsplanten.

Ik kan wel zien dat de maïs overgaat in maniok en dat daarachter, in de schaduw van papajaboompjes, een lichtbruine hut van palmtakken staat. Hij is groter dan het exemplaar dat ik tijdens de vorige expeditie heb gezien.

Adriano verschijnt weer in beeld. Vermoedelijk opdat het minder opvalt, draagt hij het geweer nu laag in zijn hand, ter hoogte van zijn knie. Langzaam beweegt hij richting de hut. Ik probeer tussen de planten door te kijken om niets van de ontmoeting te missen.

Maar er is geen ontmoeting. Als Adriano voor de hut staat, kijkt hij naar de grond. Hij schudt zijn hoofd als Moacir en ik tussen de maniokplanten uit stappen. 'Hij is er niet.'

'En de cadeaus?' vraagt Moacir.

Adriano wijst op een gebutste aluminium beker en pan die vlak bij de hut op de grond staan.

'Ai, dat is slecht nieuws. Heel slecht nieuws,' zegt Moacir.

Adriano zwijgt. Hij is zichtbaar aangeslagen en heeft tijd nodig om de teleurstelling te verwerken. Hij loopt om de hut heen en trekt ten slotte de houten palen waarmee de bewoner de ingang van zijn hut heeft gebarricadeerd weg.

'Deze indiaan gaat ons veel werk bezorgen. Dit is een teken van afwijzing. Een pan in elkaar slaan is woede,' zegt Moacir tegen mij.

De hut is vanbinnen een kopie van de vorige die ik heb gezien: de wand van paaltjes, het gat, de palenconstructie eromheen, het rekje van takken om vlees te roosteren. Zelfs de indeling is gelijk. Alleen zijn er dit keer geen voedsel en voedselresten.

'Alles is nog precies hetzelfde als de laatste keer,' stelt Adriano vast.

'Behalve de pan en de beker,' zegt Moacir. Hij zet de camera aan en filmt de hut en daarna de pan en beker.

Ik kijk rond. De indiaan heeft het leuk gemaakt voor zichzelf. De papajaboompjes die hij voor zijn huis heeft geplant, zijn fris groen en geven schaduw waarin het goed rusten is. Om de stam van een van de papajaboompjes heeft hij een bamboe koker bevestigd, zodat bosvarkens en andere beesten het fragiele boompje met hun snuit niet omver kunnen duwen. Hij is een primitieve indiaan, maar tegelijkertijd een detaillist met hart voor zijn planten, net als een keuterboertje in China, een tomatenkweker in het Westland of een aardbeienteler op Newfoundland dat zouden zijn.

Moacir sombert hardop: 'We moeten van nu af aan langere expedities maken. Het komt aan op geduld. Zo was het bij de Villas-Bôas ook. We moeten twee of drie jaar volhouden, net zo lang tot hij uitgeput is en geen zin meer heeft om weg te rennen.'

Adriano zwijgt.

'Ik begrijp hem wel,' herneemt Moacir. 'Natuurlijk is hij boos. Deze akker is veel werk geweest en nu moet hij weer op de vlucht.'

De zon schijnt. Er gaat een vredige rust uit van deze open plek. Hier zit de indiaan 's middags als hij uitrust van het werk in zijn moestuin, stel ik me voor. Of als hij eet. Misschien is hij een tevreden mens, thuis in zijn wereld. Wij zijn de stoorzender in dit stille bos.

'Misschien komt hij terug. Alles is bijna rijp,' zegt Adriano, die een poosje op zijn hurken tussen de maniokplanten heeft zitten peinzen.

Er is geen tijd meer om het terrein nog uitgebreid te onderzoeken. We moeten weg om voor zonsondergang terug te zijn bij de keet.

Zonsondergang is net als de zonsopgang een kwestie van een kwartiertje, omdat we vlak bij de evenaar zitten.

Adriano sluit de deuropening af met de boomstammetjes. Precies zoals we de hut hebben gevonden. Bezoek voorbij, kastje dicht.

Moacir raapt de gebutste voorwerpen op – de bewijsstukken van een mislukte missie. Of pathetisch gezegd: het antwoord van een man zonder stem. Zal iemand ooit naar hem luisteren?

Adriano en Euzébio, die achterblijven, ondernemen na ons vertrek diverse expedities die geen resultaat opleveren. De indiaan laat alle cadeaus liggen. Adriano denkt dat hij wederom in een ander deel van het bos rondloopt. De vraag is alleen in welk deel.

Op de satellietfoto heeft Moacir, net als Marcelo en Altair dat eerder deden, alle hutten die in de loop der jaren gevonden zijn met stipjes aangegeven. De laatste hut, die wij ook bezocht hebben, ligt precies op de grens van twee kavels. Het oude probleem: het bos loopt weliswaar door, maar de kavels niet. De perceelscheidingen lopen dwars door het bos. Als de indiaan in dezelfde richting verder trekt, bevindt hij zich op een kavel dat buiten het beslag van de rechter valt. Hij kan zo in de armen van houthakkers of landknechten lopen. Daar is iedereen bang voor.

Omdat hij het zekere voor het onzekere wil nemen vraagt Moacir twee weken na onze expeditie om uitbreiding van het beslag. De brief aan zijn superieuren en het Openbaar Ministerie gaat vergezeld van foto's van de gebutste aluminium pan en beker om duidelijk te maken dat 'de indiaan van het gat iedere toenadering afwijst'.

Er komt ondanks herhaald schrijven geen reactie. Als hij na de regentijd de expedities wil hervatten, is er geen geld. Budget krijgen was altijd een probleem, maar onder de regering van de socialist Lula blijkt het nog lastiger geworden. De uitputtingsslag met de bureaucratie in Brasília, waar ook Marcelo en Alemão onder leden, maakt Moacir moedeloos.

Af en toe spreek ik hem via de telefoon. Van een permanente bezetting van de post Tanaru of langdurige expedities om de indiaan terug te vinden, is wegens geldgebrek geen sprake. Zelfs de afpaling van het reservaat van de Kanoê en de Akuntsu, een activiteit die bekostigd wordt door een Duitse organisatie, verloopt moeizaam.

Eindelijk, in juli 2004, meer dan een halfjaar na mijn bezoek, is er een sprankje hoop. Tijdens een van de schaarse expedities ontdekt Adriano dat de indiaan toch nog af en toe de oude hut bezoekt. Een dekzeil en een bijl die Adriano er had achtergelaten, heeft hij weggepakt. Adriano vindt ook een nieuwe hut, waar hij op dat moment woont. Deze bevindt zich 7 kilometer verderop en ligt inderdaad buiten de bekende kavels.

De vreugde van de ontdekking is echter van korte duur. Zodra de indiaan in de gaten krijgt dat hij weer gevonden is, pakt hij zijn boeltje bij elkaar en verlaat de hut – wederom zonder sporen achter te laten, in een eindeloze herhaling van gebeurtenissen. 'Ik heb er geen verklaring voor. Alles gebeurt precies zoals de vorige keer,' schrijft een moedeloze Adriano in zijn verslag.

Moacir, die misschien tegen beter weten in vurig gehoopt had op contact, besluit het hogerop te zoeken. Hij schrijft een brandbrief aan de procureur-generaal van Rondônia. Hij is de man die volgens de grondwet verantwoordelijk is voor de veiligheid van de indianen in de deelstaat. Negen jaar 'jagen' wij nu al op deze indiaan, schrijft Moacir:

> [...] Op basis van de diverse activiteiten die wij hebben ondernomen en documenten en verslagen die wij hebben geschreven geloof ik dat het moment aangebroken is om na te denken tot wanneer de blanke mens hem moet blijven achtervolgen en lastig vallen, tenzij dit geacht parket een wijzer oordeel heeft.
>
> De grote vraag is of hij in de toekomst geïsoleerd en veilig zal kunnen leven, net als nu. En in het geval er contact wordt gelegd, is het de vraag of deze indiaan, die tot op de dag van vandaag geldt als vertegenwoordiger van een volkomen onbekend volk, gelukkig zal zijn als hij naar een ander gebied wordt gebracht.
>
> Het afwijzen van geschenken, ze op de grond gooien en vertrappen is vaak duidelijk een waarschuwing. Als we zijn geknor – hij communiceert slechts door vluchten en afwijzen – zouden kunnen begrijpen, zegt hij dan niet: laat me met rust!?

16

Het andere kamp

Op de landwegen tussen de velden ploegt een colonne vrachtwagens voort. Tien jaar geleden zouden het opleggers met boomstammen zijn geweest. Nu in 2005 zijn het veewagens van Friboi, een Braziliaanse vleesgigant die per jaar voor 1 miljard dollar aan rundvlees exporteert. De radiozender in Vilhena meldt dat Rondônia met nog twee deelstaten als eerste in Brazilië door het ministerie van Landbouw vrij van mond-en-klauwzeer is verklaard.

Op de leren voorbank van de Toyota Linnux wordt het nieuws met instemming begroet. 'Ik geloof in Rondônia. Hier wordt serieus gewerkt. Wist je dat onze veestapel nu al de vierde in het land is?' glorieert Carla de Freitas vanachter het stuur. 'Heb je die vrachtwagens gezien? Dat gaat vierentwintig uur per dag door. Ook 's nachts zijn er veetransporten.'

Carla – veertig-plus, blonde paardenstaart, strakke spijkerbroek en een Hollywood-zonnebril met nepdiamantjes – is grootgrondbezitster en gescheiden moeder van drie studerende zonen. In het centrum van Vilhena bewoont ze in haar eentje een huis dat een heel straatblok beslaat. Ze heeft als een van de weinigen dag en nacht een bewaker voor de deur en prikkeldraad dat onder stroom staat op de muren. Tot voor kort had ze een eigen vliegtuig, maar dat ging van de hand omdat de accountant het een overdreven luxe vond als ze er toch zelden mee vloog.

Ze was getrouwd met een oogarts en heeft aan haar huwelijk in ieder geval drie brillenwinkels overgehouden. Volgens dona Ursula van het hotel waar ik altijd verblijf in Vilhena, is Carla de Freitas de rijkste vrouw van de stad. Aangezien de hoteleigenaresse zelf een handig acquisiteur is en net een van haar winkelpanden aan Carla heeft verhuurd, zal daar best iets van waar zijn, besluit ik.

Wie zijn de grootgrondbezitters? In de verslagen van Marcelo figureerden ze meestal als leugenachtige botteriken. De fazendeiros zijn de *bad guys* van het drama van de uitstervende volken. Maar hoe leven ze? Vormen ze een gesloten clan? Wat vinden ze van indianen? Hebben ze enige notie van wat hun hebzucht heeft aangericht? Op deze vragen wil ik een antwoord zoeken. Carla, die ik gevonden heb via internet, is een van hen. Deze cowgirl-uitvoering van filmster Jennifer Aniston is een dochter van Moysés de Freitas, een inmiddels overleden fazendeiro van het eerste uur en iemand die door veel van mijn contacten werd genoemd.

Volgens Marcelo wijst alles erop dat Moysés indianen heeft laten doden. Het afgebrande dorp waar 'de indiaan van het gat' vermoedelijk thuishoorde, bevond zich op zijn landerijen. De journalist Júlio Olivar, die voor de krant *Folha do Sul* schrijft en amateurhistoricus is, vertelde mij dat bewoners uit de streek Moysés een van de wreedste fazendeiros noemen. Een kolonist die ik jaren geleden bij een eerder bezoek tegenkwam heeft me verteld dat Moysés samen met andere landeigenaren gewapende 'campagnes' organiseerde. In het jargon van de streek is een 'campagne' een razzia van pistoleiros om ongewenste personen, meestal posseiros, van een terrein te verjagen. Anderen benadrukten dat Moysés de Freitas een sober levende, harde werker met een ijzeren discipline was. Koel, maar correct met zijn personeel.

Toen Moysés de Freitas in 1996 overleed, luidde de *Folha de Vilhena* hem uit als de rijkste grootgrondbezitter uit de streek. Vlak voor zijn dood had Moysés, een notoire vrouwenversierder, zijn overgebleven landerijen verdeeld tussen zijn echtgenote, zijn minnaressen en tien kinderen – een daad waarover vriend en vijand in Vilhena tot de dag van vandaag bewonderend spreken. Het is immers geen gebruik dat bijslaapjes meedelen in het bezit. 'Hij wist dat er anders strijd zou komen,' zegt Carla.

Carla en haar twee zussen kregen de Fazenda Bela Vista, een uitgestrekte landerij tussen het dorp Chupinguaia en de rivier de Tanaru, waar 'de indiaan van het gat' ronddoolt. Bela Vista is 16 000 hectare groot en omvat schuren, een graansilo, huizen en naar schatting zo'n dertigduizend koeien voor de slacht.

We rijden door een leeg, groen heuvellandschap waaraan geen eind lijkt te komen. Een donkergroene streep aan de horizon is vermoedelijk het bos van de indiaan van het gat. Wie niet weet waar hij rijdt, heeft hier een probleem: alle heuvels zien er hetzelfde uit, evenals de begroeiing, en nergens staat een wegwijzer. Hier en daar grazen witte koeien. De lucht trilt van de hitte, want nergens is schaduw. Op de palen van de afrastering langs de weg zitten soms uilen, die zich ook als de auto voorbij komt niet bewegen.

Carla stuift over de stofweg met het zelfvertrouwen van iemand die op bekend terrein is en dat wil weten ook. 'Dit is allemaal van ons,' zegt ze, terwijl ze op een hoger gelegen stuk vaart mindert. Ze wijst met een breed armgebaar van links naar rechts. Ik ontwaar een langgerekt meer. Het blijkt van Carla's moeder te zijn, en kunstmatig. Het is ontstaan nadat bij de waterval verderop, ook familiebezit, een waterkrachtcentrale is gebouwd. Dat deed weer een andere fazendeiro, die geld rook. Land ontwikkelen is in deze streken niet iets van de overheid, maar van ondernemers met visie.

Carla's moeder, twintig jaar lang Moysés' minnares, kreeg geen koeien maar een landerij en nog wat bezittingen, vertelt Carla. Haar moeder is een taaie, zegt ze. 'Ze heeft het bedrijf met haar blote handen opgebouwd.'

'Hoeveel vee heeft ze nu?'

'Veel.'

'Hoeveel?'

Carla kijkt me aan. 'Geen enkele grootgrondbezitter zal je vertellen hoeveel koeien hij heeft. Ik ook niet. Over mijn lijk. Daar krijg je naderhand alleen maar problemen mee.'

'Je bedoelt dat boeren meer hebben dan ze zeggen en het weghouden voor de belastingen?'

Ze lacht. 'Ik zeg niets.'

Ik heb lang nagedacht over hoe ik de fazendeiros het best kan benaderen. Kan ik hun het doel van mijn missie vertellen – dat ik een boek schrijf over indianen die op hun grondgebied hebben geleefd en zijn verjaagd of vermoord? Het is een mogelijkheid die ik na veel dubben heb afgestreept. De grootgrondbezitters die iets te verbergen hebben, zullen mij niet te woord staan of de vermoorde onschuld spelen. En alle anderen zullen mij wantrouwen. Wie zich voor indianen interesseert, hoort in hun ogen automatisch in het andere kamp en is tegen de economische ontwikkeling van Rondônia.

Maar ik wil graag weten wie de fazendeiros zijn. Als ik mij aan hen niet kan presenteren als schrijfster van een boek over indianen, hoe verklaar ik dan mijn aanwezigheid en vragen? Mag je jezelf uitgeven voor een ander? Heiligt het doel (een completer verhaal) het middel (misleiding over waar ik eigenlijk mee bezig ben)? Dat is het ethisch dilemma waarvoor ik mij geplaatst zie.

Ik besluit uiteindelijk dat een kleine leugen moet kunnen. Mijn boek is een poging tot reconstructie nu de meeste betrokkenen nog leven. Over tien jaar kan dit verhaal waar de fazendeiros een centrale rol in spelen, niet meer worden verteld.

Carla de Freitas zeg ik dat ik een boek over de Amazone maak met daarin een hoofdstuk over de pioniers – zo noemen de grootgrondbezitters van het eerste uur zichzelf – van Rondônia. Om mijn kans op een hartelijke ontvangst te vergroten voeg ik eraan toe dat wij in Nederland natuurlijk geen idee hebben van hoe megafokkers in Brazilië leven, aangezien bij ons de grootste boer slechts achthonderd koeien heeft.

Carla reageert enthousiast. Achthonderd koeien. Nee, dat stelt niets voor. En het verhaal van de pioniers moet hoognodig verteld worden. 'Zelfs in Brazilië hebben mensen geen idee wat hier allemaal met zwoegen is opgebouwd.' In dezelfde ademtocht volgt een hartelijke uitnodiging voor een verblijf op de Fazenda Bela Vista, zodat ik de vruchten van de arbeid van haar vader zelf kan aanschouwen. Ik krijg instructies over een benzinepomp aan de BR364, waar ik de bus van de lijndienst moet laten stoppen, want daar pikt haar chauffeur mij op om me naar de fazenda te brengen.

Een zwerm blauw-gele papegaaien wiekt krijsend door de lucht. 'Arara Brasil, Brazilië-papegaai,' zegt Carla. 'Is het hier niet fantastisch? Als ik in São Paulo ben, vind ik het na vier dagen saai. De restaurants zijn fijn, maar wat moet je er verder? Iedere maand ben ik hier twee weken. Ik loop in een spijkerbroek met een T-shirtje en werk mee.'

Koket gooit ze haar haren naar achter. Ze geniet met volle teugen van mondain São Paulo, denk ik.

Carla houdt de fourwheeldrive even stil. 'Zie je die palmbomen? En zie je hoeveel het er zijn? Dat is de *bacuri*. Die komt alleen voor op heel vruchtbare gronden. Heb je de kleur van de grond gezien? Roodpaarse aarde wil zeggen dat het hier heel vruchtbaar is.'

Ik knik. Het is moeilijk voor te stellen dat in deze groene leegte een tropisch bos heeft gestaan waar Rondon en andere ontdekkingsreizigers zich een weg doorheen moesten hakken.

'Vind je het niet jammer dat al dit oerwoud verdwenen is?' vraag ik.

Carla kijkt verbaasd. Ik realiseer me dat mijn vraag vreemd is voor haar. Wij, Europeanen, koesteren oerbossen omdat we ze bijna niet meer hebben. Zij deelt die positieve beleving natuurlijk niet. 'Als ik hier rondkijk, ben ik trots,' zegt ze na even nadenken. 'Hier zijn fantastische dingen gebeurd. De pioniers hadden een opdracht aanvaard en die hebben ze waargemaakt. Dit land is productief gemaakt. Dankzij mensen als mijn vader lopen hier nu 11 miljoen stuks rundvee rond. Dat is een industrie, maar in Rio of Brasília beginnen ze dan te blaten over het milieu. Wij zijn in hun ogen allen grootgrondbezitters die bossen omhalen. Onzin. Daar klopt niets van. Hier in Rondônia vind je idealisten die met hulp van de regering hun dromen hebben waargemaakt.'

We rijden in stilte verder, maar niet voor lang. 'Zie je deze weg? Hier was helemaal niets. Deze weg waarover we rijden heeft mijn vader zelf moeten aanleggen.'

'Goh,' zeg ik. 'Dat is pas pionieren.'

Moysés de Freitas vestigde zich medio jaren zeventig in Rondônia, toen Vilhena nog steeds niet meer was dan een paar straten en een landingsbaan. Hij had in Zuid-Brazilië grond maar wilde landerijen kopen in de binnenlanden. Carla, toen een tiener, herinnert zich dat haar vader getipt werd door een pistoleiro. In Vilhena werd bijzonder vruchtbare grond uitgegeven. 'Paarsrood, net als in Zuid-Brazilië.' Moysés had onmiddellijk Piú (spreek uit: *Piejoe*), zijn eigen pistoleiro, naar Vilhena gestuurd om poolshoogte te nemen.

'Een pistoleiro?'

'Ja, je kon toen niet zonder lijfwacht,' zegt Carla. 'Het was gevaarlijk, want er stonden veel belangen op het spel en je wist nooit met wie je te maken had. Er waren allerhande parvenu's en er liepen ook misdadigers tussen.'

De grotere kavels werden officieel geveild, maar in de praktijk werd er onderhands een prijs afgesproken. De koper schoof de functionarissen bij het Incra, het bureau dat over de toewijzing ging, in zo'n geval in ruil voor hun medewerking zwijggeld toe. Moysés regelde het nog beter: hij vloog vaak met zijn advocaten naar de hoofdstad Brasília om daar de zaak persoonlijk bij het Incra af te handelen.

Moysés was zijn werkende leven als groenteventer begonnen en had slechts vier jaar lagere school. Maar hij was volgens zijn dochter een razend slimme man. Een tacticus die zijn kaarten dicht tegen de borst hield. 'Hij zei heel weinig, luisterde veel en wist daardoor alles.' Vaak deed hij zich voor als een landarbeider, ging bij het kantoor van het Incra in Vilhena in de rij van arme kolonisten staan en luisterde de gesprekken af. 'Zo wist hij waar de beste gronden waren,' zegt Carla.

Omdat hij zelf woudlopers het gebied liet verkennen voordat hij een bod deed, was hij beter geïnformeerd dan het Incra. Het Incra moest het vaak doen zonder grondmonsters ter plekke en met in plaats van kaarten luchtfoto's. Het gebied was namelijk te groot, het was moeilijk toegankelijk en er was nauwelijks tijd voor onderzoek, want de regering had haast met de kolonisatie. Omdat er geen stafkaart bestond van het gebied, werden de zwart-witluchtfoto's aan elkaar geplakt en daarop werden vervolgens met liniaal en pen de te verkopen kavels ingetekend. De landmeters die de kavels op de grond moesten uitzetten, trokken per kano of te voet de rimboe in, want wegen waren er niet. Eens per week werd er voedsel gedropt.

De bepaling dat niemand meer dan één kavel mocht bezitten, was een wassen neus. Zelfs Carla geeft dat grif toe. Haar vader liet de naam van zijn werknemers op de papieren zetten. 'Later voegde hij de percelen bij elkaar. Zo deed iedereen dat.'

Moysés de Freitas had er meer dan twintig. Kampioen was Antonio José Junqueira Vilela, die op een gegeven ogenblik meer dan 300 000 hectare had, hetgeen in kavels gerekend zou neerkomen op 150.[1] Als de kavels tegenvielen, verkocht Moysés ze net zo makkelijk weer door. Al snel ontstond er een levendige 'tweedehands' handel in grond. Moysés betaalde met de winst van deze transacties de ontginning van andere lappen grond.[2] Niet dat geld een probleem kon zijn. De ontginning

[boven] *De Korubo Maya Chirabo hakt bij haar hut met een van de Funai ge-*
kregen bijl brandhout. De dunne paal links is de blaaspijp waarmee de Korubo
traditioneel jagen.
[onder] *De Korubo Theum toont trots de apen en vogel die de soldaat met zijn*
geweer voor hem schoot. Naast hem de Matis-tolk met neussieraad en gezichts-
beschildering.

[boven] *Txinamanty keert terug van de beek waar zij en Kani net gebaad heb-ben. Het is een van de zeldzame momenten dat de Kanoê met ontbloot bovenlijf rondloopt.*
[onder] *De Kanoê Tutuá, Txinamanty en Operá eten in de keuken van het Funai-kampement.*

Verpleegster Amélia in het Funai-kampement in Omerê.

Txinamanty en Kani lopen door het bos terug naar hun dorp. De Kanoê onderhouden het pad zo goed dat je er met een brommer overheen zou kunnen.

Adriano vraagt de Akuntsu of zij invasoren in hun bos hebben gezien. Pupak met een petje van de lokale middenstand uit Corumbiara en pijlen en boog luistert.

[boven Txinamanty (gekleed) komt op bezoek bij de Akuntsu
en begroet Pupak. Kani, mogelijk zijn zoon, wil niets van de Akuntsu
weten. Babá (links) en de oude Ururu (rechts) luisteren.
[onder] Txinamanty, Purá en Kani: ook na vele jaren ondergaan de Kanoê
een autorit zwijgend en gespannen.

[boven] *De soja is tot op twee kilometer van de hutten van de Akuntsu – in het bos aan de horizon – genaderd.*
[onder] *Fazendeiro en multimiljonair Antonio José Junqueira Vilela poseert tijdens de Expozebu bij een van zijn fokdieren.*

[boven] *Het toegangshek tot het nieuwe Inheems Land Omerê, vroeger grond van fazendeiro Antenor Duarte. Het naambord dat in dit portaal hing, was dagen later verdwenen.*

[onder] *De Akuntsu met auteur bij het laatste bezoek eind 2005.*

betaalde zich namelijk vanzelf terug via de ontbossing. Zodra de toe-wijzing een feit was, meldden de houthandelaren zich om – tegen be-taling – bomen te mogen kappen. De grootgrondbezitters verdienden dik aan de kap. Een kubieke meter ongezaagd mahoniehout[3] was vol-doende om een bos van 2,5 hectare te ontginnen en een kalf te kopen. En mahonie, tegenwoordig zeldzaam en beschermd, was er in over-vloed.[4]

Er waren perioden dat de zagerijen in Vilhena, waar de meeste ston-den, vierhonderd vrachtwagens met stammen per dag te verwerken hadden. Iedereen ontboste, aangezien je als nieuwe eigenaar verplicht was binnen vijf jaar de helft van je kavel in cultuur te brengen. Ont-bossen en gras inzaaien was de snelste en goedkoopste manier om aan deze eis te voldoen. Dat er daarna geen koeien op het weiland stonden, maakte niet uit.

De grootste zorg van de fazendeiros was niet de controle van het Ibama, de milieu-inspectie van de overheid, maar dat de houthande-laren de klus niet goed klaarden – door alleen de kostbare boomsoor-ten te kappen en de fazendeiros met de rest van de bomen te laten zit-ten. Er was namelijk veel, te veel hout in de aanbieding.

Iedereen in Brazilië weet dat er grond ingepikt wordt in de Ama-zone. Omdat er geen kadaster is van de grond die de staat daar toebe-hoort, is fraude met valse eigendomspapieren tot op de dag van van-daag makkelijk.[5] In de anarchistische jaren zeventig kwam dat nog meer voor: iedereen pakte wat hij pakken kon. Je hakte een spoor en dan was het van jou, redeneerden de vermetelsten. Een bende pisto-leiros hield de concurrentie op afstand. Ook controleurs van het Incra moesten rekening houden met kogels. Eenmaal kon de helikopter van het Incra niet eens landen omdat pistoleiros van een illegale fazendei-ro in de buurt van Corumbiara en Colorado d'Oeste het toestel trak-teerden op een kogelregen. Een dag later landde de luchtmacht, die ie-dereen ontwapende. De berg geweren, revolvers en mitrailleurs was zo groot dat de helikopter twee vluchten moest maken.

Omdat er geen wegen waren, kwam begin jaren zeventig bijna alles via de lucht: werklui, materieel maar ook bulldozers, koeien en paar-den. Moysés en Carla's moeder werden in hun privévliegtuigje eens met pijlen beschoten door indianen beneden. De daaropvolgende ke-ren deed haar moeder het raampje open en gooide snoep naar de indianen. Daarna werden ze nooit meer beschoten. Een keer stortten ze neer in wat nu een indianenreservaat is. De indianen waren aardig en behulpzaam. Maar welke indianen dat waren geweest, herinnerde ze zich niet.

In het verkavelingsgebied bij Corumbiara en Chupinguaia waren de meeste indianen sinds de jaren veertig gedeporteerd of geknecht, zoals Munuzinho, de eerste tolk van de Kanoê. Of ze waren uit eigen beweging naar de rubberconcessies getrokken omdat ze daar messen en kleren van de blanken kregen.

In de jaren zeventig wisten de bewoners dat er nog steeds indianen in de bossen leefden. De landmeters, die vaak alleen of met z'n tweeën in het oerwoud zaten, waren als de dood voor 'wilde' indianen. Verschillenden gooiden het bijltje erbij neer als ze sporen zagen, omdat ze voor hun leven vreesden. Marcelo trof eind jaren tachtig een landmeter die indianen en een hut met een gat erin gezien had op een van zijn expedities. Hij werkte voor een bedrijf dat in opdracht van het Incra de kartering deed van nog uit te geven percelen en had het bij terugkeer onmiddellijk gemeld bij zijn baas. Grond van indianen kon immers niet aan derden worden verkocht. Maar zijn baas had de ontdekking stilgehouden, uit angst dat het project zou worden afgeblazen.

Joel, een posseiro die een akker bebouwde op het terrein van Victor Dequech, de mijnbouwingenieur die ik in Belo Horizonte had opgezocht, vond in 1977 verse voetsporen van een indiaan. Dat was ten oosten van Chupinguaia. Hij was al eens eerder verlaten hutten tegengekomen en hij kon zien dat de paden die hij gebruikte ook door indianen werden belopen. Toen hij een keer op jacht was in de buurt van Colorado d'Oeste, hoorde hij geluiden. Hij was ervan overtuigd dat het indianen waren, die vermoedelijk net zo bang voor hem waren als hij voor hen was.

Een landarbeider in Chupinguaia vertelde een van de Funai-mensen in 2004 trots dat hij jaren eerder een indiaan had gewurgd. Hij had een stropersgat van een indiaan gevonden en besloten te wachten totdat de indiaan zou komen opdagen. Toen deze verscheen, had hij hem overmeesterd en gedood. De moord getuigde in zijn ogen van zijn slimheid, moed – de meesten hadden het niet durven opnemen tegen een wilde indiaan – en toegewijdheid. Hij wist dat indianen zijn baas problemen zouden geven en handelde in zijn ogen adequaat. Hij had ook een beloning gekregen. Wie de baas was geweest, had de Funai-man niet kunnen achterhalen.

De Fazenda Bela Vista, die Moysés de Freitas naliet aan Carla en haar zussen, ligt als een terpdorp op een heuvel in het lege groene land. Mannen met stevige leren laarzen lopen in en uit het kantoortje, een laag gebouw van geglazuurde baksteen die een tint lichter is dan de rode aarde eromheen. Als glimmende vlekken liggen overal plassen op het terrein. Het is de enige aanwijzing dat het hier heeft geregend. De lucht is strakblauw. Als hier nog bos had gestaan, had het water nu nog eindeloos van de bladeren gedrupt.

Vilhena is vanuit de fazenda tweeënhalf uur rijden, zoiets als Amsterdam-Groningen. Daarom is de boerderij een zelfvoorzienend dorp. Het kantoorpersoneel woont in het rijtje bakstenen huizen met bloeiende voortuintjes op een steenworp afstand van het kantoor. Daar heeft ook Carla een huisje voor de nachten die ze op de fazenda doorbrengt. De landarbeiders wonen in een *retiro*: een mininederzetting van houten huisjes met een kraal en schuren in het veld. De retiros fungeren als subkantoren, want omdat de fazendas in het Amazonegebied meestal zeer uitgestrekt zijn, worden ze opgedeeld in werkeenheden.[6]

Op een bankje voor het kantoor van de fazenda hebben twee kinderen in schooluniform geduldig gewacht. Dona Carla zal hen afzetten bij de retiro waar ze wonen. Lopend zouden ze drie uur onderweg zijn. We hobbelen door het lege veld. De kinderen zitten stilletjes op de achterbank, met het gezicht vlak voor het open raam, waardoor de hete wind naar binnen komt. Ze luisteren naar Carla, die ongegeneerd vertelt over haar bewonderaars. De Canadese veehouder ging vooral voor haar status. De belastinginspecteur met geld en koeien uit Rio deugt niet. De nieuwe vlam is een politicus uit de hoofdstad – natuurlijk ook met veestapel.

Voor een van de huizen van de retiro zitten cowboys te praten. Als de Toyota van de eigenaresse voorbijkomt, valt het gesprek stil. Ze kijken, maar niemand groet. Als ik mijn hand opsteek, groet slechts een van hen terug. Ik vraag me af waar deze reserve vandaan komt: zeker op het platteland is het gebruik dat iedereen elkaar groet. Is het verlegenheid? Of het minderwaardigheidscomplex dat je veel aantreft als have-nots in Brazilië contact hebben met rijken? Of mogen ze Carla niet?

We zeggen de ouders van de kinderen gedag. Ze staan onhandig in hun woonkamer: een kale ruimte met een tafel die tegelijkertijd kantine is voor de losse arbeiders. De slaapkamer is van de keuken gescheiden door een dun gordijntje. Gewassen wordt er met een ouderwets wasbord en overal hangen waslijnen. Hun onderkomen is klein, armoedig en nog net niet haveloos. Carla, niet gehinderd door schaamte, legt ondertussen uit hoe de lunch in de retiro geregeld is. De hoeveelheden rijst en vlees zijn afgemeten en worden iedere dag klaargemaakt door de echtgenote van de baas van de retiro. De maaltijden worden afgetrokken van het loon.

Carla heeft een schooltje voor de kinderen van de arbeiders op het terrein. Ze betaalt haar mensen op tijd en praat op gemoedelijke toon met hen, doet aan herbebossing, registreert haar fokvee en adopteerde een schildpadproject. Ze beschouwt zichzelf daarom als een ondernemer van de nieuwe generatie. Maar haar moderniteit is oppervlakkig. De drang om geld te verdienen is onverminderd groot, net als het cynische opportunisme waarmee ze de bestaande orde exploiteert.

Neem bijvoorbeeld de herbebossing. Dat is een plicht voor iedereen die een kapvergunning heeft gekregen. Zonder herbebossingsplan komt er geen kapvergunning. De ambtenaar van de milieu-inspectie vroeg smeergeld om haar plan goed te keuren. Carla betaalde. 'Natuurlijk betaal ik. Wat moet ik dan? Twee jaar wachten op goedkeuring? Iedereen betaalt.'

Het schildpadproject waarmee ze koketteert, is geen edelmoedigheid maar het was de goedkoopste manier om een uitstaande schuld bij de milieu-inspectie af te lossen. De fazenda had een boete gekregen omdat de oevers van een riviertje waren ontbost. Dat is onder alle omstandigheden verboden in Brazilië. Iedereen weet dat. En zij niet? 'Ik dacht dat we een vergunning hadden.'

Tijdens mijn verblijf belt de man van de milieu-inspectie – sinds de kapvergunning met smeergeld 'een vriend' – om te weten 'of er nog nieuws is'. Zij moet erom grinniken. 'Hij wordt met de dood bedreigd door fazendeiros. Hij belt me omdat hij wil weten of ik nog iets gehoord heb over een samenzwering.'

Ook haar versie van de boete van het ministerie van Arbeid is een opmerkelijk voorbeeld van cynisme. De arbeidsinspectie had haar van slavernij[7] beschuldigd. Een bemiddelaar had losse krachten geronseld voor klussen als onkruid wieden en kappen. Ze hadden geslapen onder stukken plastic in het bos. 'En dát noemen ze slavernij. Ik heb zo vaak geslapen onder een stuk plastic in het bos. Iedereen in Rondônia heeft onder plastic geslapen. Zo is deze deelstaat opgebouwd.' De ronselaar had de arbeiders uitbetaald wanneer hij er zin in had. Carla wast haar handen in onschuld: 'Ik weet niet wat een koppelbaas afspreekt met de mensen. Ik doe gewoon wat mijn vader en alle fazendeiros altijd gedaan hebben: een koppelbaas inschakelen.'

We eten 's avonds in de keuken van Carla's onderkomen op het fazendaterrein, samen met de vrouwelijke dierenarts, de boekhouder en de manager. Anders dan bij de indianen hoor je hier 's avonds geen vogels of andere beesten. Alleen het gebrom van een aggregaat.

Het dienstmeisje, dat als een schim door het huis sluipt, zet schalen met eten neer en verdwijnt dan in het aardedonker naar haar eigen woning in het rijtje.

Aan tafel gaat het behalve over vaccins voor de koeien over versieren en uitgaan en het vriendje van de dierenarts. Carla is koket en heeft het hoogste woord. Het is een gesprek zoals pubers dat voeren.

Als het personeel vertrokken is naar hun eigen huisjes, vraag ik Carla naar indianen. Van Marcelo, die ik voor mijn reis heb gebeld, weet ik dat er in de jaren zeventig en tachtig op het terrein van minstens één van de fazendas van haar vader veel indianen leefden.[8] Arbeiders die Marcelo was tegengekomen tijdens zijn veldonderzoek eind jaren tachtig, hadden hem verteld dat ze zelfs spullen ruilden met de indianen. Marcelo vermoedt dat de indiaan van het gat tot deze groep hoort. Hij denkt ook dat Moysés indianen heeft laten verjagen, of misschien zelfs vermoorden, toen de Funai vanaf 1985 actief werd in het gebied. Net als andere fazendeiros zou hij bang zijn geweest grond kwijt te raken.

In 1996 – Moysés de Freitas had de fazenda toen al verkocht – had Marcelo op het terrein nog de resten van een indianendorp in de vorm van meerdere hutten en zwerfakkers gevonden. Marcelo constateerde dat in dit dorp vanaf medio jaren tachtig en mogelijk langer terug indianen hadden geleefd. De nieuwe eigenaar had zijn pistoleiros opdracht gegeven de hutten plat te walsen en de stropersgaten dicht te gooien. Het was overdag gebeurd. Er waren nog indianen geweest want de pistoleiros hadden op hen geschoten, aldus een van Marcelo's bronnen.[9] Of er doden waren gevallen onder de indianen of dat het schieten alleen bedoeld was om hun angst aan te jagen, is nooit duidelijk geworden.

Carla weet van de indianen, heeft Marcelo mij gezegd. Ze had hem namelijk een keer verteld dat zij vanuit de lucht onbekende, wilde indianen had gezien op de fazenda van haar vader. Maar haar echtgenoot, die erbij zat, had haar onmiddellijk gecorrigeerd. Zijn vrouw vergiste zich. 'Maar je voelde aan alles dat Carla iets had gezegd dat ze niet had mogen zeggen,' aldus Marcelo over dit incident.

Op deze warme zomeravond doet Carla alsof ze van niets weet.

'Heb je hier weleens indianen gezien? Heb je je vader weleens over indianen gehoord?' vraag ik. Carla schudt haar manen heftig heen en weer, alsof ze haar ontkenning extra kracht wil bijzetten. 'Hier zijn geen indianen.'

'Hier schijnen vroeger juist heel veel indianen geleefd te hebben,' houd ik aan.

Ze schudt opnieuw haar hoofd. 'Mijn vader heeft het er nooit over gehad.'

Als we de volgende dag naar Vilhena rijden, waar ik wat interviews wil doen, liften twee van Carla's arbeiders een stuk mee. Een van hen heeft drie maanden gewerkt voor Antenor Duarte, de eigenaar van de fazenda waar de Kanoê in 1995 gevonden werden en de man die gezien wordt als het brein achter de gewelddadige ontzetting van de landlozen in dezelfde periode waarbij zo veel doden vielen dat zelfs een delegatie van Amnesty International in Corumbiara was komen kijken. Ook Antenor was al eens beboet wegens slavernij.

De arbeider op de achterbank vertelt hoe hij drie maanden op de fazenda van Antenor had gewerkt en nooit een cent had gezien. Na afloop van iedere maand weigerde de ronselaar domweg hem uit te betalen. Hij was gebleven in de hoop toch nog te ontvangen en moest ondertussen wel voor zijn eten betalen. 'Drie keer de prijs die het in de winkel kostte,' snuift hij. 'Diefstal was het. Die kerel verdiende aan alle kanten.' Antenor zelf kwam af en toe kijken. 'Hij trok zijn revolver en schoot in de lucht. Om ons angst aan te jagen.'

Carla vindt het een vermakelijk verhaal. Antenor is gewelddadig, geeft ze toe. 'Als hij hutten van landlozen ziet, is hij in staat er met zijn auto overheen te rijden.' De arbeiders op de achterbank beamen het. Carla zit er niet mee. 'Ach, hij is nu eenmaal een man van de oude stempel. Zo ging dat vroeger.' Ze mag hem. 'Die man heeft Rondônia opengelegd. Dat is niet niets. Hij heeft enorm veel verdiensten.'

Ze vertelt hoe Antenor voor het bloedbad in 1995 bij hen thuis was geweest en aan haar man geld en manschappen had gevraagd om 'dat varkentje te wassen'. Waarom is ze niet naar de rechter gestapt om dat te vertellen? vraag ik. Nu is Antenor niet eens gedagvaard.

'Mij niet gezien. Als ik dat doe, krijg ik de volle laag. Dan zegt zijn advocaat dat ik het bewijzen moet. Dit is een gewelddadige streek. Ik ben niet bang, omdat ik hier groot geworden ben en iedereen ken. Maar met die man wil ik geen problemen.'

Antenor Duarte is het vleesgeworden kwaad van de buurt. Volgens dona Ursula van mijn hotel ligt hij zelfs in de clan van veehouders niet lekker. Het spreekt vanzelf dat Antenor bovenaan staat op het lijstje van grootgrondbezitters die ik wil zien. Tijdens vorige bezoeken heb ik er al telefoontjes aan gewaagd, maar werd steeds afgepoeierd door zijn secretaresse. De fazendeiro was nooit in Vilhena als ik er was. Ik vermoedde dat hij mij ontliep en zinde op een list.

Maar het hoeft niet meer. Het lot, in Brazilië gezien als vriend van de goede en vijand van de booswicht, heeft toegeslagen. Enkele weken voor mijn komst heeft de fazendeiro, die op de weg net zo'n bruut was als in de omgang, een zwaar auto-ongeluk gehad. Hij is overgebracht naar de intensive care van een particulier ziekenhuis in São Paulo. Als hij het overleeft, zal hij met een rolstoel door het leven moeten. Hij is verlamd en het is nog maar de vraag of hij in de toekomst ooit nog zal kunnen spreken.

In Vilhena is het nieuws met gejuich ontvangen, zegt Carla. Ook dona Ursula bevestigt het: 'Mensen praten over niets anders meer.' In Chupinguaia spreek ik twee landarbeiders. 'Dit is het beste nieuws in tijden,' zeggen ze. Veel mensen hopen dat hij het overleeft. 'Doodgaan zou te makkelijk zijn. Hij moet lijden, boeten voor alles wat hij anderen heeft aangedaan.'

In het hotel van dona Ursula waar ik weer mijn intrek heb genomen, bestudeer ik opnieuw mijn lijst van fazendeiros. Het zijn drie beduimelde A4-vellen, die ik veelvuldig heb bijgewerkt en uit veiligheidsoverwegingen nooit in het hotel laat liggen. Achter hun namen heb ik allerhande feiten genoteerd die ik in de loop der jaren heb opgepikt uit justitiële rapporten en verslagen van Marcelo, Altair en Moacir. Het is een somber makend vademecum van sabotage en illegaliteit.

Boven aan de lijst staat de piloot en fazendeiro Aristides de Melo, die als een van de eersten in 1972 arriveerde. In Vilhena is hij vooral bekend onder zijn bijnaam Gauchinho; vermoedelijk kwam hij uit Rio Grande do Sul, waar de bewoners gaúchos worden genoemd. Hij vloog in de beginjaren veel voor het Incra en de Funai en werd betaald in hectaren grond. Voor Gauchinho's fazenda gold korte tijd een toegangsverbod toen de Funai op zoek was naar de Akuntsu en hij had het protest van de fazendeiros aangevoerd in de tijd van Marcelo. Ook Gauchinho was al eens veroordeeld wegens slavernij en hij had het meest ontbost van alle grootgrondbezitters. Carla, met haar dubieuze sympathieën, noemt hem 'een schilderachtig figuur'. Maar aangezien hij volgens anderen niet goed bij zijn hoofd is, streep ik hem af.

Dan is er José Francisco Junqueira Reis, de grootgrondbezitter die de foto's van de Kanoê met Cinta Larga-indianen had laten nemen om te 'bewijzen' dat de net ontdekte groep helemaal niet thuishoorde op die plek. Hij liet tot twee keer toe gauw mahoniebomen omkappen nadat justitie een toegangsverbod had afgekondigd voor een deel van zijn landerijen. Marcelo en Vincent liet hij een keer opbrengen door de politie, en de Toyota werd gestript toen hij geparkeerd stond op het terrein van zijn fazenda. Hij is een flink stuk van zijn fazenda kwijtgeraakt aan het reservaat van de Kanoê en Akuntsu. Zijn neef, een plastisch chirurg, beheert tegenwoordig de zaken. Maar de neef is aan de drank, zegt Carla, die tegenover hem in Vilhena kantoor houdt. Ook met hem valt geen serieus interview te houden.

Boosaardig zijn ook de gebroeders Golveia Dalafini. Nieuwe fazendeiros noemt men hen in Vilhena; ze kochten de fazenda van Moysés de Freitas waar Marcelo de meeste hutten met gat vond. Ze lieten de hutten platwalsen en hun pistoleiros verjaagden (of vermoordden) onbekende indianen; zij kapten illegaal, weigerden dwangbevelen in ontvangst te nemen, namen eenmaal een film van Vincent in beslag en stuurden de politie op Marcelo en zijn maten af. Waar ze zijn, weet niemand en tegenwoordig besturen hun kleinkinderen de fazenda. Ook hen kan ik dus van mijn interviewlijst afstrepen.

Het parlementslid Amir Lando, die het ontslag van Altair op zijn geweten heeft, raakte ook grond kwijt door het reservaat.[10] De Kanoê hebben vermoedelijk een tijd op zijn landerij geleefd. Hij liet een brug vernielen zodat de Funai moest omrijden, liet meermalen duizenden hectare bos illegaal omhalen, en zelfs een stuk dat binnen het indianenreservaat viel. Omdat hij zelden in Rondônia komt, valt ook hij af.

Voor de fazendeiro Carlos Schumann bleek het papier te klein. Hij is berucht in de deelstaat. 500 kilometer ten noordwesten van Vilhena heeft hij een fazenda met dubieuze eigendomspapieren die inzet is van een bittere en bloedige strijd tussen landlozen en pistoleiros, met doden aan beide kanten. Schumann werd jaren geleden[11] door een pistoleiro aangewezen als een van de opdrachtgevers van een groep bijzonder sadistische huurmoordenaars, die hun slachtoffers vastgebonden maar nog levend in de rivier verdronken en als het zo uitkwam ook castreerden.

Schumann bezit een kleine fazenda in Omerê. Nadat Marcelo de Akuntsu had ontdekt, zette Schumann een ploeg arbeiders met motorzagen in het bos neer om zo veel mogelijk om te hakken. De bomen werden dwars over een looppad van de Akuntsu weggesleept. Dat zal nu niet meer gebeuren, want hij is al zijn terrein kwijtgeraakt aan het reservaat.

Carlos Schumann woont en werkt in Vilhena, waar hij een houtzagerij heeft. Bovendien is hij een goede bekende van dona Ursula.

'Hoe is hij?' vraag ik haar als ze weer opduikt in het hotel. Dona Ursula reageert voor haar doen lauw. 'Schumann? Dat is ook een pionier,' zegt ze, terwijl ze plastic bekertjes bij de koffiekan in de hal opruimt en kranten recht legt. 'Bij de receptie hebben ze zijn telefoonnummer.'

De houthandelaar stemt meteen in met een afspraak. Hij wil mij graag vertellen over de onteigening waartegen hij protest heeft aangetekend. De houtzagerij bevindt zich bij een industrieterrein. Maar als de mototaxi voor een verlaten houten loods stilhoudt, aarzel ik. Er is geen bord met naam; de deuren zijn dicht en het parkeerterrein is leeg. De houtzagerij ziet eruit als een opgedoekt bedrijf.

Toch blijkt er binnen leven te zijn. Carlos Schumann laat net een bezoeker uit. Hij is een kleine, stevige man met rossig haar en lichte ogen in een Lacoste-shirt met spijkerbroek. Een gsm hangt als een revolver aan zijn riem.

De receptie is leeg en ik ontdek in slechts één vertrek personeel. 'Mijn dochter,' zegt Carlos Schumann met een knikje naar de jonge vrouw met geblondeerd haar. Haar stilettohakken tikken op de houten vloer als ze vanachter haar bureau vandaan komt om me een hand te geven.

We gaan zitten in een donker vertrek zonder ramen met een kalender aan de wand. Vragen heeft de houthandelaar nauwelijks nodig. Na tien minuten is de hel drukbevolkt. Eerste op de lijst voor vertrek richting hel is de regering van Lula. Dat zijn corrupte nietsnutten die het anderen onmogelijk maken te werken, zegt Schumann. Heb ik al gehoord dat een van de grootste schoenenfabrieken in Zuid-Brazilië failliet is verklaard? 'Allemaal de schuld van deze regering.'

De Funai is ook een zootje oplichters. Niet hij maar de Funai haalt hout uit indianenreservaten om te verkopen. Maar de grootste boeven zijn volgens hem de landlozen. Criminelen zijn het, die met wapens de fazendas binnendringen. 'En mensen die willen werken, krijgen de kans niet.' Hij bekent heimwee te hebben naar de militaire dictatuur uit de jaren zestig en zeventig. 'De militairen bouwden het land op. Nu wordt het afgebroken.'

'Maar de prijs was hoog,' werp ik tegen.

Hij kijkt me vragend aan.

'De mensenrechten,' zeg ik indachtig de doden, vermisten en martelingen.

Hij geeft toe. 'Maar ze moesten wel mensen doden. Het was uitschot. Ze wilden het land kapotmaken.'

De telefoon gaat. Een advocaat aan de lijn. Schumann vraagt hem een herbebossingsproject 'te regelen'. Dat heeft hij nodig voor een kapvergunning die hij bij de milieu-inspectie wil aanvragen. 'Ik heb 600 hectare nodig,' zegt Schumann voor hij neerlegt. En tegen mij: 'We kunnen geen boom meer omhakken. Niks mag meer. En ondertussen halen de buitenlanders alles weg.' Meer dan tweehonderd houtzagerijen waren er in Vilhena. En weet ik hoeveel er nu nog zijn?

Ik schud van nee.

'Nog maar veertig,' zegt hij. 'Zover is het al gekomen. De zagerijen waren vroeger de belangrijkste werkgever.'

Als de Kanoê en de Akuntsu ter sprake komen, struikelt hij over zijn woorden van verontwaardiging. 'Meer dan 50 000 hectare voor vijf of zeven indianen. Het is toch te belachelijk voor woorden?' briest hij.

Ik corrigeer hem: het reservaat is slechts half zo groot.

Hij negeert mij en komt in één adem met het verhaal dat ook de in-dianen door die 'marihuanaroker Marcelo' eigenlijk op hun landerij-en zijn neergepoot want ze zijn van elders. Achttien jaar heeft hij hout uit deze bossen gehaald en nog nooit heeft hij immers een indiaan ge-zien. De Wereldbank wordt door de voortrazende Schumann ook in het complot betrokken. 'Marcelo had daar heel veel geld voor gekre-gen van zijn internationale contacten. Die buitenlanders willen niet dat deze streek ontwikkeld wordt. Daarom zijn hier allemaal india-nenreservaten.' Hij kijkt me uitdagend aan.

Het is eind november, maar Vilhena is al klaar voor Kerstmis. In de etalages hangen slierten kerstlichtjes en op de ruiten verschijnen met spuitbussneeuw sterren en vrome wensen. Supermarkt Pato Branco (Witte Eend) heeft kerststollen uit Italië geïmporteerd en heeft Fran-se champagne in de aanbieding. In de hoofdstraat, die sinds mijn vo-rige bezoek zelfs een middenberm met gras heeft gekregen, worden kerstmannen van lege plastic flessen geplaatst. Het is een ecologisch kerstproject uitgevoerd door straatkinderen, schrijft de *Folha do Sul* trots. Het komt mij ongerijmd voor: recycling van plastic flessen als milieuvriendelijke daad, terwijl ontbossing als een vanzelfsprekend-heid wordt afgedaan.

Carla wil voor de kerst een nieuwe brillenwinkel openen, haar vier-de in de regio en tweede in Vilhena.

'Vilhena is chic. We hebben alles. Je kunt hier net zo goed winkelen als in São Paulo,' trompettert Carla's moeder, die met haar eigen four-wheeldrive regelmatig een kijkje gaat nemen bij de nieuwe winkel.

Dona Cleuza, zoals ze genoemd wordt, loopt tegen de zeventig, maar is desondanks een vamp. Ze hult zich in een strakke spijkerbroek en stift haar lippen knalrood. Het is zondagmiddag en een trits be-vriende echtparen, allen in het bezit van rundvee en hectares, komen barbecueën bij Cleuza thuis. De rijken van Vilhena vormen een klein wereldje.

Heb ik haar achterbuurman al geïnterviewd? wil Cleuza weten. Hij is een landmeter die in de tombola van de verkaveling een rijke fazendeiro is geworden. 'Een van de grootste sojaproducenten in Rondônia.' Cleuza wijst naar het crèmekleurige huis dat als een enorme vesting met hoge muren en schrikdraad uitsteekt boven de overige bebouwing.

Maar de buurman is nooit in Vilhena.

Het netwerk levert evenwel een ander opmerkelijk interview op. Celso Andreazza, een bejaarde houthandelaar, is ook van de eerste lichting. Hij woont tegenwoordig in Zuid-Brazilië maar logeert bij zijn zoon Fabio in Vilhena. Ik ontmoet vader en zoon in Fabio's nieuwbouwwoning. Tegenwoordig mag je maar 20 procent van het bos omverhalen, legt de zoon uit. Vroeger was dat 50 procent.[12] 'Maar voor 50 000 dollar smeergeld kon je een jaar vrij je gang gaan,' zegt Fabio over de steekpenningen waarmee hij de controles afkocht.

De Fazenda Patuá van de Andreazza's hoorde net als die van Gauchinho bij de tien landerijen waarop de rechter op verzoek van de Funai aanvankelijk beslag had laten leggen in afwachting van verder onderzoek naar indianen[13], maar de fazenda is uiteindelijk buiten het reservaat gebleven.

'Indianen zijn er nooit geweest,' zegt Celso ferm. 'Vijftien jaar lang hebben onze vrachtwagens daar stammen weggehaald en al die tijd heeft niemand ooit een indiaan gezien.' Hij kijkt me triomfantelijk aan. 'Altijd hadden we bulldozers aan het werk. Nooit zijn we aangevallen.'

'Natuurlijk waren er indianen,' zegt zijn zoon. 'Zelfs in São Paulo waren er indianen.' Fabio blijkt zijn eigen lezing over de herkomst van de Akuntsu en Kanoê te hebben: zij zijn indianen die zijn weggelopen van hun stam. 'Indianen maken vaak ruzie. Ze isoleren zichzelf, zogezegd. En moeten wij nu iedere indiaan die wegloopt grond geven?' De Funai heeft volgens Fabio een verhaal verzonnen. Want als de Kanoê en Akuntsu geïsoleerde volken zijn, waar zijn dan de andere stamleden? Als ze dood zijn, waarom is er dan geen graf? Als het een massamoord zou zijn, waarom zoekt de Funai dan niet waar de slachtoffers begraven zijn?

'Ik zal je eens wat zeggen,' zegt hij met de pose van een kenner. 'Alle, maar dan ook alle indianenstammen kennen verhalen over bloedbaden. Dat is indianen eigen. Maar dat wil nog niet zeggen dat ze ook hebben plaatsgehad.'

'Ze weten niet eens hoeveel van hun kameraden er gedood zijn of waar ze begraven liggen,' zegt zijn vader.

'Indianen hebben geen telwoorden,' zeg ik. Dat heb ik ooit gelezen. 'Ze kennen alleen een, twee of veel.'

Of ik Marcelo heb leren kennen, wil Fabio weten. Over die man weet hij nog een anekdote. Marcelo was nadat de indianen zogenaamd ontdekt waren aan komen rijden op zijn landerij. Fabio had hem uitgenodigd voor de lunch. Marcelo nam evenwel geen hap. 'Hij dacht dat we zijn eten hadden vergiftigd. Hij begon pas te eten nadat wij waren begonnen.' Tijdens de maaltijd had Marcelo de regering oplichters genoemd. 'Weet jij wie de grootste oplichter is?' had Fabio gezegd. 'Dat is jouw baas. Die heeft grond verkocht zonder indianen en nu zijn er indianen.'

Celso knikt veelvuldig, waaruit ik opmaak dat hij het betoog van zijn zoon onderschrijft. Toch voelt hij zich geroepen tot een essentiële aanvulling. De grootgrondbezitters zijn besodemieterd, want ze zijn door het Incra opgezadeld met een probleem dat niet van hen was, namelijk de indianen. Celso: 'Als ik een indiaan op mijn grondgebied zou vinden, zou ik hem doden.'

Ik kan mijn oren niet geloven en kijk hem aan. Zou hij het menen? Hoe kan hij dit zeggen? Andere grootgrondbezitters vinden misschien hetzelfde, maar hoeden zich ervoor zoiets hardop te zeggen tegen een onbekende. Zou Celso zich niet realiseren hoe schokkend zijn bekentenis is? Ik kijk hem opnieuw aan. Niets op Celso's gezicht verraadt dat de oude houthandelaar iets opmerkelijks heeft gezegd. Ook Fabio babbelt vrolijk door. Voor mij is het een onthullende bekentenis, voor hen een dienstmededeling. Zij hebben het gevoel dat ze in hun recht staan: het is immers hun grondgebied en ze kunnen daar doen en laten wat zij willen. In hun wrange morele orde is het grootste onrecht vermoedelijk dat zij de grond, hún grond, en investeringen zouden kwijtraken aan indianen die verder toch van niets weten. Misschien denken ze zelfs wel dat ze daarmee de natie die economisch moet groeien een dienst bewijzen.

De ontmoeting met Celso en zijn zoon laat me niet los. Aanvankelijk had ik gedacht dat de fazendeiros in de streek net als de meeste pistoleiros primitieve, onontwikkelde botteriken waren. Hun gewelddadigheid en de intolerantie hadden te maken met het isolement van het oerwoud, vermoedde ik. Bovendien was het al eeuwen zo dat de houding tegenover indianen harder werd naarmate men dichter in hun buurt woonde.

Maar de meeste fazendeiros blijken net als Celso en Fabio rijk en mannen van de wereld. Ze hebben landerijen in andere deelstaten, wonen zelf meestal in São Paulo of een stad in Zuid-Brazilië en hebben weet van normen en waarden.

Celso en Fabio Andreazza hebben bijvoorbeeld een houthandel in Zuid-Brazilië die het duurzaam houtzegel mag gebruiken. De familie van Antenor Duarte stichtte in Minas Gerais een ziekenhuis. Carla de Freitas gaat naar beurzen in het buitenland. En het toppunt van hypocrisie is parlementslid Amir Lando, die in Brasília poseert als een man die opkomt voor de armen en een strijder tegen corruptie. Amir Lando speelde in 1992 een belangrijke rol bij de afzetting van de corrupte playboy-president Fernando Collor en was zelfs nog even minister van Sociale Zekerheid in het linkse kabinet van president Lula, die in 2002 aantrad. Maar ondertussen liet hij ver weg in Rondônia duizenden hectare bos zonder vergunning kappen en misbruikte hij zijn politieke macht om Altair, een van de meest toegewijde Funai-krachten, te ontslaan. Alleen omdat Altair zijn werk deed en hem had aangegeven toen hij een beschermde boomsoort had laten kappen.

Ik leg mijn ervaringen voor aan een bevriende collega die onderzoek heeft gedaan naar slavernij in de Braziliaanse binnenlanden. De hypocrisie en dubbele standaard die ik tegenkwam, verwonderen haar niets. In haar onderzoek zag ze hetzelfde. 'De overtreders hielden slaven in het Amazonegebied, maar in hun bedrijf in São Paulo gedroegen ze zich keurig volgens de regels.' Hoe ze dat verklaart? 'In São Paulo zitten ze in de etalage en in de Amazone ziet toch niemand wat ze doen.'

In de jaren veertig bedacht een Franse wetenschapper[14] het begrip *os dois Brasís* (de twee Braziliës). De contrasten – economisch en sociaal – tussen regio's waren zo groot dat de Braziliaanse realiteit niet met één maar met twee verschillende modellen geanalyseerd moest worden, stelde hij. De afgelopen decennia werd het concept opgehangen aan economische stagnatie. Er is een oude samenleving die fungeert als in een pre-industrieel tijdvak en een moderne die exporteert, mobiel is en meedraait in de geglobaliseerde wereld. De fazendeiros hebben os dois Brasís in één model samengebracht, realiseer ik me. In sommige fazendas in Rondônia zijn de leefomstandigheden van de arbeiders als op een suikerplantage in de negentiende eeuw, maar op de koeien wordt hedendaagse technologie losgelaten. De beste beesten, die gebruikt worden voor verder fokken, krijgen een uitgebalanceerd dieet, bewegingsoefening voor betere opbouw van de spiermassa en preventieve gezondheidszorg. Daar kunnen de knechten alleen van dromen.

Filmmaker Vincent heeft mij verteld over de wet van de stilte in dorpen als Corumbiara en Chupinguaia toen hij eind jaren tachtig en begin jaren negentig interviews deed. De landarbeiders en hun familie hielden hun mond uit angst voor 'de man met de hoed', zoals zij de fazendeiros noemden. Hij was er razend van geworden. 'Je weet dat ze wat over indianen weten, maar allemaal doen ze alsof hun neus bloedt.'

Een soortgelijk gevoel overvalt me na een paar dagen Rondônia: de rijken met belangen in grond houden zich ook aan een wet van stilte. Bij wie ik het onderwerp indianen ook maar te berde breng, ik krijg steeds het sprookje van de ontginners opgedist: dit was woest gebied zonder indianen dat erop wachtte om in cultuur gebracht te worden. Dat is de werkelijkheid die zij bedacht hebben. En voor het onverklaarbare – de indianen die Marcelo vond – was de gouden leugen uitgevonden. Het verhaal van de import-indianen. Ik ben getroffen door de hardnekkigheid waarmee dit absurde verzinsel zelfs nu er niets meer mee te winnen lijkt – het reservaat is immers een feit – verkondigd wordt. Het lijkt alsof ze het zo vaak verteld hebben dat ze het zelf zijn gaan geloven.

Maar de muur van stilzwijgen vertoont een scheur en die heet Carolina. Carolina erfde net als Carla de Freitas van haar vader een fazenda. De Fazenda Carolina, zoals hij heet, grenst aan het reservaat. Volgens Moacir behoort Carolina tot een zeldzaam ras: 'Dat van de goede fazendeiro.' Hij denkt dat ze anders is, omdat ze een aantal jaren in de Verenigde Staten heeft gewoond. 'En ze heeft gestudeerd. Dat merk je.'

Ik spreek met haar af op een avond in een restaurant. Ze blijkt een jongensachtige, tengere vrouw en bezorgde moeder van drie kinderen. In haar uitspraken is ze beslist. 'Het verhaal van geïmporteerde indianen wordt altijd verteld, maar tegenwoordig gelooft niemand dat meer. Ook de fazendeiros zelf niet.' Wat er werkelijk is gebeurd is na al die jaren moeilijk te achterhalen. Zij gelooft het verhaal dat rondgaat in de dorpen: dat er indianen door allerlei mensen gedood zijn: door fazendeiros en pistoleiros in opdracht van fazendeiros maar ook door knechten op eigen initiatief.

Haar fazenda is met 5000 stuks vee en 12 500 hectare een middelgroot bedrijf. Nooit zijn er indianen verschenen op hun grondstuk, zegt Carolina. Wie tegenwoordig indianen doodt, geldt als achtergebleven. Toch gebeurt het volgens haar nog steeds. Grootgrondbezitters geven niet om indianen, zegt ze. 'Ze denken alleen aan geld.'

Voor de boerenleenbank in Vilhena maakt ze een blad over landbouw. Daarom en vanwege haar eigen fazenda spreekt ze veel fazendeiros. Indianen waren in de tijd van de kolonisatie in de jaren zeventig en tachtig geen thema, zegt ze. Dat is pas de laatste tien jaar en dan nog op beperkte schaal. En het verhaal van de geïsoleerde indianen in Rondônia is zelfs bij de meeste inwoners van de deelstaat niet bekend.

'Wat decennialang gewoon was, verander je niet in een jaar.' Neem slavenarbeid. Knechten zwart aan het werk hebben is gewoon, net als arbeiders die onder een stuk plastic slapen. 'Het is niet goed en het moet veranderen. Maar het gebeurt nog steeds.' En dat ontbossen nu in een kwalijk daglicht staat, is net zo iets. 'Als je een nieuw pad ging maken, kon je vroeger een motorzaag ophalen bij de gemeente.'

Maar het wil niet zeggen dat alle fazendeiros vernielzuchtige slechteriken zijn, zoals ook milieugroepen willen doen geloven, waarschuwt ze. Het merendeel van de fazendeiros werkt hard en produceert. 'Wij zijn de kurk waar Brazilië economisch op drijft.'[15]

Er is nog een fazendeiro op mijn lijst die ik absoluut wil proberen te spreken. Ik ben door een aantal mensen gewaarschuwd: Antonio José Junqueira Vilela is niet alleen puissant rijk en vilein, maar ook uiterst wantrouwend. Hij woont in São Paulo en hoort met 80 000 stuks vee tot de tien grootste veefokkers in Brazilië. Hij bezit in diverse deelstaten fazendas, teelt soja, bouwt waterkrachtcentrales en exploiteert een merk voor mineraalwater en vruchtensappen. Hij verkocht zijn koninkrijk in Rondônia – hij bezat er meer dan 3000 vierkante kilometer – eind jaren negentig.

De Expozebu lijkt een plek waar ik onopvallend contact kan leggen met de mega-fazendeiro. Op deze veemarkt, waar aan de lopende band elitevee wordt geveild, komen alle grote fazendeiros. De stemming is uitbundig; er wordt veel gedronken en gedanst. Dus boek ik een ticket naar Uberaba, het slonzige stadje dat jaarlijks onderdak biedt aan het koeienfestijn.[16]

Antonio José hoort tot Marcelo's top drie van boosaards onder de fazendeiros. Hij had vermoedelijk veel indianen op zijn landerijen. Marcelo vond op zijn fazenda Yvipitã hutten, een zwerfakker en diverse stropersgaten. Op deze fazenda waren in 1984 de houthakkers met pijlen beschoten – het incident waarmee de zoektocht van Marcelo was begonnen – en hier had Marcelo het jaar daarna vernielde hutten en patroonhulzen aangetroffen. Op de Fazenda Yvipitã waren in de jaren daarvoor vijftien goudzoekers geëxecuteerd, een bloedbad dat Junqueira Vilela's faam in de regio als boosaardig slechts had bevestigd.[17]

Victor Dequech, de mijnbouwingenieur, had mij toen ik in Belo Horizonte bij hem was om te praten over de indianen details van deze executie verteld. Die had hij op zijn beurt gehoord van zijn compagnon die vlak daarna ter plekke was geweest. De manager van de fazenda, die de executie had geleid, was vergeten de voeten van de goudzoekers vast te binden; daarom hadden de twee overlevenden kunnen ontsnappen. Dequech wist ook te vertellen dat Antonio José daarna de betrokken personeelsleden had geëvacueerd met het vliegtuig. Tegen de tijd dat de politie op de fazenda arriveerde, liepen er andere personeelsleden rond zodat de overlevenden niemand konden identificeren.

Aangezien managers van fazendas zelden zelf beslissingen nemen, was het aannemelijk dat Antonio José opdracht had gegeven tot het bloedbad. Toch was de grootgrondbezitter daarvoor nooit veroordeeld. Naar verluidt omdat hij zo veel voor de openlegging van Rondônia had betekend.

Als Antonio José Junqueira Vilela zo wantrouwend is als iedereen suggereert, moet ik met iets beters op de proppen komen dan het verhaal dat ik een boek schrijf over pioniers. Ik moet mijn aanwezigheid op een veebeurs beter rechtvaardigen. Omdat ik ertegen opzie te liegen. Daarom besluit ik het *Agrarisch Dagblad* in Nederland te bellen en een reportage voor te stellen over Braziliaanse veehouders. De redacteur die ik aan de lijn krijg, reageert verheugd. Ik lees me in over veefokkers, kunstmatige inseminatie, de dreiging van mond-en-klauwzeer en het monopolie van slachthuizen.

Omdat ik er niet in slaag Antonio José telefonisch te bereiken op zijn gsm, besluit ik mijn eerste avond op de Expozebu door te brengen op een galaveiling van vee. Plaats van het gebeuren is de fazenda van de eigenaar van de taxfree-winkels op de Braziliaanse luchthavens. Wie weet heb ik geluk en loop ik Antonio José toevallig tegen het lijf. Mijn begeleider zal een man uit de branche van kunstmatige inseminatie zijn die alles weet van spermarietjes en het 'stofzuigen' van baarmoeders van koeien. En – het allerbelangrijkste: hij kent alle veefokkers die ertoe doen in Brazilië.

Meer dan tweeduizend gasten zitten aan witgedekte tafeltjes met kaarslicht. Om de uitnodigingen wordt gevochten, zegt mijn begeleider. 'Want dit is de Formule 1 van de veefokkerij. Hier vind je fokkers, maar ook politici en ambassadeurs.'

Tussen de champagne en warme brie met bessencompote liggen veilingboekjes geopend. De fokkers en hun echtgenotes zitten allen met de pen in de hand, want de verkoopprijzen worden bijgehouden als ware het een bingo-avond.

We zijn in een lange file komen aanrijden over een verlichte oprijlaan met palmbomen. De gasten die met hun privévliegtuig zijn gekomen, kunnen hun jet op een grasveld achter de veilinghal parkeren en via een door een landschapsarchitect vormgegeven miniparkje naar de hal lopen. Dat is er namelijk allemaal. Landerijen als in Rondônia zijn kale productie-eenheden om geld te maken, maar fazendas als deze zijn koloniale juweeltjes, vooral bedoeld om te showen.

Tussen de tafels wordt veel gezwaaid. Ons kent ons op deze galaveiling. Mijn tafelheer brieft mij op fluistertoon. De jonge vrouw met lang, loshangend zwart haar en decolleté is weduwe en de rijkste fazendeira van Pará. De man in het leren jack is een tandarts die vee fokt. De man rechts van me aan tafel is een miljonair uit São Paulo en heeft 100 000 koeien, vooral in de deelstaat Mato Grosso. Hij is bevriend met president Lula.

Carla de Freitas mag geheimzinnig doen over haar kudde, hier lijkt iedereen alles te weten. Dat komt doordat runderen fokken op niveau als een wedstrijd is tussen perfectionistische veeboeren, legt mijn begeleider uit. 'Iedereen is van de partij. Vooral om te kijken wat de concurrenten op stal hebben en hoeveel het opbrengt.'

Voor elitevee dat sperma en eieren aanlevert voor verder fokken, leggen fokkers enorme sommen geld neer. Ze verkopen aan elkaar, maar bezitten soms ook samen zo'n prijsdier. Toch is het een overzichtelijke wereld. 'Hoe dichter je bij het podium zit, des te machtiger je bent.'

Mijn begeleider en ik zitten halverwege de hal, maar dicht genoeg bij het podium om te zien dat de net voorgeleide witte koe, het soort dat ik uit Rondônia ken in de uitgemergelde versie, een dikke straal poep op de uitgerolde grasmat laat kletteren.

Gretha Garbo, zoals het prijsdier heet, wordt na een lichtshow en wervende teksten verkocht voor omgerekend 74 000 euro: net zoveel als een landarbeider in vaste dienst gedurende veertien jaar zou verdienen. Het was een koopje. Na vijf embryo's ben je al uit de kosten, rekent een van de gasten me voor.

'Ook al is Brazilië in crisis, de verkopen op deze veemarkt gaan nooit naar beneden,' verzekert een andere veefokker, die eerder op de avond al bijna een half miljoen euro neerlegde voor een koe.

Het gesprek aan tafel gaat ongegeneerd over bezit, en dat is in deze kringen altijd veel. Bijna iedereen blijkt een vliegtuig te hebben. Een van de fokkers vertelt achteloos dat hij vorige week vijftien terreinwagens heeft teruggestuurd naar de dealer omdat de besturing hem niet beviel. De miljonair die bevriend is met president Lula wordt getipt over een fazenda in de Amazone. 'Twintigduizend hectare. Met hekken en schuren. Een koopje.' Hij overweegt het niet eens. 'Dat is minstens twee uur vliegen vanuit São Paulo. Dat loont alleen de moeite als het 200 000 hectare of meer is.'

Ik vraag naar Antonio José Junqueira Vilela. Hij blijkt deze avond verstek te laten gaan, maar iedereen kent hem. 'Een lange, knappe man,' zegt de fazendeira uit Pará. 'Hij is hard,' zegt mijn begeleider. En anderen beamen het.

'Voor mij is hij geen veefokker,' zegt de zakenvriend van de miljonair die zich de hele tijd heeft stilgehouden. Hij had jaren een fazenda naast Antonio José. Ik ben geïntrigeerd. Beluister ik een kritische ondertoon?

'Wat is hij dan volgens u?' vraag ik hem.

'Een grondspeculant. Hij koopt en verkoopt land.'

De vrouwen aan tafel komen met een anekdote over de grootgrondbezitter. Antonio José had een verhouding gehad met Carmen Junqueira, die ondanks dezelfde achternaam geen familie van hem was. Carmen, een gehaaide, ambitieuze jonge veefokster, had daarvoor gevreeën met twee of drie andere grootgrondbezitters. Opmerkelijk genoeg waren deze minnaars allemaal overleden en hield zij aan elke relatie vee over. Toen raakte het aan met Antonio José. De goegemeente hield de adem in. Zou hij ook?? Maar Antonio José overleefde het. Carmen werd na een tijdje aan de dijk gezet. 'Ze had geen schijn van kans. Hij is nog veel harder dan zij,' besluit de fazendeira.

Ik ontmoet de grootgrondbezitter daags na de galaveiling in een verkoopstand op de Expozebu. Hij is lang en draagt zoals bijna alle fazendeiros een spijkerbroek, een geruit overhemd, laarzen en een duur horloge. Hij blijkt een stugge machista, die ik op geen enkel moment voluit zie lachen. Een halve pas achter hem loopt een nieuwe vriendin: nog een Carla met lang, geblondeerd haar. 'Carla heeft ook een fazenda en vee,' zegt Antonio José. 'Vrouwen zijn detaillisten. Ze hebben echt lol in het organiseren van een fazenda.' Carla, met donkere zonnebril, Chanel-tas en ook in spijkerbroek, geeft een lauw handje en glimlacht.

Antonio José is wantrouwend. Hij bestudeert mij onophoudelijk met cynische, blauwe ogen.

'Waar was dat interview ook al weer voor?' wil hij weten.

Zijn antwoorden, ook op de meest onschuldige vragen, zijn kort.

We praten over kuddes in São Paulo, slachthuizen en kunstmatige inseminatie. 'Zonder geld geen succes,' zegt de fazendeiro. Ik knik vol begrip en zoek naarstig naar een bruggetje voor het onderwerp waarvoor ik eigenlijk ben gekomen.

De eerste glimlach breekt pas door als ik hem vraag naar wat hij het liefst doet. Hij is immers zo'n veelzijdig man, gezien het amalgaam van bedrijven dat hij heeft verzameld, slijm ik.

'Land ontginnen, een fazenda ontwikkelen,' antwoordt hij. Het komt er zo snel uit dat ik geen moment twijfel aan zijn oprechtheid. Hij licht toe: 'Duizend, tweeduizend hectare bos omkappen, afbranden en dan met een vliegtuig gras inzaaien, kralen aanleggen, hekken neerzetten. In twee à drie jaar heb je een fazenda gevormd.'

In Rondônia had hij 'problemen met eigendomtitels' gehad en daarom de zaak van de hand gedaan. 'Er was daar in 1985 een kolonel als gouverneur die aanwees wat er ontgonnen moest worden. Er waren maar weinig mensen die dat konden. Want je moest alles zelf doen, ook elektriciteit aanleggen. En het menselijk deel, zal ik maar zeggen, was een risico. Als je niet sociaal was, kreeg je problemen met de regering.'

Bijna 5000 vierkante kilometer had hij gehad in Rondônia.

'Zoveel?!' roep ik.

'Ach, in geld stelde het niets voor. Het was niks waard. Je had er veel werk aan en moest het vee voortdurend bijvoeren.'

Hij kijkt op zijn horloge. 'Zo is het wel goed, hè?' zegt hij tegen mij. Hij heeft haast en wil weg.

Ik schrik. Mijn belangrijkste vragen – over de indianen – moeten nog komen. Wat is wijsheid? Razendsnel maak ik een afweging. Als ik over indianen begin, heeft hij vermoedelijk onmiddellijk door dat dát is waarvoor ik hem moet hebben. Welke journalist begint op een veebeurs anders over indianen? Op zo'n verhaal zit een landbouwblad uit een ver buitenland toch niet te wachten? De kans is groot dat hij een nietszeggend antwoord van twee zinnen produceert, zoals op de meeste van mijn vragen tot nu toe, en dat hij dan wegrent. De kans dat hij me zal ontvangen als ik hem daarna nog een keer wil spreken, is natuurlijk gering.

In dat licht is het beter de hamvraag te bewaren. Mijn debuut als veeteeltverslaggever en reis hier naartoe waren een diepte-investering: ik heb hopelijk nu zijn vertrouwen gewonnen en de basis gelegd voor een beter gesprek de volgende keer.

Dat komt als ik maanden later voor een andere interviewopdracht naar São Paulo moet, waar Antonio José kantoor houdt. De AJJ Empreendimentos Agropuecuarios (AJJ Onderneming voor Landbouw en Veeteelt) is gevestigd in een kantoor met veel glas en donker marmer in de beste buurt van de stad.

De fazendeiro ontvangt me dit keer met een brede glimlach. Het *Agrarisch Dagblad* waarin hij met foto is verschenen spreid ik uit op tafel. Dat levert punten op. Want als even later twee familieleden, tevens partners in zaken, het vertrek betreden, word ik voorgesteld als 'iemand die te vertrouwen is' en die hij al 'meer dan een jaar' kent.

Waren er veel indianen toen hij in Rondônia begon? vraag ik hem. Hij heeft geen verstand van indianen, zegt de fazendeiro ontwijkend. 'In mijn tijd hoorde je ook nooit iets over indianen. Nu pas zijn indianen in het nieuws.' Hij begint de bekende riedel over hardwerkende pioniers die Rondônia tot een succes hebben gemaakt.

Ik houd aan: stel, hij zou indianen aantreffen op zijn grondgebied, wat zou hij dan doen?

'Indianen migreren. Je moet hen terugbrengen naar de plek waar ze horen.'

En goudzoekers?

'Goudzoekers zijn nooit een probleem. Die graven een gat en daarna gaan ze weer verder.'

'Tenzij ze doodgeschoten worden in opdracht van de fazendeiro.'

Antonio José kijkt me aan, schijnbaar onbewogen.

'Dat is wat men zegt over u. U zou vijftien *garimpeiros* hebben laten executeren. Twee overleefden het en hebben het verhaal verteld.'

Nu begint hij zich op te winden. 'Ben je helemaal gek? Wie zegt dat?' Hij kijkt zijn partners om beurten aan als wilde hij bijval, maar de mannen zwijgen. 'Als ik mensen zou hebben gedood, zou ik hier niet zitten. Goudzoekers doden goudzoekers. Denk je nou echt dat je als je in Brazilië vijftien man doodt, vrij kunt rondlopen?'

'Ja, dat denk ik,' zeg ik, indachtig de statistiek. Minder dan 3 procent van de misdrijven leidt in Brazilië namelijk tot een veroordeling.

Zijn verdediging valt me tegen. Dat justitie faalt op veel fronten is in Brazilië geen onderwerp van debat maar een vaststaand feit, zoiets als dat de zon iedere dag opgaat.

'U wordt er ook van beschuldigd indianen op uw terrein te hebben verdreven. Mogelijk heeft u hen laten vermoorden.'

De fazendeiro pakt de tafelrand vast en buigt zich in mijn richting. 'Ben je gek geworden. Wie zegt dat? Dat is idioot. Er waren daar geen indianen. Wie zoiets zegt, zal het moeten bewijzen.' Hij zakt terug in zijn stoel, kijkt naar zijn twee familieleden en schudt zijn hoofd, alsof hij moedeloos is.

De familieleden zwijgen.

'En dat ga je schrijven?' vraagt hij aan mij. Zonder het antwoord af te wachten, dendert hij voort. 'Dat mag ik niet hopen. Of heb je dat soms al geschreven?'

Hij grijpt naar het *Agrarisch Dagblad* en tikt op het papier. 'Staat dat in dit artikel? Wat heb je over mij geschreven?'

De rest van het gesprek is een rituele dans. Hij ontkent en wil mijn bronnen weten. Ik weiger en debiteer wat algemeenheden.

Ik vertrek met twee glimmende vaktijdschriften in mijn tas. De fazendeiro staat erop dat ik ze meeneem. Hij staat erin als veelvoudig prijswinnaar met zijn koeien. 'Schrijf daar maar over.'

De indruk waarmee ik wegga, is dat de fazendeiro vooral bezorgd is over zijn imago. Slechte publiciteit kan van invloed zijn op zijn handel.

Als ik in de lift naar beneden sta, moet ik denken aan wat Carolina zei over haar collega's: ze geven niet om indianen; ze denken alleen aan geld.

Hoe het verder ging

In september 2004, als ik op het punt sta naar Nederland te reizen, krijg ik een brandmelding van Moacir. De indiaan van het gat heeft een van de Funai-medewerkers verwond. Voor de zoveelste maal was een expeditie op weg naar zijn hut, maar dit keer had hij geschoten en geraakt. De pijl was centimeters diep in de borst van de Funai-man terechtgekomen en had net niet diens hart geraakt. Terwijl de andere expeditieleden het slachtoffer eerste hulp boden – de Funai-medewerker had het overleefd – was de indiaan weggevlucht. 'We weten niet waar hij is,' zegt Moacir, 'maar je begrijpt dat we behoorlijk aangeslagen zijn. We maken ons vooral zorgen over de indiaan.'

Had de expeditie het contact willen forceren? Hadden ze de deur van zijn hut opengeduwd? Of waren ze helemaal niet bij zijn hut en had hij hen verrast in het bos? Waarom was de indiaan nerveus geweest? Waarom had hij niet eerst een pijl ter waarschuwing afgeschoten? Op geen van de vragen is een duidelijk antwoord; de lezingen van het gebeurde spreken elkaar tegen.

Dankzij zijn oorlogsverklaring is de solist in het bos evenwel met-een prioriteit geworden op de afdeling Geïsoleerde Indianen in Brasília. Sydney besluit dat het nu of nooit is. 'We gaan nu contact leggen,' zegt hij. Het zit er dik in dat de indiaan het op een lopen zet om-dat hij wraak van de blanke stam vreest voor zijn actie, redeneert hij. Aangezien het bos klein is, is de kans groot dat hij terechtkomt op het grondstuk van andere grootgrondbezitters waarvoor geen beslag geldt.

Als ik met Brasília praat, is een nieuwe expeditie al naar Rondônia vertrokken. Anders dan voorgaande jaren zal er gezien het speciale karakter van deze missie iedere avond via de satelliettelefoon contact zijn over de voortgang. Zodra de mannen de indiaan op het spoor zijn, word ik gewaarschuwd zodat ik het hoogtepunt, het contact, ter plekke kan meemaken.

Ik stel mijn vertrek naar Nederland uit en begin zelfzuchtig te hopen op de climax die ik de indiaan eerder wilde besparen. Contact zou een passend einde zijn voor mijn boek; politiek incorrect, maar verhaaltechnisch buitengewoon wenselijk. Want een zoektocht zonder vondst is even onbevredigend als een vraag zonder antwoord.

'Het gaat gebeuren,' voorspelt Moacir. Bij het reisbureau reserveer ik een vlucht naar Vilhena. Bij de voordeur zet ik een rugzakje klaar met dunne kleren, insectenspray, zaklantaarn, een lichtgewicht, nylon hangmat en een muskietennet met het oog op nachten in het bos. Maar de dagen gaan voorbij zonder opwekkend nieuws uit het oerwoud. Het is de indiaan van het gat opnieuw gelukt zijn belagers ondanks al hun elektronische parafernalia van zich af te schudden. Hij is opnieuw onvindbaar terwijl het bos zo klein is. Ik vertrek naar Nederland zonder dat er nieuws is.

Ruim een jaar later bezoek ik Rondônia voor een laatste keer. De indiaan van het gat is dan inmiddels getraceerd. Hij loopt als vanouds weer rond in 'zijn' bosje; zijn nieuwe hut is gevonden en hij schijnt diverse oude hutten en kostveldjes te bezoeken. Maar Sydney Possuelo heeft de koers omgegooid: de indiaan van het gat zal verder met rust worden gelaten. Hij heeft het druk met een groepje onbekende, geïsoleerde indianen dat slaags is geraakt met illegale houthakkers in een andere deelstaat. De indiaan van het gat heeft voldoende duidelijk gemaakt dat hij geen contact wenst, zegt hij. 'We respecteren zijn besluit.' Hoewel de eigenaar zijn voornemen om te ontbossen nog steeds niet heeft opgegeven, lijkt het gerechtelijke beslag geen punt van discussie meer. Zolang hij leeft, zal het bos voor buitenstaanders verboden blijven.

Met Celso, de jonge veldmedewerker die Moacir is opgevolgd, bezoek ik de post Omerê. Het reservaat van de Kanoê en Akuntsu, dat officieel Inheems Land Rio Omerê heet, is gedemarqueerd. De ingang bij een van de weilanden van grootgrondbezitter Antenor Duarte heeft een indrukwekkend portaal van houten palen gekregen. Maar het naambord was een paar dagen nadat hij het er had opgehangen weggehaald, vertelt Celso. Hij vermoedt dat het in opdracht van de fazendeiro is gebeurd.

Ook al is het reservaat nu een zichtbaar feit, sommige fazendeiros volharden in hun loopgravenoorlog. Zo lopen de broodmagere koeien van Duarte nog steeds in het reservaat. Senator Amir Lando liet een houten brug in brand steken en bomen kappen op het terrein van het reservaat.

De post is vanwege geldgebrek onderbemand. Vaak is er maar één man in het kampement. De enige die is overgebleven van de ploeg die ik twee jaar aantrof is José, de vriend van Amélia. Nota bene degene die zich het meest ergerde aan de indianen die steeds zijn kostgrondje plunderden. Amélia is op staande voet ontslagen door Sydney. Hij ergerde zich aan haar bazigheid en vond dat ze te veel meningen debiteerde over de indianen. Toen hij op een dag zag dat zij Babá nadat deze daarom gevraagd had, een sigaret gaf, was hij in woede ontstoken en had hij haar weggestuurd. Amélia werkt nu als verpleegster in het Casa do Índio, de eerstehulppost voor indianen in Vilhena.

Paulo en Euzébio waren op hun eigen verzoek overgeplaatst naar andere Funai-posten. Adriano is getrouwd en drijft een eenmans kapperszaakje in Corumbiara. Zijn vrouw vond het niets dat hij weken achtereen bij de indianen zat. Zijn idealisme leeft hij nu uit bij een pinkstergemeente, zegt Celso.

In het bestaan van arme Brazilianen lijken twee jaar als een eeuw, zoveel veranderingen hebben er vaak plaatsgehad. Het leven van de indianen in het oerwoud is vergeleken daarbij een tijdloze oase, een perpetuum mobile van seizoenen.

De Akuntsu zijn onveranderd vrolijk, bloot en smerig als wij hun erfje op stappen. Het erfje is dezelfde rotzooi als altijd. Ze ogen een tikkeltje ouder en wat dikker. Het haar van Babá's vrouwen vertoont grijze plukken. De belangrijkste verandering die ik signaleer na twee jaar afwezigheid is dat de vrouwen, die zich altijd op de achtergrond opstelden, niet meer verlegen zijn.

De dochter van Babá stort zich enthousiast op me. Ze slaat haar armen om mijn middel, duwt haar gezicht tegen mijn buik en houdt mij vele minuten in haar greep. Af en toe kijkt ze omhoog en lispelt wat. Als ik mijn gezicht naar haar over buig, begint zij me onhandig te zoenen op mijn wang. Ik kom er niet achter of de vreugde mij ten deel valt omdat ze me heeft herkend of omdat ik aangezien word voor iemand anders. Maar haar aanhankelijkheid vertedert en geeft me de indruk dat zij meer op haar gemak is met westerlingen dan ooit.

De andere vrouwen dringen want ook zij willen aandacht. Ze pakken mijn hand vast en wrijven als een kat die kopjes geeft hun hoofd tegen mij aan. De oudste vrouw van Babá trekt me opzij. Ze doet haar mond open en wijst. Van Celso weet ik dat kiespijn sinds kort het dringendste probleem is op het erfje van de Akuntsu. Als ik later mijn camera tevoorschijn haal voor een foto, spert de echtgenote met kiespijn haar mond open alsof dit zilverkleurige kastje haar pijn zal wegnemen.

Als we weggaan, pakken de vrouwen mijn armen vast. Ze maken hun handen tot tuitjes en beginnen luid slurpend geesten op te zuigen. Na de beide armen krijgen mijn borsten een beurt. De vrouwen plakken de bij mij weggeslurpte geesten razendsnel op hun eigen borst. Ik vermoed dat ik vanwege mijn formaat en rondingen een bron van levensenergie ben bevonden. Het doet me deugd nog iets te kunnen betekenen, aangezien ik bij het pijnlijke gebit geen soelaas kon bieden.

De Kanoê zijn stil en neerslachtig, zoals ik me hen herinner van het laatste bezoek in 2003. Kani, Txinamanty's tweede kind dat inmiddels bijna vier jaar oud is, zorgt op het aangeharkte en opgeruimde Kanoê-erf voor vrolijkheid. Hij sjouwt rond in een vies, gescheurd T-shirt dat bijna tot zijn knieën komt. De kleuter is een actief en zorgzaam mannetje dat uiterlijk nog steeds veel op Pupak lijkt. Van zijn driftbuien toen hij nog in de draagzak van zijn moeder hing, is niets meer over.

Purá leerde hem met pijl-en-boog schieten, een kunstje dat hij mij trots laat zien. Zijn pijlen legt hij keer op keer netjes bij elkaar en als hij achter ons aan huppelt naar de beek, gooit hij de boog niet neer, maar zet hij deze onderweg zorgvuldig rechtop tegen een boomstam. Ordelijk als een Kanoê dus, ook al is Kani als mengbloed in de ogen van Txinamanty en zijn oom geen Kanoê.

De Kanoê zijn nog niet zo lang geleden terug in hun eigen dorp, vertelt Celso. Na de dood van Operá en Tutuá hadden ze twee jaar gebivakkeerd in het Funai-kampement. Moacir had niet de moed hen terug te sturen. Maar Sydney had de beuk erin gegooid. 'Als het zo doorgaat, zijn ze over twee jaar blanken en kunnen ze niet eens meer jagen,' had hij gezegd. Purá en Txinamanty mochten van hem niet meer in het Funai-kampement overnachten.

De Kanoê waren heftig beledigd vertrokken en Txinamanty had zich maandenlang niet meer vertoond. Maar dat lijkt nu vergeven en vergeten. De Kanoê buurten als vanouds, zij het dat hun bezoeken nu hoogstens enkele uren duren.

Waaraan meet je acculturatie af? De Akuntsu blijven immuun voor de westerse wereld. Na de revolutie van het mes en de lucifers en de mislukte excursie in de Toyota hebben zij hun interesse voor ons bestaan verloren. Txinamanty en Purá spreken niet beduidend beter Portugees dan bij mijn vorige bezoek. Wel hebben ze meer en betere kleren. Txinamanty draagt nu iedere dag een petje en Purá loopt in een gestreept overhemd, dat hij ondanks de hitte tot de nek toe dichtknoopt. In hun hut staan zelfs schoenen, zwarte soldatenkistjes. Ze lopen evenwel op plastic teenslippers uit de supermarkt in Vilhena en slapen in stevige katoenen hangmatten, die ook in Vilhena zijn gekocht. Hun collectie kettingen is uitgebreid met kleurige exemplaren, gemaakt van kralen die bezoekers meenamen, maar ze dragen hun sieraden nu onder hun kleren in plaats van erboven.

Is hun kijk op de wereld veranderd? Wie zal het zeggen. We weten het niet. Bij de Kanoê zal Kani straks de agent van verandering zijn. Ondanks zijn huidskleur en glanzende haar wordt hij vermoedelijk meer Braziliaan dan indiaan; dat tekent zich al af. Hij beweegt zich in het kampement met grote natuurlijkheid en onafhankelijk van zijn moeder. Hij tapt water, pakt een vork en drinkt koffie met melk als een blank kind zou doen. Hij is niet bang voor blanken. Af en toe neemt Celso zijn zoontje, een peuter van twee, mee naar het kampement tot groot plezier van Kani. Het blanke kind is zijn speelkameraad en beschermeling.

De onderlinge verhouding tussen de Kanoê en Akuntsu lijkt verbeterd. Er zijn tenminste geen conflicten meer geweest. De dochter van Babá's vrouw is nog steeds verliefd op Purá en het is wederzijds. De verpleegster die Amélia opvolgde, merkt het zelfs aan de hartslag van de twee als zij bij elkaar in de buurt komen.

Op een middag bezoeken we de Kanoê. Kani schiet stoer pijlen in het suikerriet en haalt ze dan weer op. Purá stoeit met hem en Txinamanty zwijgt, kijkt en waakt. Als we aanstalten maken tot vertrek is ze verdwenen. Ze blijkt in de hut cadeaus te hebben uitgezocht. De echtgenote van Celso krijgt een touwtas. En ik ontvang maar liefst drie cadeaus: een armbandje van tanden van het gordeldier, een rolletje door henzelf gedraaid heel fijn touw en een bamboe panfluit.

'Goh, een fluit,' zegt Celso en hij knikt bewonderend.

Waarom zou Txinamanty mij een fluit geven?

Opeens realiseer ik mij: ze liep achter mij op het weiland toen ik onderweg vrolijke liedjes floot. Dat moet het zijn geweest. Een fluit voor een vrouw die graag fluit, Txinamanty heeft mij bestudeerd, nagedacht en iets uitgezocht waarvan zij denkt dat het bij mij past. Ik kijk naar de tengere vrouw die net tot mijn oksel komt en voor mij staat. Zij, indiaan uit het stenen tijdperk, verplaatst zich in mij, een pottenkijker uit de wereld van overvloed die af en toe haar leven binnenloopt. Ik ben geroerd door haar geste, die een warm menselijk oog verraadt, en schaam me over mijn eigen kortzichtigheid. Ik had haar zwijgzaamheid en passiviteit uitgelegd als sikkeneurige onverschilligheid.

Txinamanty staat erop mij het armbandje om te binden. Traag legt ze drie knopen en snijdt vervolgens met de machete die zij onder haar arm geklemd houdt, de uiteinden van het touw kort. Een flauw lachje trekt over haar gezicht als ik haar enthousiast bedank. Het is de eerste keer dat ik haar tijdens ons bezoek zie lachen.

Sydney vertelde eens dat hij nog nooit mensen had gezien die zoveel en makkelijk lachten als net gecontacteerde indianen. Bij ieder nieuw contact was wat hem het meeste trof hun geluk en kinderlijk plezier om alles. Maar als de indianen verwesterden, leken ze hun geluksvermogen kwijt te raken, zei hij. Hoe meer ze verwesterden, des te minder lachten zij. Dat is ook het verhaal van de indianen van Omerê, bedenk ik me. De vrolijke Akuntsu en de stilgevallen Kanoê.

En hoe gaat het verder met de anderen? Seu Munuzinho, de tolk van de Kanoê die zo graag in het bos was blijven wonen, sterft in 2001.

Sydney Possuelo wordt in mei 2006, als ik de laatste hand aan mijn boek leg, op staande voet ontslagen. Hij heeft de president van de Funai uitgemaakt voor een geestverwant van grootgrondbezitters en goudzoekers nadat deze in een interview heeft gezegd dat indianen in Brazilië te veel grond hebben. Hoewel hij tegen de zeventig loopt, is Sydney vastbesloten terug te keren naar het oerwoud. Hij kan na veertig jaar niet meer zonder. Hij wil met hulp van zijn vele internationale contacten fondsen bij elkaar krijgen voor een organisatie onder zijn leiding die zich gaat bezighouden met geïsoleerde indianen in heel Zuid-Amerika.

Marcelo dos Santos wordt tot grote opluchting van iedereen benoemd tot zijn opvolger. Marcelo is na jaren afwezigheid een tijdlang voor een niet-gouvernementele organisatie controleur geweest in het Xingu-park. Hij moest daar fazendeiros aansporen wegen aan te leggen voor de indianen. 'Een verschrikkelijke klus.'

Hoewel Marcelo als baas van de afdeling Geïsoleerde Indianen van de Funai 'zijn' Divina doordeweeks niet meer ziet, voor het eerst van zijn leven op een kantoor zit en ook voor het eerst van zijn leven in een appartement woont, is hij blij met de kans. Hij benoemt meteen Altair tot chef voor geïsoleerde indianen in Rondônia.

Altair is in de tussenliggende jaren een voorbeeldige chefe de posto geweest in een verloederd indianenreservaat met veel ondervoeding, alcoholisme en vechtpartijen in het hart van Brazilië. Met zijn grote tactische vermogen en hulp van indianenleiders heeft hij daar zelfs de supermarkteigenaren kunnen overtuigen geen drank meer te verkopen aan indianen.

Moacir werkt als administrateur van de Funai in een andere Amazonedeelstaat. Hij stuurt zijn kennissen trots een foto rond waarop hij poseert met Raoni, die tot zijn 'rayon' hoort en de bekendste indianenvriend van Sting is.

Onbekende indianen beschieten in 2004 Meirelles als hij aan het vissen is. Een van de tientallen pijlen raakt zijn gezicht en doorboort zijn nek. De sertanista uit Acre moet in allerijl met een helikopter naar het ziekenhuis in Brasília worden vervoerd. Hij overleeft zijn verwonding en zodra hij kan lopen, gaat hij de bres op voor zijn indianen. Aan de Peruaanse kant worden wegen aangelegd. Meirelles gebruikt zijn bezoek aan Brasília om bij de Peruaanse ambassade langs te gaan. De Peruanen moeten begrijpen dat de indianen onder grote druk staan, zegt hij. Dat ze hem beschoten hebben heeft daar alles mee te maken. 'Het enige wat ze doen is zichzelf verdedigen.'

Vincent is een succesvolle producent van video's over indianen geworden. Tevergeefs probeerde hij een eigen tv-journaal voor en door

indianen van de grond te tillen. Meer succes heeft hij met de opleiding van jonge indianen die nu zelf films draaien over hun dorpen. Als
rechtgeaard kind van de jaren zestig was dat altijd zijn ideaal: niet hij
vertelt maar zij zelf maken hun geschiedenis.

Dagenlang bekijk ik in zijn studio het filmmateriaal dat hij in de
loop der jaren over de Akuntsu en de Kanoê schoot. Het zou een
prachtige documentaire kunnen worden, zeg ik tegen hem. Hij heeft
het nooit kunnen opbrengen, bekent hij. 'Het verhaal deprimeert me.
Het is triest, want in wezen is het al met ze afgelopen.'

Epiloog

Het schrijven van een boek dat zich over tien jaar uitstrekt, is als een reis op zich. Mijn Braziliaanse vrienden vroegen af en toe waarvoor ik toch steeds op pad ging. Als ik hun vertelde over de Kanoê en Akuntsu, volgde meestal de vraag in wat voor taal ik met hen sprak. Geen dus, en ik legde uit waarom niet. Het antwoord lokte gewoonlijk een denk-pauze uit. Het gegeven dat in eigen land een nog onbekende taal ge-sproken wordt, is zo exotisch dat het moeilijk voorstelbaar blijkt.

Het was vast spannend, veronderstelden ze. Spannend waren de tochten naar 'de indiaan van het gat', maar het leven in het kampe-ment was verrassend saai. Het bestond voornamelijk uit kleren was-sen, reparaties verrichten, twee keer per dag contact leggen met an-dere Funai-posten via de radio en rondhangen. Eten en bezoeken aan de indianendorpen waren welkome onderbrekingen. Maar aangezien van een echt gesprek geen sprake kon zijn, bestonden de bezoeken aan de Kanoê en de Akuntsu vooral uit op een boomstambankje zitten, kijken en vriendelijk lachen. Oog in oog met de levende prehistorie betekende vooral uren zweten in de brandende zon, permanent op-dringerige wespjes van je af slaan en de gedachte aan drinken uitban-nen. Het restje water dat je had meegesjouwd, moest als het even kon bewaard blijven voor de terugtocht door het bos naar het kampement. De geleefde werkelijkheid is vaak veel minder heroïsch dan het vertel-de en dus gecomprimeerde verhaal.

Vaak ontsponnen zich de afgelopen jaren discussies. Sommige Bra-ziliaanse vrienden vinden dat indianen te veel land hebben. Anderen scharen zich onmiddellijk aan de zijde van de indianen. Grond géven is belachelijk. 'De grond ís van hen.' Ik heb verder heel wat afgediscussieerd over aanpassing en inburgering. 'Waarom heeft een indiaan niet de vrijheid zich te gedragen als een blanke?' was een terugkerende vraag. Als een blanke doet alsof hij indiaan is, mag een indiaan toch doen alsof hij blanke is? En is je moeten aanpassen aan veranderende omstandigheden niet het lot van de mens? Zou Purá niet gelukkiger zijn als hij een baantje met collega's heeft in Corumbiara? Waarom moet hij van ons indiaan blijven en in een hut wonen bij zijn zus? Zijn wij niet egoïstisch? Willen wij niet diep in ons hart dat de indianen traditioneel blijven omdat dat voor ons interessanter is?

Ik heb geen antwoord, als er al een duidelijk antwoord bestaat. Ik kan alleen vertellen over ervaringen. Zoals het bezoek dat ik met Sydney en Meirelles bracht aan de Kulina-indianen in Acre. Daar was de hele wand in de hut van de chef bedekt met pornoplaatjes. Die waren uit een blad gescheurd dat een westerse bezoeker, vermoedelijk een antropoloog op missie, zonder nadenken had achtergelaten.

Of ik kan vertellen over de ondervoeding en kindersterfte bij de indianen van Altair die niet met geld konden omgaan en hun uitkering steevast de eerste dag verpatsten aan drank. Of over de Aikanã in het reservaat waar Hein van der Voort verbleef en die de diesel voor het aggregaat voor de school van hun kinderen gebruikten om iedere avond naar de tv-soap te kunnen kijken.

In luttele jaren maken indianen veranderingen door waar wij eeuwen over hebben gedaan en ze krijgen ook onmiddellijk te maken met de kwalijkste uitwassen van onze 'cultuur' zonder veel keuzemogelijkheid: alcohol, televisie, corruptie, consumptieartikelen en zelfs porno.

Hun eigen systeem van plichten en rechten en hun sociale netwerk vallen uiteen onder zoveel druk. Werken op de gemeenschappelijke akker, bijvoorbeeld, gebeurt niet meer. Het staatspensioen voor indianen is goed bedoeld, maar verandert diepgaand alle betrekkingen. Het is ook nog geld, waarvoor nooit gewerkt is. Met zoveel geld in omloop doet niemand meer iets voor niets. Het is een pervers proces van aanpassing dat niet te vergelijken is met dat van ons.

Hoewel ik meer vragen heb dan antwoorden, heb ik gemerkt dat mijn kijk op het onderwerp door de jaren veranderde door wat ik zag en hoorde. Na mijn eerste bezoek aan Omerê was ik vooral gefascineerd door de filosofisch getinte vragen over zij en wij en het dilemma van contact. De samenleving van de indianen zonder moralistisch goed en kwaad waarin alles draaide om overleven en doden niet verbonden was aan een schuldgevoel was een eye-opener. Het cultuurrelativisme had mij in zijn ban. Tenslotte leer je vooral over jezelf als je naar anderen kijkt.

Gaandeweg toen ik stapels veldverslagen doorploegde en thuis begon te raken in de wildernis van namen, kavels en bureaucratische regelgeving, groeide mijn ontzetting. Er bestond nóg een wereld zonder moralistisch goed en kwaad waarin doden niet verbonden was aan een schuldgevoel en die wereld leek beangstigend veel op de onze. Daarin golden ongeschreven wetten van macht en gewin die als een ijzeren logica door iedereen in Zuid-Rondônia geaccepteerd leken te worden. In het vacuüm van het verzwijgen – velen wisten wat maar zeiden niets – kon het laatste stukje levende prehistorie platgebulldozerd worden.

Met het verstrijken van de tijd zag ik dat het te simpel was de grootgrondbezitters als enige schuldigen aan te wijzen. Marcelo – nota bene Marcelo met zijn communistische sympathieën – had gelijk met zijn gedeelde verantwoordelijkheid. De Braziliaanse overheid die in grote haast en kost wat kost de Amazone wilde ontginnen en bevolken was medeschuldig aan het drama. Uit gemakzucht, incompetentie, ambitie en corruptie sloot men de ogen. De overheid was de eerste die niet wilde weten dat er nog indianen woonden. Het gevolg was dat niet alleen in Rondônia, maar ook elders in het Amazonegebied waar wegen werden aangelegd, regelmatig indianenvolken of overlevenden opdoken die volgens de officiële berichten helemaal niet meer zouden bestaan.

Medeschuldig aan het lot van de geïsoleerde indianen is ook de arme plattelandsbevolking die haar mond hield over sporen en incidenten. In de regio van Omerê deden bewoners dat niet alleen uit angst, maar ook uit onverschilligheid. Indianen konden opgejaagd en vermoord worden omdat men hen niet belangrijk genoeg vond. Veel betrokkenen zeiden mij letterlijk hetzelfde: 'Indianen waren toen geen onderwerp.'

Het lot van de Kanoê en Akuntsu was bezegeld toen zij eenlingen werden. Waren ze met tientallen overgebleven, dan hadden ze lang voor het contact met de blanken vermoedelijk de kranten gehaald.

Dan waren er zoals elders in het Amazonegebied gebeurde goed ge-outilleerde expedities georganiseerd om hen te redden. Maar over hen zweeg men, want 'Ach, die paar indianen?'

Toch vergissen we ons schromelijk als we eenlingen over het hoofd zien. Niet alleen op ethische of morele gronden, maar ook uit eigenbelang dienen we de laatste overlevenden te koesteren. De linguïst Hein van der Voort vertelde me eens hoe hij op een dag bij stom toeval de laatste spreekster van het Arikapu ontdekte. Zij was met een man van een andere stam getrouwd en had haar moedertaal al meer dan vijfentwintig jaar niet meer gesproken. Decennialang had men aangenomen dat er geen sprekers meer waren van het Arikapu. Dankzij de hulp van deze indiaanse kon de linguïst een woordenboek maken en een grammatica van deze taal reconstrueren.

De grammatica en het vocabulaire wijzen erop dat de gangbare landverhuizerstheorieën op de schop moeten. Vaak is aangenomen dat de volken van de Amazone richting kust zijn getrokken, maar het Arikapu lijkt zoveel op talen die in de savannen in het oosten worden gesproken dat het waarschijnlijk is dat er ook migratie in tegenovergestelde richting heeft plaatsgehad, van de kust juist naar de Amazone. Als Hein de laatste spreekster niet toevallig had ontdekt, waren we altijd blijven zitten met een foutief beeld van de landverhuizingen.

Rooksignalen is een verhaal over volharding. Zonder mensen als de koppige Marcelo of de autoritaire, ruziënde Sydney die als blinde paarden voortstormen in weerwil van alles en iedereen zouden de indianen zeer veel slechter af zijn geweest. 'Je hoeft niet te hopen om te ondernemen, noch te slagen om te volharden' is een uitspraak die hun als een handschoen past.

Helaas is *Rooksignalen* bovenal een treurig verhaal, een evolutionair sprookje dat slecht eindigt. Het is namelijk afgelopen met de Akuntsu en de Kanoê, want voor het overleven van een volk is meer nodig dan alleen fysieke voortplanting of een hallucinerend middel snuiven. Hun cultuur is decennia geleden reeds ten grave gedragen.

Veel groepen in Brazilië gingen als de Kanoê en de Akuntsu de afgelopen honderd jaar ten onder in de maalstroom van de kolonisatie en de ongelijke strijd om grond. *Rooksignalen* is een ooggetuigenverslag van de confrontatie van levende prehistorie met de moderne tijd. Vermoedelijk een van de laatst mogelijke verslagen, want er zijn immers nauwelijks nog geïsoleerd levende indianen met wie contact kan en zal worden gelegd.

Met het uitsterven van traditioneel levende indianen wordt onze wereld snel uniformer en dus armer. Zelfs Sydney Possuelo geeft privé toe dat het steeds moeilijker zal worden de nog geïsoleerd levende indianen te vrijwaren voor contact. Over een decennium – en hooguit twee decennia – zijn er vermoedelijk alleen nog verwesterde indianen, schat hij in.

Zelfs de sporen van 'de laatste stammenoorlog', zoals een collega de strijd tussen geïsoleerde indianen en de westerlingen die hun jachtgebied binnendringen noemde, verdwijnen snel. Economische ontwikkeling is een bulldozer die geen lawaai maakt. Vilhena was in 2005 de snelst groeiende gemeente van het hele Amazonegebied. De dorpen rond het reservaat die tien jaar geleden gehuchten waren, zijn nu gemeentes met geasfalteerde straten. De soja-aanplant is tot op 2 kilometer van de hutten van de Akuntsu genaderd.

Tot mijn verbazing bleken zelfs de nieuwe en goedwillende medewerkers van de Funai ter plekke slechts een vaag idee te hebben van wat zich tien jaar geleden heeft afgespeeld in het stroomgebied van de Omerê. Hoewel ik dat niet voor ogen had toen ik begon, realiseerde ik me bij mijn laatste bezoek dat dit boek misschien in de eerste plaats als document bestaansrecht heeft.

Rio de Janeiro, mei 2006

Noten

HOOFDSTUK 1

1. De palmboom heeft geen takken, maar bestaat uit een stam met aan het einde een kroon van – in een kring staande – bladen. De houtige stengel van de bladen lijkt soms een tak maar is botanisch gesproken een bladspil. De indianen in dit deel van de Amazone bouwen hun hutten graag met de bladen van de babaçu-palm, die de vorm van een veer hebben en tussen de zes en veertien meter lang kunnen worden. Ook de zeer stevige waaiervormige bladen van de buriti-palm die minstens twee meter lang zijn, worden daar veel voor gebruikt.

2. Brazilië is een federatieve republiek van deelstaten die betrekkelijk veel autonomie hebben. Het model is vergelijkbaar met dat van de Verenigde Staten. De deelstaat Rondônia is in december 1981 gesticht.

3. In Brazilië wordt een kleine boer vaak aangeduid als *trabalhador rural*, dat letterlijk 'plattelandsarbeider' betekent. Dat komt doordat hun vakbond (Sindicato dos Trabalhadores Rurais, de Vakbond van Landarbeiders) zowel de kleine boeren als de landarbeiders vertegenwoordigt. Ook werken kleine boeren vaak bij als dagloner. Boeren uit een kolonisatieproject (*assentamento*), grondkrakers oftewel *posseiros* (mensen die akkers aanleggen op grond die niet van hen is) en andere dagloners horen eveneens tot de categorie trabalhador rural.

4. Ten onrechte wordt vaak aangenomen dat de houthandel zorgt voor de kaalslag en de grote milieuschade in de Amazone. In werkelijkheid ligt de situatie gecompliceerder. Omdat in het Amazonebos op iedere hectare meer dan honderd verschillende boomsoorten staan, waarvan maar enkele marktwaarde hebben, is een heel stuk bos omzagen commercieel niet aantrekkelijk voor een houtexploitant. Houthandelaren halen alleen de verkoopbare bomen uit het bos, meestal vijf à tien stuks per hectare. Ontbossing geschiedt door landontginners die alles omkappen omdat ze een andere bestemming (meestal weiland) aan de grond willen geven. Soms

– meestal in het geval van kleine boeren – sluiten ze daartoe een overeenkomst met houtexploitanten die in ruil voor de verkoopbare bomen en soms nog een bedrag het hele bos voor hen omhakken. Het is gebruik dat de houthandelaren de landontginners ook planken en palen van hun eigen bomen bezorgen om een huis, hekken en bruggen van te maken. De grootgrondbezitters kappen zelf om en installeren vaak tijdelijk een houtzagerij annex houthandel.

Op het ogenblik is de sterk groeiende behoefte aan grasland (voor rundvlees), soja (veevoer voor varkens en kippen) en palmolie (voor bakken, margarine, zeep en biodiesel) – die weer veel te maken heeft met de snelle groei van de Chinese economie – de belangrijkste reden voor ontbossing in de Amazone. Een minder belangrijke oorzaak is de uitgifte van grond aan landloze armen en het 'kraken' van grond door landlozen die op eigen gelegenheid een akker aanleggen.

5. In een interview met de auteur vertelde Celso Andreazza, mede-eigenaar van een houthandel in het zuiden van Rondônia, dat hij eind jaren zeventig en begin jaren tachtig permanent honderd houthakkers aan het werk had in de bossen Er was zoveel werk dat hij drie jaar lang met dag- en nachtploegen moest werken. Alleen in zijn houtzagerij werkten zeshonderd man om de file van vrachtwagens met stammen te kunnen verwerken. In Vilhena bestonden in de hoogtijdagen meer dan tweehonderd houthandels.

6. BR is de afkorting van Brazilië en wordt gebruikt voor alle wegen van de federale overheid. Dat zijn doorgaans de belangrijke hoofdwegen tussen deelstaten. De BR364 maakt deel uit van de 1400 kilometer lange weg die van de hoofdstad van de deelstaat Mato Grosso (Cuiabá) in West-Brazilië naar het noorden loopt en eindigt in de hoofdstad van de deelstaat Acre (Rio Branco) in het westen van de Amazone.

7. Tweehonderdduizend real was toen ongeveer 300 000 euro.

HOOFDSTUK 2

1. In Brazilië waren in 2001 55 plekken in kaart gebracht waar geïsoleerde indianen leven of tot voor kort waren gesignaleerd. Van 23 plekken wist de Funai zeker dat er nog steeds indianen leven. Maar er waren tientallen tips en vondsten die niet zijn nagetrokken. Schattingen over hoeveel geïsoleerde indianen er in Brazilië zijn, circuleren zelden. De belangrijkste reden is een strategische. De afdeling Geïsoleerde Indianen van de Funai vreest dat de aantallen zullen worden afgedaan als laag en dat daarmee het probleem wordt gebagatelliseerd. Het gaat mogelijk maximaal om een kleine drieduizend indianen, van wie minder dan een derde totaal onbekend is. Critici beschuldigen de Funai ervan met de cijfers over vindplaatsen en vaagheid over werkelijke aantallen de kwestie op te blazen om meer territorium te kunnen claimen.

2. Missionarissen zijn vaak deze mening toegedaan. In 1999 suggereerde Don Peterson, een woordvoerder van de New Tribes Mission uit de Verenigde Staten, in *The New York Times* dat het ontzeggen van medische hulp aan traditionele indianen onethisch is. Hij vergeleek het retorisch met hulp aan andere armen: 'Zou jij mensen in de goot van een getto laten liggen omdat het getto hun territorium is, en is daar binnengaan en economische hulp en medische zorg bieden fout omdat het hun levensstijl verandert?'

3. In zijn boek *1491: New Revelations of the Americas before Columbus* berekent Charles Mann dat 95 procent van de indiaanse bevolking in Noord- en Zuid-Amerika in de eerste anderhalve eeuw na Columbus stierf, meest door ziektes. In Afrika en Azië bleken de autochtone bewoners veel beter bestand tegen ziektes van blanken; daar heeft zich na een invasie tenminste nooit een massale sterfte voorgedaan. De grote vraag is waarom de indianen wel bezweken. Mann heeft drie interessante hypotheses. De eerste: de indianen leefden duizenden jaren absoluut gescheiden van de rest van de wereldbevolking en konden geen immuniteit ontwikkelen. De tweede: veel blanke ziektes konden ontstaan door het samenleven met huisdieren als varkens, kippen en koeien (veeteelt), maar de indianen hadden nauwelijks veeteelt gehad. De derde: de indianen vertonen onderling minder genetische variatie en dat maakt hen als groep kwetsbaarder. Een verklaring voor de lage genetische variëteit noemt Mann niet, maar het zou kunnen komen doordat ze afstammen van een zeer kleine *founding population*, de kleine groepjes mensen die de oceaan overstaken in een bootje en andere die via Siberië naar Alaska zijn gelopen.

4. In Rondônia zijn twee uitkijkposten voor geïsoleerde indianen. Behalve het gebied bij de Omerê-rivier is er ook het Terra Indígena Massaco. Het Massaco-reservaat ligt ongeveer 100 kilometer ten westen van Omerê tegen de Boliviaanse grens.

5. Net als Aziaten missen indianen in hun genen het enzym dat alcohol afbreekt en ze kunnen daardoor slecht tegen drank. In Brazilië is het volgens de wet (Statuto do Índio) verboden drank aan indianen te verkopen, maar in de praktijk wordt daarmee op grote schaal de hand gelicht.

6. De Kayapó zijn ook onder indianen zeer gevreesd. Ze waren voor de komst van de blanken in hun gebied krijgslustige annexeerders die andere volken met harde hand onderwierpen.

HOOFDSTUK 3

1. In Rondônia is de strijd om grond heftig niet alleen vanwege het grootgrondbezit, maar ook vanwege de vele natuur- en indianenreservaten die meer dan een derde van de deelstaat in beslag nemen. Volgens de *Atlas Geoambiental de Rondônia* (Sedam, 2001) telt de deelstaat 52 natuurreser-

vaten (circa 15 procent van het grondoppervlak) en 19 indianenreservaten (circa 20 procent van het grondoppervlak). Het inmiddels uitgeroepen Terra Indígena Omerê van de Kanoê en Akuntsu is hierin nog niet meegeteld.

2. De aanvraag was van de Fazenda Guarajús, eigendom van het bedrijf Guaratira Recursos Naturaís. Een van de deelnemers in dit bedrijf is Victor Dequech.

3. De Fazenda Yvipitã zal later gesplitst worden in meerdere kleinere die eind jaren tachtig door eigenaar Antonio José Junqueira Vilela verkocht worden.

4. Sommige bronnen spreken over zeventien slachtoffers. De verwarring is vermoedelijk ontstaan vanwege de twee slachtoffers die het overleefden.

5. Nomadische indianen komen aan hun voedsel door te jagen, te vissen en te verzamelen (insecten, honing, vruchten). Maar de semi-nomadische indianen planten in het bos ook maniok en maïs, de akkergewassen die hun voornaamste voedselbron vormen. In tegenstelling tot wat soms wordt beweerd verbouwen 'primitieve' indianen geen groenten. Ze zijn ook geen grote bladgroenteneters; hun vitamine komt eerder van vruchten. De semi-nomaden hebben zaaigoed bij zich en waar de wildstand goed is en de groep besluit een tijdje te blijven, wordt meestal een kleine akker aangelegd. Die wordt achtergelaten als de groep verder trekt. Het komt veel voor dat de oude zwerfakker in een volgend seizoen weer opnieuw bebouwd wordt.

6. Ibama (Instituto Brasileiro do Meio Ambiente e dos Recursos Naturaís Renovaveís, ofwel Braziliaans Instituut voor Milieu en Duurzame Natuurlijke Hulpbronnen) is het milieubureau van de federale overheid met opsporingsbevoegdheid, in het verleden en nog steeds vaak beschuldigd van corruptie en incompetentie maar in diverse regio's steeds efficiënter opererend en met meer en betere hulpmiddelen uitgerust.

7. Het gaat om de Fazenda São Sebastião, eigendom van Antenor Duarte.

HOOFDSTUK 4

1. Uit onderzoek blijkt in ieder geval dat het Antenor Duarte is geweest die het bevel tot ontruiming (van het terrein van een ander) bij de politiecommandant in Porto Velho heeft afgeleverd, zodat deze tot actie kon overgaan. De politie werd vervoerd in bussen die door de grootgrondbezitters bij een busonderneming in Vilhena waren gehuurd. De grootgrondbezitter was aanvankelijk door de procureur van de deelstaat aangemerkt als een van de verdachten, maar werd voor het proces van de verdachtenlijst afgevoerd.

2. Het gaat om indianen van het Cinta Larga-volk, dat ongeveer 100 kilometer meer naar het oosten leeft.

3. De rechter verbiedt op verzoek van de Funai toegang tot 51100 hectare gedurende drie jaar. Tijdens deze periode moet de Funai onderzoek doen naar wat het traditionele woon- en jachtgebied van deze indianen is geweest, zodat een reservaat voor hen kan worden aangevraagd. Dit is een standaardprocedure. Wanneer er een voorstel voor een reservaat ligt, wordt een bezwaarschriftenronde in gang gezet. Als de bezwaarschriften worden afgewezen, kan het reservaat worden uitgeroepen en afgepaald. De laatste stap is het definitief verklaren – de homologatie zoals het heet. Dat is aan de president.
4. Dat heette toen Inheemse Post voor Contact Ricardo Franco en tegenwoordig Inheems Gebied Rio Guaporé.
5. Het blijkt soms ingewikkeld de juiste namen van geïsoleerde indianen te achterhalen. Dat geldt zowel voor de eigennaam van de groep als voor persoonsnamen. Tutuá wordt in veel Funai-verslagen Yamoi genoemd, omdat haar kinderen haar namelijk als Njamoi (door de Funai-medewerkers verbasterd tot Yamoi) aanspraken. Pas toen na jaren een linguïst het Kanoê in kaart bracht, ontdekte men dat Njamoi niets anders dan 'mijn moeder' betekent in het Kanoê.
6. Laércio Bacelar, de Braziliaanse linguïst die in augustus en september 2000 met de Kanoê-familie verkeerde om een woordenboek en grammatica van het Kanoê vast te stellen en die ook enigszins met hen kon spreken, zegt in een interview met de auteur het meest geloof te hechten aan de eerste lezing (mannen die vermoord zijn door een andere indianenstam).
7. De terreinkennis van de Akuntsu en Kanoê wordt vergeleken met wat onderzoekers en reizigers in de afgelopen eeuwen berichtten over de volken die zij tegenkwamen. Het was gewoonte in verslagen melding te maken van welke volken bij welke waterstroompjes leefden. Soms hadden de onderzoekers hen ontmoet, maar ze gingen ook wel af op wat anderen – westerlingen of indianen – hun hadden verteld. De documenten van vroeger en de resultaten van de speurtochten met de indianen vormen bewijsstukken voor wat historisch hun grond moet zijn geweest. Ook het beschikbare wild om te jagen, planten om te eten en visrijkheid worden doorgelicht om te kijken of er genoeg leeftocht is voor de groep. Nomaden hebben meer grond nodig dan indianen die landbouw bedrijven.

HOOFDSTUK 5

1. Deze vogel wordt in het Amazonegebied *japo* (ook wel: *japu*) genoemd. Hij is een Psarocolius-soort. Meestal hangen in een boom meerdere nesten die tot dezelfde kolonie behoren. Het mannetje verzamelt als een harem vrouwtjes om zich heen, die in dezelfde boom elk een eigen hangend nest met jongen hebben.

2. De gehaakte touwtassen heten *maricos* in het Portugees en zijn meestal gemaakt van vezels van het blad van de buritipalm of dat van de tucumpalm. Soms worden ze wel van wilde katoen gefabriceerd, maar deze exemplaren gaan minder lang mee. De maricos worden intensief gebruikt door alle indianenvolken in dit deel van het stroomgebied van de Guaporé-rivier. Daarom worden deze volken, die meerdere culturele gebruiken delen, door Braziliaanse antropologen in de vakliteratuur aangeduid als het *complexo do marico*. Het woord 'complex' refereert aan een groep met cultureel dezelfde kenmerken.

3. De mummi Ötzi werd vernoemd naar Ötzal-Alpen in Tirol, waar hij vijfduizend jaar na zijn dood werd aangetroffen.

4. De vruchten van de paranotenboom lijken op ronde, bruine kokosnoten die in Nederland in de winkel liggen, maar zijn meestal iets groter. Als je zo'n vrucht openbreekt, zitten er zo'n vijftien paranootjes in die driekantig zijn en de vorm van een halvemaan hebben. De dop van deze nootjes wordt door de indianen gebruikt als pijpenkop. De houtige huls van de grote vrucht is hard en mooi rond, en wordt eenmaal leeg vaak gebruikt om latex op te vangen die uit een rubberboom loopt en – zoals Babá doet – om rapé of iets anders in fijn te stampen.

HOOFDSTUK 6

1. Vooral kopbalwedstrijden zijn populair bij de indianen in Zuid-Rondônia. Vroeger speelde men vooral om pijlen, aangezien het bamboe dat voor pijlen gebruikt wordt niet overal te vinden is. Tegenwoordig zet men alles in, tot en met de kleren die men op dat moment draagt.

2. De taalkundige Laércio Nora Bacelar citeert jaren later in zijn inleiding bij de Grammatica van het Kanoê (2004) de bejaarde Kanoê Teresa, dochter van de laatste Kanoê-chef, zelf getrouwd met een blanke. Volgens Teresa waren de Kanoê toen zij nog in hun eigen dorpen bij de Omerê- en Tanaru-rivieren woonden bevriend met de Salamãi en de Aikanã, die ten oosten van hen woonden. Ten westen woonden vijanden, te weten de Kurapé, de Kwazá en de Akuntsu. Volgens Teresa waren met name de Akuntsu zeer gewelddadig, en daarom vermeden de Kanoê overdag het territorium van de Akuntsu. Dit volk had volgens Teresa veel Kurapé gedood. Wie de Kurapé zijn, is onduidelijk. De naam figureert niet in historische reisverslagen of onderzoeken. Dat kan betekenen dat de indianen uitgestorven zijn voordat ze ontdekt zijn, maar het kan ook dat ze onder een andere naam figureren, bijvoorbeeld omdat ze zichzelf anders noemden.

3. Txinamanty zegt op de bandopnames van Vincent ook iets over beoogde intieme relaties. Txinamanty: 'Ik wilde de dikke vrouw om aan mijn broer te geven. Haar man [vermoedelijk bedoelt Txinamanty Babá] deed

vervelend. Ik was boos. Ik wilde allen doden. Maar daarna had ik medelijden. Nu zijn jullie [Munuzinho en de Funai-mensen] gekomen. Ik zal
hen niet meer doden.' Een verbintenis voor Operá lijkt een obsessie voor
de Kanoê-vrouwen. De nicht zegt over dit onderwerp: 'Ik wilde dat er een
vrouw komt voor mijn broer. Hij wil alleen maar met het zwijn slapen. Ik
wil dat hij een vrouw neemt. Dan dood ik zijn zwijn. Zijn zus houdt niet
van het zwijn.' Txinamanty vertelt aan de tolk ook nog iets over een eigen
escapade. Toen de Kanoê de Akuntsu hadden gevonden, ging ze alleen naar
hun dorp. 'De gek [daarmee bedoelt Txinamanty Pupak] wilde me in zijn
hangmat. Hij bond alles vast met liaan opdat ik niet kon binnenkomen. Ik
scheurde het kapot en kwam binnen. Toen wilde hij mij omarmen en in
zijn hangmat leggen. Toen ben ik gevlucht.'

4. De indianen gebruiken de verwantschapsnamen niet zo strikt als wij. Leden van hetzelfde volk heten broers en zussen. Vader/grootvader en moe-
   der/grootmoeder worden gebruikt voor oudere personen, maar om eer-
   bied te tonen, zoals blanke Brazilianen iemand 'doctor' noemen. Marcelo
   wordt door de Kanoê bijvoorbeeld als 'vader' aangesproken.

5. Munuzinho woont in het indianenreservaat Rio Guaporé, dat bij de gelijknamige rivier ligt en in de plaats kwam van de vroegere indianenpost
   Ricardo Franco, waar vanaf 1940 indianen uit de regio door de overheid
   naartoe overgebracht werden.

6. In 1954 rapporteert Becker-Donner, een Oostenrijkse antropologe, dat in
   de Inheemse Post Ricardo Franco, zoals het reservaat heette, in totaal zestig
   indianen leven, van vijf verschillende stammen. Twee jaar later zijn dat er
   nog slechts twaalf, onder wie enkele Kanoê. De rest is overleden.

7. Dit cijfer is uit 2006 en afkomstig van het Instituto Socioambiental (ISA)
   uit São Paulo, dat de *Enciclopédia dos Povos Indígenas* uitgeeft.

HOOFDSTUK 7

1. De indianen heetten Tupinambá. Tupí is de verzamelnaam van een aantal
   verschillende volken. Maar omdat de Portugezen de andere Tupí-volken
   toen nog niet kenden, zijn de Tupinambá heel lang Tupí genoemd. De Tupinambá zijn overigens uitgestorven.

2. Het verschil tussen hoog en laag water is op sommige plekken meer dan
   acht meter. Bij eb is het naar zee zeer ver lopen.

3. Dit cijfer is afkomstig van het ISA. ISA gaat uit van 218 volken, waarvan
   veertig ook in aan Brazilië grenzende landen leven. De Funai houdt 345 000
   indianen aan, verdeeld over 215 volken. De geïsoleerd levende en niet-ge-
   contacteerde indianen zijn hierin niet meegeteld net zomin als groepen die
   erkend willen worden als indiaans. Daarbij moet men denken aan verwesterde indianen die geassimileerd zijn in de Braziliaanse samenleving, maar

hun wortels herontdekken. Het aantal indianen neemt snel toe, met name in de goed georganiseerde reservaten waar geen grondproblemen zijn. Een van de redenen is de verbeterde medische zorg. Ook de kinderbijslag die de Braziliaanse staat gedurende enkele maanden betaalt aan een pas bevallen jonge moeder stimuleert het geboortecijfer.

4. In Zuid-Rondônia in het gebied rond de Omerê- en de Rio Branco-rivieren was dat het Makurap. Het Makurap is een Tupí-taal en hoort met het Tupari, het Mekens, het Wayuru en het Akuntsu tot de Tupí-Tupari subfamilie van talen. Het wordt subfamilie genoemd vanwege de sterke linguïstische verwantschap.

5. Infanticide komt bij primitief levende indianen nog steeds voor. Pasgeboren baby's met afwijking worden meestal gedood. Ook als de moeder nog een kind heeft dat ze moet meedragen of als er te weinig voedsel is voor de groep kunnen zuigelingen onmiddellijk na geboorte gedood worden.

6. De grote vraag is: waarom ontstond er wel een complexere maatschappij, met intensieve landbouw en veeteelt, in het Andesgebied en niet in de Amazone? Was het schaarste die tot vindingrijkheid dwingt? Een eensluidend antwoord is er niet. Jared Diamond beargumenteert in zijn *Guns, Germs and Steel* bijvoorbeeld dat in het Andesgebied veeteelt ontstond omdat er een beest (de lama) rondliep, dat net als koeien en schapen elders, daar geschikt voor was. Een voedseloverschot leidt volgens hem automatisch tot meer bevolkingsaanwas en een hoger ontwikkelde cultuur. In de Amazone verhuisden de groepen om de zoveel jaar of ze splitsten zich omdat er te weinig wild overbleef om te jagen. De grond was ook arm; vandaar de zwerfakkers. Vermoedelijk hadden de oerwoudindianen ook een probleem met voedselopslag. Zout hadden ze niet en door de hoge vochtigheid en temperaturen in de Amazone bederft voedsel snel. De Andesindianen konden hun aardappels, die ze buiten 'vriesdroog' lieten worden, meer dan een jaar bewaren. Wat de landveroveringscampagnes van de Andes-indianen betreft: een open vlakte leent zich meer voor het verplaatsen van een leger dan een oerwoud.

De Amerikaanse archeologe Anna Roosevelt, kleindochter van de ex-president, stelt op grond van opgravingen bij de stad Santarem dat langs de visrijke witwaterrivieren in de Amazone vermoedelijk wel steden met duizenden indianen hebben bestaan. In Santarem vond ze aarden wallen, grafkamers met gemummificeerde lichamen, omringd door godenbeelden die erop wijzen dat ook de Amazone-indianen grote leiders zouden hebben gehad. Deze theorie is recent. Haar landgenoot en tevens archeoloog James Petersen leidt opgravingen op zestig verschillende plekken rond de stad Manaus om de these verder te onderzoeken. Zijn bevindingen lijken die van Roosevelt te bevestigen.

7. Indianen lopen veel van de ene hoofdloop naar de andere, maar blanken varen bij voorkeur. De grote rivieren zijn tot op de dag van vandaag de verkeersaders van het oerwoud. De Guaporé, die stroomafwaarts Mamoré heet, is makkelijk te bevaren en heeft aansluiting op de rest van het Amazonegebied. Via de Madeira-rivier stroomt hij namelijk uiteindelijk in de Amazone. De Mamoré heeft veel watervallen en de Madeira-rivier stroomt zeer snel vanwege een groot verloop en er drijven veel ontwortelde bomen in, hetgeen het varen gevaarlijk maakt. In de Amazone kunnen rivieren in tijd van hoogwater hun loop verleggen, waardoor hele stukken oeverwal en de daarop staande bomen in de rivier verdwijnen. Vers hout is meestal erg zwaar, wat maakt dat deze woudreuzen voor het grootste deel onder water zitten. Als je er met de boot op vaart, loop je een groot risico lek te slaan. Maar vanwege de takken van de kroon is de vorm van de onderwaterobstakels voor een schipper moeilijk in te schatten. De Madeira (Portugees voor 'Hout') is daarom gevreesd. Om de lastige Madeira en Mamoré te omzeilen legde men rond 1900 de Mamoré-Madeira-spoorlijn aan.

8. Nadat Goodyear en Macintosh de vulkanisatie hadden uitgevonden, steeg de vraag naar rubber in Europa en de Verenigde Staten sterk. De stad Belém aan de monding van de Amazone-rivier, maar vooral Manaus, strategisch op een kruispunt van rivieren gelegen in het hart van het oerwoud, werden de turbulente centra van de handel. De hausse was voorbij toen er begin twintigste eeuw een rubberplant naar Maleisië was gebracht en de teelt in Azië een grote vlucht nam.

9. De spoorweg, bedoeld om de export van rubber uit Bolivia te vergemakkelijken, kostte zo veel mensenlevens dat hij de geschiedenis in is gegaan als 'de spoorlijn van de duivel' en nooit is afgemaakt. De indianen die eraan werkten, stierven als vliegen. Een Brits bedrijf beet het spits af, maar gaf het in 1873 op. De malaria maakte het oerwoud tot een slachthuis. 'Met alle geld in de wereld en de halve wereldbevolking is het nog niet mogelijk deze spoorweg aan te leggen,' aldus de Britten. In 1879 werd een Amerikaans bedrijf gecontracteerd. Honderden Amerikanen, Brazilianen en Bolivianen stierven en de klus kwam opnieuw stil te liggen. In 1903 werd de spoorlijn de contraprestatie van Brazilië aan Bolivia in ruil voor territorium, de huidige Braziliaanse deelstaat Acre. Inmiddels wist men dat malaria door muggen werd overgebracht en had men voorzorgsmaatregelen getroffen. Vijf jaar deed men over het tracé Porto Velho naar de grensplaats Guajará-Mirim (364 km) en er werden in totaal 20 000 man tewerkgesteld, van Grieken tot Duitse gevangenen en negers uit Barbados.

10. Brazilië schafte als laatste in de wereld in 1888 de slavernij af. Met name de suikerbaronnen hadden zich tot het laatst verzet, omdat ze een tekort aan arbeidskrachten vreesden. De zogeheten Gouden Wet, waarmee de sla-

vernij werd afgeschaft, was de laatste daad van de keizer, die maanden later werd afgezet. Onder invloed van het positivisme van Auguste Comte in Frankrijk werd Ordem e Progesso (Orde en Vooruitgang) de grondslag voor de republiek en verscheen als motto op de vlag, waar het tot op heden nog op staat. Het positivisme, dat in Brazilië veel volgelingen had, onder wie Rondon, veronderstelde dat niet het geloof, maar sociale ordening en rationaliteit automatisch zouden leiden tot vooruitgang van de mens.

11. Gezien de lokatie hoorden deze indianen vermoedelijk tot het Cinta Larga- of het Suruí-volk, indianen met wie pas in de jaren zeventig contact werd gelegd en bij wie Marcelo in de barakken sliep toen hij zijn carrière bij de Funai begon.

HOOFDSTUK 8

1. Theodore Roosevelt heeft zich door een vriend laten overtuigen dat het hart van Zuid-Amerika garant staat voor een meeslepende ontmoeting met de natuur. De Braziliaanse minister van Buitenlandse Zaken ziet zijn reis als een kans voor Brazilië zich in de wereld te profileren. Hij stelt de Amerikaanse ex-president voor er een serieuze onderzoeksexpeditie van te maken in een gebied dat nog niet in kaart gebracht is, het latere Rondônia. Rondon zal hem helpen. De Wetenschappelijke Expeditie Roosevelt-Rondon, zoals de reis gaat heten, zal twee maanden duren. De belangrijkste taak wordt de loop vast te leggen van de Rio da Dúvida (Rivier van de Twijfel), die bij de telegraafpost Vilhena begint en door Rondon in de Roosevelt-rivier zal worden omgedoopt. Roosevelt publiceert in 1920 zijn reisverslag onder de titel *Through the Brazilian Wilderness*. Zijn achterkleinzoon, de antropoloog Tweed Roosevelt, doet de expeditie in 1992 over om de schade aan het milieu vast te stellen. De reis inspireert meerdere schrijvers en onderzoekers.

2. De Zweedse ontdekkingsreiziger baron Erland Nordenskiöld schreef in 1915 *Forskningar och äventyr i Sydamerika* (Onderzoek en Avonturen in Zuid-Amerika). De Duitse etnoloog en bioloog Emil Snethlage bezocht in 1933 dertien onbekende indianenvolken, waarover hij het populair-wetenschappelijke boek *Atiko y. Meine Erlebnisse bei den Indianern des Guaporé* (Atiko y. Mijn belevenissen bij de Indianen van de Guaporé) publiceerde.

3. Rondons schatting dateert uit 1915. Zelf achtte Lévi-Strauss dat getal (circa 20 000) overigens aan de hoge kant.

4. Overeenkomsten zijn betrekkelijk. Lévi-Strauss verwondert zich erover dat stammen die zo dicht bij elkaar wonen tegelijkertijd ook zulke verschillende oplossingen voor dezelfde problemen kunnen hebben. Als voorbeeld noemt hij de Tupí-Kawaib en de Nambikwara, die beiden kampen met een vrouwentekort. Bij de eersten wordt het opgelost met polyandrie; vrou-

wen worden ook 'uitgeleend' aan neven en broers. De Nambikwara staan tieners homoseksualiteit toe, hetgeen ondenkbaar zou zijn bij de Tupí-Kawaib.

5. Lévi-Strauss reist van Vilhena via de telegraafpost Barão de Melgaço en vandaar via de rivieren naar Mutuca en Pimenta Bueno, ook toenmalige telegraafposten.

6. De Braziliaanse antropoloog Luiz de Castro Faria, die Lévi-Strauss in 1938 vergezelde, meldt in zijn fotoboek *Um outro Olhar* (2001) dat de indianen in 1938 tegen hen al zeiden dat zij Salamãi heetten. Hein van der Voort maakt mij attent op dit intrigerende feit. De vraag is nu: wist Lévi-Strauss minder dan zijn reisgenoot of heeft hij om een strategische reden informatie achtergehouden? In de lezing van de Fransman lijkt het alsof hij inderdaad bij onbekende indianen op bezoek is.

Overigens zijn er rond deze groep en de naam Mundé meerdere misverstanden. De voornaam Mundé van de leider wordt door een SPI-vertegenwoordiger en een non later abusievelijk gebruikt om Aikanã-indianen aan te duiden. De Aikanã en de Salamãi hebben vlak na het contact met Brazilianen in gemengde groepen geleefd en zij noemden zichzelf af en toe Mundé, naar hun leider. De SPI-vertegenwoordiger heeft het vermoedelijk daarom in 1946 in een verslag over de Mundé-Massaca, die op 3 kilometer van de Apediâ-rivier leven. En in 1950 komt een non drie families van de Aikanã tegen bij de bovenloop van de Guaporé; ze noemt hen ook Mundé. Sinds de jaren zestig wordt Mundé (ook wel geschreven als Mondé) door taalkundigen gebruikt als verzamelnaam voor een subfamilie van Tupí-talen die zoveel overeenkomsten vertonen dat ze als een groep (de Tupí-Mondé-talen) worden beschouwd. Tot deze taalfamilie hoort onder meer de taal van de Cinta Larga, buren van de Kanoê en Akuntsu.

7. Hein van der Voort tekent aan dat er namen circuleren van volken die nooit gevonden zijn, maar misschien evenmin bestaan hebben. Tot de jaren vijftig hadden reizigers de gewoonte elkaars lijstjes (bij die beek woont zus en zo) te kopiëren, zonder zelf ter plekke te checken. Men ging af op informatie van horen zeggen. Indianenverhalen zijn van alle tijden.

8. Deze onthutsende statistiek is terug te vinden in zijn boek *Os índios e a civilização* (De indianen en de beschaving). Ribeiro spreekt over *extintos*, 'uitgestorven', een term die hij niet nader verklaart. Uit de context blijkt dat hij daaronder zowel indianen die dood zijn verstaat als indianen die volledig geassimileerd zijn in de Braziliaanse bevolking en daardoor niet meer herkenbaar als etnische groep. Het assimileren is decennialang voor indianen een overlevingsstrategie geweest. Overigens bleek in de jaren tachtig toen er belangstelling kwam voor indianen, dat op rubberconcessies indi-

anen leefden van stammen waarvan men had aangenomen dat ze uitgestorven waren. De indianen hadden om te overleven het gedrag gekopieerd van mestiezen en hun ware identiteit tot dan verborgen gehouden.

9. Drieëndertig volken zijn uitgestorven; dertien stonden in 1957 op het punt om uit te sterven.

10. Tussen het toenmalige dorp van de Tupari en de huidige post Omerê zit ongeveer 160 kilometer.

11. In 1912 opende een Duitser de tweede serie rubberbarakken, ditmaal aan de zuidelijker gelegen Rio Colorado. In 1927 begon de Amerikaanse Guaporé Rubber Company met rubberwinning nog verder stroomopwaarts aan de Rio Branco de rubberconcessie Paulo Saldanha. In 1934 wordt de rubberconcessie São Luis gesticht. Daarbij zijn ex-functionarissen van de SPI betrokken. Deze barakken liggen het dichtst bij het dorp van de Tupari. De concessie valt sinds 1983 onder het indianenreservaat Rio Branco, dat in dat jaar werd afgebakend, en in de barakken van toen is nu het kantoor van de Funai gevestigd. De Braziliaanse regering verdeelde het bos in concessies die men uitgaf aan rubberbaronnen. Vaak wordt de Portugese term *seringal* vertaald als 'rubberplantage'. Strikt genomen is dat onjuist, omdat rubberbomen niet aangeplant zijn en op grote afstand van elkaar in het bos staan. Plantages zijn in de Amazone schaars, omdat de monocultuur van rubberbomen daar extreem vatbaar voor ziektes bleek. De bekendste rubberplantage was Fordlandia, in 1924 in het oosten van de Amazone, gesticht door autofabrikant Henry Ford.

12. De Tupari maakten zelf ook zout door de as van de *aricurí*-palm met water te mengen en in te koken.

13. Na zijn terugkeer in Zwitserland promoveert Franz Caspar als etnograaf met een proefschrift over de Tupari, dat in 1975 als etnografie gepubliceerd wordt onder de titel *Die Tupari, ein Indianerstamm in West-Brasilien.*

14. Goederen die de Tupari in 1948 graag wilden hebben zijn dezelfde als decennia eerder: kleren, messen, bijlen, patronen, kruit, spiegeltjes, kammen, zeep, zout en suiker.

HOOFDSTUK 9

1. Rondon baseerde zich op de beschrijving uit 1880 van de historicus João Severiano da Fonseca over de goudmijn van Urucumacuan, die weliswaar nooit gevonden maar toch legendarisch was. Volgens Da Fonseca bevond de mijn zich 'dicht bij de bron van de Jamari, Galera en Camararé', drie rivieren wier bronnen in werkelijkheid honderden kilometers uit elkaar liggen. De mijn zou in 1754 in de steek gelaten zijn vanwege oorlogszuchtige indianen in de buurt. Omdat bij Vilhena verschillende rivieren ontsprongen, geloofde Rondon dat de mijn daar moest zijn. Hij werd in zijn

vermoeden bevestigd door de Amerikaanse mijnbouwingenieur Francisco Moritz, die in 1912 op zijn verzoek op onderzoek was uitgegaan. Moritz rapporteerde Rondon over dikke goudkorrels. Dat bericht bleek later verzonnen. Dequech geeft te verstaan dat Moritz een alcoholprobleem had en wel vaker dingen fantaseerde als hij dacht daar anderen een plezier mee te doen.

2. Het plan van president Getulio Vargas was in 1937 door het ministerie van Pers en Propaganda met veel tamtam en zelfs een eigen samba gelanceerd.

3. Ook in de naam werd zekerheid tentoongespreid, want officieel heette de expeditie Commissão para o Estudo das Jazidas Auriferas do Urucumacuan 1942-43 (Commissie voor de Bestudering van de Goudertsvoorraden van Urucumacuan 1942-43). Goud zou nooit gevonden worden.

4. Hoewel er in de jaren veertig direct radioverkeer met Porto Velho mogelijk was, bleef Rondon hardnekkig 'zijn' telegraaf gebruiken zodat de telegrafisten op de diverse stations uit hun winterslaap werden opgeschrikt. Om de boodschap in Porto Velho te krijgen werd het telegram van station naar station doorgeseind.

5. Het is tegenwoordig de gevaarlijkste rivier van Brazilië, omdat er 's nachts zwaar bewapende drugssmokkelaars in bootjes van Bolivia oversteken. De linguïst Hein van der Voort werd toen hij met indianen in een boot onderweg was al eens verrast door een kogelregen ter hoogte van het dorp Costa Marques.

6. Aikanã is de naam die zij zichzelf geven. Dequech veronderstelde abusievelijk dat ze Massacá heetten. Massacá was vermoedelijk de eigennaam van een chef van de groep.

7. Linguïst Hein van der Voort meent dat Dequech dit fout heeft geïnterpreteerd. Er is geen sprake van schaamte, maar het is bij veel indianenvolken taboe direct iemands naam te noemen. Men is bang dat de geest van degene wiens naam wordt genoemd zo kan worden afgepakt. Daarom noemt men elkaar bij voorkeur bij bijnamen. Bij de Yanomami vraagt men zelfs andermans naam niet.

8. In 2005 vind ik in het proefschrift van de taalkundige Laércio Bacelar een citaat uit de dagboeknotities van Victor Dequech. Dequech schreef aan het einde van zijn verblijf in het oerwoud letterlijk: 'De Kanoê hebben twee jaar lang de kat uit de boom gekeken, maar recentelijk hebben zij ons een bezoek gebracht.'

9. In Brazilië wonen met name in het zuiden veel afstammelingen van arme Europese immigranten. De oorlogsdreiging had voor een nieuwe golf immigranten gezorgd, onder wie veel joden, maar ook dienstweigeraars en politiek vluchtelingen.

HOOFDSTUK 10

1. Laércio Nora Bacelar was in 2000 bij de Kanoê en promoveerde in 2004 in Nijmegen op de grammatica van het Kanoê.
2. Laércio Nora Bacelar zei in een interview met de auteur (2006) te geloven dat Operá zwakbegaafd was. Behalve dat hij motorisch gestoord was, sprak hij tot zijn vierde bijna niet.
3. Volgens de linguïst Hein van der Voort, die al jarenlang de cultuur van de volken in dit gebied bestudeert, dichten de meeste volken sommige (vooral de grote) bamboefluiten een bijzondere religieuze betekenis toe. Met de fluit kunnen ze geesten bezweren. Deze fluiten worden uitsluitend bespeeld door de mannen en worden verstopt in het stro zodat de vrouwen ze niet zien.
4. Volgens tolk Munuzinho zouden op dit bottenkerkhof ook geaborteerde baby's van Txinamanty en Wajmoró liggen. Als hij gelijk heeft, zou dit betekenen dat de Kanoê-vrouwen voordat de Funai met hen contact legde al eens zwanger zijn geweest en – gezien het taboe van incest – het meest waarschijnlijk van Babá of Pupak.

HOOFDSTUK 12

1. De federale rechter vaardigde het toegangsverbod uit in afwachting van het contact met de indiaan zoals de wet voorschrijft. Het toegangsverbod houdt in dat er geen bomen mogen worden omgehakt, hout mag worden weggesleept en personen hebben toestemming van de Funai nodig als zij het gebied willen betreden. Het toegangsverbod betreft in dit geval ongeveer 5000 hectare.
2. De indiaan zocht het ook nooit ver weg. Marcelo constateert in het jaar 2000 in een verslag waarin hij veertien hutten die de indiaan bouwde op een kaart had ingetekend, dat de indiaan de nieuwe hut altijd binnen een straal van 4 kilometer van de vorige bouwde.
3. Met Damião zal het slecht aflopen. In 2005 wordt hij beschuldigd van de moord op twee houthandelaren die dood in het reservaat van de Mekens zijn gevonden. De politie wil hem preventief in hechtenis nemen, maar de rechter verbiedt dat omdat Damião indiaan is. Damião's positie als cacique wordt ondertussen ernstig bedreigd door twee andere Mekens, neven van elkaar, die illegaal hout verkopen en betrokken zijn bij goudwinning in het reservaat. In juni 2006 wordt Damião door huurmoordenaars doodgeschoten als hij in de vroege ochtend bij het busstation in Pimenta Bueno uit de bus stapt. Naar verluidt was hij van plan in Pimenta Bueno zijn twee concurrenten bij de politie aan te geven.
4. Het Inheemse Land Massaco is de tweede uitkijkpost voor geïsoleerde indianen in Rondônia.

HOOFDSTUK 13

1. Rio Branco ligt 1200 kilometer ten noordwesten van Vilhena en 4000 kilometer van Rio de Janeiro.

2. In december 1999 vindt de Funai op een van de oevers van de Envira een gigantisch kampement met maar liefst 45 hutjes, veel rieten slaapmatten en 48 schilden van schildpadden, 36 zwijnenkoppen en de koppen van 9 tapirs en veel bananenschillen. José Carlos Meirelles, de sertanista verantwoordelijk voor geïsoleerde indianen in Acre, schat op grond van deze en andere in het verleden aangetroffen sporen dat er in het stroomgebied van de Envira zeker zeshonderd en vermoedelijk meer geïsoleerde indianen rondzwerven. Sydney Possuelo waagt zich niet aan schattingen. Hij heeft het over 'honderden'.

3. In het Amazonegebied noemt men de regentijd de winter en de droge de zomer. De regentijd verschilt ook binnen het Amazonegebied van plek tot plek. In deze streek beginnen de regens normaal in oktober en kunnen ze tot april voortduren. Vaak regent het dan diverse malen per dag.

4. Het gebeurde in de provincie Madre de Dios.

5. Het betrof de Txicão-indianen, die zichzelf overigens Ikpeng bleken te noemen. Deze leefden bij de Jatobá-rivier in wat nu de deelstaat Tocantins is. Ze werden in 1967 overgebracht naar het Xingu-park, waar ze nog steeds leven.

6. De uitkijkpost bevindt zich stroomopwaarts aan de Xinane, een zijrivier van de Envira. De post fungeert als buffer tussen verwesterde indianen, met name de Ashinanka en de Kaxinawá, en westerlingen enerzijds en geïsoleerde indianen anderzijds.

7. De drang van de Kaxinawá om de geïsoleerde indianen uit hun isolement te halen is onbegrijpelijk in het licht van hun eigen geschiedenis. In de jaren veertig werkte een aantal Kaxinawá als semi-slaaf op rubberconcessies. Als in concentratiekampen kregen de indianen de initialen van de concessiehouder op hun arm getatoeëerd. Bij enkele oudere indianen is dat nog te zien. Begin jaren vijftig bezochten twee Duitse reizigers een van de Kaxinawá-dorpen. De indianen die geen weerstand hadden tegen de virussen en bacteriën van de gasten, stierven daarop als vliegen. Tachtig procent van de volwassenen ging in de vijf jaar daarop dood. De Kaxinawá, die op het ogenblik met ongeveer 3000 personen zijn, leven verspreid in groepen in zowel Peru als Brazilië.

8. Het misbruiken van indianen als stormtroepen is zo oud als Methusalem. De Ashaninka zelf werden vroeger door blanke rubberbazen ingezet om índios bravos te doden. De Ashaninka, die voornamelijk in de Peruaanse Amazone leven en vermoedelijk in Brazilië terecht zijn gekomen doordat Peruaanse rubberhandelaren hen als arbeidskrachten meenamen, zijn de enige Amazone-indianen die zich altijd gekleed hebben met een gewaad,

een soort tuniek. Misschien daardoor en omdat zij fiere en getalenteerde krijgers waren, voelden zij zich superieur aan de andere indianen.

9. Het betreft het Terra Indígena Kampa e Isolados do Rio Envira.

10. Ook de Kulina werkten veel voor rubbertappers. Het meest opmerkelijke wapenfeit: de Kulina die omringd door vijanden waren, bakenden in 1984 met een picada hun eigen jachtgebied af. Pas jaren later zou de Funai het erkennen als reservaat en in 1996 werd het officieel gedemarqueerd met palen.

11. Het gaat om vijf en mogelijk meer indianen van het Avá-Canoeira-volk in de Serra da Mesa in de deelstaat Tocantins.

12. Het eerste contact met de Guajá – die zichzelf Awá, 'Mens', noemen – dateert uit 1973. Onder meer vanwege de taal die zij spreken vermoedt men dat zij tot het midden van de negentiende eeuw in de Amazonedeelstaat Pará leefden maar door de komst van kolonisten in de eeuw die volgde gedwongen richting kust zijn gemigreerd. Ze zijn aangetroffen in de deelstaat Maranhão op een plek met een heel ander ecosysteem. De Funai heeft contact met 230 indianen en in 1999 was er minstens een clan, zo'n dertig Awá-Guajá, nog geheel zonder enig contact. Bovendien waren er vermoedens over andere Awá-Guajá, die nog in de bergenketens meer landinwaarts, in andere deelstaten zouden kunnen rondzwerven. De Awá-Guajá horen tot de laatste nomadenvolken in Brazilië: ze leefden tot het contact van de jacht en het verzamelen en hun omzwervingen bewijzen dat zij zich meesterlijk weten aan te passen aan nieuwe leefomstandigheden.

13. Een census in 1994 kwam op 2303 indianen van de Marubo-, Matsé-, Kanamari-, Kulina- en Matis-volken. Verder zijn er minstens zeven verschillende groepen of subgroepen indianen die contact mijden. Eind 2001, een jaar na mijn komst, brengt Sydney Possuelo negentien dorpen van geïsoleerde indianen in het reservaat in kaart.

14. Pas in 1781 werd het gebied officieel 'ontdekt'. De eerste, onvolledige kaart dateert van 1787. Hoewel de Spanjaarden en Portugezen in 1851 overeenkwamen dat de Javarí-rivier de grens met Peru werd, had een grenscommissie er bijna een halve eeuw voor nodig om de loop te verkennen. De indianen onthaalden de commissieleden keer op keer op een regen van pijlen en stalen zelfs herhaaldelijk de boten.

15. Matis is de naam die westerlingen hun gaven. Zelf noemen zij zich Jaguarmensen.

16. Het ronde plaatje van het oorsieraad is afkomstig van de *caramujo* Aruá, een grote, inheemse slakkensoort die op de lijst van bedreigde diersoorten staat en ook door indianen gegeten wordt. Als deze slakken zich terugtrekken in hun huisje, sluiten ze de toegang af met een rond plaatje. Deze ronde plaatjes plakken de Matis aan een stokje, dat ze door hun oorlel-

len steken. Het neussieraad wordt *tacana* genoemd. Het is mij niet duidelijk geworden wat voor materiaal het is. Het zou gezien de gebogen vorm een groeiring van het slakkenhuis kunnen zijn die afgebroken is. De fijnere stokjes zijn van de *patauá*, een palmboom, en zijn gezien de zwarte kleur vermoedelijk afkomstig uit de bladnerf of de stam, die beide vaak zwart zijn. De naalden zijn van de stam van de *pupunha*-palm.

17. De Korubo en de Matis spreken beide Pano-talen die vooral in het grensgebied met Peru en Colombia voorkomen.

18. Het gif van Amazone-indianen heet *curare* en is een spierverslapper. De dood treedt in door verstikking: de aap kan niet meer ademhalen. De curare van de Korubo is een houtachtige klimplant die fijngestampt en gekookt wordt tot een vloeistof waarin de pijlpunten worden gedoopt. Curare is het medicinale kruid van de indianen waaraan de farmaceutische industrie het meeste geld heeft verdiend. De firma Glaxo and Wellcom identificeerde d-tubocurarine als de werkende grondstof en patenteerde het in 1942. D-tubocurarine wordt sindsdien op grote schaal gebruikt als spierontspanner en voor anesthesie bij operaties. De toepassing is van cruciaal belang geweest voor de moderne chirurgie. Het grote nadeel van anesthesie met dit middel is dat de patiënt kunstmatig beademd moet worden.

HOOFDSTUK 16

1. Op de vraag of het hebzucht was, antwoordt de moeder van Carla in een interview met de auteur: 'Ze zeiden wel dat we anderen geen kans gaven. Maar wie had er zin in en was er ook nog toe in staat? Er was geen weg, geen huis, geen ziekenhuis.' En Antonio José Junqueira Vilela mystificeert in een ander interview zijn activiteit, het openleggen van de Amazone. Hij noemt het 'een roeping'. Maar een waarvoor ervaring of geld nodig was. 'Er waren maar weinigen die zo goed georganiseerd waren dat ze vanuit het niets iets konden beginnen.'

2. Aldus Carla's moeder in een interview met de auteur.

3. Een mahonieboom levert maximaal circa vier kubieke meter gezaagd hout of dertien kubieke meter ongezaagd hout op. Het gezaagde hout is gewoonlijk slechts 30 procent van het oorspronkelijke houtvolume.

4. Angela, eigenaresse van het eerste hotel dat in Vilhena werd gebouwd, vertelde in een interview met de auteur dat er zo veel hout was dat ze in de jaren zeventig haar gasfornuizen met mahoniehout stookte.

5. Het kan gaan om grote lappen grond. Eind jaren negentig had een van de fazendas in de buurt van de post Omerê een conflict met landlozen. Volgens de officiële papieren was de fazenda 'slechts' 17 000 hectare groot. Maar de beweging van landlozen zei dat de eigenaar er nog 13 000 hectare bij had gepakt.

6. Alcoholconsumptie in een retiro is verboden. Om de verveling te doden, wordt er veel gejaagd en gevist. Transport is er niet en lopen van de ene retiro naar een andere kan uren duren. Een motor is dan ook het meest gewenste product uit de consumptiemaatschappij. Wie een motor bezit, heeft vrijheid gekocht.

7. De Braziliaanse arbeidswet definieert het begrip slavernij niet, maar spreekt van het houden van personeel in 'omstandigheden die vergelijkbaar zijn met slavenarbeid'. In de praktijk blijken de criteria flexibel, maar wat voorkomt zijn: eeuwige verschulding (dagloners moeten zulke exorbitante bedragen terugbetalen voor hun eigen transport, consumpties en gebruikt gereedschap dat ze nooit meer van hun schulden afkomen), niet kunnen gaan en staan waar je wilt (omdat er gewapende bewakers zijn en/of de plek zeer afgelegen is), mensonterende leefomstandigheden (geen wc, geen drinkwater, bedorven voedsel, geen enkele medische zorg, geen bescherming tegen muskieten), geen vrije dagen en onveilige werkomstandigheden. De inspectie van het ministerie van Arbeid is zeer actief en krijgt veel tips. Aan een boete is altijd een bezoek van de inspectie ter plekke voorafgegaan. De arbeidsinspectie laat zich in zo'n geval vergezellen door de federale politie en soms door een rechter of officier van justitie. Er wordt altijd gefilmd en gefotografeerd; dagloners worden verhoord en vrijgelaten. De opdrachtgever wordt beboet en moet achterstallig loon, vakantiegeld en premies betalen. Het komt zelden voor dat een opdrachtgever door de rechter veroordeeld wordt en gevangenisstraf uitzit. Slavenarbeid komt met name nog veel voor in het Amazonegebied bij het bomen kappen. Op busstations en vliegvelden in Noordoost-Brazilië, waar de meeste slachtoffers geronseld worden, hangen affiches om te waarschuwen voor malafide bemiddelaars.

8. Het gaat om de Fazenda Modelo, die Moysés de Freitas dan al verkocht heeft.

9. De bron is de vriendin van een van de mannen die het indianendorp verwoest heeft en die door filmmaker Vincent Carelli wordt gevonden. Zij vertelt dat het een door de grootgrondbezitter betaalde losse klus was. Het interview is door Carelli op de band opgenomen.

10. Een curieus detail: Marcelo meldt in een artikel dat hij schrijft voor het handboek *Povos Indígenas no Brasil 1991/95* dat de senator dit terrein had gekregen omdat hij namens de grootgrondbezitters als advocaat in de rechtbank het toegangsverbod van de Funai had aangevochten. De fazenda was de betaling voor zijn diensten. Een jaar wordt niet genoemd.

11. In juli 2002 kwam de pistoleiro met het verhaal naar buiten.

12. De zogeheten *reserva legal* (het wettelijk gestelde minimale bosreservaat per fazenda) werd voor het Amazonegebied in mei 2000 door president Fernando Henrique Cardoso per decreet opgehoogd naar 80 procent. In

het parlement is de druk van de grootgrondbezitters om het wettelijke bosreservaat te verkleinen permanent.

13. Celso Andreazza leidde volgens de Funai-verslagen de groep fazendeiros in het kort geding dat aangespannen werd tegen het toegangsverbod voor hun terrein nadat Marcelo in 1995 contact met de Kanoê en Akuntsu had gelegd. In 1996 verloren de fazendeiros dit in hoger beroep.

14. De wetenschapper heet Jacques Lambert.

15. In 2005 was de landbouw verantwoordelijk voor 30 procent van het bruto nationaal product.

16. De Expozebu duurt ongeveer tien dagen en bestaat uit een expositie met stands van dienstverlenende bedrijven, fazenda's en rundvee, keuringen en daarnaast overdag en 's avonds veilingen van elitevee op verschillende plekken, meest fazendas, in de regio.

17. Het bloedbad is in hoofdstuk 3 aan de orde komen. De executie heeft net plaatsgehad als Marcelo in 1985 met de Nambikwara-indianen voor het eerst in het geheim op sporenonderzoek uitgaat in de fazenda van Antonio José Junqueira Vilela.

Persoonsnamen van de indianen

Babá: man, chef en pajé van de groep.

Bugapia: vrouw, oudste echtgenote van Babá.

Inontéi: tienermeisje, oudste dochter, maar het is onduidelijk van welk van de twee vrouwen.

Nanoí: vrouw, jongste echtgenote van Babá; mogelijk nicht van de andere volwassen vrouw.

Papakú: meisje, jongste dochter.

Pupak: jonge man; trekt veel op met Ururu.

Ururu: hoogbejaarde vrouw; mogelijk de zuster van Babá, de chef.

KANOÊ

Kani: kind, tweede zoontje van Txinamanty.

Operá: man, broer van Txinamanty. Later ook naam van het eerste kind van Txinamanty.

Purá: man, broer van Txinamanty en zoon van Tutuá; heet aanvankelijk Operá.

Tutuá: vrouw, moeder van Txinamanty en Purá.

Txinamanty (spreek uit: Tsienamantóé): vrouw, zus van Purá; pajé van de groep; moeder van Operá en Kani.

Wajmoró: nicht van Txinamanty en Purá.

Namen van personen en plaatsen

Adriano: veldmedewerker van de Funai in het kampement van Omerê.

Aimoré: administrateur van de Funai-post Vilhena in de jaren tachtig.

Akuntsu: groep van aanvankelijk zeven indianen onder leiding van de pajé Babá die in 1995 in Rondônia ontdekt wordt. Het is onduidelijk hoe de indianen zichzelf noemen. *Akuntsu* betekent 'Anderen' in de taal van hun buren, de Kanoê-indianen.

Altair (José Altair Algayer): oerwoudverkenner die Marcelo dos Santos veel vergezelt en als chef voor Geïsoleerde Indianen in Rondônia na politieke druk, vermoedelijk van Amir Lando, het veld moet ruimen.

Amélia: verpleegster van de Funai voor het kampement van Omerê.

Amir Lando: senator en grootgrondbezitter, vervolgd wegens illegaal kappen. Op zijn terrein leefden indianen.

Angela: eigenaresse van het eerste hotel dat in Vilhena is gebouwd.

Antenor Duarte: grootgrondbezitter, pionier in Rondônia en onder meer eigenaar van de Fazenda São Sebastião waar de eerste ontmoeting van Marcelo met de Kanoê in 1995 plaatsheeft. Door de plaatselijke bevolking wordt Duarte genoemd als brein achter een bloedbad onder landlozen in 1995 in Corumbiara.

Antonio José Junqueira Vilela: grootgrondbezitter, een van de grootste veehouders van Brazilië en pionier in Zuid-Rondônia. Op zijn terrein (Fazenda Yvipitã) worden in de jaren tachtig vijftien goudzoekers geëxecuteerd. Marcelo vindt hier niet veel later platgewalste en afgebrande indianenhutten en lege kogelhulzen.

Arara: indianen bestaande uit diverse subvolken die in het zuiden van de Amazone leven.

Ashaninka (ook wel genoemd: Kampa): Amazone-indianen die vooral in Peru leven. In Brazilië wordt hun aantal op achthonderd geschat; ze wonen in Acre. Ze zijn de enige Amazone-indianen die traditioneel een (tuniekachtig) kledingstuk dragen. De Ashinanka delen in Acre een reservaat met onbekende geïsoleerde indianen.

Babá: chef van de Akuntsu-indianen.

Bela Vista: fazenda met rundvee, eigendom van de drie dochters van Moysés de Freitas. De fazenda ligt in de buurt van het bos van de 'indiaan van het gat'.

Carolina: fazendeira uit de regio bij Vilhena, eigenaresse van Fazenda Carolina, die vlak bij het reservaat van de Akuntsu en Kanoê ligt.

Caspar, Franz: Zwitser, later etnograaf, die in de jaren vijftig een halfjaar bij de Tupari, een indianenvolk in het stroomgebied van de Rio Branco, leeft en daar diverse boeken over schrijft.

Carlos Schumann: houthandelaar en grootgrondbezitter in Vilhena. Raakt een groot deel van zijn fazenda kwijt aan het reservaat van de Akuntsu en Kanoê.

Celso Andreazza: bejaarde houthandelaar en grootgrondbezitter. Vader van Fabio Andreazza die de houthandel en landerijen bij Vilhena nu bestiert.

Chico: voormalige rubbertapper die enkele jaren als veldmedewerker voor de Funai op de post Omerê werkt.

Chupinguaia: dorp in het zuiden van Rondônia. Hier vlakbij bevindt zich het bos van de indiaan van het gat en de Fazenda Bela Vista van de dochters van Moysés de Freitas.

Cinta Larga: (letterlijk: 'brede ceintuur') indianenvolk uit Zuid-Rondônia dat traditioneel een brede, zwarte ceintuur van vezels draagt. Met de Cinta Larga is in de jaren zeventig contact gelegd. In de bodem van hun reservaat bevindt zich een zeer grote diamantvoorraad.

Colorado d'Oeste: dorp in Zuid-Rondônia.

Corumbiara: dorp in Zuid-Rondônia genoemd naar de rivier met dezelfde naam. De Kanoê en Akuntsu wonen het dichtst bij Corumbiara. Corumbiara is tevens de gemeente van een bloedbad onder landlozen in 1995, dagen voordat Marcelo het eerste contact met de Kanoê legt.

Cleuza: moeder van Carla de Freitas, fazendeira. Zelf ook fazendeira.

Cuiabá: hoofdstad van Mato Grosso, de deelstaat die ten zuiden van Rondônia ligt. Cuiabá is de belangrijkste stad in het verre westen van Brazilië.

Dequech, Victor: mijnbouwingenieur die voor Rondon in de jaren veertig twee expedities uitvoert in het jachtgebied van de Kanoê en Akuntsu, en daar later grond koopt.

Envira: rivier in Acre. In het stroomgebied leven vermoedelijk vier onbekende indianenvolken. Het Funai-kampement heet Frente Envira of Envira-front.

Euzébio: veldmedewerker in het kampement van Omerê.

Fabio Andreazza: zie bij: Celso Andreazza.

Freitas, Moysés de: pionier in Rondônia en een van de rijkste grootgrondbe-zitters in de regio Vilhena; in 1996 overleden.

Freitas, Carla de: een van de dochters van Moysés de Freitas die tegenwoor-dig haar vaders fazendas leidt.

Funai: (Nationale Stichting voor de Indiaan) staatsindianenbureau dat het beleid met betrekking tot indianen uitstippelt en uitvoert.

Guajará-Mirim: stadje in het noorden van Rondônia op de grens met Boli-via, aan de Mamoré-rivier. Rond 1900 belangrijk voor de rubberhandel.

Guaporé: grensrivier van Brazilië met Bolivia; gaat over in de Mamoré-ri-vier.

Guarajús: fazenda van het bedrijf dat Victor Dequech oprichtte samen met zijn broer.

Hein van der Voort: Nederlandse linguïst, verbonden aan de Katholieke Uni-versiteit van Nijmegen die gespecialiseerd is in de indianentalen van Zuid-Rondônia.

Ibama: overheidsorgaan dat toezicht houdt op het milieu. Ibama is de afkor-ting van de Portugese naam van het Braziliaans Instituut voor Milieu en Duurzame Natuurlijke Hulpbronnen.

Incra: overheidsinstelling die landhervormings- en ontginningsprojecten uitvoert. Incra is de afkorting van de Portugese naam van het Nationaal In-stituut voor Kolonisatie en Landhervorming.

Javarí: grensrivier van Brazilië met Peru in de Amazone en de naam van een van de grootste indianenreservaten bij de rivier. In het Javarí-reservaat le-ven vrijwel uitsluitend geïsoleerde indianen.

Kaiaba: indianenvolk in het Xingu-reservaat.

Kampa: zie bij Ashinanka.

Kani: Kanoê-indiaan, tweede zoontje van Txinamanty.

Kanoê: indianenvolk dat uiteenvalt na een gedwongen verhuizing begin jaren veertig. In 1995 ontdekt Marcelo in het stroomgebied van de Omerê-rivier, hun originele woongebied, nog vier Kanoê die niet eerder contact hadden met de blanke wereld en geleid worden door Txinamanty, hun pajé.

Kayapó: strijdbaar indianenvolk dat in het Xingu-reservaat leeft. Jaren gele-den door de popzanger Sting geadopteerd.

Korubo: gevreesd indianenvolk dat leeft in het Javarí-reservaat. In de volks-mond ook wel 'de knuppelaars' genoemd omdat hun belangrijkste wapen een knuppel is. In 1996 legt de sertanista Sydney Possuelo voor het eerst vreedzaam contact met een groepje van 19 indianen, die afgescheiden le-ven van een grotere clan van 150 Korubo.

Kulina: indianenvolk dat in Acre leeft.

Kwazá: indianenvolk uit het zuiden van Rondônia. Het Kwazá is door linguïst Hein van der Voort in kaart gebracht.

Laércio Bacelar: Braziliaanse linguïst die de grammatica van het Kanoê heeft vastgesteld.

Lévi-Strauss, Claude: Franse socioloog die in de jaren dertig in Brazilië woont en de indianenvolken van Rondônia uitgebreid bestudeert en beschrijft.

Makurap: indianenvolk dat in het verleden machtig was in het zuiden van Rondônia.

Marcelo dos Santos: sertanista die in 1995 na tien jaar zoeken contact legt met elf geïsoleerde indianen in Zuid-Rondônia.

Matis: indianenvolk dat leeft in het Javarí-reservaat en zich prachtig beschildert.

Meirelles: José Carlos Meirelles is sertanista en verantwoordelijk voor geïsoleerde indianen in de deelstaat Acre.

Mekens: indianenvolk dat in Zuid-Rondônia woont, niet ver van het reservaat van de Akuntsu en Kanoê, en dat een taal spreekt die enigszins lijkt op die van de Akuntsu.

Moacir Cordeiro de Melo: na 2000 enige jaren chef voor Geïsoleerde Indianen in Rondônia.

Moysés de Freitas: zie bij Freitas.

Munuzinho: verwesterde Kanoê-indiaan die als tolk werkt in het kampement van Omerê.

Nambikwara: indianenvolk in het zuiden van Rondônia, dat uitgebreid beschreven wordt door Lévi-Strauss en Rondon.

Omerê: riviertje in het zuiden van Rondônia. Het reservaat van de Kanoê en Akuntsu is naar dit riviertje genoemd: Terra Indígena Omerê.

Operá: Kanoê-indiaan. Eerst wordt deze naam 'gedragen' door de broer van Txinamanty, de enige man bij de net gecontacteerde Kanoê-indianen. Later gaat de naam over naar het eerste zoontje van Txinamanty.

Paulo: oerwoudverkenner, is enkele jaren werkzaam voor het kampement van Omerê.

Passaká: verwesterde Mekens-indiaan. Werkt een paar maanden als tolk op het kampement van Omerê omdat hij de Akuntsu een beetje verstond.

Pimenta Bueno: rivier in Zuid-Rondônia waar de Akuntsu veel rondgezworven hebben.

Planafloro: programma van de Wereldbank ter compensatie van milieuschade bij eerder met geld van de Wereldbank aangelegde wegen.

Porto Velho: hoofdstad van de Braziliaanse deelstaat Rondônia.

Pupak: Akuntsu-indiaan; jonge man.

Purá: Kanoê-indiaan, broer van Txinamanty. Laat zich aanvankelijk Operá noemen.

Rio Branco: hoofdstad van de Braziliaanse deelstaat Acre, in het westen van de Amazone. In Rondônia is de Rio Branco een zijrivier van de Guaporé.

Rondon, Cândido: militair die rond 1900 dwars door het oerwoud telegraaf-leidingen aanlegt, voorvechter voor indianenrechten en de belangrijkste Braziliaanse ontdekkingsreiziger.

Rondônia: Braziliaanse deelstaat in het westen van de Amazone.

Roosevelt, Theodore: ex-president van de Verenigde Staten, maakte in 1914 een ruige reis door het Braziliaans oerwoud en schreef daar een boek over.

Salamãi: een volk dat in het zuiden van Rondônia leefde en in 1938 door de Franse socioloog Claude Lévi-Strauss abusievelijk Mondé werd genoemd. Ook ingenieur Dequech fotografeerde Salamãi. In 2005 is het volk prak-tisch verdwenen. Er zijn nog twee sprekers.

Santa Rosa: hotel in Vilhena.

Selma: verpleegster die voor de Funai op de post Omerê werkt in de eerste twee jaar na het contact.

Sidnei: jonge veldmedewerker van de Funai in het kampement van Omerê.

Suruí: indianenvolk waarmee in de jaren zeventig contact wordt gelegd. Leeft in Zuid-Rondônia.

Sydney Possuelo: sertanista en tot januari 2006 hoofd van de afdeling Geïso-leerde Indianen van de Funai.

Tanaru: rivier waarbij de indiaan van het gat zwerft. De Tanaru loopt door de gemeente Chupinguaia.

Thelma: de echtgenote van de landarbeider die de verkenningsmissie met vliegtuig met de sertanistas Sydney Possuelo en Meirelles onderdak geeft.

Tupari: indianenvolk waarbij de Zwitser Franz Caspar in de jaren vijftig een halfjaar woont. Later blijkt dat zij de naam Tupari wel gebruiken, maar fei-telijk een amalgaam van allerlei stammen vormen.

Tupí: verzamelnaam van een aantal verschillende indianenvolken die vooral langs de Braziliaanse kust wonen. Het eerste volk dat de Portugezen ont-moeten als ze in de zestiende eeuw voet aan wal zetten noemen ze ook Tupí. Dit volk bestaat niet meer.

Tutuá: Kanoê-indiaan, moeder van Txinamanty en Purá.

Txinamanty: jonge Kanoê-vrouw die optreedt als pajé van de groep. Zus van Operá (later Purá) genoemd. Moeder van de jonge Operá en Kani.

Ursula: eigenaresse van Hotel Santa Rosa in Vilhena en ook grootgrondbe-zitster.

Ururu: bejaarde vrouw van de Akuntsu, mogelijk de zuster van de chef Babá.

Vilhena: gemeente in het zuiden van Rondônia. Hier is een Funai-kantoor en worden inkopen gedaan voor het kampement van Omerê.

Villas-Bôas: de drie inmiddels overleden broers Villas-Bôas – Leonardo, Claudio en Orlando – komen uit São Paulo en behoren met Rondon tot de belangrijkste sertanistas van de twintigste eeuw. Velen, onder wie Sydney Possuelo, doen bij de broers Villas-Bôas hun eerste ervaring met indianen op. Geen sertanista leeft zo langdurig en intensief met indianen als Orlando Villas-Bôas. De Villas-Bôas zijn de grote voorvechters van het Xingureservaat.

Vincent Carelli: filmer en vriend van Marcelo dos Santos, die vaak meegaat, op expedities om te filmen.

Wajmoró: jonge Kanoê-vrouw, nicht van Purá en Txinamanty, die door de Akuntsu vermoord wordt.

Xingu: een 26 000 vierkante kilometer groot indianenreservaat in de Amazonedeelstaat Pará, waar meer dan twintig verschillende indianenvolken leven. In de jaren zestig geldt dit reservaat vooral vanwege zijn omvang als het grote voorbeeld.

Yvipitã: fazenda die aanvankelijk eigendom is van Antonio José Junqueira Vilela waar houthakkers beschoten waren met pijlen en Marcelo daarna vernielde hutten en patroonhulzen vond.

Verklarende woordenlijst

Aculturação: proces van wederzijdse aanpassing van mensen van verschillende culturen, maar in het geval van de indianen is aculturação aanpassing aan de heersende westerse cultuur. Geïsoleerde indianen die zoveel van westerlingen hebben overgenomen dat zij zich – op het eerste oog – kunnen redden, noemt men geaccultureerde (ingeburgerde) indianen.

Amigo: vriend.

Angico: mimosa-achtige boom. Zowel de bast, als de blaadjes en de hars hebben een geneeskrachtige (onder meer slijmoplossende) werking.

Assentamento: kolonisatieproject voor kleine boeren in de binnenlanden. Meestal is het een cluster van percelen tot maximaal honderd hectare, soms met enige voorzieningen erbij, zoals wegen of een schoollokaal.

Babaçu: grote palmboom die voorkomt in het zuiden van de Amazone en zich snel verbreidt – schiet makkelijk en overal omhoog – als het oerwoud wordt gekapt. Aan de boom hangen trossen met tot vierhonderd palmnoten die de vorm hebben van een avocado. In deze houtachtige vruchten zitten de witte, zeer olierijke zaden. De olie wordt gebruikt als bakolie en voor margarine. Op het platteland van de deelstaat Maranhão is de babaçu de inkomstenbron van de doodarme, zogeheten *quebradeiras* (letterlijk: breeksters) *de côco de babaçu*.

Bacuri: in de breedte groeiende palmboom die gelige vruchten met een grove schil draagt die lijken op kleine sinaasappelen. Bacuri betekent in een indianentaal 'vrucht die als hij rijp is van de boom valt'. De indianen gebruiken de bladen van de bacuri veel voor hun hutten.

Barraco (mv. *barracões*): houten barakken waarin vroeger het kantoor te velde van een rubberconcessie was gevestigd. Meestal was er ook een winkel waar voedsel en gereedschap verkocht werd aan rubbertappers en indianen. In de barraco wachtten de gummiballen op de kano's van opkopers die de concessies langs voeren.

Bicho do pé: een vlo die zich in je huid nestelt en daar eitjes legt. De plek zelf is als een harde erwt onder de huidoppervlakte. Als de vlo niet verwijderd wordt, kunnen er gevaarlijke secundaire infecties ontstaan zoals tetanus en gangreen.

Bravo: moedig, boos maar ook wild. In de binnenlanden heten primitieve indianen in de volksmond *índios bravos*, wilde indianen. Ook verwesterde indianen spreken over 'índios bravos'. Dit in tegenstelling tot *índios mansos*, 'getemde indianen'.

Buriti: palmboom met bladstengels van zeker twee meter lang. De stengels zijn zeer stevig en uitermate geschikt om hutten mee te maken.

Caboclos: in Brazilië gebruikt voor alle arme plattelandsbewoners, niet alleen die van zuiver indiaanse afkomst maar ook voor arme blanken en alle mixen van indianen, blanken en negers en in het bijzonder als ze langs de rivieren in het Amazonegebied wonen. Het woord is afkomstig uit het Tupí en komt van *caá-boc* (uit het bos komend).

Cacique: leider, chef van een groep indianen. Bij de meeste indianen wordt deze gekozen.

Capibara: grootste knaagdier ter wereld, met de omvang van een varken. Het dier is donker gekleurd, harig en leeft grotendeels in en bij het water.

Caramujos: slakken.

Chicha: licht gefermenteerde drank die de indianen zelf maken, vaak van maïs.

Churrascaria: restaurant waar vooral vlees van de grill wordt geserveerd.

Colcha: dek van snelgroeiende waterplanten dat het wateroppervlak bedekt.

Correria: letterlijk: 'geren'. Correrias waren in de achttiende en negentiende eeuw de expedities om kruiden, huiden en andere verkoopbare waar uit het oerwoud te halen. Later werd het woord steeds vaker gebruikt voor de jacht op indianen of expedities om indianen te verdrijven.

Curare: gif waarin indianen hun pijlpunten dopen. Het is een plantaardige spierverslapper.

Direito de posse: eigendomsrecht als je een stuk niemandsland vijf jaar bebouwd hebt voor eigen gebruik.

Dona: mevrouw, altijd gebruikt in combinatie met een voor- of achternaam. Het is een beleefde aanspreekvorm.

Doutor: doctor. In Brazilië wordt 'doutor' veel door eenvoudige mensen gebruikt als aanspreektitel voor iemand die zij als belangrijk ervaren of van wie ze een gunst nodig hebben.

Envira (ook wel: *embira*): touw gemaakt van de vezels aan de binnenzijde van boombast.

Fazenda: groot landbouwbedrijf; landerij.

Fazendeiro: eigenaar van een landerij. *Fazendeira* is de vrouwelijke vorm.

Filtro: koolstoffilter die in veel Braziliaanse keukens gebruikt wordt om het drinkwater extra te filteren.

Frente de contato: letterlijk: front van contact. Het frente de contato is een Funai-post in een gebied met geïsoleerde indianen. De term is misleidend omdat in veel gevallen contact zoeken niet meer de bedoeling is. Het gaat vandaag de dag om observeren en bewaken (zorgen dat er geen westerlingen het gebied binnendringen).

Garimpeiros: goudzoekers die vaak met primitieve middelen, zoals schoppen, metalen schalen of een pomp en slangen grond afgraven op zoek naar stofgoud. Dit gebeurt meestal bij rivierbeddingen in het Amazonegebied. Een gebied dat achtergelaten is door goudzoekers ziet er doorgaans uit als een troosteloos kraterlandschap. Soms werken garimpeiros als eenlingen en voor eigen rekening, vaak zijn ze ingehuurd door de eigenaar van de pomp of de auto of het vliegtuigje dat hen naar het gebied toe bracht en werken ze voor een deel van de opbrengst.

Gato: koppelbaas. Man die dagloners rekruteert voor een fazendeiro en hen meestal slecht of zelfs helemaal niet betaalt.

Gaúcho: term waarmee bewoners uit Zuid-Brazilië en met name uit de deelstaat Rio Grande do Sul worden aangeduid. Het woord komt eigenlijk uit het Spaans en in Argentinië bedoelt men er een cowboy mee die vee hoedt. Omdat de Braziliaanse deelstaten in het zuiden veel op Argentinië en Uruguay lijken – hetzelfde landschap, gelijksoortige veehouderij en overwegend blanke bevolking – delen Zuid-Brazilianen veel van de gaúcho-cultuur.

Gordeldier: tandeloos zoogdier dat qua afmetingen lijkt op een teckel en bedekt is met een pantser van beweegbare, hoornachtige schubbetjes. Daarom wordt het ook wel 'pantserdier' genoemd. In het Portugees heet het *tatu* of *armadillo*.

GPS (Global Positioning System): systeem waarmee je middels radiosignalen, 24 satellieten en hun grondstations overal op aarde, dus ook in het oerwoud, tot op meters nauwkeurig je geografische positie kunt bepalen.

Índio: indiaan.

Ipê: wordt ook wel de Braziliaanse walnootboom genoemd. De ipê amarelo, zoals hij in de volksmond wordt genoemd en die opvallend en geel bloeit, is de bekendste bloeiende boom in Brazilië. De bast en bladeren van sommige soorten hebben een geneeskrachtige werking. Het hout van de ipê is bijzonder hard en wordt veel in de bouw gebruikt maar bijvoorbeeld ook voor bowlingballen.

Latex: plantaardig melksap dat uit de bast van een boom wordt afgetapt. De bekendste latexsoorten leveren na stolling rubber en harsen.

Machete: kapmes.

Machista: overdreven en op uiterlijk vertoon gericht mannelijk gedrag of een cultuur die waarde hecht aan mannelijke eigenschappen en vrouwen beziet als zwak.

Maniok: broodwortel; wordt ook wel cassave genoemd. De plant hebben we te danken aan de Amazone-indianen. Maniok is een overblijvend, struikachtig gewas dat op goede grond meer dan manshoog kan worden. De wortels worden meestal na ruim een jaar geoogst en zijn vanbuiten grauwbruin en vanbinnen wit, soms gelig of roodachtig. In maniok zit het gif blauwzuur maar bij goede bereiding (uitspoelen, drogen, raspen, roosteren en koken) verdwijnt het nagenoeg. Bittere maniok is meestal erg giftig; zoete nauwelijks of niet. In Rondônia worden traditioneel beide soorten geteeld.

Manso: zacht, vredig, tam, getemd. In de binnenlanden spreekt men in de volksmond over *índio manso*, getemde indiaan, in tegenstelling tot *índio bravo*, wilde indiaan.

Marico: gehaakte draagtas die de indianen uit het Guaporé-gebied maken. Hij is meestal gemaakt van vezels van het blad van de buriti- of tucumpalm. Omdat de marico een opmerkelijk attribuut is dat alle volken in deze streek intensief gebruiken, omschrijven Braziliaanse antropologen deze volken in de vakliteratuur wel als het *complexo do marico*.

Menina: meisje.

Morerê: 'mooi, goed' in het Kanoê.

Mototaxi: motor met een betalende passagier achterop. In heel Brazilië, inclusief in de sloppenwijken van de grote steden, is de mototaxi het goedkope alternatief voor een taxi. Op het platteland is er vaak niets anders dan de mototaxi, de bus of de laadbak van een vrachtwagen voor degene die betaald openbaar wegvervoer zoekt.

Mulata: mulattin. Een afstammeling van een neger(in) en een blanke, of een persoon met een huidskleur en zichtbaar negroïde trekken.

Mutum: fazantachtige zwarte vogel. Populair bij de indianen omdat mutumveren heel geschikt zijn voor pijlen.

Onça: jaguar. In het Braziliaanse regenwoud komen twee soorten jaguars voor. De onça pintada (de gevlekte jaguar) en de onça preta (zwarte jaguar).

Paca: middelgroot knaagdier met roodachtige of bruine vacht en witte strepen. Solitair dier dat vooral 's nachts actief is en verwant is aan de kleinere agoeti.

Pacova: bananenboom. Bladeren van de pacova zijn als bootjes, langgerekt en halfrond en daarom geschikt om als bord te gebruiken of voedsel in te rollen.

Pajé (spreek uit: pazjee): medicijnman van een groep indianen. Degene die na het snuiven van rapé in contact met de geestenwereld treedt. De pajé is van cruciaal belang omdat hij de groep moet beschermen tegen het kwaad.

Paranoot: zeer harde, bruine en grote noot die wij kennen onder de naam paranoot maar die ook verkocht wordt als brazielnoot. De boom die paranoten draagt is opmerkelijk hoog en staat vaak eenzaam midden op weilanden in ontboste gebieden. Hij mag niet gekapt worden in Brazilië. De boom is genoemd naar de deelstaat Pará, waar hij veel voorkomt.

Pataua: palmboom.

Picada: opengekapt pad in het bos. De meeste picadas worden aangelegd door houthakkers.

Pistoleiro: huurmoordenaar, bewaker.

Posseiro: landloze Braziliaan die een stuk onontgonnen grond in gebruik heeft genomen. Als hij het langer dan vijf jaar verbouwt kan hij bij de rechtbank een eigendomstitel vragen. De meeste posseiros doen dit niet omdat ze niet weten dat het kan of hoe het moet, of omdat ze het geld voor de leges en eventueel een advocaat niet hebben of ertegen opzien.

Pupunha: palmboom met op de stam veel lange, zwarte naalden die de indianen gebruiken. De pupunha wordt ook gekapt omdat de toppen als palmiet worden gegeten.

Quati: wasbeerachtig zoogdier.

Queixada: een van de twee wildzwijnsoorten die van nature in de Amazone voorkomen.

Rapé: snuiftabak die gemaakt kan zijn van tabaksbladeren, maar ook van andere bladeren, fijngestampte noten of angico-zaad.

Retiro: nederzetting op het terrein van een fazenda bestaand uit (meestal) enkele houten huizen voor cowboys en ander personeel en een kraal voor het vee.

Seu: meneer, gebruikt in combinatie met een voornaam. Het is een beleefde aanspreekvorm.

Sertanejo: Braziliaanse versie van country-and-westernmuziek.

Sertanista: tot de negentiende eeuw een kenner van de sertão, de woeste binnenlanden van Brazilië, die uit het oerwoud kruiden, huiden, veren en andere goederen haalde om te verkopen. De sertanistas in de koloniale tijd verkochten ook indianen als slaven. Daartoe gebruikten ze vaak een stam waarmee ze hadden aangepapt. Die moest dan slaven vangen bij een andere stam. In de twintigste eeuw is de sertanista degene die contact legt met geïsoleerde indianen. In de Funai-bureaucratie wordt het predikaat strikt genomen gereserveerd voor een indigenist die in het verleden heeft meegedaan aan diverse contactexpedities en door minstens twee andere sertanistas is voorgedragen. Aangezien er nu steeds minder geïsoleerde indianen zijn en nauwelijks meer contactexpedities is de sertanista een snel uitstervend ras.

Sertão: tot in de negentiende eeuw de term waarmee het achterland, onherbergzaam en woest in de ogen van de kustbewoners, werd aangeduid. Nu worden met de sertão de droge en doodarme binnenlanden in Noordoost-Brazilië bedoeld.

Sulistas: mensen afkomstig uit het zuiden (Sul) van Brazilië.

Surucina: indiaanse aardappel.

Tacana: neussieraad dat de Matis-indianen door een gat in hun neusbrug dragen.

Taioba: wortelgewas dat smaakt als spinazie.

Tapir: goedmoedige blaadjeseter en familie van de neushoorn. Een van de oudste zoogdieren ter wereld en bedreigd met uitsterven. De tapir behoort tot de onevenhoevigen, wordt ongeveer twee meter lang en kan tot 300 kilo wegen. Hij oogt als een kleine, bruinharige pony, maar heeft een varkensachtige kop met een korte slurf waarmee hij in de aarde wroet en blaadjes van takken trekt. De tapir is solitair en 's nachts actief.

Taquara: bamboe, door de indianen gebruikt voor fluiten en voor hun pijlen.

Tarüpa: naam die de Tupari-indianen gaven aan de blanken. De Tupari dachten dat de blanken incorporaties van slechte geesten waren en gebruikten Tarüpa als eigennaam voor dit volk van slechte geesten.

Terra Indígena: indianenreservaat. Vaak wordt eraan gerefereerd als T I. Letterlijk betekent het 'Inheemse Grond'. Naast het Terra Indígena kent Brazilië ook het Parque Indígena, 'Inheems Park'. In het park leven diverse indianenvolken. Indianen zijn geen eigenaar van de grond, maar hebben het eeuwig gebruiksrecht van de grond die hun historisch toebehoorde. Op basis van antropologische studie wordt vastgesteld wat hun jacht- en woongebied was.

Tutu: 'gat maken' in het Mekens.

Urucum (ook wel urucu): plant met pulp rond de zaadjes die een rode kleurstof geeft. De indianen gebruiken urucum om hun gezicht en lichaam maar ook keramiek mee te beschilderen. Tegenwoordig wordt urucum toegepast in de voedingsindustrie, maar ook bij productie van cosmetica, in de textielindustrie en bij geneesmiddelen. Meestal ter vervanging van synthetische kleurstof.

Witlippekari (*queixada* in het Portugees): een van de twee wildzwijnsoorten die van nature in de Amazone voorkomen.

Tijdbalk

1984
Houthakkers worden op het terrein van de Fazenda Yvipitã in de gemeente Corumbiara door onbekende indianen met pijlen beschoten

1985
Marcelo ontdekt op de Fazenda Guarajús, die om een vrij-van-indianenverklaring heeft gevraagd, een stropersgat, gemaakt door indianen, en bij de Fazenda Yvipitã verse sporen. (september)

Marcelo ontdekt bij een tweede bezoek vernielde hutten, akkers en patroonhulzen op de Fazenda Yvipitã. (oktober)

1986
Een landarbeider tipt Marcelo dat Antonio José Junqueira Vilela, eigenaar van de Fazenda Yvipitã, van plan is zijn gehele terrein te ontbossen. (januari)

Een gebied van meer dan 63 900 hectare in de gemeentes Colorado d'Oeste en Corumbiara wordt op verzoek van de Funai door de rechter tijdelijk tot verboden toegang verklaard. Op twaalf fazendas, waaronder Yvipitã, mag niet meer ontbost worden in verband met een onderzoek van de Funai naar mogelijk daar rondzwervende indianen. (april)

Antonio José Junqueira Vilela zet ondanks het toegangsverbod 400 houthakkers aan het werk. (juni)

Sydney Possuelo vindt geen sporen van indianen. (juli)

Het toegangsverbod wordt opgeheven. (december)

1987
De Funai creëert na ampel debat onder sertanistas een apart departement Geïsoleerde Indianen.

1988
Marcelo en Altair speuren op eigen gelegenheid verder naar de onbekende indianen.

1990
De Kanoê-indianen vluchten vermoedelijk rond deze tijd naar het bos op de rechteroever van de Omerê waar de Akuntsu rondzwerven en waar zij uiteindelijk door Marcelo worden aangetroffen.

1993

Eerste tips over de aanwezigheid van onbekende indianen op het terrein van de Fazenda São Sebastião in Corumbiara.

1994

Marcelo wordt benoemd als coördinator voor Geïsoleerde Indianen in de deelstaat Rondônia.

Hij onderneemt verschillende tochten en vindt weer verse sporen. (juni en augustus/september)

1995

Voor het eerst beschikken Marcelo en Altair voor hun expedities over satellietbeelden.

Indianen (de Kanoê) stelen spullen uit een retiro van São Sebastião. (juni) Bloedbad bij ontzetting van de Fazenda Elina in Corumbiara die door landlozen en hun gezinnen bezet was gehouden en waarbij de eigenaar van de Fazenda São Sebastião een rol speelt. (augustus)

Marcelo en Altair vinden een bewoonde hut op het terrein van de Fazenda São Sebastião. (augustus)

Contact met eerste twee Kanoê. (september)

Contact met andere twee Kanoê en vervolgens met de zeven Akuntsu-indianen die 2 kilometer verderop wonen. (oktober)

Rechter decreteert beslag op een gebied van 51 000 hectare in het stroomgebied van de rivieren Omerê en Corumbiara ten bate van de indianen (langste lengte: 145 kilometer). (november)

1996

De Funai stelt op basis van het antropologische rapport een reservaat voor van 51 000 hecare. Twaalf fazendeiros krijgen bericht dat zij mogelijk een stuk grond kwijtraken en kunnen protesteren. (juli)

Marcelo krijgt tips over andere indianen in het bos bij de Tanaru-rivier en ontdekt op het terrein van de Fazenda Modelo twee hutten. (augustus)

Op nieuwe expedities op het terrein van de Fazenda Modelo ontdekt Marcelo een hut met twee gaten, veertien andere gaten en een moestuin die door een tractor vernield zijn. (september)

De Kanoê Txinamanty baart haar eerste zoon, Operá. (september)

Het terrein van de Fazenda Modelo wordt drie maanden verboden toegang verklaard in verband met een zoektocht naar de nieuwe, onbekende indianen. (oktober)

Mijn eerste bezoek aan de post Omerê. (oktober)

Marcelo ziet een naakte indiaan en een nieuwe hut waar de indiaan naar binnen rent bij de Tanaru-rivier. Twee uur blijft Marcelo voor de hut zitten maar de indiaan weigert contact. (december)

1997

De Akuntsu vermoorden de Kanoê Wajmoró (april) en verdwijnen spoorloos.

Marcelo en Altair vinden op het terrein van de Fazenda União, belendend aan Fazenda Modelo, meerdere, nieuwe hutten van de onbekende 'indianen van het gat'.

1998

Marcelo vindt de Akuntsu en zij besluiten terug te keren naar hun oude dorp. (mei)

Een veldmedewerker ziet tijdens een expeditie bij de Tanaru-rivier opnieuw een naakte indiaan door het bos rennen en er wordt een nieuwe hut gevonden op het terrein van de Fazenda Modelo. Marcelo laat de these van vader en zoon bij de Tanaru varen en rapporteert in zijn verslag voor het eerst over 'vermoedelijk één indiaan' die teruggekeerd is naar de Fazenda Modelo. (juni)

De 'indiaan van het gat' blijkt een nieuwe hut te hebben gebouwd op het terrein van de Fazenda Socel, die ook grenst aan de Fazenda Modelo. (juni)

De jongste dochter van de Akuntsu overlijdt als ze tijdens een storm door een omvallende boom wordt geraakt. Babá wordt met een verbrijzeld been naar het ziekenhuis in Cuiabá afgevoerd en geopereerd.

Rechter decreteert een toegangsverbod voor circa 5000 hectare van de Fazenda Socel opdat de Funai contact kan leggen met de onbekende 'indiaan van het gat'. (november)

1999

Een technische commissie van de Funai vindt dat de Kanoê en de Akuntsu niet zoveel grond nodig hebben en halveert het voorgestelde reservaat op papier.

Altair, Marcelo en Vincent treffen de 'indiaan van het gat' tijdens een expeditie in zijn hut en beleggen tevergeefs een zes uur durende sessie voor zijn deur. Vincent wordt door de indiaan met een pijl beschoten. (augustus)

2000

De 'indiaan van het gat' neemt diverse malen door de Funai achtergelaten cadeaus weg. Tijdens een expeditie hoort Altair hem werken. (oktober)

Mijn tweede bezoek aan de Kanoê en Akuntsu. Expeditie met Altair naar de hut van de 'indiaan van het gat'. Cadeaus zijn door de indiaan geweigerd. (november)

2001

Txinamanty baart een tweede zoon, Kani.

2002

Het reservaat van de Kanoê en Akuntsu wordt in de staatscourant afgekondigd.

De 'indiaan van het gat' lijkt spoorloos verdwenen. Nooit worden er meer sporen gevonden.

2003

Twee Kanoê, de kleine Operá en Tutuá, sterven door een onbekende oorzaak. (februari)

Twee veldmedewerkers, Adriano en Sidnei, vinden na lange tijd nieuwe sporen op het terrein van de Fazenda Socel en treffen de 'indiaan van het gat' in een nieuwe hut. Ze vertrekken na achterlating van cadeaus omdat zij vrezen door hem aangevallen te worden. (augustus)

Mijn derde bezoek aan de Kanoê en Akuntsu. Expeditie met Moacir naar weer een nieuwe hut van de 'indiaan van het gat'. (oktober)

2004

Afbakening van het reservaat van de Kanoê en Akuntsu begint.

2005

Afbakening van het reservaat van Kanoê en Akuntsu afgerond.

De 'indiaan van het gat' wordt opnieuw verrast in zijn hut door medewerkers van de Funai die op zoek naar hem zijn, hij verwondt met een pijl een van hen en vlucht.

Mijn vierde bezoek aan de Kanoê en Akuntsu. (november/december)

2006

Het reservaat van de negen Kanoê en Akuntsu wordt door de president van Brazilië bekrachtigd. Daarmee is het Inheemse Land Omerê een onomkeerbaar feit geworden.

De 'indiaan van het gat' is opnieuw getraceerd.

Literatuur en sites

LITERATUUR

Bacelar, Laércio Nora, *Gramática da língua Kanoê; Descrição gramatical de uma língua isolada e ameaçada de extinção, falado ao sul do Estado de Rondônia, Brasil.* Proefschrift Katholieke Universiteit Nijmegen, Nijmegen, 2004.

Becker-Donner, Etta, *Notizen über einige Stämme an den rechten Zuflüssen des Rio Guaporé. Archiv für Völkerkunde, Band x.* Wilhelm Braumüller Universitäts-Verlag GmbH, Wenen, 1955.

Caspar, Franz, *Tupari. Unter Indios im Urwald Brasiliens.* Friedr. Vieweg & Sohn, Braunschweig, 1952.

Caspar, Franz, *Die Tupari: ein Indianerstamm in West-Brasilien.* Walter de Gruyter. Monographien zur Völkerkunde. Hamburgisches Museum für Völkerkunde vii, Berlin/ New York, 1975.

Davis, Shelton, *Victims of the Miracle. Development and the Indians of Brazil.* Cambridge University Press, Cambridge, 1977.

De Castro Faria, Luiz, *Um Outro Olhar. Diário da Expedição a Serra do Norte.* Editora Ouro sobre Azul, Rio de Janeiro, 2001.

Diamond, Jared, *Guns, Germs and Steel. The fates of Human Societies.* Norton & Company, New York, 1999.

Fausto, Carlos, *Os índios antes do Brasil.* Jorge Zahar Editor, Rio de Janeiro, 2000.

Hemming, John, *Die If You Must. Brazilian Indians in the Twentieth Century.* Pan Books, Londen, 2004.

Lévi-Strauss, Claude, *Het trieste der tropen.* Atlas, Amsterdam, 2004 (*Tristes tropicos.* Ediciones Paidos, Barcelona, 1988).

Maldi Meireles, Denise, *Guardiães da Fronteira: Rio Guaporé, século xviii.* Editora Vozes, São Paulo, 1989.

Maldi, Denise, *O Complexo Cultural do Marico: Sociedades Indígenas dos Rios Branco, Colorado e Mequens, Afluentes do Médio Guaporé.* Boletim do Museu Paraense Emílio Goeldi, Antropologia 7 (2), Belém, 1991.

Mann, Charles C., *1491: New Revelations of the Americas before Columbus*. Alfred A. Knopf, New York, 2005.

Melatti, Julio Cezar, *Índios do Brasil*. HUCITEC – Editora da Universidade de Brasília, Brasília, 1993 (7).

Price, David, *Before the bulldozer. The Nambiquara Indians & The World Bank*. Seven Locks Press, Cabin John, MD/Washington, DC, 1989.

Ribeiro F.M. da Costa, Anna Maria, *Senhores da Memória. Uma história do Nambiquara do cerrado*. Unicen Publicações, Cuiabá, 2002.

Ribeiro, Darcy, *Os índios e a civilização. A integração das populações indígenas no Brasil moderno*. Companhia das Letras, São Paulo, 1996.

Rondon, Candido M. da S., *Índios do Brasil – do Centro, Noroeste e Sul de Mato Grosso, Vol. 1*. Ministerio de Agricultura, CNPI, Rio de Janeiro, 1946.

Roosevelt, Theodore, *Through the Brazilian Wilderness*. Charles Scribner's Sons, New York, 1920.

Povos Indígenas no Brasil, 1996-2000. Vários colaboradores. Instituto Socioambiental, São Paulo, 2000.

SITES

(NB Tenzij anders vermeld zijn de sites uitsluitend in het Portugees.)

earth.google.com   Engelstalige site van Google waarmee het mogelijk is in te zoomen op bijvoorbeeld Corumbiara en omgeving. De stukken overgebleven bos zijn groen. Het reservaat van de Akuntsu en Kanoê is te vinden op S.12.49' en W. 61.06' ; het bos van de 'indiaan van het gat' ligt daar iets ten noorden van. De Funai verstrekt geen coördinaten om de veiligheid van de indiaan niet in gevaar te brengen.

www.estadão.com.br/villasboas/   site van het Braziliaanse dagblad *Estado de São Paulo* met allerlei interessante teksten over de in 2002 overleden sertanista Orlando Villas-Bôas en zijn werk.

www.amazonia.org.br   site van de Braziliaanse afdeling van de organisatie Friends of the Earth. Een van de beste sites waar veelsoortige informatie over de Amazone bijeen staat. Heeft ook handige links en een Engelstalige versie.

www.brasiloeste.com.br   interessante site over de Amazonedeelstaat Pará en het Xingu-park van studenten Journalistiek uit Brasília die in 2001 de belangrijkste grote expeditie van de sertanistas Villas-Bôas uit de jaren veertig overdeden en sindsdien deze site trouw opfrissen met verhalen, foto's en een goede, actuele nieuwsbrief over de misstanden, indianen, interessante personages maar ook mooie landschappen die zij tegenkwamen.

www.cimi.org.br   site van de missieraad van de Braziliaanse katholieke bisschoppen die zich bezighoudt met indianen. Cimi is links en militant;

voert fel campagne voor afbakening van indianenreservaten. Hoewel ge-kleurd misschien wel de beste site als het om actueel nieuws over indianen gaat. Handig ook voor wetteksten en om te volgen wat de Braziliaanse politiek en rechters doen aan inheems beleid. Veel foto's en ook een video-archief met flitsen uit Braziliaanse tv-journaals over indianen. De Engelstalige nieuwsbrief is een uitgeklede versie van de Braziliaanse.

www.coiab.com.br gemeenschappelijke site van diverse inheemse organisaties uit het Amazonegebied. Saai maar nuttig voor het agendawerk en om verklaringen van organisaties terug te vinden.

www.funai.gov.br site van het regeringsbureau voor indianenzaken. Veel persverklaringen en aankondigingen. En bescheiden teksten over indianen in Brazilië, hun herkomst en samenstelling.

www.greenpeace.org.br site van de Braziliaanse Greenpeace. Aangezien Greenpeace de campagne tegen soja in het Amazonegebied aanvoert, veel informatie over soja en ontbossing, inclusief een film over het onderwerp.

www.ibama.gov.br site van het Braziliaanse bureau voor milieu-inspectie. Niet erg opwindend, maar wel nuttig voor informatie over milieuwetten en de ecosystemen van Brazilië.

www.ibge.gov.br site van het Braziliaanse bureau voor statistiek met daarin onder meer een tijdsbalk en de bevolkingsgroei de afgelopen vijfhonderd jaar.

www.inekeholtwijk.nl Nederlandstalige site van auteur met filmpjes en meer foto's van de Akuntsu en Kanoê en links over het onderwerp.

www.inpa.gov.br site van het onderzoeksinstituut van de regering voor de Amazone in Manaus. Geeft een aardig idee van hoeveel onderzoek er in de Amazone wordt gedaan en hoe divers het is.

www.inpe.br site van het Braziliaanse instituut voor ruimteonderzoek. Dé site voor wie de laatste informatie wil hebben over ontbossing in het Amazonegebied. Onder de titel Amazonia staan de data van de satelliet Landsat over de regio.

www.korubo.com Engelstalige site van de Zweedse filmmaker Erling Söderström, die Sydney Possuelo vergezelde toen deze contact legde met de Korubo. De site heeft onder meer filmpjes van de Korubo, een liedje van de Matis en een interview met Sydney Possuelo.

www.michelpellanders.nl Nederlandstalige site van een Nederlandse fotograaf die veel en prachtige foto's maakte van Braziliaanse indianen, onder meer van de Kayapó en de Matis.

www.mma.gov.br site van Braziliaanse ministerie van Milieu. Ook hierop staan gegevens over ontbossing.

www.museu-goeldi.br ietwat kale site van het Goeldi-museum in Belém, waar veel en interessant onderzoek wordt gedaan naar de flora, fauna en inheemse talen van de Amazone.

www.museudoindio.org.br   site van het Museum van de Indiaan in Rio de Janeiro die de mogelijkheid biedt tot elektronisch archiefonderzoek. Heeft een Engelstalige versie.

www.ru.nl/cls/   de Engelstalige site van het talenstudiecentrum van de Radboud Universiteit in Nijmegen waaraan linguïst Hein van der Voort verbonden is. Een korte beschrijving van zijn onderzoek naar inheemse talen en dat van andere linguïsten in Brazilië en Bolivia is te vinden onder het kopje 'research programmes' en dan 'language in time and space'. Een interview met Hein van der Voort, gepubliceerd in het tijdschrift *Onze Taal*, is terug te lezen op www.vanoostendorp.nl/linguist/rondonia.html

www.socioambiental.org   site van het Instituto Socioambiental waarop allerlei informatie over de Amazone maar ook over indianen te vinden is. De beste site als het gaat om indianen. Hierop staat ook de onvolprezen en tweetalige elektronische encyclopedie over alle in Brazilië gesignaleerde indianenvolken (*Enciclopédia dos Povos Indígenas*) met daarin een apart hoofdstukje gewijd aan alle geïsoleerde indianen in Brazilië. En onder 'library' en vervolgens 'maps' staat een interactieve kaart van Brazilië waarop alle indianenreservaten zijn ingetekend. De kaart is helaas alleen in het Portugees. Direct surfen naar de kaart kan via http://200.170.199.243/website/TerraIndigenaNovo/viewer.htm

www.videonasaldeias.org.br   site van filmmaker Vincent Carelli, gespecialiseerd in documentaires over en met indianen.

www.wwf.org.br   site van de Braziliaanse afdeling van het Wereldnatuurfonds. De site is klein maar heeft een aardig overzicht van de actuele milieukwesties in Brazilië en kaarten van ecosystemen.

Verantwoording en dankwoord

Rooksignalen is een compositie van eigen ervaringen en een reconstructie. De ervaringen deed ik op tijdens vier bezoeken aan Zuid-Rondônia en een expeditie elders in het Amazonegebied waarbij ik de sertanistas Sydney Possuelo en Chico Meirelles vergezelde. Voor de reconstructie van de zoektochten van Marcelo heb ik geput uit de vele veldverslagen van de Funai, interviews met Marcelo, Altair en Vincent, videobeelden die Vincent draaide tijdens de expedities, archiefmateriaal van het Instituto Socioambiental (ISA) in São Paulo en regionale kranten. Ten bate van de leesbaarheid heb ik soms personen niet vermeld die wel aanwezig waren, gesprekken samengevoegd of de volgorde van gebeurtenissen gewijzigd. Natuurlijk heb ik dat alleen gedaan als het geen invloed had op de inhoud.

Alles over het ziekenhuisbezoek van Babá werd mij verteld door Amélia, de verpleegster. Het verhaal over de Akuntsu die voor het eerst op het kampement in de auto stappen is afkomstig uit een verslag van de Funai en gefilmd door Vincent. Het verslag van het eerste bezoek van Pupak aan het kampement komt ook uit een veldverslag. Ook Vincent vertelde me over de animositeit tussen de Kanoê en Akuntsu. Uren durende snuifsessies met dansen en zingen van Txinamanty en Babá, inclusief die waarin zij het haar van de Akuntsu knipt, zijn door hem gefilmd en door mij bekeken. De citaten uit gesprekken van Babá met Passaká en de Kanoê met hun tolken over hoe ze tegen de andere indianen aankijken heb ik overgenomen van uitgeschreven en vertaalde teksten van de video's.

Vincent was ook veelvuldig van de partij bij expedities om contact te leggen met 'de indiaan van het gat', waardoor het mogelijk was cruciale momenten terug te zien op video. Zoals de keer dat Altair met tolk Munuzinho uren voor de hut zat toen de indiaan daarbinnen was, en het andere zes uur durende 'beleg' waarbij een pijl rakelings langs de camera schoot.

Voor de historische hoofdstukken 7 en 8, de geschiedenis van indianen in Brazilië en het verleden van Rondônia heb ik behalve de geciteerde bronnen ook veel gebruikgemaakt van de historicus John Hemmings indrukwekkende *Die If You Must*, antropologe Denise Maldi's *Complexo do Marico*, maar ook van de inleiding van het proefschrift van Laércio Bacelar over het Kanoê, de antropologische verslagen die Virginia Valadão maakte voor de Funai over de Akuntsu en de Kanoê en kranten en tijdschriften vanaf de jaren veertig.

De linguïst Hein van der Voort, die ik halverwege mijn onderzoek ontmoette, maakte mij attent op boeken en deelde ruimhartig zijn kennis over het verleden en zijn contacten met mij. De antropologen Beto Ricardo en Fany Pantaleoni van het ISA, gedreven specialisten in het onderwerp en mensenrechtenactivisten van het eerste uur, gaven mij nuttige interviews. Júlio Olivar, journalist in Vilhena en auteur van een historisch boek, was mijn gids in de wereld achter het nieuws in Vilhena. Ingenieur Victor Dequech, met zijn fenomenale geheugen en netwerk, bleek bereid feiten die niets met zijn maar alles met mijn verhaal te maken hadden te checken.

In de loop der jaren heb ik veel pioniers, grootgrondbezitters, landarbeiders, vakbondsleden en oud-medewerkers van de Funai gesproken. Dat alles vergrootte mijn inzicht in de turbulente jaren van de ontginning (1960 tot eind jaren tachtig) en leverde kleurrijke details en soms interessante feiten op. Namen van bronnen heb ik alleen genoemd als het me relevant leek. En in twee gevallen heb ik de naam weggelaten omdat de personen in kwestie daar zelf om vroegen; zij werken nog steeds voor grootgrondbezitters en vreesden represailles.

De schrijfwijze van de eigennamen van indianen is net als die van hun volk arbitrair. Het mag in plaats van Kanoê ook Canoê zijn en Akunt'su in plaats van Akuntsu, enzovoort. Ik heb steeds voor de meest gangbare spelling gekozen. De Portugese woorden staan de eerste keer dat ze voorkomen cursief met de vertaling of uitleg er meteen bij maar zijn ook terug te vinden in de verklarende woordenlijst. Als ik het woord in het meervoud gebruik, heb ik het Portugees aangehouden.

Tal van personen hebben een rol gespeeld bij de totstandkoming van dit boek en hun ben ik zeer dankbaar. Een aantal van hen wil ik graag noemen. In de allereerste plaats alle medewerkers van de Funai die ik door de jaren heen heb meegemaakt op de post Omerê en in Vilhena. Voor mijn veldwerk heb ik bijzonder veel hulp gehad van de drie Funai-chefs ter plekke: Marcelo dos Santos, José Altair Algayer en Moacir Melo. Zij schuwden nooit een vraag en hielpen me bij mijn onderzoek met een inzet die veel verder ging dan wat een gewone dienstopdracht veronderstelde. Zelfs toen ze niet meer in Rondônia werkten, stonden ze klaar en waren ze bereid mee te denken. Ik ben hun daarvoor zeer erkentelijk, temeer omdat ik uit ervaring weet hoeveel inspanning zelfs een simpel telefoontje naar de buitenwereld kan kosten als je in de binnenlanden zit.

Dankzij de geweldige en niet-aflatende hulp van Sydney Possuelo, die de afdeling Geïsoleerde Indianen leidde, kon ik zonder problemen altijd naar het afgesloten gebied toe. Sydney bleek verder op ieder uur van de dag – en nacht als dat zo uitkwam – een buitengewoon inspirerende en interessante gesprekspartner over indianen. Plaatsvervanger Manuela sprong altijd zeer adequaat in als Sydney in het veld was. Vincent Carelli ontving mij gastvrij enkele dagen in zijn studio in Olinda in Noordoost-Brazilië, opdat ik zijn indrukwekkend grote videoarchief over de Akuntsu en Kanoê kon doorkijken.

Bij het schrijven ben ik verder veel verschuldigd aan Johannes (Hans) van Leeuwen, hoofd van de afdeling Agroforestry van de prestigieuze overheidsinstelling INPA (Instituto Nacional de Pesquisas de Amazonia) in Manaus, die mede dankzij meer dan dertig jaar veldervaring een rondwandelende encyclopedie is over alles wat plant en mens betreft in het Amazonegebied. Hij behoedde mij voor missers en zijn niets-ontziende oog en eeuwig vragende geest hielden mij scherp.

Tony van der Meulen en Cilia Daatselaar wil ik danken voor hun steun door alle jaren heen en de toewijding waarmee ze het boek-in-wording in de eerste en laatste fase hebben gelezen en becommentarieerd. Ook archeoloog Erik Lambooy las een deel van het manuscript,

367

en ik heb mijn voordeel gedaan met zijn kritische geest en taalgevoeligheid. Het potlood van Emile Brugman was streng, maar de uitgever zelf warmhartig en zijn enthousiasme voor het boek ervoer ik keer op keer als een enorme steun in de rug.

Rooksignalen is geredigeerd in het huis van vriendin en collega Hanneke Boonstra, die mij in Groningen met open armen ontving en vele weken lang een discrete, doch meelevende gastvrouwe bleek. Kortom, kandidaat met stip voor de prijs van de beste *Writer's Retreat* van de Lage Landen.

Het Fonds voor Bijzondere Journalistieke Projecten en in het bijzonder Geke van der Wal, die mij vele jaren geleden een reissubsidie deden toekomen, wil ik daarvoor, maar eveneens voor het geduld danken. Verder wil ik de onvolprezen linguïst Hein van der Voort ook in deze laatste regel nog even noemen – en danken natuurlijk – vanwege de prachtige foto's die hij afstond voor *Rooksignalen*.